GA
JO
SS

ELŻBIETA BANIEWICZ

GAJOS

WYDAWNICTWO MARGINESY

PO CO SIĘ GRA?

„Człowiek rodzi się aktorem, tak jak rodzi się księciem. Nie gra się po to, żeby zarabiać na życie, tylko gra się po to, żeby kłamać. Żeby siebie okłamywać" – mówi wielki angielski tragik Edmund Kean w sztuce Aleksandra Dumasa i Jeana Paula Sartre'a. „Gra się dobrych, bo jest się złym, świętych, bo jest się podłym, morderców, ponieważ jest się kłamcą z urodzenia. Gra się, ponieważ się siebie nie zna, i gra się, ponieważ się siebie zna za dobrze. Gra się, ponieważ kocha się prawdę, i gra się, ponieważ się prawdy nienawidzi. Gra się, ponieważ zwariowałoby się, nie grając". Być aktorem to kłamać czy odwrotnie – ujawniać?

„Czym jest talent aktorski? – pytał Jean Jacques Rousseau w *Liście o widowiskach*. – Sztuką przedzierzgania się w innego człowieka, przybierania innego charakteru, udawania, że jest się innym, niż się jest naprawdę, [...] mówienia innych rzeczy, niż się myśli – i to z taką naturalnością, jakby się je myślało naprawdę; sztuką zapominania wreszcie własnego miejsca w życiu, gdy się zajmuje miejsce innego człowieka".

Być aktorem to znaczy kłamać naprawdę, doskonale. Ale też w sztucznych, wymyślonych warunkach mówić szczerze, pokazywać cechy, jakich się zwykle wstydzimy. Publicznie staramy się wydać lepszymi, szlachetniejszymi, niż jesteśmy w istocie. Aktor zaś to ktoś, kto ma odwagę odkrywać prawdę o zawiłościach ludzkiej natury, ujawniać pokłady zła i niespodziewane pokłady dobra. Jego zawód daje szansę bezkarnego spróbowania wielu losów, zmierzenia się z okolicznościami, jakich w życiu nigdy by nie dotknął. Czy jest to zawód twórczy, czy odtwórczy? Aktorstwo jest albo dobre, albo złe. Amen.

W czym tkwi tajemnica tego zawodu, nie potrafią powiedzieć najstarsi filozofowie. Poglądy i teorie, od starożytności po czasy nam współczesne, można ułożyć w wiele opasłych tomów, co wcale nie gwarantuje rozwiązania zagadki. Jak można nazwać coś, co jest nieuchwytne, zadziwiające? Czy ten moment przemiany w kogoś innego to bycie choćby przez chwilę kimś innym? Moje ciało, moje gesty, miny, ruchy, ale człowiek na scenie to nie ja. Ale i ja także. Ja to ktoś inny. Ktoś inny to ja. W jednym ciele różne dusze. Słowem, jakieś szalbierstwo. Ale czyje – aktora, pisarza czy widza? Duszy czy charakteru? Nie ma reguł i właściwie nie ma metody. Bo nie ma sposobu, by ktoś był lub stał się wybitnym albo genialnym aktorem. Można nauczyć techniki, zachowań scenicznych, można też wyćwiczyć samoświadomość, ale talentu, tego szczególnego widzenia świata i człowieka, które porusza innych, przekazać nie sposób. To coś dostaje się od mamy i taty, natury albo Pana Boga – jak kto woli. Sprawiedliwości w sztuce nie ma, tu nikt nie dostaje po równo, czy się to komuś podoba, czy nie.

Czym jest talent albo geniusz? Opisać talent aktora to opisać nieznane przez nieznane. A jednak każdy z nas odróżni dobrego aktora od beztalencia. Jak? Na tego dobrego się patrzy i się go słucha, on spośród wielu przykuwa uwagę. Jest prawdziwy, wiarygodny – mówimy wtedy. A przecież to znaczy, że potrafił nas oszukać tak doskonale, byśmy uwierzyli w fikcję, jaką stworzył. Powołał do życia żywego człowieka, byt nie rzeczywisty, lecz tylko prawdopodobny. Odpowiadający naszemu (społecznemu) wyobrażeniu prawdy. Zgodny z wrażliwością tych, którzy zechcieli się poddać uprawdopodobnionej fikcji, zdolnej odsłonić więcej niż własne doświadczenie. Kłamstwo na scenie posługuje się dramatyczną zasadą kondensacji i kontrastu.

Aktor także się nią posługuje. Świadomie dobiera gesty, mimikę, sposób chodzenia, mówienia, tembr głosu. Jak każdy twórca posługuje się w swej pracy określoną formą. Dlatego tak ważny pozostaje repertuar dramatyczny napisany w różnych epokach i pod wieloma szerokościami geograficznymi, gdyż jest zapisem ludzkiego doświadczenia w niewyczerpanym właściwie zasobie form. Każdy widzi świat w niepowtarzalny i zawsze subiektywny sposób – zatem ilu autorów, tyle sposobów przedstawiania świata. Inaczej przecież zachowuje się aktor w sztuce Szekspira, inaczej w dramacie romantycznym Mickiewicza czy Słowackiego, jeszcze inaczej w komedii Fredry czy realistycznej sztuce Zapolskiej i tak dalej – po Gombrowicza, Mrożka, Różewicza, o Czechowie, Ibsenie czy ostatnio modnej Sarah Kane nie zapominając. Aktor, podejmując się roli, za każdym razem wchodzi w inny kosmos doznań i aurę myśli autora, a tym samym w inną formę wyrażania świata. Od jego wrażliwości zależy, czy konwencję dramatu odczyta trafnie, czy błędnie; czy będzie potrafił wyrazić ją lepiej lub gorzej od swych poprzedników – wiele ról należy do kanonu dramatycznego, odnawianego przez każde pokolenie. Liczba form, w jakich aktor potrafi się odnaleźć, świadczy o jego szerokim lub wąskim emploi. Wyjątkami są aktorzy wszechstronni, tacy potrafią zagrać wszystko. To tak, jakby pianista potrafił grać Chopina, Brahmsa tak samo dobrze jak jazz, bluesa czy ludowe przyśpiewki. W muzyce to nierealne; w aktorstwie tacy mistrzowie się zdarzają, ale rzadko.

Wspólnym mianownikiem rozważań o aktorstwie pozostaje przekonanie, że jest to sztuka najbardziej ulotna i najbardziej podejrzana. Ulotna, ponieważ dzieje się tylko tu i teraz, nie ma przeszłości ani przyszłości. Podejrzana, ponieważ narzędzie (ciało aktora) jest tożsame z dziełem sztuki (kreacją sceniczną), inaczej nie istnieje. Zatem połączenie ciała i wyobraźni, fikcji i biologii tworzy byt tyleż rzeczywisty, ile zmyślony.

Z powyższego wynika wniosek o specyficznym statusie aktorstwa. Skoro nie ma przyszłości, nie można odnieść za grobem zwycięstwa, jak to się zdarzyło niejednemu malarzowi, pisarzowi czy kompozytorowi. Jeśli aktora nie docenią współcześni, to i potomkowie nie oddadzą mu sprawiedliwości. Tak jest i będzie nawet w epoce coraz doskonalszych technik zapisu; aktor należy do publiczności swego czasu, na dobre i złe. Powtórzenia aktorskiej kariery w innym kraju to wyjątki okupione morderczą pracą nad językiem obcym. Nie powiodły się rekonstrukcje wybitnych przedstawień, martwe z urodzenia, nie można bowiem wskrzesić widowni, dla której przedstawienie powstało. Bez tego szczególnego porozumienia aktora i widza, którzy odnajdują się na wspólnej płaszczyźnie wzruszeń, myśli, odczuć, nie ma żywego spektaklu. Nie może być też legendy, bo ta powstaje jako świadectwo niepowtarzalnych przeżyć.

Aktorstwo Janusza Gajosa, któremu poświęcona jest ta książka, jeśli jeszcze nie obrosło legendą, to na pewno się nią stanie. Do sukcesu doszedł on drogą nietypową. Alfred Hitchcock powtarzał, że dobry film powinien zaczynać się od trzęsienia ziemi, a potem napięcie winno rosnąć. Takim trzęsieniem ziemi dla młodego, debiutującego aktora był Janek Kos w serialu wszech czasów *Czterej pancerni i pies*, a późniejsza, raczej wyboista ścieżka do sukcesu dowodzi, że napięcie rosło. Chytrze umykał z kolejnych szufladek, w jakich próbowano go zamknąć. Można powiedzieć, że miał szczęście – w odpowiednim momencie życia spotykał właściwych ludzi. Ale szczęście spotyka zwykle tych, którzy są gotowi na takie spotkanie. Żeby wygrać na loterii, trzeba kupić los, czyli coś zainwestować. Janusz Gajos miał w sobie wielki kapitał, który potrafił wnieść do gry o własną wybitność.

GRAM RÓŻNYCH LUDZI

Kamera prowadzi Janusza Gajosa idącego długim korytarzem. Koszula bez kołnierza, sumiasty wąs, zmięty kapelusz, spodnie wpuszczone w długie buty z cholewami. Sylwetkę mocnego faceta dopełnia zdecydowany krok, wyraz zadowolenia z siebie na twarzy. Stukot butów po drewnianej podłodze miesza się z przeciągłym wyciem psa. Mężczyzna wchodzi do sali obrad sejmu, gdzie na fotelu marszałka rozsiadł się jego owczarek. Dobrotliwym słowem przywołuje zwierzę, głaszcze je przyjaźnie, wyciąga pasek ze spodni i mocno bije. Pies skowyczy z bólu.

Już ta pierwsza sekwencja charakteryzuje bohatera. Chłopski przywódca, Mateusz Bigda, za chwilę sięgnie po władzę. Jest inteligentny i przebiegły, dobrotliwy i okrutny, silny i pewny siebie. Pozbawiony skrupułów, jakie – wydawałoby się – obowiązywać powinny na szczytach władzy, ale nie chłopskiego rozsądku. Znajomość praw przyrody, instynkt biologiczny dyktują mu sposób zachowania w parlamencie – bezwzględny, cyniczny. Nie gardzi podstępem ani, gdy trzeba, pozorem dobroci. W zależności od potrzeb i interesów. Można powiedzieć, że Bigda Gajosa doskonale przejrzał naturę walki parlamentarnej, wie, że obowiązują tu prawa dżungli.

Ideologia jest tylko frazesem przykrywającym prywatne interesy osób i partii. Żadnych złudzeń – wygrywa silniejszy, szybszy, bardziej bezwzględny. Bigda w walce o władzę potraktuje swych przeciwników jak bestia: albo zwycięży, albo zostanie rozszarpany. Ekspozycja nie zostawia co do tego żadnych wątpliwości. Prawo dżungli nie omija dżentelmenów i hrabiów działających w polityce. O wygranej decyduje spryt oraz brak skrupułów.

Bigda wie, że każdy z jego przeciwników da się obłaskawić; każdy prowadzi przetarg o własną karierę. Wszyscy są do kupienia, choć do każdego trzeba zastosować nieco inny klucz psychologiczny. Jednemu trzeba obiecać stanowisko marszałka, mile łechcące próżność, innych kusić pieniędzmi, apanażami, upajającym smakiem władzy. Wobec najmniej przekupnych zastosować prowokację i szantaż. Każda metoda jest dobra. Nie bez powodu Bigda nosi przy sobie gruby portfel, w którym oprócz pieniędzy, rozdawanych wedle potrzeby własnej świcie (znakomity Krzysztof Globisz jako prywatny doradca Deptuła, chytry i lepko posłuszny), ma także dowody kompromitujące konkurentów politycznych. Wobec swoich zaufanych trzyma fason twardego faceta, który zapewnia im awanse w zamian za lojalność i posługi. Toteż śpi smacznie, wyciągnięty w butach na hrabiowskim łóżku, gdy w zakulisowych układach decydują się jego polityczne losy, bo wie, że jego ludzie wszystkiego dopilnują. Oprócz drobnych na wódkę hojnie rozdaje obietnice wysokich funkcji, ale zawsze bez świadków.

Publicznie pastwi się nad przeciwnikami. Właściciel upadającej ordynacji hrabia Lachowski (doskonały Olgierd Łukaszewicz) zniesie każde poniżenie, każde upokorzenie, by zostać prezydentem i przy okazji uratować majątek. Toteż chłopski przywódca nie szczędzi mu miłych miraży, wiele obiecuje, tyle że bez zobowiązań; traktuje jednak zgodnie z zasługami, lekceważąco. Gdy jaśnie pan hrabia w obecności wielu polityków odgania mu – rozpartemu na krześle – muchy sprzed nosa, patrzy na niego z niekłamaną pogardą.

Socjalista Mieniewski (Krzysztof Kolberger) wyprowadzi posłów własnego klubu na czas głosowania do sejmowego bufetu, aby umożliwić sformowanie rządu, na którego czele stanie sprytny, butny chłop. Nie zrobi tego bezinteresownie, w rewanżu nowy premier obiecał uratować jego bank przed plajtą. Bigda sprawę załatwił bez sentymentów, jak na bazarze – pieniądze za towar. Marszałek sejmu (Andrzej Seweryn świetnie pokazał faryzejskiego mydłka) szybko wycofa pryncypialny, jak najbardziej, wniosek o zawieszenie krzyża w sali obrad, gdy zobaczy w ręku Bigdy zdjęcia gołej panienki w apartamencie własnego hotelu. Błysk satysfakcji w jego oku wróży skandal obyczajowy, na co marszałek absolutnie nie może sobie pozwolić. Skandal sprowokowany zresztą na polecenie Bigdy przez jego ludzi, ale przecież w polityce cel uświęca środki. Nikt nie powinien mieć złudzeń, że jest to zajęcie dla moralistów.

A społeczeństwo? Doprawdy nikt z biorących udział w grze nie zamierza się nim przejmować. Zwykłych ludzi widać, ale z dużej odległości. Kamera długimi ujęciami pokazuje tłum demonstrantów pacyfikowany przez konną policję. Posłów zajętych intrygami dzieli od nich bezpieczny dystans. Wolna, nieprzekupna prasa? Owszem, istnieje „Głos Sumienia" redagowany przez

Mateusz Bigda i politycy (Krzysztof Kolberger, Olgierd Łukaszewicz, Krzysztof Globisz, Wojciech Siemion i Jerzy Łapiński). *Bigda idzie!* według powieści Juliusza Kadena--Bandrowskiego w reżyserii Andrzeja Wajdy

Mieniewskiego juniora (bardzo ideowy Mariusz Bonaszewski), zdeklarowanego piłsudczyka. Zdradzony przez ojca i brata karierowicza, po zniszczeniu drukarni przez nasłanych bojówkarzy raczej długo nie wytrzyma i wolny głos prasy zamilknie.

Przedstawienie pokazane późną jesienią w porze zarezerwowanej dla Teatru Telewizji doskonale współbrzmiało z finałem gorszącej debaty podatkowej na Wiejskiej, relacjonowanym w tamtych dniach przez media. Trudno sobie wyobrazić lepszy termin emisji, choć dziś, gdy to piszę, trwa w sejmie następny odcinek groteskowego serialu. Mięso na patelni się zmieniło, to znaczy temat obrad, ale sposób smażenia został ten sam. Zatem aktualność spektaklu to nie przypadek, lecz prawidłowość. Niestety.

Źródłem największych sukcesów Andrzeja Wajdy była umiejętność nadawania zbiorowym nastrojom, frustracjom artystycznej formy. Zawsze powtarzał: artysta powinien wąchać swój czas. Ostatnimi laty, po kilku słabych produkcjach w kinie i teatrze, wydawało się, że ten fantastyczny zmysł społecznej obserwacji go zawodzi. A jednak nie.

Z trzyczęściowego cyklu powieściowego Juliusza Kadena-Bandrowskiego – *Czarne skrzydła, Mateusz Bigda, Białe skrzydła* – wybrał wątek najbardziej dziś aktualny: walki parlamentarnej. Znów świetnie wyczuł niepokój dużej, coraz większej niestety, części społeczeństwa, obserwując sposób funkcjonowania władzy, czyli podstaw demokracji w wolnej Polsce. Wajda, sięgając do czasów przedwojennych, przywrócił nam nie tylko pamięć tamtego dwudziestolecia, nazbyt idealizowanego, ale i perspektywę procesów społeczno-politycznych, jakie nie zakończyły się ani wraz z upadkiem tamtego państwa, ani wraz z upadkiem PRL-u.

Obraz polskiego sejmowładztwa II Rzeczypospolitej, jaki kilka lat po przewrocie majowym nakreślił Kaden-Bandrowski – *Mateusz Bigda* ukazał się na przełomie 1932/1933 roku, gdy już toczył się proces brzeski – nie był ani „paszkwilem wymierzonym w przeciwników politycznych Piłsudskiego", ani „pamfletem na model burżuazyjnego parlamentaryzmu" przeniesionego z Francji do Polski – jak pisali ówcześni recenzenci. Nie był też reportażem historycznym. Główni bohaterowie wprawdzie przypominają postacie historyczne – Wincentego Witosa, Ignacego Daszyńskiego i Jakuba Bojkę – ale fakty nie pokrywają się z ich prawdziwymi życiorysami. Są to literackie konstrukcje modelowych postaw politycznych, strategii sejmowych czy partyjnych kontredansów, a że obdarzone żywymi charakterami, tym lepiej. Podobnie Kaden-Bandrowski traktował czas rzeczywistych wydarzeń: akcja *Mateusza Bigdy* momentami przypomina okoliczności tak zwanego paktu lanckorońskiego, jaki 17 maja 1923 roku podpisał przywódca PSL „Piast" Witos z przedstawicielami endecji i chadecji w sprawie reformy rolnej, korzystnej dla ziemian oraz bogatego chłopstwa. W wyniku tego porozumienia nastąpił kryzys rządowy, 28 maja upadł gabinet Władysława Sikorskiego, Witos sformował nowy rząd, a Piłsudski jako szef sztabu podał się do dymisji.

Jednakże wydarzenia powieściowe nie są wiernym odbiciem kalendarza historycznego, lecz mechanizmów walki politycznej, kompromisów ideowych podszytych prywatą, potrzebą zdobycia władzy czy ugruntowania kariery. Widać to zwłaszcza dziś, gdy powieść nie budzi tak jadowitych i personalnych emocji jak w dwudziestoleciu, gdy żyli jeszcze świadkowie przywoływanych wydarzeń, a przecież pozostaje aktualna. Aż nie chce się wierzyć, że Wajda, adaptując ją dla potrzeb telewizji, nie dopisał żadnej kwestii, nieco tylko oczyścił styl pisarza z ekspresjonistyczno-modernistycznych naleciałości i skondensował ogromny materiał.

Powstał spektakl gorący politycznie, świetnie grany. Aktorzy to też obywatele, nie mieli więc żadnych problemów (przeciwnie – frajdę) w portretowaniu zakłamanych polityków. W takich sytuacjach cała ekipa dostaje skrzydeł, działa zespolona, jakby łączył ją jakiś specyficzny nerw, a z tego rodzi się pewna nadwartość, coś więcej niż pokaz rzemiosła. Aktorom udało się doskonale przekazać obywatelską troskę o los demokracji i przesłanie – ku przestrodze polityków. Choć Janusz Gajos publicznie deklaruje, że nie lubi i nie rozumie polityki, wystarczyło, by zrozumiał, a potem niezwykle sugestywnie pokazał motywy działania swego bohatera, aby temperatura spektaklu sięgnęła dawno nieoglądanego poziomu. Zagrał olśniewająco, trudno wymyślić lepszego Mateusza Bigdę. Wyobraźnia aktora wyprzedziła rzeczywistość – spektakl powstał kilka lat przed wejściem do sejmu Samoobrony Andrzeja Leppera.

Równie trudno sobie wyobrazić bardziej przekonującego bohatera zupełnie innego spektaklu – *Miłości na Madagaskarze* – zrealizowanego przez Waldemara Krzystka według tekstu Petera Turriniego w Teatrze Telewizji. Tu bohater Gajosa jest zupełnym przeciwieństwem Bigdy, i fizycznie, i psychicznie. Johnny Ritter, właściciel podupadłego kina na przedmieściach Wiednia, to, można powiedzieć, chodzące nieszczęście. Poza długami i samotnością nic mu już nie zostało. Siedzi w kabinie projekcyjnej skulony z zimna, w kamizelce, starej kraciastej marynarce i pomarańczowym szaliku. Słucha wymysłów kobiety, która sprząta i prowadzi bufet, kurcząc się w sobie coraz bardziej, jakby chciał się zapaść pod ziemię. Co pewien czas wyciera chusteczką zapoconą twarz. Jedyne listy, jakie dostaje, to albo ponaglenia z urzędu skarbowego, albo niezapłacone rachunki za światło, wynajem sali, taśmy. Wszystko idzie źle, widzów jak na lekarstwo, pomysłów na inne życie brak. Zresztą na zmiany jest już za stary i za bardzo samotny. Życie przyniosło mu zbyt wiele rozczarowań, by mógł się podnieść. Jego jedyną pasją jest kino, nawet domu nie ma, sypia w kabinie na rozstawianym łóżku.

To właśnie kino stanie się przyczyną jego wyzwolenia. Krótkotrwałego, ulotnego, ale tak pięknego, że odtąd łatwiej mu będzie znosić dotkliwą codzienność. Oto wyobraża sobie, że jeden z listów pochodzi od jego idola Klausa Kinskiego, który prosi go o przysługę, czyli zorganizowanie pieniędzy na leczenie. Nie bez powodu dzieje się to w dniu śmierci aktora, 23 listopada 1991 roku. Kilku południowoamerykańskich mafiosów chce wyprać spore pieniądze, inwestując je w film z udziałem sławnego aktora. Biedny Ritter ma pojechać do Cannes jako producent filmu, odebrać stosowną sumę, a potem przekazać ją choremu gwiazdorowi. Misja dodaje mu skrzydeł, cudem załatwia kredyt na pokrycie kosztów podróży, choć jest niemiłosiernie zadłużony.

I, o dziwo, udaje mu się zdobyć upragnioną zaliczkę, pół miliona dolarów, chociaż niczym nie przypomina producenta filmów. Wciąż w swoim starym ubraniu, nieśmiertelnym szaliku i posklejanych plastrem okularach zachowuje się tak, jakby przepraszał, że żyje. Każde słowo przychodzi mu z nieopisanym trudem, tym większym, że mafiosi pytają o fabułę filmu. Wymyśla ją na poczekaniu, opowiadając wydarzenie z własnego życia, spotkanie via biuro matrymonialne z kobietą, która po wspólnej wizycie w operze wyznała, że ma raka. Ulotka reklamowa biura podróży, znaleziona przypadkiem w hotelu, podsuwa mu pomysł zakończenia owej historii romantycznym wyjazdem na Madagaskar. Z własnego życia i fantazji tworzy scenariusz filmowego melodramatu, który zdobywa aprobatę zachwyconych mafiosów. Odchodząc z walizką pełną pieniędzy, kłania się uniżenie bandytom, tak wyczerpany wysiłkiem umysłowym, jakby przerzucił tony węgla.

To jednak nie koniec perypetii. Spotkaniu przysłuchiwała się młoda kobieta, kandydatka na aktorkę (bardzo dobra w tej roli Marta Klubowicz). Pojawia się w jego pokoju, lecz zamiast tego, czego się widzowie spodziewają – łóżkowej przygody – oboje przeżywają najpiękniejszy romans swego życia. Oto, wbrew wszystkiemu, spełniają się ich marzenia. W wyobraźni tylko, ale o wiele intensywniej niż w rzeczywistości. Jako bohaterowie filmu *Miłość na Madagaskarze,* który wspólnie planują, mieszając fakty z życia z marzeniami ukształtowanymi przez ukochane filmy, przeżywają wielką miłość. Nic nie jest prawdą i nic nie jest fałszem albo – dzięki sztuce – wszystko jest prawdą, choć fałszem podszytą. Ona chce grać jak Ingrid Bergman, on próbuje podawać tekst jak Humphrey Bogart w słynnej *Casablance.* I nagle wszystko nabiera innego wymiaru. Ona – kiczowatym chwytem z filmu – naprawdę otwiera jego duszę; on – do tej pory niechętny, zalękniony, zasłaniający się przed nią wypchaną pieniędzmi torbą jak tarczą – nagle po raz pierwszy się uśmiecha. Podając tekst Bogarta – „Patrzę na ciebie, maleńka" – patrzy na nią najczulej, jak można. Każde jej słowo topi jego nieprawdopodobne kompleksy, ośmiela, uruchamia wyobraźnię na tyle, że chwyta dziewczynę za rękę i biegnie szczęśliwy wzdłuż plaży, przepraszam, hotelowego pokoju.

To bardzo subtelnie zagrana rola. Splata się w niej gorzka świadomość przegranego człowieka, którego opuściła żona, zabrawszy córkę, z potrzebą akceptacji, a nade wszystko uczucia. Człowieka uciekającego przed rzeczywistością w świat iluzji. Autor połączył pamięć i marzenie bohaterów w dziwną kombinację prawdy i fikcji, którą potęguje ich miłość do kina oraz wspomnienie najpiękniejszych scen ze starych filmów. W momencie spotkania oboje traktują życie jak scenariusz i scenariusz jak życie, świat realny i świat wyimaginowany przenikają się, nakładają na siebie. Przechodzenie od jawy do snu i od marzeń do rzeczywistości, czyli z jednego wymiaru w drugi, odbywa się bardzo subtelnie, prawie niezauważalnie. Bohaterowie istnieją jednocześnie w obu planach. Przez chwilę wierzą, że są one jednym, tym wymarzonym, gdzie ona gra główną rolę w napisanym wspólnie scenariuszu, a on jest zakochanym w niej producentem.

Sen trwał chwilkę, ale dostarczył przeżyć prawdziwych jak samo życie, lecz o wiele szczęśliwszych. Klaus Kinski umiera, mafiosi odbierają swoją forsę, ona – urzędniczka zakładu ubezpieczeń – wyjeżdża do męża i dzieci, on zaś wraca do swego biednego kina. Najważniejsze, że taki sen się w ogóle przyśnił, co może się przydarzyć tylko tym, którzy śnią lub mają bogatą wyobraźnię i lubią błądzić po jej labiryntach. Marzenia są ostatnim bogactwem biedaków, więc nieudaczny Johnny Ritter skwapliwie z niego skorzystał. Wymyślił piękny film dla siebie w roli głównej. I przeżył wielką miłość na Madagaskarze.

Janusz Gajos w roli Rittera stworzył nie tylko przejmujące studium ludzkich zahamowań i samotności. Pokazał także siłę marzeń zdolnych zmienić rzeczywistość. Zachwycająca była jego umiejętność przebywania w różnych wymiarach rzeczywistości naraz. Owo przechodzenie z jednego wierzchołka roli na drugi, czy też inaczej – z piętra na piętro snu albo na parter rzeczywistości. Gajos poruszał się w tych różnych planach swobodnie; nie zmieniając ani na chwilę kostiumu, bardzo subtelnie przenosił swego bohatera w świat marzeń i z powrotem w świat rzeczywisty. Udało mu się

Nikt nie jest do końca potworem, nikt nie jest do końca świętym. *Swidrygajłow* według *Zbrodni i kary* Fiodora Dostojewskiego w reżyserii Andrzeja Domalika

coś wyjątkowego: prawie niezauważalne, a jednocześnie wyraźne i wielokrotne pokonywanie granicy między tymi planami świadomości. Brzmi to uczenie, jeśli rozłożyć rolę na włókna. Praca aktora polegała na zespoleniu tych włókien tak organicznie, by widz miał poczucie, że bohater ucieka przed swoją nędzną egzystencją w świat marzeń, a nawet więcej, że to one są jego właściwym życiem. Jakby jego Ritter istniał tylko we śnie albo sobie się śnił. To zaś wydaje się szczytem zawodowej biegłości, absolutnego mistrzostwa.

Arkadiusz Iwanowicz Swidrygajłow – „człowiek lat pięćdziesięciu, wzrostu powyżej średniego, dorodny" – pojawia się na stronach *Zbrodni i kary* dość późno, pod koniec pierwszego tomu. Jego przybycie do Petersburga pozostaje w ścisłym związku z przyjazdem do tego miasta matki i siostry Rodiona Raskolnikowa. Awdotia Raskolnikow, zatrudniona w majątku Marfy Pietrowny, żony Swidrygajłowa, postanowiła uciec przed jego natarczywymi zalotami. Rękę swą przyrzekła powinowatemu swej pani, mimo że o miłości do Piotra Łużyna nie może być mowy. Dunia nie żywi złudzeń co do swego przyszłego męża, lekceważącego ją i matkę. Jako biedna panna postanowiła poświęcić siebie dla dobra rodziny, a zwłaszcza brata, by – stawszy się osobą zamożną – zapewnić mu wykształcenie i pozycję społeczną.

Nie przewidziała jednak, że to właśnie on najgwałtowniej zakwestionuje porządek społeczny i moralny, który dopuszcza takie szlachetne, cierpiętnicze gesty. Mieszkając w nędznym pokoiku, obdarty i często głodny, doszedł do wniosku, że ostateczną konsekwencją panującej niesprawiedliwości i krzywdy staje się zbrodnia. Postanowił zabić starą lichwiarkę, „wstrętną wesz", by uratować nie siebie, lecz setki ludzkich istnień przed poniżającą nędzą, gdyż inaczej zebrany przez „jędzę" majątek, zgodnie z testamentem, przepadłby w monasterze. Na zamiar zabójstwa staruchy bezpośredni wpływ miało jego spotkanie z Siemionem Marmieładowem, którego najstarsza córka, Sonia, została prostytutką, by zarobić na wyżywienie ojca, jego żony i małych dzieci. To właśnie wtedy Rodion Raskolnikow uświadomił sobie rozmiar ludzkiej krzywdy i poniżenia. Pojął, że poświęcenie Duni niczym się nie różni od postępku Soni; jest tylko inaczej usankcjonowaną społecznie formą sprzedaży.

Akcja powieści dzieje się w Petersburgu, „najbardziej teoretycznym i wymyślonym", jak mawiał Dostojewski, mieście świata, powstałym z kaprysu cara możnowładcy, który nie liczył się z tysiącami ofiar, jakie pochłonęła budowa „Rzymu Północy" na błotnistej lagunie. Nieprzypadkowo bohaterowie poruszają się nie po bulwarach nad Newą, otoczonych marmurowymi pałacami, lecz w obrębie kilku uliczek wokół placu Siennego, pełnych tanich hotelików, traktierni, domów publicznych, skupiska nędzy i ludzkiego upokorzenia.

Sławne adaptacje powieści eksponowały przede wszystkim dramat Raskolnikowa, okrutnego zabójcy dwóch starych kobiet – lichwiarki i jej siostry. Rodion, analizując prawidła rozumu w teoretycznym artykule opublikowanym kilka miesięcy wcześniej, doszedł do „arytmetycznego" uzasadnienia zbrodni. Skoro idea postępu, dowodził, pociąga za sobą ofiary, wojny, zamachy stanu, czyli usprawiedliwia zbrodnie, to człowiek niezwykły, nieprzeciętny, który urzeczywistnia owe idee, nie powinien być sądzony w kategoriach etyki chrześcijańskiej. W konsekwencji swego rozumowania podzielił ludzi na właściwych i na tworzywo. Tych pierwszych prawa nie obowiązują, ponieważ to oni stanowią prawa dla innych; drudzy zaś zobowiązani są do przestrzegania owych praw, ponieważ pozostają „śmieciem", mierzwą postępu. Siebie umieścił po stronie ludzi genialnych, którym wolno więcej niż innym. Dopiero konfrontacja z tymi innymi, wykluczenie się z ich społeczności uświadomiło Raskolnikowowi błąd nie tyle rozumu, ile serca. A ściślej – sumienia, które nie poddaje się matematycznej analizie, pysze charakteru i dumnemu umysłowi.

Andrzej Domalik, autor adaptacji i reżyser, wydobywa motyw pomijany dotąd w scenicznych wersjach *Zbrodni i kary*. Bohaterem jest tu nie Raskolnikow, lecz niedawno owdowiały ziemianin Arkadiusz Iwanowicz Swidrygajłow. Gra go Janusz Gajos. Już w pierwszej scenie, gdy wkracza do nędznego pokoiku Raskolnikowa, widzimy, że to człowiek niebiedny. Jasne spodnie, beżowa marynarka, biała koszula, buty jak z Old Bond Street, słomkowy kapelusz i laseczka określają go jako człowieka eleganckiego, o swobodnym obejściu. Bosy, nieogolony młodzieniec, skulony na łóżku pod czarnym płaszczem, podkreśla wrażenie społecznego kontrastu.

Swidrygajłow Gajosa musi więc przebić się przez skorupę jego samotności oraz – co nie mniej ważne – wrogości do takich jak on bogaczy, obwinianych za zło świata. Tym bardziej że właśnie w Rodionie szuka sojusznika. Beznadziejnie zakochał się bowiem w jego siostrze Duni. On – oskarżany o otrucie żony, znęcanie się nad służbą, uwodzenie nieletnich – nieoczekiwanie dla siebie cierpi z powodu miłości. Prawdziwej, wielkiej miłości. Gotów o nią zabiegać, a nawet żebrać, ponieważ zrozumiał, że tylko ona może go odmienić. Już odmieniła, w altruistę niemal. Swidrygajłow – niegdysiejszy karciarz, szuler, lubieżnik – proponuje Rodionowi ogromną sumę, byle tylko uwolnić Dunię od słowa danego Łużynowi i zapobiec ich małżeństwu. Od niechcenia dodaje, że „reforma włościańska nas oszczędziła, pozostawiła lasy i załęża, więc dochody z majątku nie zostały uszczuplone", a tych dziesięć tysięcy jest mu zupełnie zbędne.

Przy okazji zaś opowiada Rodionowi swoje życie tak, by zdobyć zaufanie lub przynajmniej zaciekawić. Już na wstępie oświadcza: „Między nami jest coś wspólnego". Zanim trafił do więzienia za długi, skąd starsza o pięć lat żona wykupiła go i wywiozła do swego majątku, gdzie spędził siedem lat, posiadł odpowiednie stosunki towarzyskie i koligacje. Bywał więc w świecie. Za granicą także, lecz nawet nad Zatoką Neapolitańską nudził się potwornie, zżerała go tęsknota. „Już lepiej w ojczyźnie: tutaj przynajmniej można całą winę składać na innych, a siebie usprawiedliwiać".

Wprawdzie propozycja wykupienia Duni zostaje przez brata z oburzeniem odrzucona, ale osoba Swidrygajłowa i jego poglądy coraz bardziej go fascynują. Zwłaszcza gdy dochodzi do rozmowy o duchach. Arkadiuszowi ukazuje się zmarła żona i służący, uważa więc, że: „Duchy są to strzępki i ułamki innych światów, ich zaczątek. Naturalnie, człowiek zdrowy jest człowiekiem najbardziej ziemskim, toteż powinien żyć wyłącznie życiem tutejszym gwoli pełni i porządku. Natomiast jak tylko zachoruje, jak tylko zostanie naruszony normalny ziemski ład w organizmie, wnet się zaznaczy możliwość innego świata, a im bardziej człowiek chory, tym więcej ma kontaktów z innym światem, tak że gdy umrze zupełnie, to wprost przechodzi do tamtego innego świata".

Powyższe rozważania wyjątkowo dobrze rymują się ze stanem duszy studenta, od chwili zbrodni żyjącego w malignie, dręczonego przez dziwne sny. Tuż przed tą niespodziewaną wizytą śniła mu się stara lichwiarka śmiejąca się z jego ciosów siekierą. Nic dziwnego, że dalszy wywód Swidrygajłowa – „Wieczność zawsze nam się przedstawia jako idea, której niepodobna pojąć, jako coś olbrzymiego? Proszę sobie wyobrazić, że raptem zamiast tego wszystkiego będzie jedna izdebka, coś jak wiejska łaźnia, zakopcona – a we wszystkich kątach – pająki; i oto masz pan całą wieczność" – wywołuje uczucie dotkliwej przykrości, jakby ktoś zajrzał mu pod podszewkę duszy. Leżąc w swej ciasnej, ciemnej izdebce, często porównywał się do przyczajonego pająka. Od tego też momentu Raskolnikow wie, że jest we władzy dziwnego człowieka, związany z nim mrocznym porozumieniem.

Obaj są ludźmi nieprzeciętnymi, czcicielami rozumu i wyznawcami liberalizmu. „Czemuż nie miałbym być ordynusem – powiada w pewnym momencie Swidrygajłow – skoro w naszym klimacie to przebranie jest takie wygodne". I trudno zaprzeczyć, że są to słowa bliskie Raskolnikowowi. On także postanowił działać i żyć, nie oglądając się na opinie innych, świadomie przekraczać granice norm moralnych. Nie doszedł wprawdzie do czynnego libertynizmu, ale przecież sama filozofia życia zgodnego z prawami rozumu, życia ponad obowiązującymi – szczególnie w Rosji – nakazami cierpienia, poświęceń, pokory jest mu równie bliska. Zbyt rzadko spotyka ludzi podobnego formatu, by zrezygnował z partnerskiej wreszcie wymiany myśli.

Raskolnikow w tym przedstawieniu, owszem, jest, ale jako adresat monologu Arkadiusza Iwanowicza Swidrygajłowa. Nie poznamy ani jego charakteru, ani duszy, o tym, co zrobił, co w danym momencie czuje i myśli, powinniśmy wiedzieć z lektury. Szkoda, ponieważ obaj zostali skonstruowani przez Dostojewskiego jak bliźniacze odbicia tej samej idei, osobowości. Rodion, podążając do traktierni na spotkanie z Arkadiuszem, „musiał sobie wyznać w duchu, że tamten rzeczywiście od dawna jest mu jak gdyby na coś potrzebny". Zbliża ich podobne myślenie, dotkliwe poczucie samotności, a nade wszystko brak wiary w lepszy świat.

Rodiona uratuje czysta miłość Soni, szukającej pociechy w cierpieniu i Ewangelii. Arkadiusza brak miłości zabije. Dunia mimo starań, przekupstw i podstępów nie potrafi go pokochać. Fakt, że podsłuchując wizytę Rodiona u Soni, posiadł jego tajemnicę i chce ją dla swoich celów wykorzystać, budzi w niej odrazę i strach. Rzecz jasna nie godzi się na żadną pomoc, nawet jeśli miałaby ona uratować brata. Skoro więc nadzieja Swidrygajłowa na odmianę losu – lub choćby znalezienie w miłości sensu życia – okazuje się niemożliwa do urzeczywistnienia, pozostaje pustka. A raczej świadomość bezsensu prowadząca do samobójstwa, przed którym nie powstrzyma go nawet wizja umówionego już małżeństwa z szesnastoletnią panienką. Myśl o nim budzi w „narzeczonym" coraz bardziej mieszane uczucia.

Gajos gra bezgraniczne obrzydzenie do siebie i rodziny narzeczonej, opowiadając o przygotowaniach do tego małżeństwa, kupionego za spore pieniądze. Jego Arkadiusz jest pełen goryczy i sarkazmu. Zbyt inteligentny, by nie wiedzieć, że z pełnym cynizmem popełnia łajdactwo. Przez moment ta sytuacja go nawet bawi, jakby oglądał się w krzywym lustrze, ale po chwili – w przebłysku cierpkiej autoironii – widzi siebie w przebraniu błazna. Kończy swą opowieść tonem znudzonego sobą, przegranego łajdaka. Nic go już nie cieszy – pojedynek ze światem wygra zbyt łatwo – kupi sobie dziecko na żonę i jeszcze będą mu się kłaniać. Obrzydliwość. I tu nagle uchyla maskę, pokazuje nagą twarz. Bez uczuć i myśli. Jakby spojrzał w pustkę duszy. Nie zniósł własnego błazeństwa?

Swidrygajłow Janusza Gajosa to rzeczywiście wielka rola aktora będącego u szczytu swoich możliwości. Nie schodząc przez półtorej godziny ze sceny, stworzył portret wielkiego szubrawca, obrzydliwca, co po rosyjsku określa jeszcze lepiej słowo: „mierzawiec". Portret zawierający wiele tonów i półcieni – od wdzięku po bezwzględność, od charme'u światowca po maniery prostego chłopa, od uniesień miłosnych po perfidną grę, zabarwioną wisielczym humorem. Nade wszystko zawierający bezwzględną ocenę sytuacji bohatera. Zobaczyć siebie jako błazna potrafią tylko nieliczni, zagrać zaś takiego człowieka mogą aktorzy o wyrafinowanym poczuciu autoironii.

Przy tym Swidrygajłow Gajosa został stworzony z materii tyleż szlachetnej, ile najtrudniejszej. Poza kilkoma rekwizytami – kapelusz i laseczka, miska do mycia twarzy, kilka krzeseł za stołem i butelka wina – nie ma on żadnych aktorskich ułatwień, charakteryzacji, podpórek. Rola oparta w całości na słowie, na mistrzowskim operowaniu głosem, pauzą, uśmiechem, mrużeniem oczu i mimiką twarzy, by z kilometrów słów wykreować osobną rzeczywistość. Daleką od rezonerstwa i niejednoznaczną.

Aktor – to jego dobre prawo – oczywiście broni swej postaci tak skutecznie, że w końcowej scenie, gdy Dunia, zamiast go pokochać, strzela do niego z pistoletu, budzi współczucie. Uwierzyliśmy bowiem Gajosowi, że nawet w największym rozpustniku, cyniku i łajdaku może odezwać się potrzeba prawdziwych uczuć. Jednak jego samobójstwo – pokazane chwytem tandetnym i ogranym: światłem lampy stroboskopowej – pozostawia pytania: Czy taki człowiek naprawdę może się odmienić? Czy też jest tak zepsuty, że walka o miłość Duni była tylko bitwą o zaspokojenie próżności, a samobójstwo wyrazem chwilowej desperacji? A może słabości, bo ruszyło go sumienie?

W rozstrzygnięciu tej kwestii pomogłaby usunięta z adaptacji scena, w której Swidrygajłow ratuje rodzinę Marmieładowów. Nazywany, nie bez racji, rosyjską odmianą Don Juana na pytanie Rodiona: „W jakimże to celu pan się tak rozdobroczynił?", Swidrygajłow odpowiada: „Toż mówię wyraźnie, że to pieniądze zbywające. A że tak po prostu z poczucia ludzkości – tego pan nie uznaje? Przecież to (wskazał palcem w kierunku, gdzie leżała zmarła) nie jest „wesz" jak jakaś tam staruszka lichwiarka. Przecież to zagadnienie z typu: «czy Łużyn ma żyć i robić łajdactwa, czy też ona ma umrzeć?». No i gdybym nie pomógł, to i «Polunia pójdzie tą samą drogą...»" [tą samą co Sonia – przyp. E.B.]. Dla charakterystyki Swidrygajłowa naprawdę nie jest bez znaczenia, że dzieci Marmieładowów po śmierci matki umieścił w sierocińcu i zabezpieczył finansowo, Soni dał trzy tysiące rubli, a niedoszłej narzeczonej jeszcze więcej. Czy to był grosz Don Juana rzucony żebrakowi przez „miłość dla ludzkości"? Czy może desperacja starego lowelasa, bo mu się żyć odechciało?

To wielka rola, a jednak niepełna. Przykrojenie *Zbrodni i kary* do monologu jednej postaci, która została jawnie napisana jako sobowtór drugiej, to nie tyle zubożenie, ile fałsz. Świadomie piszę o monologu, gdyż ani Raskolnikow (Szymon Bobrowski), ani Sonia (Agata Buzek), ani Dunia

(Agnieszka Wosińska) nie zaistnieli jako pełnoprawne postacie. Tak zdecydował adaptator, a reżyser nie umiał od aktorów wydobyć niczego poza suchą deklamacją tekstu, co wygląda tak, jakby studenci ćwiczyli etiudy pod okiem mistrza. Czy naprawdę trzeba dowodzić po Bachtinie, Przybylskim, Grossmanie, że pisarstwo Dostojewskiego to wielka polifonia postaw, głosów, racji, moralnych wyborów, ułożona na tyle precyzyjnie, że nie da się z niej bez szkody dla sensu całości wyjąć choćby jednego głosu.

Dlatego *Swidrygajłowa* mi żal jak każdej straconej szansy na dobre przedstawienie, zwłaszcza że pomysł zajrzenia do duszy tego potwora jest nowy, nośny i jak najbardziej sensowny. To rzeczywiście jedna z najbardziej mrocznych i fascynujących postaci światowej literatury obok Raskolnikowa i wraz z nim rzecz jasna. Naprawdę szkoda, że Januszowi Gajosowi zabrakło w tym przypadku partnera, z którym mógłby powalczyć.

W kolejnej sztuce partnerka, Joanna Szczepkowska, jest po prostu świetna. *Play Strindberg* Friedricha Dürrenmatta to obraz małżeńskiego konfliktu, zapożyczonego zresztą od Strindberga, z jego *Tańca śmierci* ukazanego jako walka na śmierć i życie tyleż tragiczna, ile śmieszna. Prawie wszystkie konflikty, zwłaszcza małżeńskie, oglądane z zewnątrz wydają się komiczne, czego nie widzą oczywiście zainteresowani, zanadto pochłonięci emocjami. Owa śmieszność małżeńskich kłótni, w których nienawiść i żal mieszają się z poczuciem odpowiedzialności i pamięcią dawnych dobrych chwil, stała się treścią sztuki szwajcarskiego autora.

Nie ona była głównym powodem wystawienia *Play Strindberg* w teatrze Na Woli, lecz rocznica śmierci Tadeusza Łomnickiego, który trzydzieści lat temu zagrał Kapitana w przedstawieniu Andrzeja Wajdy w Teatrze Współczesnym, tworząc jedną ze swoich najlepszych kreacji scenicznych. Pamięć wielkiego aktora postanowiono uczcić przypomnieniem tej roli, rzecz jasna w innym wykonaniu. Zaproszono Janusza Gajosa, który, jak się powszechnie uważa, przejął berło sztuki aktorskiej po znakomitym poprzedniku. Takie wyróżnienie jest wyrazem największego uznania, pochodzi bowiem od kolegów aktorów i kolegów reżyserów, czyli zawodowców – a ci się nie mylą.

Reżyserii podjął się Andrzej Łapicki, Kurt z tamtej sławnej inscenizacji, a rolę Barbary Krafftówny przejęła Joanna Szczepkowska. Powstało zupełnie inne przedstawienie, wyraźnie akcentujące motyw walki na ringu (kolejne sekwencje małżeńskich kłótni zapowiadane były przez hostessę jak rundy walki bokserskiej). I oczywiście inaczej zagrane. Nieuchronne porównania Łomnickiego i Gajosa musiały doprowadzić do ujawniania różnic ich temperamentów i środków scenicznych. Tadeusz Łomnicki to żywioł, temperament w stanie wrzenia. W roli Kapitana – pogrubiony warstwami ubrań – ryczał, syczał, biegał po scenie, w scenie umierania siniał tak, jakby dostał wylewu krwi do mózgu albo miały mu pęknąć wszystkie żyły. Jego Kapitan był prawdziwym potworem budzącym przerażenie. Swą monstrualną fizycznością niemal przytłaczał małą przestrzeń sceny.

Janusz Gajos jako Kapitan niszczy, gnębi, poniża, szantażuje, upokarza swoją żonę, ale robi to o wiele oszczędniej niż poprzednik. Bardziej

Doprowadzam do szału Joannę Szczepkowską.
Play Strindberg Friedricha Dürrenmatta w teatrze Na Woli

perfidnie. Jest bowiem właściwie spokojny, opanowany i zewnętrznie niczym nie przypomina monstrum. Ubrany w szary mundur i czarne oficerki, przystojny, zadbany, początkowo budzi sympatię. Dopiero po pewnym czasie zdajemy sobie sprawę, że z łagodną stanowczością wbija celne ciosy w serce żony. Rzadko podnosi głos, ale jego lodowaty spokój działa paraliżująco. Koszmarny despota, zrodzony z kompleksów i niespełnienia, w domu szuka rekompensaty za nieudane życie.

Momentami wydaje się niezniszczalny; nawet jeśli słabnie, to za chwilę podnosi się jeszcze silniejszy i jeszcze bardziej wściekły. Nie wiadomo, czy udaje zapaść, by dręczyć żonę, czy też naprawdę mu słabo i potrzebuje pomocy. Brak reakcji na swą sfingowaną śmierć kwituje złośliwością, ale każdy odruch troski wyszydza. Z zimną krwią doprowadza do szału swą życiową partnerkę, a momenty udawanej czułości upokarzają ją bardziej niż wyzwiska. Zresztą ona szybko się uczy i odpowiada podobną perfidią. Wiwisekcja własnej psychiki, jaką z lubością od lat uprawiają, prowadzi ich do uzależnienia. Nie mogą dalej się kaleczyć, ale też bez perfidnych zabiegów nie mogą żyć. On udaje przed nią silniejszego i ważniejszego, niż jest w rzeczywistości. Ona odwdzięcza mu się atakami furii i żalów za niespełnione ambicje aktorskie złożone na ołtarzu małżeństwa. Lista żalów i wzajemnych oskarżeń nie ma końca. Brutalne operacje na własnej psychice stanowią sens ich okaleczonego istnienia. Są jak dwie połówki jabłka, tyle że bardzo, bardzo robaczywego. Oczywiście o małżeństwie można w nieskończoność, ale zaletą tej szlachetnej bulwarówki jest pokazanie śmieszności owych odwiecznych konfliktów. Zgodnie z zasadą: nic nie jest bardziej śmieszne niż tragedia – cudza.

„Rodzina, rodzina nie cieszy, gdy jest, lecz kiedy jej ni ma – samotnyś jak pies" – śpiewali, jak wszyscy pamiętamy, Starsi Panowie w swoim Kabarecie. Bohater filmu *Żółty szalik*, mężczyzna w średnim wieku, prezes firmy, zadbany, w eleganckim garniturze, nie może spokojnie usiedzieć na zebraniu z pracownikami. Wychodzi do swego gabinetu i nerwowo przetrząsa regały i szafy, bez rezultatu. Gdy wreszcie zapala lampę i widzi w jej kloszu cień butelki, cieszy się jak dziecko. Wlewa w siebie trochę wódki i czuje, że wraca mu życie. Ekspozycja nie pozostawia wątpliwości – jest alkoholikiem.

Stan człowieka stale odczuwającego potrzebę picia po mistrzowsku rozpisze Gajos na szereg etiud, sytuacji. Ale alkoholizm pozostanie tylko zewnętrzną skorupą, skutkiem czegoś, co ukrywa przed innymi. Głównym motywem jego postępowania będzie dojmujące poczucie samotności. Jerzy Pilch, autor scenariusza, zadbał, by okoliczności owego osamotnienia były tyleż przejmujące, ile zrozumiałe. Akcja filmu dzieje się w przededniu Wigilii Bożego Narodzenia, najbardziej rodzinnego ze świąt, kiedy każdy dokonuje jakiegoś bilansu. Bohater nie może narzekać na brak sukcesów. Firma świetnie prosperuje, on sam jest człowiekiem zamożnym, inteligentnym, cenionym. A jednak zapłacił za sukces wysoką cenę. Najpierw potrzebował trochę płynu rozweselającego, później znieczulacza na stresy, aż w końcu bez alkoholu nie potrafił już funkcjonować. I nie może nadal. Kieliszek tłumi poczucie zagubienia, samotności, ale nade wszystko winy. Wobec żony, która nie wytrzymała jego pijackich ekscesów i odeszła, oraz dorastającego syna. A także przyjaciółki, która wciąż wierzy, że on wreszcie przestanie pić. I wobec całego świata za to, że stacza się na dno. Nie społeczne, bo przed deklasacją chroni go gruby portfel, ale na dno człowieczeństwa. Alkohol odbiera nie tylko rozum, ale siłę woli, poczucie rzeczywistości.

W Wigilię bohater odbywa liczne spotkania, składa życzenia pracownikom firmy, byłej żonie, synowi, przyjaciółce. Jednak każde spotkanie umacnia w nim poczucie winy i poczucie samotności, co staje się okazją, by sięgnąć po kolejny kieliszek. Byle nie wytrzeźwieć. W kolejnym barze na swej drodze

Żółty szalik, czyli studium picia w reżyserii Janusza Morgensterna

spotyka pijaka, „nad którym zamyka się kra lodu", czyli widzi siebie „za chwilę". Wprawdzie stawia mu wódkę, ale szybko ucieka, by w samotności mieszkania zapijać się metodycznie. Ściany salonu wyłożone taflami luster odbijają pokracznie zniekształconą figurę desperata. Kiedy braknie wódki, zamawia przez telefon trzy żołądkowe gorzkie z dostawą do domu. Zbiega po butelki do drzwi wejściowych w eleganckim płaszczu, spod którego wystają gołe nogi w skarpetkach. Ale on swej śmieszności nie widzi, stracił już instynkt samozachowawczy, podążając w stronę delirium. Płacząc jak dziecko, powtarza: „Przyjdź! Przyjdź! Musimy próbować!" – oczekując podświadomie, że żona do niego wróci. Tego chciałby najbardziej.

Dzięki sekretarce i przyjaciółce, które pakują go do samochodu, trafia w wigilijny wieczór do matki mieszkającej w małej podwarszawskiej miejscowości. I tam, pod wpływem jej kojącego głosu, serdeczności, miłości po prostu, pomału trzeźwieje. Odzyskuje nawet spokój ducha. I gdy wraca po zapomniany żółty szalik, świąteczny prezent od matki, pojawia się nadzieja, że tym razem uda się pokonać nałóg.

Bez Gajosa ten film nie miałby sensu, co do tego zgodni byli i reżyser Janusz Morgenstern, i autor scenariusza. „Kiedy potem Morgenstern dokonał tego samego wyboru co ja – powie Pilch – byłem naprawdę usatysfakcjonowany. Możemy bowiem mówić tutaj o najwyższych rejonach sztuki aktorskiej. Najgłośniejszym ostatnio filmem o alkoholiku było *Zostawić Las Vegas* Mike'a Figgisa. Odtwórca głównej roli w tym filmie, Nicholas Cage, otrzymał Oscara, a przecież w porównaniu z Gajosem to jakiś pikuś. Janusz Gajos w tym małym filmie jest znacznie prawdziwszy, dramatyczny. Gajos pochodzi niestety z małej kinematografii, z egzotycznego dla wielu języka polskiego, a jest aktorem, który powinien grać o najwyższe stawki kinematografii światowej" (Łukasz Maciejewski, *Kino według Pilcha*, „Kurier Wydawnictwa Literackiego" 2002, nr 2).

Doskonałą okazją sprawdzenia słuszności podobnych opinii stała się *Zemsta* Andrzeja Wajdy. Janusz Gajos znalazł się pośród największych gwiazd. Zarówno Roman Polański (Papkin), Andrzej Seweryn (Rejent Milczek), jak i Daniel Olbrychski (Dyndalski) wielokrotnie stawali przed kamerą reżyserów o światowej sławie. Tym wyraźniej widać, że jako Cześnik Raptusiewicz zademonstrował wielką klasę aktorstwa. Prawdę mówiąc, on jeden w tej ekranizacji komedii Aleksandra hrabiego Fredry jest postacią z krwi i kości. Najlepszy. Nie ja dałam w „Wyborczej", największej polskiej gazecie, na pierwszej stronie tytuł *Zemsta Cześnika*, więc tym bardziej mi przyjemnie. To najkrótsza recenzja z tego niezbyt udanego filmu, którego główną atrakcją są zdjęcia ruin starego zamczyska, w których nie wiedzieć czemu uparli się mieszkać nasi przodkowie. Dość paskudni, jeśli się im bliżej przyjrzeć. Widać taka była koncepcja reżysera – pokazać nam portret głupoty, zaściankowości, sarmatyzmu i prostactwa, do tego w scenerii zimowej. Malowniczej skądinąd, choć wiadomo, że nikt przytomny zimą muru granicznego nie buduje.

Jedyną postacią, która mówi tekst Fredry organicznie, bez wysiłku, tak jakby ten cudowny wiersz był jedynym możliwym w danej sytuacji słowem, jest Cześnik. Bo też Gajos zrobił z tej roli cacko. Maciej Raptusiewicz to pan na zamku całą gębą. Nieco prostacki, ale sympatyczny –

Ekipa *Zemsty*: Podstolina – Katarzyna Figura, Rejent – Andrzej Seweryn, reżyser – Andrzej Wajda, Papkin – Roman Polański i ja – Cześnik ruchy zamaszyste, obeznany z szablą, sylwetka szlachciury przepasanego pod brzuchem pasem, jak się patrzy. Z podgolonej głowy aż się kurzy, krew bulgoce i do bitki, i do wypitki. Do kobitki również oczka błyszczą, dusza śpiewa, w głowie szumi, choć biust Podstoliny (monstrualny) go peszy. Nie taki chojrak, jak udaje. Porywczy, szybciej działa, niż myśli. Kiedy słucha przechwałek Papkina, aż oczy mu się śmieją z niedowierzania i podziwu. Sam ma trudności z ułożeniem prostego listu, więc ten domorosły wierszokleta mu imponuje i budzi sympatię. On jest do działania, nie do gadania – był w jadalni, już na balkon wybiega, do kuchni wpadnie, za szablę chwyci – energia go rozpiera. Stale w ruchu, biega, grozi, wymyśla, knuje przeciw Rejentowi, aż się kurzy. Ale swój honor ma, więc gdy ten wejdzie w jego progi – „włos mu z głowy spaść nie może". Cześnik Gajosa ma temperament, ludową zawziętość, a nade wszystko poczucie humoru. Toteż on jeden bawi. Zważywszy, że mówimy o jednej z najlepszych polskich komedii, nie jest to komplement pod adresem filmu, tylko aktora, którego kreacja na tle pozostałych gwiazdorów wypadła świetnie.

Jeśli już padło tu słowo „gwiazda", należałoby powiedzieć, że Janusz Gajos na to określenie zasługuje w sposób szczególny. Nie eksponuje nachalnie swoich aktorskich możliwości, raczej stosuje je powściągliwie, wedle zasady: lepiej nie dograć, niż przegrać. Wierzy w sztukę metamorfozy, co znaczy, że naczelnym jego dążeniem pozostaje uwiarygodnienie reakcji granego człowieka. Dlatego też nie jest nudny, potrafi tworzyć postacie bardzo różne, o zupełnie odmiennych temperamentach, psychice, sposobach reakcji. Nie eksponuje siebie w roli, nie nagina postaci do swojej osobowości, tylko absolutnie podporządkowuje jej charakterowi swoje zachowania. Oglądając galerię bohaterów, jaką stworzył przez blisko pięćdziesiąt lat pracy w filmach, przedstawieniach teatralnych i telewizyjnych, bardzo trudno powiedzieć coś o nim samym. O tym, jaki jest prywatnie, poza tym, że jest aktorem bardzo pracowitym i skromnym. Rzadka to cecha, zwłaszcza dziś, gdy ktoś, komu zdarza się wystąpić publicznie, od razu informuje nas o sobie, swej wielkości, co często zdradza próżność i kabotyństwo. Gajos – przeciwnie, jeśli już opowiada o swoim prywatnym życiu, to zawsze w związku z zawodem, jaki wykonuje. Role zostawia w garderobie i nie żywi nimi siebie.

Pod czujnym okiem Andrzeja Wajdy

Ponadto – w odróżnieniu od wielu kolegów – nie traktuje aktorstwa jako specjalnej misji, posłannictwa społecznego. Raczej jako zestaw rzemieślniczych umiejętności, które czasem stają się sztuką i znaczą więcej niż tylko sprawnie wykonane zadanie. Można powiedzieć za Konstantym Stanisławskim, że należy do aktorów, którzy lubią sztukę w sobie, a nie siebie w sztuce. Tacy byli i pewnie będą najwięksi.

TAK TO SIĘ ZACZYNA

Droga na szczyty – co każdy wie – nie bywa usłana różami. Szczęśliwców, którzy się tam znaleźli, zwykle widzimy uśmiechniętych, gdy odbierają nagrody i wyróżnienia. Ulegamy złudzeniu, że im akurat wszystko przyszło łatwo. Rzadko zdajemy sobie sprawę z ceny sukcesu. Oglądając dziś Janusza Gajosa, trudno uwierzyć, że musiał pokonać wiele przeciwności, by w ogóle dostać się do szkoły teatralnej. Także kariera, czyli blisko pięćdziesiąt lat aktorstwa, nie przebiegała tylko od sukcesu do sukcesu, jak by się mogło wydawać.

Urodził się w 1939 roku w Dąbrowie Górniczej, małym miasteczku Zagłębia Dąbrowskiego. W rodzinie ze strony matki osiadłej tutaj od pokoleń. Ojciec pochodził z okolic Kielc, utrzymywał żonę i dzieci z pracy w ogrodnictwie, choć nigdy nie osiągnął na tym polu specjalnego powodzenia. Trudno więc powiedzieć, by w domu kultywującym tradycyjne wartości, skupionym wokół wiary i pracy istniała atmosfera szczególnego zachwytu dla sztuki teatralnej. Zwłaszcza aktorstwo, zawód powszechnie uznawany za mało poważny, może nawet ekscentryczny, traktowane było raczej z dystansem, jako szlachetne hobby, bez specjalnej atencji. Nie można powiedzieć, że Janusz Gajos „już od dzieciństwa marzył o zostaniu aktorem". Nic podobnego.

Najwcześniejsze dzieciństwo spędził w Zabrzu. Tam też chodził do Szkoły Podstawowej nr 3, przy parku. Tam też bawił się w Indian, policjantów i złodziei z kolegami, ponieważ do siódmego roku życia był jedynakiem. Narodziny brata Andrzeja, a po następnych siedmiu latach siostry Grażyny niewiele zmieniły tę sytuację ze względu na dużą różnicę wieku między dziećmi. Do szkoły średniej Janusz Gajos uczęszczał zaś w Będzinie, ponieważ rodzice przenieśli się z Zabrza do tego szarego górniczego miasteczka. Przed wojną zamieszkane głównie przez Żydów, po wojnie było jeszcze bardziej biedne i zaniedbane. Życie płynęło tu spokojnym rytmem prowincji, wedle znanych wszystkim rytuałów. Większość mężczyzn pracowała w hutach albo kopalniach, kobiety zajmowały się domem i dziećmi.

▄▄ To miasto zawsze będzie mi się kojarzyć z obrazem niedzielnego południa, hejnałem mariackim dobiegającym z radia oraz zapachem dymiącego rosołu z makaronem stawianego przez matkę na stole. Z obrazem całej rodziny w odświętnym nastroju zasiadającej do obiadu. [Cytaty nieoznaczone inaczej pochodzą z rozmów Autorki z Januszem Gajosem].

Pierwszy kontakt z teatrem to wycieczka do Katowic, dokąd pojechał razem ze szkołą w ramach tak zwanych zajęć ukulturalniających.

▄▄ Szczególne wrażenie zrobił na mnie budynek Teatru Śląskiego, wybudowany przez Niemców jeszcze przed pierwszą wojną. Na moje ówczesne doświadczenia życiowe i estetyczne był on bardzo wytworny, elegancki... Na dodatek była tam także scena, na której działo się coś osobliwego, dziwnie ubrani ludzie coś mówili, ruszali się w inny niż na ulicy sposób, a widzowie tego słuchali i przeżywali. Nie pamiętam nawet tytułu sztuki. Znacznie bardziej zaciekawiło mnie to, co za sceną, ale tam oczywiście mnie nie wpuszczono.

Pierwsza myśl o aktorstwie pojawiła się dość późno. W szkole średniej, a było to Liceum Towarzystwa Przyjaciół Dzieci, niestety mniej snobistyczne niż reprezentacyjny „męski" Kopernik, do którego z powodu braku miejsc się nie dostał. Przed maturą, gdy trzeba było myśleć o wyborze zawodu, zastanawiał się nad architekturą, czyli tak zwanym solidnym zawodem. Ale właśnie w klasie maturalnej polonista wpadł na pomysł wystawienia dwunastej księgi *Pana Tadeusza* rozpoczynającej się od słów: „Na koniec z trzaskiem sali drzwi na oścież otwarto. / Wchodzi pan Wojski w czapce i z głową zadartą", znanej ze słynnego koncertu Jankiela, którego uczyły się całe pokolenia.

▬ Otrzymałem jakieś małe zadanie; główną rolę Tadusza dostał najprzystojniejszy chłopak w klasie. Ale albo się nie nauczył wiersza, albo coś przeskrobał – dość, że w końcu przyznano ją mnie.

Przedstawienie stało się wydarzeniem w skali lokalnej, a ja poczułem smak „sławy". Przechadzając się w niedzielne przedpołudnie będzińskim deptakiem od Małachowskiego do Kołłątaja, czyli układającym się w literę T salonem miasta, gdzie spotykali się wszyscy, wymieniając ukłony i grzeczności, dostrzegałem zachwycone spojrzenia panienek, ich szepty (mocno nadstawiałem ucha): „Popatrz, popatrz! Pan Tadeusz!".

Ważniejsze jednak stało się poczucie, że mówiąc cudzy tekst, potrafię skupić uwagę innych. Było to dla mnie „odkryciem", ponieważ uważałem, że – logicznie rzecz biorąc – tekst jest po to, by go czytać. A tu nagle zauważyłem, że wiersz mówiony nabiera nowych wartości. I to ja za nie odpowiadam. Starałem się mówić tak, by ułatwić słuchaczom jego zrozumienie, żeby nie czuli się oszukani. Chciałem, żeby się tym, co mówię, zainteresowali, albo lepiej – wzruszyli. Intuicyjnie zrozumiałem wtedy, że aktor ma władzę nad wyobraźnią widzów. Taka świadomość dodawała

Polonez w debiutanckim *Panu Tadeuszu*, 1956

skrzydeł. Dziś już wiem, jak to działa, wówczas poczucie teatru było zupełnie instynktowne.

Młody człowiek zaczął myśleć o aktorstwie coraz intensywniej. Wygrał konkurs recytatorski w Sosnowcu, co jego marzenia tylko umocniło. Zaczął chodzić do teatru z wyboru, a nie z nakazu szkoły. Po zakończeniu przedstawienia czekał przed teatrem, żeby się przyjrzeć aktorom wychodzącym tylnymi drzwiami, chciał wiedzieć, jak wyglądają prywatnie. Wygrany konkurs przyniósł też konkretną propozycję. Kierownik Klubu Huty Będzin, odpowiedzialny, jak się wtedy mówiło, za działalność kulturalną, zaprosił go do współpracy.

■ Chciał wystawić *Kordiana* i mnie widział w roli głównej. Pamiętam, że kiedy czytałem tekst, za mną stał jakiś inny facet i czytał to samo przez moje ramię, tak bardzo chciał grać. Zamiast dylematów duszy romantycznego Kordiana wychodził nam śmieszny, bo karykaturalny obraz konkurencji.

Dużo czytałem, próbowałem mówić po kątach do siebie samego, opanować teksty. I tak wpadałem w tę chorobę powoli, powoli, niezauważalnie. Wraz z kolegami, którzy też brali udział w „życiu artystycznym" miasta, jeździliśmy tramwajem do sosnowieckiego Rexa, nie tylko na kawę. Magnesem przyciągającym młodych ludzi było towarzystwo. Bywali tam prawdziwi aktorzy z teatru w Sosnowcu, dziennikarze miejscowej gazety, poeci. Jeden z nich, dziś jest złotnikiem, wysłał nawet swe wiersze do Antoniego Słonimskiego i otrzymał odpowiedź. Poeta chwalił formę, ale prosił, by jeszcze w tych wierszach znalazła się jakaś treść. Niemniej posiadanie takiego listu już było nobilitacją, pasowaniem na poetę. W tamtych czasach uczeń przyłapany w kawiarni mógł mieć w szkole nieprzyjemności. Tym bardziej więc imponował mi ten zakazany owoc, to jest przebywanie w środowisku „bohemy".

Ojciec przestał syna rozumieć. Do teatru prawie nie chodził, do kina czasem, ale rzadko. Uważał, że Janusz powinienem mieć jakiś solidny zawód, czyli zdobyć wyższe wykształcenie, pozycję społeczną i dostatek, czego on sam przed wojną ani po niej nie osiągnął. Aktorstwem, skoro bardzo chce, może się przecież zajmować poza tym, ot, w jakimś kółku recytatorskim czy amatorskim teatrzyku.

▬ Niemniej zaakceptował moją decyzję zdawania do łódzkiej szkoły filmowej. Mama – mimo podobnych jak ojciec wątpliwości – spakowała mi walizkę i pojechałem. W tym wieku człowiek zjadł już wszystkie rozumy, jest buńczuczny i nie ogląda się na zdanie innych, tym bardziej jeśli nie znajduje zrozumienia. Zresztą byłem już w teatrze zakochany i na rozsądek było za późno.

Młody chłopiec wiedział jednak, że bardzo trudno się tam dostać. Uprzedzał o tym Jan Dorman, który nadawał szlif szkolnemu przedstawieniu i zauważył jeśli nie talent, to pewne predyspozycje „pana Tadeusza”.

▬ Powiedział, że gdybym nie został przyjęty, to on dla mnie znajdzie jakieś zajęcie w swoim teatrze. I tak też się stało. W Łodzi powiedziano mi, że to, co umiem – a nauczyłem się *Wielkiej improwizacji* z *Dziadów* Mickiewicza – jest ciekawe, ale niewystarczające, jeszcze niedojrzałe. Zresztą byłem tak speszony wielkim przedwojennym pałacem, marmurowymi schodami i całym tym kolorowym, krzykliwym towarzystwem zdających, że nie potrafiłem pokonać straszliwego spięcia, a to po prostu paraliżuje.

Po wakacjach, była to jesień 1957 roku, Janusz Gajos podjął pracę w Teatrze Dzieci Zagłębia w Będzinie, który mieścił się w dawnym domu parafialnym. Wprawdzie był to teatr dla dzieci i wykorzystywano w nim lalki, ale w sposób szczególny. Często łączono je z żywym planem, aktorzy stali na scenie i na oczach widzów animowali lalki. Albo też obywali się bez nich, używając tylko specyficznych rekwizytów, masek.

Jan Dorman, pedagog i artysta, starał się swoimi przedstawieniami nie ilustrować tekstu bajki czy opowiadania dla dzieci, lecz zostawiać widzowi możliwość twórczego współuczestnictwa. Kładł nacisk na poetyckie skojarzenia, które stawały się nośnikami symbolicznych treści albo przynajmniej zmuszały do myślenia. Gra wyobraźni, a nie życiowe podobieństwo, była dla niego najważniejsza w procesie wychowywania. Uważał bowiem, że

Jan Dorman uświadomił mi, czym jest forma

dziecko ma nieograniczoną żadnymi konwencjami wyobraźnię i lepiej, gdy uruchomi się jego wrażliwość, zmusi do własnych reakcji, niż poda gotowe formuły. Niejednokrotnie Teatr Dzieci Zagłębia był oskarżany o nadmierne eksperymentowanie, formalizm, ale jego twórca trwał przy swoim. I odnosił sukcesy. Dla młodego człowieka zetknięcie się z teatrem Jana Dormana okazało się nieocenioną szkołą zawodu i rozumienia sztuki.

■ Zacząłem od zasuwania kurtyny. Potem pilnowałem magnetofonu, do świateł się nie rwałem – nie miałem o nich pojęcia.

Gajos – niczym początkujący czeladnik – wykonywał tam wszystkie prace za sceną. Zaczął też lepić, kleić lalki – pacynki, jawajki, marionetki – i się z nimi oswajać.

■ I tak, krok po kroku, dobiłem się do jakiegoś epizodu w *Kolorowych piosenkach*, a potem grałem duże role lalkarskie, na przykład Żołnierza w *Krzesiwie* Andersena. Lecz wciąż myślałem o żywym teatrze, a droga do niego wiodła przez Szkołę. Po roku znów się nie dostałem i znów wróciłem do Teatru Dzieci Zagłębia, gdzie szło mi wcale nieźle.

Ale poczucie niespełnienia pozostało. Koledzy z klasy studiowali. Największza grupa dostała się na Politechnikę Śląską w Gliwicach, inni na Uniwersytet Jagielloński, niektórzy do Akademii Medycznej w Krakowie. Mieszkali w akademikach, ale na sobotę i niedzielę przyjeżdżali do rodziców.

■ To był specjalny rytuał. O dwudziestej trzydzieści w każdą sobotę wychodziliśmy – ci, co się nigdzie nie dostali – na dworzec zobaczyć, jak oni z tego wielkiego świata wracają. Opowiadali o ćwiczeniach, zaliczeniach, wykładach, indeksach, czyli o tym, co nam nie było dane. Te opowieści uruchamiały naszą wyobraźnię, a przede wszystkim wywoływały uczucia, całą skalę uczuć. I tak przez dwa lata otrzymywałem co tydzień bolesny zastrzyk na własne życzenie.

Antidotum była praca w teatrze i lektury. Miał dużo czasu na przemyślenia i sumowanie doświadczeń.

■■■ Kontakt z Janem Dormanem w poważnym stopniu wpłynął na moją wrażliwość. Spośród setek ludzi, którzy mnie ukształtowali zawodowo, on pierwszy zwrócił mi uwagę na ekspresję ciała. Świadomość ciała – co jest dla mnie podstawą bycia na scenie – wyniosłem właśnie z jego teatru, z obserwacji lalki. Ona ma tylko jeden wyraz twarzy, nieruchomą maskę, wszystkie uczucia, przeżycia, stany psychiczne wyrażane są układem jej ciała. Skurczona – znaczy smutna; rozłożone ręce – szczęśliwa; ręce przy twarzy – płacze itd. Swoją postawą na odległość musi dać sygnał, co myśli, co czuje. Wszystko trzeba przenieść na siebie, bo aktor na scenie jest jak marionetka. Jak się ułoży, jak wygląda, taki daje sygnał widowni. Jego ciało „mówi".

Bardzo to ładnie powiedziane, ale pamiętajmy, że powiedziane dziś przez świadomego swego warsztatu aktora. Niemniej ta nietypowa droga – od *Kolorowych piosenek* przez *Krawca Niteczkę, Krzesiwo, Baśń o zaklętym kaczorze* – jaką dochodził do aktorstwa dramatycznego, warta jest podkreślenia. Jeszcze przed dostaniem się do szkoły teatralnej młody człowiek nie tylko zetknął się z kulisami sceny. I – co ważniejsze – już wtedy uświadomił sobie znaczenie znaku plastycznego, specyficznego układu ciała aktora, które niesie określone sensy. Właśnie to poczucie formy, języka sceny wyróżniało go spośród innych kandydatów, którzy, idąc do szkoły, „chcą przeżywać" i swymi przeżyciami, tak zwanym wnętrzem, pragną skupić uwagę.

Niestety, ta świadomość nie pomogła mu przy kolejnym podejściu do egzaminu. Po raz drugi nie dostał się do szkoły filmowej w Łodzi. Z gazety dowiedział się, że w Krakowie we wrześniu jest dodatkowy egzamin na wydział aktorski. Postanowił spróbować po raz trzeci, ostatni, zwłaszcza że groziło mu wojsko, a szkoła mogła wybawić go od służby.

■ Znów nerwy, tłum zdających, po kolejnych eliminacjach korytarzem chodzili już faworyci, pewniacy. W pewnym momencie usłyszałem od kogoś z komisji, że jest tu taka dziewczyna – śmieje się i za chwilę płacze prawdziwymi łzami – ta się fantastycznie nadaje na aktorkę. Pomyślałem, że to nie predyspozycje zawodowe, a raczej objawy schizofrenii. Ale w głowie miałem kocioł. Gdy wreszcie stanąłem przed bardzo surowym ciałem pedagogicznym, usłyszałem donośny głos: „Proszę pana, proszę nie wymieniać nazwiska autora ani tytułu utworu, tylko od razu mówić. Czy pan rozumie?". „Rozumiem". „Proszę mówić". „Julian Tuwim, *Kwiaty polskie...*".

I finito. Kandydat na aktora poszedł do wojska. Nie było wyjścia. Dwa lata służył w artylerii w jednostce koło Wrocławia. Z aktorstwa zrezygnował definitywnie, zaczął myśleć o polonistyce, dziennikarstwie. Coś przecież w życiu trzeba robić.

■ Napisałem nawet opowiadanie o tym, czy żołnierz to człowiek, czy

KORNEL MAKUSZYŃSKI

KRAWIEC NITECZKA

adaptacja Hanny Januszewskiej

obraz I — miasteczko Tajdarajda
obraz II — wędrówka Niteczki
obraz III — Pacanów
obraz IV — dwór królewny

aktorzy: *Jerzy Brodziński*
Leokadia Ćwiek
Józef Czopnik
Jadwiga Fiałkowska
Janusz Gajos
Wanda Kuśmierska
Cezary Michaluk
Helena Pilch
Witold Polak
Violetta Riedel
Janina Rose
Nula Sitko
Zbigniew Wacławek
Stanisław Zagórzecki

pianista: *Tadeusz Będkowski*

światło: *Antoni Duda*

obsługa sceny: *Andrzej Bujnowski*
Marian Krasowiak
Stefan Pietraszek

reżyseria i inscenizacja: *Jan Dorman*

lalki: *Jan Dorman*

dekoracja: *Tadeusz Grabowski*

muzyka: *Jerzy Harald*

automat. Ponieważ myśli, podsumowałem, więc człowiek. Wydrukowali to w wojskowej gazecie wrocławskiej.

I znów śmieszny przypadek. W Domu Kultury w Żarach odbywał się konkurs recytatorski. Któregoś dnia oficer wywołał mnie podczas apelu. Na nic zdały się tłumaczenia, że nie mam z aktorstwem już nic wspólnego. W dowodzie osobistym miałem napisane: aktor, miejsce pracy: Teatr Lalek, Będzin. Rozkaz to rozkaz. Poszedłem. Umiałem te nieszczęsne *Kwiaty polskie* Tuwima. Wygrałem. Potem wygrałem również eliminacje ogólnopolskie we Wrocławiu. Nawet napisali w gazecie o żołnierzu, który pięknie mówi poezje.

Kiedy wróciłem do jednostki w Żarach, zrobiło się wokół mnie głośno. Paru ludzi z dowództwa zobaczyło moje nazwisko w gazecie. Postanowili więc sami sprawdzić, co potrafię. Któregoś dnia kazano mi powiedzieć przed całą kompanią wiersz, którym wygrałem konkurs. Zdrętwiałem. Kilkuset żołnierzy, którzy myślą o dziewczynach, przepustce, winie lub co najmniej piwie, zainteresować poezją *Kwiatów polskich*. Niewykonalne! Zbłaźnię się, oni mnie wyśmieją. Po drodze na estradę pomyślałem: Muszę się obronić, pokazać, że potrafię zmusić ich do słuchania. I słuchali. Cała ta niesforna banda przez te kilka minut siedziała w kompletnej ciszy, żadnego szmeru. Wygrałem.

No i znowu mnie wzięło na ten teatr. Pojechałem do Łodzi na czwarty w życiu egzamin. A tam mnie już znali i orzekli, że owszem, owszem, dojrzałem, wydoroślałem – może dlatego, że byłem w mun-

Wojsko mnie nie ominęło... 1960–1961

durze – i przyjęli. Pamiętam, że kiedy przeczytałem swoje nazwisko na liście studentów, wyszedłem na ulicę, nie mogąc opanować wzruszenia. Mijałem ludzi, tramwaje, samochody i myślałem: Oni nie wiedzą nawet, co to jest szczęście! Jakże im współczuję, że nie mogą być aktorami!

Jak za nic nie chcieli mnie przyjąć, tak od pierwszych dni w szkole byłem objawieniem. Dziwne.

Opuśćmy kapsułkę pamięci w tamten czas. Jest październik 1961 roku. Na ulicy Targowej 61/63 w Łodzi mieści się Państwowa Wyższa Szkoła Filmowa, Telewizyjna i Teatralna im. Leona Schillera, czyli legendarna Fil-

mówka, albo – jak chcą inni – „najlepsza szkoła filmowa na świecie". To z niej wyszli twórcy polskiego kina – Jerzy Kawalerowicz, Andrzej Munk, Andrzej Wajda, Kazimierz Kutz, Roman Polański, Janusz Morgenstern, Janusz Majewski, Krzysztof Kieślowski i inni – dziś nazywani nestorami polskiej kinematografii. Już ich w Szkole nie ma, toczą batalię o wielkość na planach swoich filmów. Ale legenda trwa, przynajmniej w tych murach jest jeszcze bardzo żywa. W pałacyku Oskara Kona, przedwojennego fabrykanta, zaanektowanym po wojnie dla uczelni, istnieje słynna sala, gdzie nieustannie odbywają się projekcje filmów dla reżyserów i operatorów, ale kto sprytny, prześlizgnie się na nie z wydziału aktorskiego, a nawet z innych uczelni. I co najważniejsze – wciąż istnieją słynne schody, z toaletą w połowie wysokości, na których toczą się najważniejsze na świecie dyskusje o filmach i sztuce, o filozofii i życiu. I nie tylko. „Słynne schody Szkoły Filmowej – wspominała Agnieszka Osiecka – pamiętają niesłychane erotyczne przechwałki co śmielszych kolegów. Można śmiało powiedzieć, że taki A.K. czy W.S. należeli do erotycznej awangardy miasta Łodzi, a takie słowa jak «orgia» i «balet» nie schodziły im z ust. W poniedziałek rano pojawiali się na schodach jakoś dziwnie rozespani i przeciągali się jak stare lwy. Wstydliwi koledzy obserwowali ich zazdrośnie z różnych zakamarków i bezskutecznie próbowali sobie przyswoić nietrudną przecież pantomimę" (Krzysztof Krubski, Marek Miller, Zofia Turowska, Waldemar Wiśniewski, *Filmówka*, TENTEN, Warszawa 1992).

Pałacyk przy Targowej to miejsce szczególne nie tylko ze względu na możliwość obejrzenia filmów, jakich w kinach nie uświadczysz, ale także z uwagi na niezwykłych ludzi, których tam można spotkać. Zarówno wykładowców, jak i studentów. O dziekanie Stanisławie Wohlu, Jerzym Mierzejewskim, Jerzym Bossaku czy Antonim Bohdziewiczu krążą legendy. To ich opinie, pytania egzaminacyjne sprzedaje się na studenckiej giełdzie. To o nich – tak samo jak o niedawnych absolwentach reżyserii czy operatorstwa – opowiada się anegdoty. Wspomnienie lambretty, skutera, jakim jeździł Janusz Majewski z późniejszą żoną Zofią Nasierowską, budzi w świeżo upieczonych studentach podziw i zazdrość. Niemal każdy próbuje uciułać pieniądze, by taką lambrettę zdobyć – to największy charme i szyk. Kto nie słyszał o czerwonym mercedesie Romana Polańskiego? Snobizm najwyższego rzędu walczy z humorem i kompleksami. A przecież studentami szkoły są jeszcze Agnieszka Osiecka, Krzysztof Zanussi, Jerzy Skolimowski, Feridun Erol, Marek Piwowski. Wszyscy młodzi, piękni i... genialni. Porównują się wcale nie z Wajdą, Kutzem czy Munkiem, ale z Bergmanem, Fellinim, Kurosawą. Wszyscy zdobywają świat. Szkoła to miejsce, gdzie kipi młodzieńcza energia, talenty, szaleństwo uderza do głowy. Rywalizacja dotyczy dziewczyn, zagranicznych ciuchów, skuterów, pomysłów na genialność i styl życia. Choć czasem tylko teoretycznie, ponieważ nie wszystkim starcza na kawę w słynnej Honoratce (tuż przy Grand Hotelu), miejscu stałych spotkań tego kolorowego towarzystwa.

Styl bycia w Szkole wielu przyprawiał o zawrót głowy, czasami o odruch buntu. Charakterystyczne wydało mi się wspomnienie o pierwszym zetknięciu się z tym światem Marka Koterskiego, dziś ciekawego dramatopisarza i reżysera. „Pamiętam dzień wstępnego egzaminu. Byłem jedyny z prowincji, jedyny w garniturze wśród tych czarusiów. Otwiera się brama i wjeżdża mustang Skolimowskiego z roztrzaskaną przednią szybą (niektórzy mówili, że sam ją stłukł, żeby wyglądało na wypadek, co dodawało dreszczyku emocji). Wysiada piękny Skolim, grzywa włosów, *blue* dżinsy, biały pas. Podlatuje Mierzejewski, całuje go w czoło. Wszystko na oczach tych szaraczków. Wydaje mi się, że był to obraz symboliczny, ostatni z tych, dla których się idzie do Szkoły. Naturalnie wybrałem Szkołę także dlatego, że w poprzednich uczelniach, na polonistyce i w Akademii Sztuk

Zofia Nasierowska na lambretcie

Pięknych, czułem ciągły niepokój i niedosyt. Ale równie ważne było dla mnie spotkanie z wielkim światem, karierą, prestiżem, sukcesem i pięknymi dziewczynami" (*Filmówka*, dz.cyt.).

Kiedy Koterski dostał się do Szkoły, Gajos już ją opuścił, ale można sobie wyobrazić, że pięć lat wcześniej, gdy zdawał, ta światowość Szkoły była jeszcze intensywniej odczuwana. I można się łatwo domyślić, jak w tym otoczeniu czuł się młody chłopiec, dopiero co wyzwolony z wojskowego munduru. Wprost z poligonu i solidnego domu na górniczym Śląsku trafił do stolicy artystycznego szaleństwa. Trudno o większy kontrast. Zwłaszcza że mój bohater był kandydatem na aktora, a to w obowiązującej tu hierarchii plasowało go najniżej. Nie tylko dlatego, że studenci wydziału aktorskiego mieli zajęcia w dawnym pałacyku fabrykanta Karola Poznańskiego na ulicy Gdańskiej, czyli dość daleko od Targowej. W tym samym pałacyku na pierwszym piętrze mieściła się Wyższa Szkoła Muzyczna. Dopiero wiele lat później aktorzy zostali przeniesieni do budynku fabrycznego nieopodal pałacu Kona, gdzie urzędowali reżyserzy i operatorzy. „Dziećmi lepszego Boga", swego rodzaju arystokracją, byli studenci tych dwóch wydziałów.

Arlekin z Kolombiną, Elżbietą Starostecką,
w przedstawieniu dyplomowym *Gra interesów*

To oni, a nie aktorzy, byli przedmiotem największej uwagi kierownictwa uczelni. Jej dumą i wizytówką.

Wydział aktorski był niejako dodatkiem, potrzebnym, koniecznym – z kimś trzeba było pracować nad etiudami – ale na pewno nie oczkiem w głowie. Miało to swoje konsekwencje jak najbardziej przyziemne.

■ Szanowni koledzy reżyserzy traktowali nas niezbyt czule, jak krzesło albo ławkę. Większym zainteresowaniem cieszyły się ze zrozumiałych względów dziewczyny, chłopcy byli złem koniecznym. Być może nam imponowali stylem życia, luzem, fantazją, ale kontakty były dość napięte. Już lepiej to wyglądało w akademiku, tam porozumiewaliśmy się łatwiej, bardziej prywatnie.

Pamiętam, jak do Szkoły przyjechał kiedyś Kirk Douglas. Zebrano nas wszystkich w sali kolumnowej. I ci pyszni kandydaci na reżyserów i operatorów, patrząc na nas, głośno, bez skrępowania mówili: No, Kirków to tu nie widać! Myśmy nie wyglądali jak amerykański gwiazdor, fakt.

Ale przecież poza kilkoma wyjątkami te wielkopańskie, światowe pozy nie zaowocowały rzetelnymi osiągnięciami, co dziś widać lepiej niż wówczas. To dobre samopoczucie szło w próżnię, niewiele z niego wynikało, ale wielu mogło wpędzić w kompleksy. Tak się pompuje „ja" bokserów, wmawiając im, że są najmądrzejsi, najlepsi, najważniejsi – żeby się dobrze bili. Ale to chyba nie jest najlepszy sposób na uprawianie sztuki.

Wprawdzie na zaczepkę kolegi reżysera: „Nie widzę tu Kirków czy Bogartów", student aktorstwa mógł się odgryźć: „A ja nie widzę Fellinich!", jednak symbioza wydziałów była tyleż trudna, ile czasami mało przyjemna. Niemniej twórcza, czasami bardzo twórcza, zwłaszcza dla kogoś, kto myślał i z tego, co widział i słyszał, samodzielnie wyciągał wnioski.

Zresztą sama Łódź dostarczała kontrastów pod dostatkiem. „Jest to wyjątkowe w Polsce miasto. Na niewielkim obszarze następuje silne zderzenie klasy robotniczej, środowiska inteligenckiego i lumpenproletariatu. Ten ostatni, często przenikający się z cyganerią artystyczną, stanowi dla filmu niesłychanie barwny materiał. Na Piotrkowskiej można było spotkać lumpów, podziemie gospodarcze i rekinów biznesu. Pod Grandem parkowały amerykańskie krążowniki, a obok robotnicy szli do fabryk, profesorowie na uczelnie. To niezwykłe przemieszanie ludzi dawało miastu nerw i przypominało bulgocący tygiel" – wspominał Marek Piwowski w *Filmówce*, co przytaczam jako tak zwane tło społeczno-towarzysko-zawodowe kształtujące studentów wszystkich wydziałów. Tło momentami kolorowe, momentami szare i przygnębiające, ale dla artystów niezbędne, bo inspirujące.

Artysta nie musi mieć drogi usłanej różami, nawet nie powinien. Poznanie różnych światów, ludzi odmiennych zachowań i systemów wartości jest jego obowiązkiem, zawodową – można powiedzieć – koniecznością. O to, ile każdego kandydata na artystę kosztuje proces adaptacji w Szkole i środowisku, nikt nie pyta. Wiadomo, że pomyślnie ten życiowy egzamin zdają tylko najlepsi, najbardziej wytrzymali psychicznie.

Skoro Janusz Gajos został od razu jednym z najbardziej uzdolnionych studentów – proces przystosowania miał już nieco wyćwiczony w wojsku, a hart ducha przez cztery egzaminy – można się domyślać, że nie napotkał specjalnych trudności adaptacyjnych. Mało tego, już na trzecim roku został zaangażowany do prawdziwego filmu.

Maria Kaniewska uczyła na wydziale aktorskim podstawowych ćwiczeń z wyobraźni, ale była przede wszystkim reżyserem. Właśnie przystępowała do pracy nad nowym filmem i znalazła w nim rolę dla „swojego" studenta.

Filmowa wersja *Panienki z okienka* powstała na podstawie powieści historycznej dla młodzieży Jadwigi Łuszczewskiej, używającej pseudonimu Deotyma, wydanej w 1898 roku. Jerzy Broszkiewicz, Jan Marcin Szancer

i Maria Kaniewska napisali scenariusz do dwu-
częściowego filmu przygodowego dla młodzieży,
edukacyjnego i wychowawczego. I cokolwiek by
powiedzieć o samym filmie (już w chwili powstania trącącym myszką), stawiane przed nim zadania
spełnił. Przede wszystkim uderza rozmach, z jakim
został wyprodukowany. Sceny pościgów konnych,
uprowadzeń i podróży karetami przez lasy i wioski
przeplatają się z obrazami królewskiej floty wpły-
wającej – kilkunastu pięknych galeonów – do gdań-
skiego portu. Jan Marcin Szancer, malarz i rysownik
o bogatej wiedzy historycznej, zaprojektował kilkanaście różnorodnych dekoracji ukazujących wnętrza siedemnastowiecznych dworków szlacheckich,
komnaty bogatych gdańskich mieszczan, pracownię
astronoma Heweliusza wypełnioną przyrządami do
badania nieba, szereg placów publicznych, sal ratu-
szowych, ulic dawnego zamożnego Gdańska oraz
niebywale dużo jak na nasze dzisiejsze możliwości
produkcyjne przepięknych siedemnastowiecznych
kostiumów oddających przepych i finezję staropol-
skich strojów przedstawicieli wszystkich stanów –
chłopstwa, szlachty, arystokracji związanej z królewskim dworem oraz bogatych gdańskich mieszczan
i ich sług.

Obecnie nakręcenie filmu, w którym zosta-
łyby, jak w *Panience*, odtworzone z niebywałym,
wręcz muzealnym pietyzmem wszystkie siedem-
nastowieczne wnętrza, przedmioty codziennego
użytku, a także zaprzęgi konne oraz przepiękna
flota morska, chyba nie byłoby możliwe z powodów
finansowych. Wówczas nie liczono się tak bardzo

Wtedy nie wiedziałem, że Pola Raksa jest mi pisana
na kilka filmowych romansów i teatralnych małżeństw

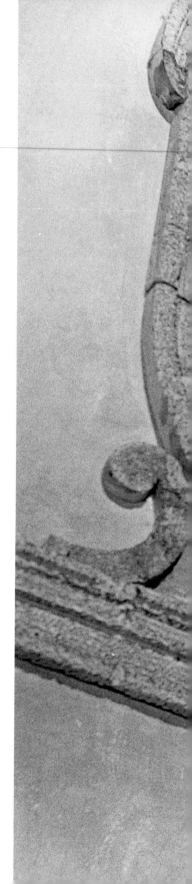

z kosztami scenografii i tłumów statystów. Pomimo tych wielkich nakła-
dów powstał obraz bardzo teatralny, szczególnie ze względu na aktorów,
którzy grali w manierze filmu przedwojennego – pełnego długich ujęć,
statycznych sytuacji i sposobu dialogowania z podkreślaniem „ł" przednio-
językowozębowego, którego dziś już prawie nikt nie używa.

■■■ Moi koledzy otarli się już o plan, dla mnie *Panienka...* była debiu-
tem. Zdjęcia zaczynały się w poniedziałek, a ja już w niedzielę poszedłem
do Marii Kaniewskiej, która była opiekunem naszego roku i mieszkała
w Szkole. Bez słowa zrozumiała, że przyszedłem do niej ze strachu przed
jutrzejszymi zdjęciami, ale zamiast pocieszenia usłyszałem: „No co? Pier-
dla masz?". Kilka dni później posadziła mnie przed kamerą i powiedziała:
„Teraz musisz się śmiać, serdecznie i prawdziwie, tylko nie mów, że nie
umiesz!". Byłem tak przerażony, że już za trzecim dublem było dobrze. Do
dziś umiem się śmiać, kiedy trzeba.

Oglądając teraz ten film, odniosłam wrażenie, że właściwie od pierwszego
wejścia na plan Janusz Gajos wyróżniał się naturalnością. Jego Pietrek, służący w domu zamożnego gdańszczanina, to chłopiec pełen życia i humoru,
zwinny, giętki. Wszędzie się wciśnie, wszystko załatwi, z korzyścią dla siebie oczywiście. Młody aktor wykorzystał walory kostiumu. Zielone spodnie
wpuszczone w długie rude buty, biała luźna koszula i kamizela to strój
sprzyjający swobodzie ruchów. W porównaniu z aktorami odzianymi w zdobione kontusze, kapelusze z piórami, lisie czapy czy pasy słuckie Gajos
poruszał się lekko jak w prywatnym ubraniu, z czego uczynił atut postaci.
    Rolę Pietrka, zawadiackiego sługi w mieszczańskim domu, trochę łobu-
ziaka, trochę spryciarza z żywą *vis comica*, charakterystyczną, zdradzającą
komediowe predyspozycje, nieśmiały student zagrał z „temperamentem
i żywiołowością młodości" – jak pisali recenzenci. Zatem już w tej pierwszej
rólce Janusz Gajos zwrócił na siebie uwagę. Poprzez kontrast – bo w przeciwieństwie do innych aktorów uniknął koturnowości. Co prawda w roli
chłopca do specjalnych poruczeń byłaby ona mało prawdopodobna, ale
nie niemożliwa. Nawet literackie tyrady, bardzo długie jak na służącego,
w ustach Gajosa brzmiały prosto i zwyczajnie. Młody aktor zagrał chłopca
inteligentnego, sprytnego, który daje sobie radę w różnych sytuacjach nie

Kiedy po raz pierwszy zobaczyłem, jak wyglądam na ekranie, dostałem prawdziwej gorączki

gorzej niż utytułowani panowie, a przy tym ma masę wdzięku. Nic z teatralnego przerysowania, sztuczności rażącej u innych. Takie ujęcie roli może podpowiedzieć naturalny instynkt, wyczucie prawdy zachowań, jakiego nie da się nikomu przekazać ani nauczyć. W przypadku początkującego studenta trudno też mówić o warsztacie. Debiutanci, bliżsi jeszcze naturszczykom niż zawodowcom, bronią się przed kamerą tym, co najbardziej zwyczajne – sposobem bycia.

Dla debiutującego aktora zetknięcie się na planie z Andrzejem Szczepkowskim (Heweliusz), Mariuszem Dmochowskim (książę Ossoliński), Kazimierzem Fabisiakiem (mistrz Johannes Szulc, szlifierz złota i bursztynów), a także ze śliczną Polą Raksą (Hedwiga), o której rękę walczą dwaj szlachcice, musiało być wyróżnieniem.

▬▬ I olbrzymim przeżyciem. Po raz pierwszy zetknąłem się z tak znanymi aktorami, i to z Warszawy. W Szkole nie stykaliśmy się z wybitnymi aktorami, byli dla nas niedostępni. A tu nagle, na planie, ja pośród wielkich. To onieśmielało. Oni zaś traktowali mnie serdecznie. Kiedyś było strasznie zimno, siedzieliśmy wieczorem po zdjęciach i nagle usłyszałem: „Damy małemu wódki?". „Damy, tylko się nie upij!". Koledzy, kiedy im potem opowiadałem, że zdarzyło mi się z takimi aktorami nawet wódkę pić, nie chcieli w to wierzyć. Śmieszne, ale tak było.

Pierwsza i niewielka rola być może przesądziła o karierze, a właściwie o całym dalszym życiu artystycznym Janusza Gajosa. Dlaczego? W tym filmie dla młodzieży zobaczył młodego aktora reżyser serialu wszech czasów Telewizji Polskiej – *Czterej pancerni i pies*. Ale to dopiero przyszłość.

Student Gajos jeszcze o swojej przyszłości wie bardzo niewiele. Wciąga się w życie Szkoły, organizuje z kolegami kabaret Piątka z ulicy Gdańskiej.

▬▬ Zawsze chciałem robić kabaret, podobała mi się taka forma bezpośredniego kontaktu z publicznością. Na podstawie *Słówek* Boya napisałem scenariusz; niewiele więcej wówczas znałem. Ale pani Małkowska, dziekan wydziału, która to dostała do zatwierdzenia, miała spore obiekcje do tego scenariusza. W każdym razie otrzymanie zgody strasznie się wlokło.

A my, to znaczy koledzy – Halina Kowalska, Franek Trzeciak, Włodek Nowak i ja – byliśmy bardzo niecierpliwi. Niestety, nie mieliśmy we własnym gronie osoby piszącej. Przygotowaliśmy więc składankę z najlepszych tekstów, które chodziły w radiu. I tak zaczęliśmy zabawę w kabaret. Trwała dwa lata, nawet w czasie wakacji jeździliśmy na tak zwane występy, żeby coś zarobić.

Ciekawsze było nasze eksperymentalne przedstawienie *Pamiętniki Pana Boga*, które cieszyło się dużym powodzeniem.

Waldek Wilhelm, który uczył nas wówczas szermierki, interesował się również reżyserią. Dotarł do wydanego u nas w latach dwudziestych tekstu włoskiego pisarza i filozofa, zdeklarowanego ateisty, który po okropień-

Kabaret w Szkole przy ulicy Gdańskiej

stwach pierwszej wojny przeżył konwersję duchową i stał się gorliwym katolikiem. Nazywał się Giovanni Papini i – jeszcze jako wojujący ateista – w 1911 roku napisał tekst, gdzie przedstawił Boga w trzech osobach. Grali je Joasia Jędryka, Franek Trzeciak i ja. Maciek Grzybowski grał diabła, a rzecz oczywiście dotyczyła dobra i zła. Występowaliśmy w sali organowej pałacyku na Gdańskiej. Nieoczekiwanie staliśmy się elitą Szkoły. To był jedyny rok, który potrafił się uruchomić i złożyć samodzielne przedstawienie poza licznymi i trudnymi zajęciami. Mnie wtedy bardzo frapowało robienie czegoś innego.

Ta aktywność nie szła na marne. Dodatkowe zajęcia to jakby kupowanie dodatkowych losów na loterii, dzięki czemu zwiększa się szansę wygranej.

Niewykluczone, że właśnie jako aktywny student trzeciego roku Gajos otrzymał propozycję od Janusza Weycherta wystąpienia w filmie psychologiczno-obyczajowym *Obok prawdy*. Zagrał w nim Zygę, postać kluczową dla przedstawionej intrygi. W czasie pracy w kopalni zdarzyło się nieszczęście – zginął robotnik. Technik Łopot stara się dowieść w swych zeznaniach, że był to tylko nieszczęśliwy wypadek. Zostaje uniewinniony, ponieważ podejrzenia kieruje na starego maszynistę. Jednak sprawcą wypadku okazuje się jego sąsiad i wychowanek Zyga. Tu Janusz Gajos musiał już nie tylko być na ekranie, zwinnie się poruszać, ale też przekazać pewien proces psychologiczny postaci. Jego bohater z beztroskiego żartownisia przemienia się w mężczyznę, który po raz pierwszy uświadamia sobie, jak kruche jest ludzkie życie, jak niewiele trzeba, by przekroczyć tę cienką granicę między bytem a niebytem. Uświadamia sobie, że śmierć człowieka jest wynikiem niedopełnienia przez niego obowiązków.

Janusz Gajos jako Zyga musiał zagrać nie tylko przerażenie tym, co się stało, ale także całą gamę stanów psychicznych człowieka, który się waha, próbuje ocalić własną skórę przed odpowiedzialnością, a równocześnie chce pozostać uczciwy wobec siebie i nadal pracować w kopalni. Pogodzić tego się nie da. Zwycięża prawda;

Zyga w *Obok prawdy* według Stanisława Grochowiaka

chłopiec musi ponieść konsekwencje swego czynu. Aktor dał sobie radę z tym zadaniem dzięki instynktowi, który podpowiedział mu, by był oszczędny w środkach. Jego Zyga to prosty chłopiec, niezbyt może rozumny, niezbyt przebiegły, ale na pewno wewnętrznie uczciwy.

Nic więc dziwnego, że wkrótce znalazł się w obsadzie jednego z bardziej awangardowych filmów, jakie powstały w połowie lat sześćdziesiątych – *Barierze* Jerzego Skolimowskiego według autorskiego scenariusza. Filmu zderzającego mieszczańskie ideały życia młodego człowieka (Jan Nowicki) z pragnieniem niezależności, które reprezentowała młoda dziewczyna, tramwajarka (Joanna Szczerbic). Wprawdzie Gajos zagrał tam niewielką rólkę – tramwajarza, który pojawia się w jednej z końcowych scen filmu – ale samo uczestnictwo w przygotowaniu tego poetyckiego, metaforycznego i autorskiego obrazu, uderzającego jeszcze dziś wysmakowaną fotografią, aurą dziwności i symboli, musiało być frajdą. Z *Barierą* łączy się także pierwsza porażka młodego aktora. Jerzy Skolimowski, kolega z wydziału reżyserii, zaprosił na zdjęcia próbne do głównej roli kilku aktorów, między innymi Gajosa. W końcu powierzył tę rolę Janowi Nowickiemu, a kolega ze szkoły dostał małą rólkę niejako na pocieszenie. Wprawdzie znalazł się znów w towarzystwie Tadeusza Łomnickiego czy legendarnego wówczas Zdzisława Maklakiewicza, ale tylko teoretycznie. Pojawił się na ekranie przez moment, w niewielkim epizodzie i nawet nie miał szansy zetknąć się na planie z wybitnymi kolegami.

Tak bywa w tym zawodzie – aktor służy urzeczywistnieniu wizji reżysera i jakkolwiek brutalnie by to brzmiało, tak jest i będzie. Na szczęście reżyserów jest wielu, wizji jeszcze więcej. Życie studenta Gajosa zaczęło nabierać przyśpieszenia. Kilka miesięcy wcześniej wziął udział w zdjęciach próbnych do innego filmu. Pojechał do Warszawy na zaproszenie Konrada Nałęckiego. Wykonał wraz z Włodzimierzem Pressem zadaną etiudę i wrócił. Po dość długim czasie zaczęły go dochodzić słuchy, że jest poważnie brany pod uwagę do roli Janka Kosa. To oznaczało około stu dni zdjęciowych, podczas gdy dla studenta szczęściem było spędzenie choć kilku dni na planie. Ale wciąż nie wiedział nic pewnego, mimo że scenariusz filmu pisał razem z Januszem Przymanowskim Stanisław Wohl, profesor ze Szkoły.

■■■ W tym czasie inny profesor, Jerzy Walden, zaproponował mi jakieś zastępstwo w komedii wystawianej w Teatrze 7.15, który mieścił się w budynku Grand Hotelu. Znalazłem się więc w teatrze typowo rozrywkowym. Grałem tam epizody, ale później zostałem zaangażowany na etat. Tymczasem sprawa mojego udziału w filmie Konrada Nałęckiego wyjaśniła się i po zdaniu absolutorium poszedłem na kilka miesięcy do filmu. Kiedy wróciłem, dowiedziałem się, że zespół Syreny przeniósł się do Warszawy, a Teatr 7.15 został połączony z Teatrem im. Stefana Jaracza. Tak więc – niejako zaocznie – zostałem aktorem tego teatru. Ale bez dyplomu. Dopiero po kilku latach napisałem pracę i w 1971 roku ją obroniłem.

PANCERNI

– SZANSA NA SUKCES?...

Zanim na planie filmu rozlegnie się pierwszy klaps, cała ekipa musi być gotowa znacznie, znacznie wcześniej. Nic więc dziwnego, że propozycję zagrania Janka Kosa, głównego bohatera serialu *Czterej pancerni i pies*, Janusz Gajos otrzymał wiele miesięcy przed rozpoczęciem zdjęć, jeszcze jako student czwartego roku wydziału aktorskiego.

▬▬ Miałem mieszane uczucia. Bardzo chciałem zagrać główną rolę w serialu zaplanowanym na siedem odcinków, bo to gwarantowało wydobycie się z anonimowości, popularność, o którą na początku trzeba walczyć. Niemniej liczba dni zdjęciowych przerastała najśmielsze marzenia, nie umiałem sobie tego wyobrazić. Z drugiej strony towarzyszyło mi poczucie niepewności, jak się to wszystko skończy. Rzeczywistość jednak przerosła wszystko, co wówczas mogłem sobie pomyśleć. Zarówno w pozytywnym, jak i negatywnym sensie.

Ale po kolei. Warto tę niecodzienną przygodę dokładniej opowiedzieć. O wyborze studenta Gajosa zadecydowało kilka powodów. Po pierwsze – rola Pietrka w filmie *Panienka z okienka*, o której się mówiło w małym filmowym światku. W wytwórniach zawsze wiadomo, kto z młodych rokuje nadzieje, czy jest pracowity, utalentowany. Podobnie w Szkole opinie profesorów często ważą na losach podopiecznych. Stanisław Wohl miał spory udział w powstawaniu filmu i zdecydowanie popierał studenta znanego z dobrych wyników i aktywności. Po drugie – szczęściu aktora zawsze sprzyja jego powierzchowność. W tym wypadku idealna, bo jako człowiek dorosły, dwudziestokilkuletni, Gajos nadal wyglądał jak chłopiec. Drobne rysy twarzy, zadziorne spojrzenie błękitnych oczu, szczupła sylwetka i, nie ukrywajmy, wdzięk młodego mężczyzny, szorstkością obejścia masku-jącego ciepło, stały się jego atutami. Jedynym mankamentem, w oczach reżysera, okazały się ciemne, czyli niezupełnie słowiańskie włosy aktora, ale z tym radził sobie fryzjer, rozjaśniając je co kilka tygodni przez cztery lata (1966–1970). Po sukcesie pierwszych siedmiu odcinków serialu na życzenie widzów nakręcono następnych czternaście.

Serial *Czterej pancerni i pies* powstał na podstawie powieści Janusza Przymanowskiego pod tym samym tytułem. Opowiada ona o losach kil-korga młodych ludzi złączonych wojennym trudem i męstwem, lojalnością i brawurą, którzy przeszli zwycięsko szlak wojny z dalekiej Syberii aż do Berlina. I na zawsze pozostaną młodzi, piękni i odważni. Choć ich losy bar-dzo często mijają się z prawdą historyczną czy wręcz z życiowym prawdo-podobieństwem, to mieszczą się w krainie bohaterskiego mitu. Starego jak świat, wykreowanego w ludowych eposach, podaniach i bajkach, ustanawia-jącego wzory waleczności, przyjaźni i wzniosłości... ku pokrzepieniu serc.

Bardzo dokładną analizę przygód załogi Rudego, których źródło tkwi nie w historii drugiej wojny światowej, lecz w ludowej epice, przeprowa-dził swego czasu badacz kultury z Uniwersytetu Warszawskiego Roch Sulima w rozprawie *O herosach, rycerzach i czterech pancernych*, opublikowa-nej w książce *Folklor i literatura* w 1976 roku. Wykazał on, że konstrukcja fabularna *Pancernych* powtarza strukturę ludowego eposu bohaterskiego. Przede wszystkim poprzez jego najbardziej typowe motywy: dziecięcy wiek

Skierowano do realizacji

CZTEREJ PANCERNI I PIES

Już wkrótce w Wytwórni Filmów Fabularnych we Wrocławiu roz-pocznie się realizację nowej serii cyklicznych filmów telewizyjnych pt. Czterej pancerni i pies. Reżyserem filmu jest Konrad Nałęcki. Scenariusz napisali Janusz Przymanowski i Stanisław Wohl. Operator — Romuald Kropat. Kierownictwo produkcji — Jerzy Nitecki.

Rudy w Berlinie

JANUSZ PRZYMANOWSKI

CZTEREJ PANCERNI I PIES

i młodość bohatera, jego sieroctwo, spotkanie starca opiekuna, a także posiadanie czarodziejskiego pomocnika (tu jest nim pies Szarik), który nie tylko towarzyszy mu w wędrówce życiowej, ale też chroni go i wybawia z rozmaitych opresji.

Młody bohater, zgodnie z poetyką legendy, obdarzony jest wyjątkową zręcznością i sprytem, ponadto jest człowiekiem nieustraszonym i mądrym, dobrym i sprawiedliwym. Jeśli nawet uczestniczy w bójkach, to bije się sprowokowany, w obronie pewnych wzniosłych wartości – takich jak honor czy męstwo. Tym właśnie poczuciem sprawiedliwości, które łączy się z rycerskim kodeksem walki oraz niezwykłymi, wręcz cudownymi czynami – strzela celnie jak nikt – bohater wkrada się w łaski grupy. Tu jest nią formująca się na froncie wschodnim brygada im. Tadeusza Kościuszki, a ściślej – załoga czołgu, którą obowiązuje prastare prawo: jeden za wszystkich, wszyscy za jednego. I prastare prawo bajki określające nadprzyrodzone właściwości każdego z przyjaciół bohatera.

Dowódca czołgu Olgierd Jarosz (Roman Wilhelmi), wychowany w Związku Radzieckim, jest potomkiem polskiego powstańca z 1863 roku. Wojna daje mu szansę powrotu do ojczyzny, ale dla załogi ważniejsze jest to, że potrafi on przepowiadać pogodę i czytać przyszłość z chmur. Gustaw Jeleń, Gustlik (Franciszek Pieczka), Ślązak, który zbiegł z Wehrmachtu, nie tylko rozumie mowę ptaków, ale jako syn kowala jest nieludzko silny, potrafi wyjąć gołymi rękami wielki gwóźdź wbity w drzewo przez czołg i zwinąć go wokół palca. Podobnie jak koledzy walecznością zadziwia Grigorij Saakaszwili, Grześ (Włodzimierz Press), czarnooki, wesołkowato-naiwny Gruzin, doskonały jako kierowca czołgu, sprawny strzelec. Po śmierci Olgierda w bitwie

Załoga Rudego zdolna do wszystkiego

pod Wejherowem dołączył do załogi Tomek Czereśniak (Wiesław Gołas), nieodrodny potomek chłopów pańszczyźnianych, syn starego Czereśniaka (Tadeusz Fijewski), który tak zwanym chłopskim rozumem pokonuje trudy wojennego bytowania. Barwne są również postacie drugoplanowe: zadziorna rudowłosa sanitariuszka z Ukrainy Marusia (Pola Raksa) – to od koloru jej włosów czołg nazywa się Rudy; zalotna radiotelegrafistka Lidka (Małgorzata Niemirska) – obie rywalizują o uczucia Janka; Honorata (Barbara Krafftówna), narzeczona Gustlika, czyli Ślązaczka z zasadami; ciamajdowaty, acz dobry „z kościami" kapral Wichura (Witold Pyrkosz).

Bohaterowie *Pancernych* są oczywiście nieustraszeni, na każdą akcję idą bez wahania, gotowi ryzykować zdrowie i życie. Dopisuje im szczęście, gdyż nie tylko z każdej opresji wychodzą cali (z wyjątkiem Olgierda, który ginie), ale jeszcze ich przyjaźń zostaje wzmocniona poczuciem lojalności i wierności. Nie są jednak monolitami. Kiedy Janek w bitwie pod Studziankami pierwszy raz w życiu zabija Niemca i później widzi jego martwe ciało, robi mu się słabo i zbiera mu się na wymioty, a gdy wraca do okopów i znajduje martwego Rosjanina, który powtarzał zabawne „jołki-połki", płacze jak mały chłopiec. Każdy z członków załogi ma chwile słabości, wahań, jakieś śmiesznostki, ale one dodają wiarygodności ich charakterom, a tym samym zbliżają do widza.

Niepodważalną wartością pozostaje bohaterstwo załogi Rudego. Ono – dla większego prawdopodobieństwa – wyrasta nawet ponad własne szeregi. Wystarczy sobie przypomnieć postać felczera z Mińska Mazowieckiego (Wiesław Michnikowski), który mdlał ze strachu i przerażenia, gdy widział lub słyszał strzelaninę. Na szczęście dzielni chłopcy wydobywali go z opresji, odnajdywali w opuszczonej piwnicy, pomagali zejść z dachu itd. Słowem, nie dość, że walczyli z Niemcami, to jeszcze potrafili pomóc słabszym, mniej odpornym psychicznie czy wręcz mięczakom, byle się nie dać wrogowi.

Bohaterowie *Pancernych* bywają także komiczni, zwłaszcza ich język będący specyficznym wolapikiem polsko-rosyjsko-śląskim pozostaje nieprawdopodobną mieszaniną. Czystej krwi Rosjanin Czernousow (Janusz Kłosiński) po dwóch słowach rosyjskich gładko mówi po polsku, podobnie Marusia. Gustlik co chwila wtrąca coś śląską gwarą, stary i młody Czereśniak dorzucą słówko po chłopsku, z mazowiecka, a ze zrozumieniem

Do przeciwników serialu: To nie PZPR zagłaskała wypchanego Szarika w muzeum, tylko wielbiciele

języka wroga, czyli niemieckiego, nikt nie ma problemów. Zresztą dialogi są mocną stroną serialu. Jest to język codzienny, charakteryzujący związki społeczne i etnograficzne pomiędzy ludźmi w sposób najprostszy, jego źródło tkwi bowiem w ich psychice i indywidualnych cechach. Elementy humoru i komizmu skutecznie pozwalają uniknąć koturnowości, postacie z ekranu stają się bliskie codziennemu doświadczeniu. Ich przygody, bliższe wprawdzie harcerstwu niż wojnie, tym skuteczniej przybliżają męstwo i wytrwałość do wymiarów życia. Bohaterstwo okazuje się możliwe, jest na wyciągnięcie ręki. Tysiące takich chłopców w mundurach przez wiele miesięcy podążało po zwycięstwo czołgami albo piechotą w skwarze i mrozie, kurzu i deszczu. I większość przetrwała wojenny znój.

Niemniej wszyscy ci bohaterowie są postaciami rodem raczej z fikcji literackiej niż z życia. Z przyczyn historyczno-politycznych nasza literatura wyjątkowo silnie ustanawiała wzory dla życia, nic więc dziwnego, że romantyczne modele bohaterstwa, patriotyzmu, niezłomności i wierności zasadom przeniknęły także do kultury masowej. Nie ulega wątpliwości, że serial – adresowany przede wszystkim do młodej widowni – czerpał wzorce także z literatury wysokiej. Świadomie przenosił je w realia walki z hitlerowskim najeźdźcą i nie mniej świadomie odwoływał się do sprawdzonych wzorów mentalnych polskiego społeczeństwa. A to sprawiło, że z postaciami serialu chętnie się utożsamiano. Nie dlatego, że były takie prawdziwe, lecz dlatego, że aż takie szlachetne. Nie wiem, czy to dobrze, czy źle, ale tak już jest, że tak zwana szeroka publiczność nie zawsze lubi oglądać prawdę. Widzowie zwykle wolą widzieć się lepszymi, szlachetniejszymi, takimi, jacy chcielibyśmy być. Mit bywa silniejszy niż rzeczywistość, tak jak marzenie jest piękniejsze od realności. Doskonale zdawali sobie z tego sprawę scenarzyści – Janusz Przymanowski, Stanisław Wohl i Maria Przymanowska.

Jeszcze inaczej powodzenie tej filmowej opowieści wyjaśnia Roch Sulima: „Olbrzymia popularność *Czterech pancernych* tłumaczy się między innymi zespoleniem losu «indywidualnego bohatera» utworu, Janka

Kosa, z losem «bohatera kolektywnego», załogi czołgu, a zarazem tysięcy Polaków, którzy przychodzili do Polski przez pola bitew i potyczek. Los «bohatera indywidualnego» ma tu m o t y w a c j ę p s y c h o l o g i c z n ą, która pojawia się jakby w miejsce dawnej m o t y w a c j i m i t o l o g i c z - n e j. Los zaś «bohatera kolektywnego» jest idealizacją działań żołnierskiego kolektywu". I dodaje dalej, że bohaterowie *Pancernych* „są swoistą syntezą t y p ó w l u d o w e g o b o h a t e r s t w a, syntezą podyktowaną nieprzeli- czalną mnogością powtarzających się sytuacji życiowych".

Jednakże dla młodego aktora, studenta czwartego roku Szkoły, nie te kwestie stanowiły główny problem. Janusz Gajos, nieledwie debiutant, nagle znalazł się na planie pośród uznanych aktorów, zwłaszcza z war- szawskich teatrów: Współczesnego, Dramatycznego, Ateneum, ale także ze Starego Teatru w Krakowie. Już samo spotkanie z gronem najpopularniej- szych wówczas aktorów musiało być przeżyciem. Tym większym, że Gajos grał główną rolę. Szesnastoletniego chłopca z Gdańska, który po stracie matki w gruzach palącego się domu rodzinnego starał się pośród wojennej zawieruchy odnaleźć zaginionego ojca, obrońcę Westerplatte. Losy rzu- ciły go aż nad rzekę Ussuri na Syberii, skąd wracał do kraju. Męstwem i walecznością zdobywał uznanie kolegów i dowódców. Doszedł z nimi aż do Berlina, gdzie na Bramie Branderburskiej obok polskiej flagi położył czapkę zabitego kolegi. Janek Kos przez dwadzieścia jeden godzinnych odcinków nie schodzi właściwie z ekranu, to wokół jego przygód osnuta jest akcja. Zagrać taką postać w obecności i przy udziale tak znakomitych kolegów to wyzwanie zawodowe, przed jakimi stają najwięksi szczęściarze.

▬ Na planie spotkali się fantastyczni aktorzy. Miałem okazję oglądać, jak się zachowują, gdy na planie słychać: „Uwaga, cisza, kamera!". Nawet gdy nie brałem udziału w jakiejś scenie, to chętnie obserwowałem starych aktorów – ze szczególną atencją Tadeusza Fijewskiego. Podglądałem, jak zaczyna ujęcie, jak kończy, jak się zachowuje na planie. Potem obserwo- wałem, jacy ci wielcy są prywatnie. Mieszkaliśmy w tym samym hotelu, spędzaliśmy ze sobą prawie cały czas, więc okazji nie brakowało. Kręcenie *Pancernych* to wielka szkoła zawodu i życia. To także moje pierwsze bru- derszafty z ludźmi na topie, jak się to dziś mówi. Wiesio Gołas, Franek Pieczka, Hania Skarżanka – znajomość z nimi traktowałem jako wielkie wyróżnienie, ale też okazję do sprawdzenia się. Ich obecność dopingowała do tego, by się nie ośmieszyć. Wyłapywali każdy fałsz, ale też pomagali.

Już w pierwszych dniach pracy aktor musiał wykazać się umiejętnością jazdy na koniu, ponieważ jego bohater tak właśnie – wierzchem – pokonuje odległości w zasypanej śniegiem dalekiej Syberii. Późniejsze odcinki serialu nie będą może wymagały specjalnych umiejętności, bo obierać ziemniaki, rąbać drewno czy walczyć na pięści potrafi każdy aktor. I Gajos wykonywał wszystkie zadania aktorskie zapisane w scenariuszu dokładnie i sprawnie. Ale nie tylko z tego powodu jego Janek budził wielką sympatię. Poza tekstem roli aktor potrafił „sprzedać" swój naturalny wdzięk; nie każdy jest nim obdarzony. Jego Janek maskował swoją młodzieńczą naiwność sprytem i zręcznością, a pod szorstkim czasami obejściem skrywał wrażliwość i ciepło, czym skupiał uwagę widzów. W takich wypadkach mówi się, że aktor był wiarygodny, to znaczy między nim a postacią nie było pustej przestrzeni, gdzie mógłby się pojawić dystans czy ironia aktora wobec wielu naiwnych zachowań czy reakcji Janka. Nie, Gajos zagrał swego bohatera najzupełniej serio, starając się uwiarygodnić jego przygody dużą dozą życiowych obserwacji i zrozumienia dla ludzkich charakterów. Owa dojrzałość emocjonalna bohatera przejawiała się przeważnie poza tekstem dialogów, w sposobie zachowania, który sugerował, że Janek posiada niezawodny instynkt moralny. Jakby odruchowo odróżniał prawdę od fałszu, rzeczy ważne od nieistotnych i wiedział doskonale, „co się należy, a co się nie należy". Ale to zasługa aktora. Poza słowami potrafił przekazać wiele informacji o postaci, bez owego inteligenckiego gadania dzielącego włos na czworo.

Janek to pierwszy z plebejskich bohaterów Gajosa, którzy w jego ujęciu uzyskują pełny ludzki wymiar. Samym sposobem bycia, gestem, spojrzeniem określają wysoki poziom kultury osobistej i poczucie godności postaci. Janek Kos to ktoś, nie jakiś chłystek, młody mężczyzna, lecz nie gówniarz. Naprawdę niewielu mamy aktorów wnoszących ze sobą tak rozległą przestrzeń ludzkiej psychologii.

Na aktora w filmie pracuje cała ekipa – reżyser, scenograf, operator, charakteryzatorzy. Serial powstawał w czasach, gdy koszty produkcji nie były sprawą pierwszej wagi. Wiarygodność zapewniał filmowi licznie

zgromadzony sprzęt i mrowie statystów. Dość powiedzieć, że do zdjęć użyto prawdziwych dział przeciwpancernych, moździerzy, dwóch tysięcy granatów, trzystu petard, dwustu rakiet, tyluż świec dymnych, tysiąca kilogramów trotylu, kompletnego wyposażenia radiostacji polowej. Wszystko to obsługiwał, poza aktorami, oddział saperów, osiemdziesięciu całkowicie umundurowanych i uzbrojonych żołnierzy. Pojawiał się również szwadron polskiej kawalerii pod dowództwem wachmistrza, czyli znanego aktora Teatru Dramatycznego Mieczysława Stoora.

Ta sceneria wymagała od młodego aktora nie tylko umiejętności noszenia munduru, hełmu, podawania chorągiewkami sygnałów dowodzenia, obsługi radiostacji, strzelania z działa i karabinu maszynowego, ale przede wszystkim prawidłowej obsługi czołgu. Wszystkie działania aktorów odbywały się w huku detonacji rac i petard, wybuchów ognia pożarów sprzętu wojskowego i obiektów. Student Szkoły musiał się oswoić z tą atmosferą. Doświadczenia służby wojskowej, jaką odbył niedawno w artylerii, okazały się średnio przydatne w filmowej wojnie. Nie była prawdziwa, ale też nie były to wczasy.

Serial powstawał w okolicach Poznania, Inowłodza, wsi Poświętne, w Szkole Filmowej w Łodzi, na poligonach w Żaganiu i w podpoznańskim Biedrusku. To znaczyło dla całej ekipy bytowanie w warunkach naprawdę polowych. Bez żadnych wygód, luksusów, o przyzwoitym jedzeniu nie wspominając. Któregoś dnia Janusz Gajos dowiedziawszy się, że musi kilka godzin czekać na swoją scenę, położył się na polanie. Usnął. Obudził się już pod kołami filmowego samochodu. Mundur Janka okazał się doskonałym kamuflażem, kierowca go nie zauważył. I zdjęcia w szpitalu, zaplanowane dla załogi Rudego w siódmym odcinku, trzeba było przyśpieszyć, by wykorzystać jako chorobę Janka prawdziwy wypadek aktora. Nie taki banalny – długo nie było wiadomo, czy będzie chodzić; samochód poturbował mu kręgosłup.

Ponieważ w każdej właściwie scenie występuje pies, dla ekipy oznaczało to stałą, niekiedy wielogodzinną współpracę z treserem i jego podopiecznym. Zresztą w kręceniu serialu brały udział dwa owczarki – Trymer i jego dubler Atak. Tak więc aktorzy musieli współpracować nie tylko ze sobą, ale i z psem. Filmowego Janka dotyczyło to szczególnie. Szarik (po rosyjsku „kulka") to pies, którego bohater serialu wychował od szczeniaka, ponieważ jego matkę Murę rozszarpał dzik w czasie polowania. Ten mądry owczarek stał się nie tylko przyjacielem całej załogi i kompanii, lecz i pełnoprawnym żołnierzem, brał bowiem udział w wielu akcjach. Potrafił wyczuwać obecność zarówno przyjaciół, jak wrogów. Nie tylko przenosił meldunki przez linię frontu, ale potrafił zakładać ładunki wybuchowe w kanale przewodów berlińskiego tunelu. Uwiarygodnienie przygód psa i jego waleczności wymagało od aktorów niejako gry za niego. Związek Janka i załogi czołgu z Szarikiem stał się bardzo mocnym spoiwem grupy bohaterów i spoiwem więzi z widzami, którzy widząc tak inteligentne zwierzę, uruchamiali w sobie nadzwyczajne pokłady zrozumienia, wielkoduszności i sympatii. Po emisji *Pancernych* co drugi pies na podwórku nazywał się Szarik. A prawdziwy Szarik został wypchany i stoi w wojskowym muzeum w Modlinie; w końcu trzeba go było postawić za szkłem, bo od głaskania przez wielbicieli wyłysiał.

Do jakości filmu rękę przykładali wybitni twórcy. Ballada „Deszcze niespokojne potargały sad, a my na tej wojnie ładnych parę lat..." skomponowana została przez Adama Walacińskiego do słów Agnieszki Osieckiej i Wiktora Woroszylskiego. Śpiewana ciepłym niskim głosem Edmunda Fettinga towarzyszyła każdemu odcinkowi serialu, stając się jego znakiem firmowym. Muzykę do filmu napisał zaś Wojciech Kilar. Zmagania najwybitniejszych artystów tamtego czasu były pilnie obserwowane w środowisku, zwłaszcza że był to jeden z pierwszych seriali rodzimej produkcji, czyli właściwie dopiero powstającej telewizji. Z nowym medium obcowano wówczas zbiorowo, gdyż mało kto miał w domu odbiornik Wisła czy Belweder, więc do tego, kto miał, schodzili się sąsiedzi z całego bloku (nierzadko z własnymi stołeczkami) albo z całej wsi. Z takich prozaicznych powodów, o których dziś już nie pamiętamy, *Pancerni* budzili wówczas szczególny zachwyt i zazdrość, podziw i niechęć. Jako pierwsi, i tak bardzo sympatyczni, stali się bohaterami kultury masowej. Liczbę widzów telewizyjnych szacowano na piętnaście milionów przy pierwszej emisji, a przecież przy każdym powtórzeniu przybywały tysiące nowych fanów. Do dziś serial emitowano dwadzieścia cztery razy, siedem milionów widzów zgromadziła jego wersja kinowa. Wydany został na kasetach, siedem części po trzy odcinki każdy, i nadal przynosi dochody właścicielom wypożyczalni oraz producentom.

Przez czterdzieści pięć lat dorastały kolejne pokolenia chłopców
i dziewcząt pragnących być Jankiem, Gustlikiem, Marusią lub Lidką.
Zwłaszcza każdy chłopiec na podwórku chciał być Jankiem Kosem, głównym zawadiaką, później dowódcą czołgu. W tym wieku każdy chce walczyć
i zwyciężać, a potem stać się bohaterem. Janusz Gajos był ucieleśnieniem
owych pragnień, takim starszym bratem dla milionów młodszych, wzorem
zachowań, urody, postawy. Powodzenie aktora z dnia na dzień przybrało
objawy epidemii; został pierwszym w Polsce idolem w prawdziwym tego
słowa znaczeniu. Sprzedawano jego zdjęcia – na lusterkach, pocztów-
kach – wszędzie, od kiosków po bazary i odpusty. Po jego autograf ustawiały
się długie kolejki. Stał się osobą publiczną, rozpoznawaną na ulicy, w sklepie, co, jak wiadomo, człowieka mile wyróżnia, ale też bardzo ogranicza
prywatność. I stawia niejednokrotnie w dziwnych, by nie powiedzieć głupich sytuacjach. „Eee, wolałam pana blondynem" – jak usłyszał od pewnej
pani – to niewinne zdarzenie.

■ Popularność serialu i moja była rzeczywiście olbrzymia, trudna nawet
do wyobrażenia, wziąwszy pod uwagę tamte czasy. Niesamowita. Tylko ja
z nią zostałem sam i nie zawsze potrafiłem sobie poradzić z tym, co się
wokół mnie działo. Mieszkałem w domu aktora, jeździłem tramwajem,
bo nie stać mnie było na żaden, nawet najtańszy, samochód. Kiedy się
pojawiałem na ulicy, kto chciał, szarpał mnie za ubranie, ciągnął za włosy,
chłopcy strzelali z korkowców, mamusie podstawiały córeczki do wspólnej fotografii. Traktowano mnie jak przedmiot do zabawy. Szarpali, żeby
sprawdzić, czy jestem prawdziwy.

To przebiegało falami, każda emisja *Pancernych* w telewizji wzmagała
gwizdy na widok aktora, szarpaninę, celowanie w jego kierunku itd.

■ Ludziom się wydaje, że popularność automatycznie przekłada się na
luksus – czarną limuzynę, kwiaty, buźki, uśmiechy. Gwiazda – to znaczy
tajemnica. Przyjechał jak kometa, zniknął. Fru!!! A gdzie ja miałem zniknąć?
Byłem gwiazdą, ale bez luksusu. Wyzwoliłem się z reżimu finansowego,
jaki narzucało stypendium. Mogłem się ubrać, zjeść dobrą kolację, trochę
poszaleć, pojechać na wakacje – ale jak zaczęli za mną ganiać z aparatami,

Ligota Piękna   24 X 2011r

Dzień dobry Panu.

Mam na imię Kuba.

Mam 9 lat. Chodzę

do 3klasy. W mojej

klasie jest dwóch

Panó fanów. Ja i mój

kolega Antek. Najbardziej

lubimy „Czterej pancerni

i Pies"

A ja tak lubię ten

film, że gdy go oglądam

to płaczę.

po trzech dniach uciekłem. Nie były to jednak pieniądze wystarczające na kupno mieszkania czy samochodu. Z jednej więc strony niby dobrze – popularność niesamowita, próżność połechtana, ale z drugiej – ta szarpanina na ulicy przywracała mnie rzeczywistości.

Nie mniej denerwujące były pytania: „Niech pan powie z ręką na sercu, czy pan wolał Lidkę, czy Marusię?". Te pytania zdarzają się jeszcze dziś, po czterdziestu kilku latach!!! Stawiają je nie tylko ludzie z ulicy, ale dziennikarze, którzy umawiają się na wywiad, przynoszą kwiaty itd. Bywały sytuacje jeszcze gorsze. Ktoś wymyślił, żeby cała ekipa z Szarikiem przejechała czołgiem całą ulicą Piotrkowską w Łodzi, jak się to dziś mówi, „w ramach promocji filmu". Wielbiciele mało nie rozdeptali i nie zadusili swoich idoli... z miłości oczywiście. Na szczęście aktorom udało się

umknąć w panice przez podwórka przed oszalałym tłumem. Czołg pozostał na ulicy.

Do powodzenia serialu przyczyniła się telewizja wykorzystana w celach wychowawczych i propagandowych. Początkowo emitowano serial w czwartki, w popołudniowym programie *Ekran z bratkiem*, potem zaś w niedzielnym przedpołudniowym *Telewizyjnym Klubie Śmiałych*, przemianowanym następnie na *Telewizyjny Klub Pancernych*. Omawiano w nim działalność załóg, które powstawały jak grzyby po deszczu na podwórkach, w szkołach, wszędzie. Najlepsi mogli wygrać hełmofon, taki, jaki nosił Janek. Zapotrzebowanie było tak wielkie, że spółdzielnie nie nadążały z szyciem tych hełmofonów. Zarejestrowano około dwudziestu pięciu tysięcy załóg, łatwo więc obliczyć, że w zabawie brało udział milion dzieciaków. Wydano około stu pięćdziesięciu tysięcy legitymacji Klubu Pancernych.

Sprzedano pół miliona naszywek na dżinsy z wizerunkiem czołgu Rudy 102 i psa, dwieście tysięcy koszulek, miliony breloczków, lusterek. Eksportowano te gadżety do Związku Radzieckiego, gdzie serial cieszył się również ogromnym powodzeniem. Jeszcze dziś rosyjscy dziennikarze, polscy również, pragną zrobić wywiad z Jankiem Kosem dla swego magazynu.

W Opolu, niezależnie od telewizji, Klub Pancernych powstał w radiu. Dzieci założyły klub Bezpieczna Droga i zdobyły osiemnaście tysięcy kart rowerowych. Powstała akcja „Zimowy zmierzch", w ramach której dzieci zbudowały tysiące budek dla ptaków, miejsc lęgowych, dokarmiały ptaki, niszczyły wnyki, reperowały psie budy. Powstała Domowa Biblioteka Radiowego Klubu Pancerniaków, Ministerstwo Obrony Narodowej musiało zwiększyć nakłady serii książek „Bitwy-Kampanie-Dowódcy". Sympatycy załogi Rudego zgłaszali wiele inicjatyw społecznych, ich atrakcyjność rosła poprzez odwoływanie się do przygód Janka, Gustlika, Grigorija i psa.

Powodzenie serialu i filmu spowodowało zainteresowanie nim, jak się wtedy mówiło, „najwyższych czynników partyjnych i państwowych". Sukces przedsięwzięcia przerósł najśmielsze oczekiwania. Twórcą serialu był partyjny pupil, Janusz Przymanowski, który wiedział, jak rozłożyć akcenty prawdy historycznej, lub jak je spreparować, by się owym „najwyższym czynnikom" podobały. Bo choć świadomie pisał scenariusz serialu rozrywkowego, przedstawiającego wojnę od mniej poważnej, bajkowej strony, to wymogi cenzury obowiązywały nawet bajki. Zwłaszcza bajki, zważywszy powodzenie i znaczenie mowy ezopowej, jaką posługiwano się w teatrze, kinie i literaturze.

Społeczny odbiór serialu stał się przedmiotem zainteresowania obywateli zatrudnionych nawet w Biurze Prasy KC PZPR. By zrozumieć, jak wielką wagę przywiązywano do jego popularności i jak chętnie ją wykorzystywano dla partyjnej propagandy, trzeba zajrzeć do gazet z tamtych lat. „Narada poświęcona była oddziaływaniu popularnej serii filmów telewizyjnych *Czterej pancerni i pies* oraz akcji prowadzonych przez Klub Pancernych na psychikę i wyobraźnię, a także postawy dzieci w wieku szkolnym. J. Przymanowski omówił «osiągnięcia w dziedzinie poznawania przez młode pokolenie chlubnych tradycji Ludowego Wojska Polskiego, a także zbliżenia młodych widzów do współczesnej problematyki obronnej kraju»" („Żołnierz Wolności" 1969, nr 295).

„Kurier Polski" (1970, nr 164) donosił: „Oto w niewielkiej wsi Biadoliny na pograniczu powiatów brzeskiego i tarnowskiego rozpocznie się budowa szkoły, która nosić będzie imię Czterech Pancernych i Psa. Na specjalnym postumencie przed szkołą ma stanąć czołg Rudy. Zakłady pracy i szkoły województwa krakowskiego zbierają dary rzeczowe i pieniądze. Gustlik – Franciszek Pieczka – odbył wiele spotkań i dochód z nich przeznaczył na konto budowanej szkoły". Tytuł artykułu wymowny: *Pomnik Uśmiechu Dziecka im. Czterech Pancernych.*

Powodzenie serialu zaostrzyło apetyty partyjnych propagandzistów. Bez ogródek ujął je Czesław Dziekanowski w artykule *Czterej pancerni chcą spać.* „Grę w serialu uważają aktorzy za spełnienie jakby obywatelskiego obowiązku. Bo, powtarzam, nie chodzi w serialu wyłącznie o element zabawowo-rozrywkowy. Socjolodzy i psycholodzy wiedzą doskonale na podstawie badań, że seriale z reguły stają się skutecznym narzędziem kształtowania, w skali masowej, gustów i postaw społecznych odbiorcy. Dzieje się tak dlatego, że taki serial przygodowo-historyczny, jakim są *Czterej pancerni*, prowadzi świadomość widza (przez swoją strukturę kompozycyjną) w kierunku zawiązania nici trwałej sympatii z pancernymi – zbiorowy – fikcyjny bohater – dzięki cechom, których jest nosicielem – zyskał walor realności. Nie tylko dla dzieci i młodzieży, ale w pewnym sensie także dla starszych widzów *Pancerni* mają wymiar czegoś rzeczywistego, realnego; opuścili sferę fikcji artystycznej, a przeszli do codziennej rzeczywistości i funkcjonują jako rzeczywiste elementy składowe otaczającego nas świata. Mówiąc w przenośni – serial jest zjawiskiem artystycznym, które wywiera efekt utożsamiania się widza z bohaterem, z jego postawą wobec otaczającego świata, jego światopoglądem. Tak więc wyniesione w trakcie działania artystycznego doświadczenia bohatera stają się własnością widza. Trudniej w obecnych warunkach o efektywniejszy instrument wychowawczego oddziaływania na widza. *Pancerni* odpowiadają w całej pełni wymogom; są sprytni, sprawni, odważni, wierni wobec sprawy, koleżeńscy. Film zgodnie z historyczną prawdą opowiada o wojnie zwycięskiej. Ale nie tylko o prawdę historyczną chodzi. Naszemu poczuciu sprawiedliwości właściwe jest przecież niezachwiane przekonanie o nieuchronności zwycięstwa słusznej sprawy. Dlatego *Czterej pancerni* pozostają w zgodzie z powszechnym odczuciem społecznym" („Kierunki" 1969, nr 44).

Dość długo ten popularny film rozrywkowy zdobywał kolejnymi emisjami nowych wielbicieli. Pierwsi jego wrogowie odezwali się po odwołaniu stanu wojennego. Serial „Fałszuje obraz wojny, pokazuje ją w konwencji beztroskiej i ciekawej przygody, odległej od tragicznej rzeczywistości wojennej poniewierki, cierpień pojedynczych ludzi i dramatów całych narodów. Wydaje nam się, że film ten nie sprzyja przygotowaniu dzieci do życia w pokoju" (*Zdjąć pancernych?*, „Gazeta Olsztyńska" 1986, nr 69).

Prawdziwie zmasowany atak nastąpił jednak po ogłoszeniu wyników telewizyjnego plebiscytu w 1995 roku. Widzowie uznali *Czterech pancernych* za serial wszech czasów. Wygrał on ze *Stawką większą niż życie*, *Domem*, *Wojną domową*, *Karierą Nikodema Dyzmy*. I rozpętała się wokół niego walka, polityczna oczywiście. Jak wszystko, co pochodziło z czasów PRL-u, i ten serial stał się celem niewybrednych ataków.

Jacek Maziarski pisał tak: „Długo można by wyliczać, czego w tym filmie nie ma. Przemilczano, rzecz jasna, wyłapywanie i rozstrzeliwanie żołnierzy AK. Nie pokazano obozów, z których wywożono na Sybir nie tylko AK-owców, ale wszystkich, którzy wydawali się nowym okupantom elementem niepewnym i niebezpiecznym. Nie dowiadujemy się, że tuż za czołgiem czterech pancernych posuwały się dywizje NKWD i specbataliony podpułkownika Toruńczyka, których jedynym i głównym zadaniem było polowanie na Polaków lojalnych wobec władz Rzeczypospolitej. Spoza sielankowego obrazu wyzwolonego rzekomo Lublina nie widać lubelskiego zamku, który znów – tak jak podczas okupacji hitlerowskiej – stał się katownią ludzi polskiego podziemia.

Serial *Czterej pancerni i pies* jest wzorcowym przykładem komunistycznej propagandy. Podbój przedstawiony został jako wyzwolenie, okupanci występują w roli przyjaciół, a bezlitosny terror zamaskowany został naręczami kwiatów znoszonymi przez ludność. Takie właśnie filmy, książki i wiersze sprawiły, że większa część naszego społeczeństwa uwierzyła w brednie panów Przymanowskich i im podobnych – ci ludzie po prostu nie wiedzą o tym, że instalowanie władzy ludowej pochłonęło około pół miliona ofiar" („Ład" 1995, nr 34).

To oczywiście nie koniec awantury o *Pancernych*. W roku 2000 nagłówki w prasie grzmiały: *Napadli na czterech pancernych – Kombatanci z Krakowa żądają wstrzymania emisji najpopularniejszego polskiego serialu.*

Przyjaciółka
TYGODNIK

Filmy telewizyjne „Czterej pancerni
i pies" cieszyły się rekordowym
wprost powodzeniem. Obecnie trwają
prace przy nakręcaniu nowej 13-od-
cinkowej serii przygód popularnych
i lubianych bohaterów. Filmy te na
małym ekranie zobaczymy jednak
najwcześniej w październiku. Latem
natomiast — przypomniane zostaną
już poprzednio wyświetlane odcinki.
Na zdjęciu Marusia (Pola Raksa)
i Janek (Janusz Gajos).

...i i pies". Od lewej: Franciszek Pieczka, Roman Wilhelmi, Włodzimierz Press i Janusz Gajos

...e spokojny, dobroduszny Ślązak Gustlik (Franciszek Pieczka)

Przy reflektorze reż. Konrad Nałęcki, obok — operator Romuald Kropat

CZ...
PA...

Na grubym zeszycie scenopisu tytuł „Załoga". Oglądamy realizację kolejnego odcinka nowego telewizyjnego filmu „Czterej pancerni i pies".

Sosny żagańskich lasów w województwie wrocławskim, gdzie nakręcane są zdjęcia plenerowe, są takie same jak te, wśród których odbywali swoje przyspieszone szkolenie bojowe pancerniacy I Armii Wojska Polskiego. Tak samo zielone są sosny i tak samo złocisty, jak nad Oką, jest tutaj piasek.

Film „Czterej pancerni i pies" przedstawia losy Janka, młodego chłopca, rzuconego przez wojnę daleko na Wschód, w sam środek syberyjskiej tajgi. Samotny chłopiec znajduje tutaj przyjaźń i życzliwość syberyjskich myśliwych. Uczy się strzelać i podchodzić zwierzynę. Kiedyś wpada mu w rękę gazeta z komunikatem o powstaniu Wojska Polskiego.

Janek żegna przyjaciół i w towarzystwie psa Szarika odbywa drogę nad Okę. Następuje pełen przygód szlak bojowy na Zachód, walki o wyzwolenie Warszawy, szarże pancerne na hitlerowskie „Tygrysy", pojedynek z nieprzyjacielskim snajprem, nocne walki w okrążeniu, ostatnia bitwa już nad polskim Bałtykiem, odzyskanie ojca.

Film składać się będzie z 15 półgodzinnych odcinków, pomyślanych jako samodzielne całości dramatyczne. W każdej noweli do losów czterech głównych bohaterów i psa Szarika wplecione zostaną jeszcze przygody dzielnego kucharza, uroczej radzieckiej sanitariuszki Marusi, dowódcy korpusu, ojca Janka i innych.

Korzystając z przerwy na planie... liśmy krótkie rozmowy z reżyser... bohaterami filmu.

Reżyser Konrad Nałęcki:

— Chciałbym zrealizować ciekaw... dowy. Książka Przymanowskiego, ... której napisany został scenopis fil... ble wśród młodzieży ogromną po... kto nie widział wojny, czytał „... pancernych" trochę tak, jak się cz... i w puszczy". W filmie wojna będzi... i bardziej okrutna... „Czterej pan... moja pierwsza praca na filmem... To poszukiwanie formuły filmu... Zupełnie nowe problemy technicznz... zania...

Janek — Janusz Gajos, student łó...

— To moja trzecia rola filmowa ... „Panienka z okienka". Odbywam w ... „Czterech pancernych" drugie studia. ... mam specjalnych trudności. Psycho... bardzo bliska. Janek ma być zrówn... czujny — to przecież wychowanek sy... wych. Ja zaś jestem z usposobienia ... kiem. Jest także moment wspólny w ... życiu osobistym — zetknięcie się chłop... z ojcem. Pamiętam, że kiedy mój oje... nie do wojska na przysięgę, wyciąga... z kieszeni papierosa. W domu nie pali... zaskoczeni, a ja ponadto byłem potw... Spróbuję to wykorzystać w ostatni...

Janek — Janusz Gajos, i jego najwierniejszy towarzysz — Szarik

T-

REJ
ERNI
Pies

...d — dowódca czołgu — Roman Wilhelmi:

...adzano mnie dotychczas raczej w rolach cha-
...harakterów. Tutaj mam być bardzo pozytywny,
...rozważny, pedagogiczny. Mam być urodzonym
...cą. Bardzo się z tej roli cieszę.

...j, Gruzin, mechanik czołgu — Włodzimierz

...y mam trudności z interpretacją swojej roli?...
...nie widziałem prawdziwego Gruzina. Intuicyjnie
...am go sobie jako bardzo żywiołowego i pełnego
...mentu. Mam 25 lat, to moja pierwsza rola fil-

...opularnym aktorem Franciszkiem Pieczką
...żyliśmy już porozmawiać. Od reżysera do-
...eliśmy się jednak, że Gustlik w wykonaniu
...i to postać zupełnie autentyczna. Franciszek
...r pochodzi z tych samych okolic Śląska co
...r książki Przymanowskiego, nie ma więc
...h trudności z charakterystyczną gwarą
...i stworzeniem prawdziwej sylwetki.

..."Czterej pancerni i pies" ukaże się na
...ch tv po ukończeniu realizacji wszystkich
...inków. Przypuszczalny termin — wrzesień
...ego roku.

ZYGMUNT GÓRSKI
Fot. TADEUSZ KUBIAK

...rej pancerni i pies". Scen.: Janusz Przymanow-
...Stanisław Wohl. Reż.: Konrad Nałęcki. Oper.:
...d Kropat. Kier. prod.: Jerzy Nitecki. Wykonawcy:
...Gajos, Franciszek Pieczka, Włodzimierz Press
...an Wilhelmi. W poszczególnych nowelach po-
...Pola Raksa, Hanna Skarżanka, Wojciech Siemion,
...w Jaslukiewicz i inni. Film realizowany jest przy
...y Wojska Polskiego.

Dowódca czołgu 102 lejtnant Olgierd —

GAWĘDY o książkach

TEOFIL SYGA

...RZEWIEJ I WCZORAJ

Radością napełnia miłośnika rzeczy ojczystych ...żda nowa książka prof. S t a n i s ł a w a ... i g o n i a. Od iluż to bowiem lat ze szczodrej ...ki Profesora otrzymujemy i pomnikowe pra... i drobniejsze choć ważne przyczynki do dzie... w historii kultury i literatury. Imponujący ...st już sam krąg zainteresowań znakomitego ...ologa. Wydana ku jego czci przed sześciu la... „Księga pamiątkowa" notuje przeszło tysiąc ...pisanych lub edytorsko opracowanych publikacji. Oczywiście — w tym trudzie i dorobku ...ukowym jest „zawsze o Nim". Do Mickiewi...a i romantyków Pigoń ustawicznie wraca; to ...go pasja i naukowa, i życiowa.

Nie jedyna przecież. Gdyby zagadnienia ozna...ać symbolami nazwisk ówczas, choćby dla ...zykładu, trzeba by sporządzić długą listę, na ...órej znajdują się: Frycz Modrzewski, Skarga, ...arpiński, Lelewel, Cieszkowski, Norwid, Gosz...yński, Fredro, Wyspiański, Żeromski, Rostwo...owski, Kasprowicz, Sieroszewski, Orkan i wie..., wielu innych.

Obfitości plonu odpowiada w twórczości prof. ...igonia — co jest bodaj rzeczą ważniejszą lub ...wnie ważną — bezbłędna metoda filologicz...ego warsztatu uczonego oraz szerokość per...ektyw i horyzontów. „Z bystrością analizy ...aukowej łączy jednak autor postulaty ideowe ...uczuciowe" pisał kiedyś o pracy Pigonia Ju...usz Kleiner. Ten stosunek uczuciowy, osobiste ...jakimś stopniu zaangażowanie się uczonego w ...nawiane przez niego sprawy, płynąca stąd su...estywność dowodu — wszystko to sprawia, że ...ktura prac Pigonia jest dla czytelnika zawsze ...ębokim przeżyciem.

Ostatnia książka Stanisława Pigonia ...rzewiej i wczoraj" (Wydawnictwo ...iterackie), podobnie jak i poprzednio wydane ...ile życia drobiazgi", posiada dużą rozpiętość ...matyczną. Carmen i versus, pieśń twórcza ...robniczy przyczynek do naszej wiedzy o kul...rze i literaturze, ujęcia syntetyczne i rezulta... z żmudnych prac w laboratorium filologa. Nie...ety, krótka ta notatka nie może omówić i udo...umentować wartości zamieszczonych w książ... prac; z konieczności trzeba się więc ograni...yć do najbardziej zwięzłej informacji.

A i z tym są trudności. Kilkadziesiąt zawar...ch w książce szkiców traktuje bowiem o róż...ych problemach związanych z Mickiewiczem, ...rzeszkową, Dygasińskim, publicystyką Wielkiej ...migracji, kulturą i literaturą ludową, z Mal...ewskim, Goszczyńskim i — oczywiście — z ...redrą i Żeromskim.

Dla przykładu: znakomita rozprawa o „pu...pkach na realistów" jest prezentacją krytycz...ej metody Pigonia: od szczegółu do uogólnie...a z końcowym wnioskiem, że realizm nie jest ...ztuką łatwą ani małą. W „Uwłaszczeniu lite...ckim chłopa" przedstawia autor na przykła...e zaczerpniętych z literatury piękną drogę, ... jakiej doszła do skutku nobilitacja moralna ...uszy chłopskiej. Dodatkową korzyścią tej roz...rawy jest zwrócenie uwagi na przemilczany ...rzez bieżącą krytykę literacką utwór J. G. H. ...awlikowskiego „Cisonie", nazwany przez Pigo...a „wielkim dziełem". Przeświadczeniu, że w ...tople można dostrzec wielkoduszność, żywą i ...ogatą charakterystyczność trzeba było torować ...rogę siłą niepospolitego talentu. Na odcinku ...teratury tę drogę określa autor dwoma punkta...i granicznymi, dwoma tytułami: „Chamem" ...rzeszkowej i właśnie „Cisoniami" Pawlikow...iego.

No i Fredro, i sprawa Samuela Zborowskiego ... literaturze naszej i przed sądem sumienia pol...ciego, i dzieje pieśni „Gdy naród do boju", i ...incenty Witos scharakteryzowany jako pisarz ... mówca; i o tym jak jeszcze nie tak dawno ...udne do obalenia posągi Mickiewicza obmy...ano kwasem solnym (Boy). I czy to dobrze, ... czar efektownych plotek o „Weselu" unosi ...ę wciąż jeszcze nad fotelami stołecznych re...enzentów?

Tego wszystkiego streścić niepodobna. Książ...a prof. Pigonia przenikająca istotę zagadnień ...st lekturą pasjonującą, do której trzeba czę...o wracać.

*

Nadto staraniem „Wydawnictwa Literackiego" ...kazały się następujące książki: „Adam Grzy...ała-Siedlecki", księga zbiorowa; Władysław ...rkan: „Utwory dramatyczne"; Władysław Bod...icki: „Pod trzema pyskami", powieść o Matej...; J. I. Kraszewski: „Kopciuszek" z cyklu po...ieści obyczajowych; Ella i Andrzej Banacho...ie: „Historia o Nikiforze"; Stefan Morawski: ...bsolut i forma", studium o Malraux; Józef ...utek: „Mroki średniowiecza"; „Teoria badań ...terackich za granicą", antologia z komenta...m St. Skwarczyńskiej; Jan Stoberski: „Wy...puję szczęście z powietrza", opowiadania; ...łodz. Gałecki: „Jeszcze raz przez życie", ...spomnienia: Tadeusz Urgacz: „Narcyz" tomik

PANCERNI!

Hej, cóż to się nie działo w Łodzi w tę lutową niedzielę... Zresztą nie ma co opisywać — spójrzcie na zdjęcia. Wieść, że można spotkać się z ulubionymi bohaterami z telewizyjnego ekranu — Jankiem, Wasylem, Gustlikiem, Grigorijem no i (a jakże) Szarikiem — zelektryzowała wszystkich, a zwłaszcza tych, co są najwdzięczniejszymi widzami i czytelnikami wszech czasów: nastolatków. Ciżba była taka, że nawet „Rudy" (ten widoczny na zdjęciu czołg typu T-34, którego załogę stanowili czterej pancerni i pies) nie mógł ruszyć z miejsca.

A wszystkiemu winien pułkownik Janusz Przymanowski, pisarz i dziennikarz wojskowy, podczas wojny korespondent frontowy gazety 1 armii WP „Zwyciężymy". Nie sięgając do prehistorii: parę lat temu płk. Przymanowski wydał w popularnej serii „Tygrysa" książeczkę pt. „Na celowniku T-VI" o walkach, jakie na przyczółku warecko-magnuszewskim, koło wsi Studzianki, stoczyła z osławioną Panzerfallschirmjägerdivision „Hermann Göring" polska 1 brygada pancerna im. Bohaterów Westerplatte. Książeczka „chwyciła", miała kilka wydań, a zarazem — jak to bywa — „chwycił" i temat autora. W dużej mierze dzięki

daj niż sam przyczółek, stały się symbolem. Za tomikiem „tygrysa" poszły zaś liczne artykuły niestrudzonego pisarza, spektakl teatru TV „15 sekund", powieść dla młodzieży „Czterej pancerni i pies"... Poeta Jerzy Zagórski napisał poemat „Pancerni". W ubiegłym roku płk. Przymanowski wydał obszerną literacką monografię bitwy pod Studziankami (ma się niedługo ukazać jej skrócona, młodzieżowa wersja), przygotowuje też już ściśle fachowe studium operacyjno-taktyczne tej bitwy. No a serii telewizyjnej, osnutej na powieści i tak samo zatytułowanej, chyba nie trzeba nikomu przedstawiać — łódzka impreza świadczy, że zna ją każde dziecko. Nie tylko zresztą w Polsce: wzbudziła zachwyt i wśród radzieckich telewidzów.

Więc oto oni — czterej pancerni w charakterystycznych czołgowych kombinezonach z okresu wojny i w pancerniackich hełmofonach. Aktorzy, którzy tak doskonale wcielili się w swe role, że mało kto pamięta ich nazwiska. Na spotkaniu z publicznością dostali kwiaty, a Szarik, uhonorowany został godnym swych zasług kawałem kiełbasy. (kul.)

Wiesław Gołas i Franciszek Pieczka   Fot. *TADEUSZ KUBIAK*

Załoga „Rudego". Od prawej — Wiesław

„Czterej pancerni i pies"

OSTATNIA
SERIA

Barbara Krafftówna i Franciszek Pieczka

Janusz Gajos (z

...ka, Włodzimierz Press i Janusz Gajos

Pola Raksa i Janusz G...

Dalszy ciąg na str. 1...

Janusz Gajos, Wiesław Gołas i Franciszek Pieczka

ekran

ygodnik
elewizyjno-
ilmowy

NR 41 (653) ● 12 PAŹDZIERNIKA 1969 ● ROK XIII ● CENA 4 ZŁ

O co poszło? Otóż krakowskie Porozumienie Organizacji Kombatanckich i Niepodległościowych wystosowało protest do Krajowej Rady Radiofonii i Telewizji w sprawie kolejnej emisji serialu. Kto protestował? Porozumienie skupia pięć i pół tysiąca osób z dziewiętnastu związków kombatantów, m.in. z Okręgu Małopolska Światowego Związku Żołnierzy AK, ze Zrzeszenia „Wolność i Niezawisłość", z Polskiego Związku Więźniów Komunizmu i Instytutu Katyńskiego w Polsce.

„Dwie bezpośrednio następujące po sobie emisje serialu fałszującego w haniebny sposób obraz stosunków polsko-sowieckich traktujemy jako świadomą demoralizację młodocianej widowni przez Zarząd TVP. Wyświetlanie go w okresie ferii zimowych ma przyciągnąć przed ekrany telewizorów głównie młodzież szkolną. Będzie ona oglądać jeden z najbardziej kłamliwych obrazów najnowszej historii, jaki wyprodukowała komunistyczna propaganda PRL dla przypochlebienia się Związkowi Sowieckiemu.

Rozpowszechnianie kłamstw za pomocą potężnego medium, jakim jest telewizja publiczna, traktujemy w kategoriach przysłowiowego gorszenia maluczkich. Jest to wyjątkowo perfidne i ohydne przestępstwo moralne, uważane za śmiertelny grzech w wyznawanej przez większość Polaków religii chrześcijańskiej".

W imieniu Rady Porozumienia Organizacji Kombatanckich i Niepodległościowych w Krakowie protest podpisał dr Jerzy Bukowski w „Tygodniku Solidarność" (2000, nr 6).

Wystąpienie Jerzego Bukowskiego, który – dodajmy – jest filozofem, uczniem Władysława Stróżewskiego i ks. Józefa Tischnera, przewodniczącym Komitetu Opieki nad Kopcem Józefa Piłsudskiego, publicystą prasy krajowej i emigracyjnej, autorem książki *Zarys filozofii spotkania*, wywołało kolejną polemikę.

Profesor Andrzej Garlicki z Instytutu Historycznego Uniwersytetu Warszawskiego pisał: „Jeśli kombatanci czują się urażeni serialem, cóż, mają do tego prawo. Jeśli *Czterej pancerni i pies* nie podobają im się, niech wyłączą telewizor. Serial jest bardzo popularny, ogląda go coraz młodsza widownia i nie można jej przymusowo wychowywać. Na tym polega demokracja, że każdy ogląda, co chce. Ten film to baśń. Oczywiście historycznie jest wątpliwy, ale nie można mówić, że pokazuje sto procent oszustwa. Jak w każdej baśni są tu dobre i złe charaktery, źli to Niemcy, dobrzy to

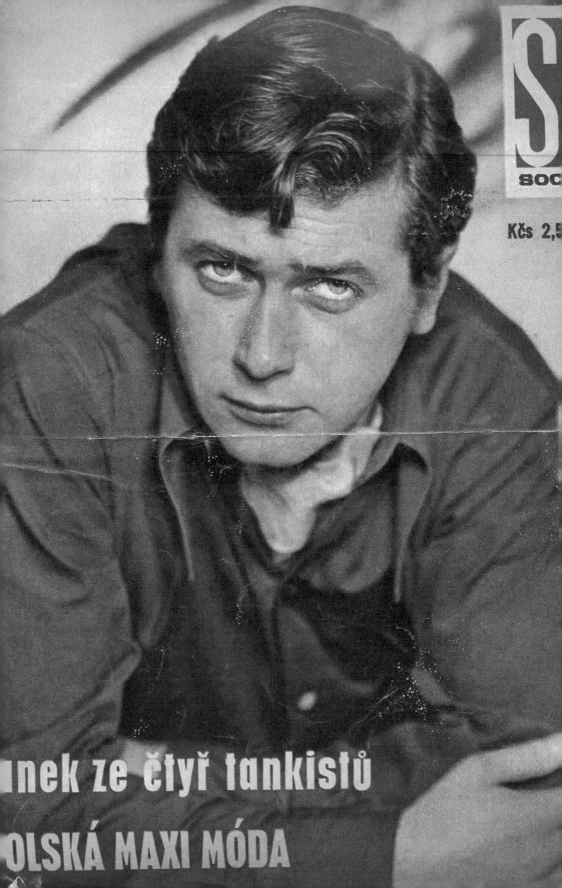

S
SOC

Kčs 2,5

nek ze čtyř tankistů

OLSKÁ MAXI MÓDA

Polacy, pokazuje ona także przyjaźń i bohaterstwo. Film jest opowieścią o nieprawdziwej wojnie, bo na wojnie nie ma takich doskonałych rozwiązań jak w *Pancernych*. Wojna jest przecież okrutna, a ta w serialu dla dzieci jest okrucieństwa pozbawiona. Ale chyba każdy naród ma swój film, na którym wychowuje pokolenia" („Super Express" 2000, nr 26).

Odpowiadali także inni publicyści: „Fenomen *Pancernych* polega na tym, że udało się temu serialowi przenieść na ekran wiele elementów folkloru, tradycyjnej opowieści o bohaterstwie, przyjaźni, solidarności, lojalności i odwadze" – pisał Mirosław Pęczak („Polityka" 2000, nr 9). Tomasz Raczek dodawał: „Kult nigdy nie jest logiczny, rzadko polega na prawdzie. W gruncie rzeczy ma ją za nic. Kultu nie można wyperswadować ani zaprogramować, ani przewidzieć. Najgorzej zaś – zakazać go" („Wprost" 2000, nr 8).

Cóż można jeszcze powiedzieć? Chyba to, że atakowanie serialu dziś, po kilkudziesięciu latach, wydaje się cokolwiek zbyt proste. Jeśli kogoś obrażali *Pancerni*, jak czytamy, to nic nie stało na przeszkodzie, by dać temu wyraz w swoim czasie, czyli w latach sześćdziesiątych i siedemdziesiątych, kiedy film święcił największe triumfy na ekranach. Można było protestować, oczywiście nie w prasie krajowej podległej partii, która ten serial popierała, ale w prasie emigracyjnej. Później, w końcu lat siedemdziesiątych, nic nie stało na przeszkodzie, by dać wyraz swoim poglądom na łamach powstałych niezależnych pism drugiego obiegu. Pisarze, publicyści, ludzie inaczej myślący korzystali z tej szansy w wielu sprawach. Krytyki *Pancernych* trudno się tam jednak doszukać. Dlatego podobne ataki wydają się łatwizną intelektualną.

Dzisiejsi wrogowie serialu nader chętnie mylą fikcję z prawdą. Jakby nie zauważali, że reguły wytworu kultury masowej różnią się od dokumentu. I naprawdę warto dyskutować o tym, czy wzory zachowań, jakie propagował – wierność, lojalność, przyjaźń, brak nienawiści – są o wiele gorsze niż te propagowane przez amerykańskie kino klasy B i C zalewające nasze ekrany domowe i kinowe. Nie prawda historyczna, której trudno w *Pancernych* szukać, powinna być punktem odniesienia, lecz przemoc, seks, okrucieństwo tak chętnie propagowane przez popularne filmy rozrywkowe.

Jak się to wszystko ma do aktora grającego główną rolę? Ano ma. Być marionetką w rękach potężnych szermierzy nie jest chyba przyjemnie. Serial stał się – oprócz politycznej – przedmiotem manipulacji

Maciej Ziminski i Szarik

PANCERNI Z MOJEGO PODWÓRKA

Załoga „Smoków"

K siążka Janusza Przymanowskiego pancerni i pies" zrobiła niespodziewaną łamiającą karierę. Przygodami zał nr 102 pasjonowali się nie tylko lecz również radiosłuchacze i telewid

Nie jest tajemnicą, zwłaszcza dla l jących się twórczością literacką, że zapotrzebo pozytywnego bohatera, szczególnie wśród młodzie ogromne. Młodzieży nie interesują sfrustrowan intelektualiści; szuka ona wzorów pozytywnych do których w jakimś stopniu mogłyby się upodo przypadkowo przed lary młodzież szalała za t typu Zorro, potem za chłopcami z Bonanzy i w Klossem.

Seria „Czterej pancerni i pies" (reż. Konrad N razu chwyciła. I błyskawicznie niemal w całej Po cjatywy prasy, telewizji i radia powstały tzw. cerniaków. Zaczął się „wielki obłęd".

SMOKI

Wzorem załogi „Rudego" zebrała się czwórk z II klasy: Artur, Jacek, Krzysztof i Tomek. Do stał Tomek. Chłopcy od razu mieli do rozwią bardzo ważne problemy: wymyślić nazwę załogi nie znaleźć psa. Po dłuższej dyskusji przyjęli na ków, jako że szkoła ich mieści się przy ul. Sa pewnym czasie zaliczono do załogi Mariana i A psa imieniem Bary. Liczebność załogi usprawy wielkością nowoczesnego czołgu.

Wkrótce Tomek zdobył helmofon, co umocniło cję jako dowódcy. Oczywiście, radość była ogrom przymierzał, nosił, brał do domu by pokazać Inne dzieci z podwórka podziwiały i zazdrościł zaczęli sprawdzać czy rzeczywiście helmofon chro jąc z rozpędem głową w ścianę domu. Opinie chroni ale nie bardzo. Chłopcy zgłosili swoją za i starali się wykonać zadania. Słuchali „Błękitn ty", czytali „Świat młodych", uczyli się piosene

Ważnym wydarzeniem dla Smoków była nied cieczka do Muzeum Wojska Polskiego, gdzie ob raz pierwszy z bliska prawdziwy czołg i otrzym macje Klubu Pancernych. Przyjęli je z entuzja tomiast nie zdobyła uznania odznaka Klubu P którą powinni sobie zrobić z kapsla od butelki.

Są niepocieszeni z powodu śmierci por. Jaros cze się łudzą, że może w zawierusze wojennej kieś nieporozumienie i że dowódca został ty ranny. Wydaje się, że powinien wykorzystać to bardziej iż w perspektywie są dalsze serie. Ok wojny wystarczająco pokazał na przykładzie ś nych żołnierzy.

Tyle o Smokach, dość typowej załodze, jaki w całej Polsce.

W SZTABIE PANCERNYCH

Kilkanaście modeli czołgów z różnych tworzy sygnalizacyjne, proporce — oto nadesłane przez z zenty zdobiące sztab. Zresztą wkrótce wraz z i bawkami przekazane zostaną dzieciom z podwars sanatorium.

Tu urzęduje Szef, czyli zastępca Redaktora N Programów Młodzieżowych, autor scenariusza, N miński, który prowadzi Klub Pancernych. Jak wiedzą — pomagają mu Janusz Przymanowski i Kobyliński.

— Codzienna poczta przynosi setki listów — ciej Ziminski — Są to zgłoszenia nowych załóg i o wykonaniu poszczególnych zadań. Obecnie działa ło dwadzieścia tysięcy załóg, składających się z pięciu lub sześciu członków, nie licząc psów, pa itp. Działa więc ogromna armia, licząca około s chłopców i dziewcząt.

Przeglądamy wycinki z gazet. „Gazeta Poznań sza koniec Zorra i Robina Hooda. Z inicjatyw Ludu" w Radomiu zorganizowano Dni Pancern my wyległy na ulice i entuzjastycznie witały od domu nie widziany czołg T-34. Aby było cie przebrano milicjanta za czołgistę i włączono go wraz z psem. Odbyło się wiele spotkań, na któr rowie opowiadali o bitwie pod Studziankami. In również prosiły o podobną imprezę.

Co jeszcze dodać do tych faktów, z koniecz dzo wycinkowych? Można np. zacytować fragm młodzieży z Trzebiatowa, protestującej przeciw któregokolwiek z członków załogi: „Niech wrac falnie z Berlina. Chcemy mieć swego bohatera, nam całą piątkę".

ZDZISŁAW ORN
Fot. T. RU

Wiele razy słyszałem: Obsadziłbym cię w *Kordianie*, ale co zrobimy z psem?

komercyjnej. Telekomunikacja Polska wyprodukowała reklamę swych usług, posługując się postacią Janka Kosa na czołgu w towarzystwie – jakżeby inaczej – Szarika. Niestety chłopiec, który wystąpił w tej reklamie, choć był wiernie ucharakteryzowany na Janusza Gajosa, nie zdobyłby podobnej mu popularności. Nie ten uśmiech, nie ten głos i nie ten wdzięk. Ten banalny przykład pokazuje, że tajemnica sukcesu nadal pozostanie tajemnicą. Można rozłożyć na części pierwsze jakąś postać, powtórzyć jej kostium, teksty, sposób zachowania, a i tak nie powstanie oryginał. Właśnie w tej niepowtarzalnej kombinacji cech psychicznych i fizycznych tkwi magia aktorstwa.

Tkwi ona również w odrobinie szczęścia, któremu można dopomóc pracą, wytrwałością. Ale nie można go ani kupić, ani mieć na zawsze. Pewnie wszystkim wydawało się, że Janusz Gajos po tak ogromnym sukcesie w roli Janka opływa w dobra i luksusy, powodzenie życiowe i zawodowe. Prawda była jednak o wiele boleśniejsza. Jego telefon przez trzy lata milczał. Żadnych propozycji. Sukces stał się klęską. A ratunku długo nie było widać.

ekran

**tygodnik
telewizyjno-
filmowy**

NR 6 (722)   ●   7 LUTEGO 1971   ●   ROK XV   ●   CEN

NA TYŁACH CZOŁGU

Wprawdzie produkcja serialu *Czterej pancerni i pies* trwała blisko pięć lat, nie znaczy to jednak, by Janusz Gajos zajęty był wówczas wyłącznie bieganiem po poligonach i manewrami czołgu. Jak każdy aktor po ukończeniu Szkoły zatrudnił się w teatrze. Nie mogło być inaczej. Wiadomo, jak ważne jest to dla początkujących, nie tylko dlatego, że zapewnia minimum egzystencji. O wiele, wiele istotniejsze było zawsze miejsce w zespole, pośród aktorów kilku pokoleń, od których w trakcie pracy na scenie, a zwłaszcza na próbach, adept zawodu uczy się rzemiosła. W tamtych latach, czyli w drugiej połowie lat sześćdziesiątych, Teatr im. Stefana Jaracza, do którego młody aktor został zaangażowany wraz z zespołem Teatru 7.15, dysponował kilkudziesięcioosobowym, wielopokoleniowym zespołem aktorskim. Grano w siedzibie teatru, czyli w Łodzi przy ulicy Jaracza, ale również w tak zwanym objeździe, czyli w mniejszych miejscowościach województwa, co jest prawdziwą próbą charakteru i wytrzymałości.

Ponadto był to teatr repertuarowy, czyli grano sztuki różnych dramatopisarzy, z wielu epok. Dla nauki aktorstwa nie ma nic lepszego niż próbowanie swych sił w odmiennych estetykach teatralnych. Nic tak nie gimnastykuje zawodowej wyobraźni, jak granie na przemian farsy i tragedii, komedii i dramatu psychologicznego, bajki czy spektaklu poetyckiego. Do tego pod okiem i ręką różnych reżyserów. Lata spędzone w dobrym zespole teatralnym to dla wielu aktorów nieocenione uniwersytety.

■ Feliks Żukowski był dyrektorem starego typu. Człowiekiem prawym, któremu obca była małość. Mnie traktował po ojcowsku, lubił mnie. Myślę, że podobało mu się, kiedy po skończonej scenie czy epizodzie nie biegłem do bufetu, tylko stałem w kulisach, patrząc, jak pracują koledzy. Uczyłem się, podglądając innych, ciekawiło mnie oglądanie przedstawień od strony kulis. Pamiętam, kiedyś na bankiecie po premierze jeden z młodszych kolegów, dość pijany, zaczął na Żuka wymyślać i on to usłyszał. Rano, gdy kolega wytrzeźwiał, przyszedł do mnie z prośbą, żebym się jakoś za nim wstawił, załagodził sytuację. Poszedłem, ale kiedy wymieniłem nazwisko i powiedziałem, że kolega się zagalopował, dyrektor odpowiedział: „Wiem, ale on zdolny jest, ja go lubię. Zaczynamy o siódmej". Kończył takie sprawy bez gadania, nie lubił kwasów, intryg, był skupiony na tym, co trzeba. Wiedział, jak się prowadzi zespół, i znał swój fach. Zawsze mówił: „Panie kolego, proszę stawać przed meblem, przecież musi pan wyglądać jak człowiek, a nie jak pół człowieka". Niby drobna rzemieślnicza uwaga, ale nieoceniona. Do tej pory staram się o niej pamiętać. A takich uwag było wiele, tak więc nauczyłem się sporo teatralnego rzemiosła. Tego Szkoła nie da. Ludzie najlepiej poznają się w konkretnych sytuacjach. Pamiętam rozmowę o trzeciej nad ranem po próbie generalnej, kto będzie grał Jaśka w *Weselu*: ja czy kolega? To zawsze jest sprawa prestiżowa. Żukowski spokojnie powiedział: „W teatrze jest taki niepisany zwyczaj, że premierę gra ten aktor, który gra generalną. Dobranoc, spotykamy się jutro". Zawsze tak stawiał sprawy – jasno, prosto, bez kluczenia. Wspominam go bardzo serdecznie.

Lata sześćdziesiąte w polskim teatrze, poza odkryciem zachodniej dramaturgii i przywróceniem po długiej nieobecności kanonu polskich dzieł romantycznych, przyniosły także wiele utworów rozrachunkowych. Jedną z najsławniejszych książek tamtego czasu stała się opublikowana w 1957 roku trylogia Romana Bratnego *Kolumbowie. Rocznik 20* o losach pokolenia urodzonego tuż po odzyskaniu przez Polskę niepodległości. Pokolenia, którego młodość przypadła na czas wojennej okupacji zakończonej tragedią powstania warszawskiego. Straconego pokolenia, jak nazywano tę generację młodych ludzi w większości związanych z działalnością Armii Krajowej. Przynależność do AK, podobnie jak walka pod Monte Cassino czy Tobrukiem, była znakiem przynależności do „niewłaściwego" obozu. Dlatego książka Bratnego, żołnierza Armii Krajowej, stała się bestsellerem. Po raz pierwszy oficjalnie mówiło się o pokoleniu „zarażonych śmiercią" nie w tonie potępienia. Każdy dorosły Polak odnajdywał w losach młodych Kolumbów cząstkę swego losu.

Niepodważalnym sukcesem Adama Hanuszkiewicza było przygotowanie na podstawie tej powieści przedstawienia w Teatrze Powszechnym z plejadą popularnych wówczas aktorów – Stanisławem Mikulskim, Tadeuszem Janczarem, Gustawem Lutkiewiczem, Zdzisławem Maklakiewiczem, Igą Cembrzyńską. Oprócz takich spektakli w reżyserii Adama Hanuszkiewicza, jak *Zbrodnia i kara* Dostojewskiego oraz *Przedwiośnie* Żeromskiego, przyciągało ono na warszawską Pragę tłumy widzów. Prasa pełna była dyskusji o sprawach przemilczanych przeszło dwadzieścia lat. Nic więc dziwnego, że adaptacja *Kolumbów* zaczęła krążyć po teatrach. Kilka miesięcy po warszawskiej odbyła się premiera łódzka w Teatrze im. Stefana Jaracza.

Rolą jednego z powstańców Janusz Gajos zadebiutował na deskach tej sceny. Udział w budzącym wiele emocji i dyskusji spektaklu musiał wiele znaczyć dla młodego aktora. Znalazł się bowiem w ważnym nurcie dyskusji światopoglądowych, politycznych. Do dziś niezakończonych. Prawda o powstaniu była przez wiele dziesiątków lat niepełna, poddana ideologicznym manipulacjom. Nie odbierając bohaterstwa jego młodym uczestnikom, wciąż zasadne wydaje się pytanie: czy decyzja o wybuchu powstania, które obróciło stolicę w perzynę i pozbawiło życia blisko 250 tysięcy młodzieży i ludności cywilnej, była słuszna?

Janusz Gajos podczas wojny był małym dzieckiem, a teraz – jako dojrzewający artysta – musiał uwiarygodnić swym aktorstwem przeżycia starszych od niego mężczyzn, którzy brali w niej czynny udział. Na pewno toczone w środowisku spory artystyczne o tragedię pokolenia wojennego, o rozrachunki historyczne stały się ważnym czynnikiem wpływającym na świadomość paru pokoleń polskich artystów.

Janusz Gajos był za młody, aby uczestniczyć w wielkiej przygodzie kina lat pięćdziesiątych, jaką były dzieła polskiej szkoły filmowej. Zwłaszcza te najważniejsze, jak *Pokolenie, Popiół i diament, Kanał* Andrzeja Wajdy czy *Eroica* i niedokończona *Pasażerka* Andrzeja Munka. Ale zdążył jeszcze wziąć udział w dziełach wobec nich polemicznych. W filmach pokazujących już nie tylko romantyczny zryw i waleczność Polaków, lecz drążących głębiej, w innych niż patetyczna tonacjach, kwestie bohaterstwa, odpowiedzialności, ale także zdrady i nikczemności. W obrazach psychologicznych pokazujących ślady, jakie zostawia wojna w psychice ludzi, jak determinuje ich losy, określa wybory moralne. Nawet niewielka rola w filmie kameralnym dotyczącym psychicznych konsekwencji wojny musiała uruchamiać pamięć tragicznej przeszłości.

W *Szyfrach* Wojciecha Hasa Janusz Gajos zagrał zakonnika w klasztorze cystersów, do którego trafia bohater próbujący wyjaśnić okoliczności śmierci młodszego syna w czasie okupacji. Film, nakręcony według opowiadania Andrzeja Kijowskiego, w swym głównym przesłaniu był polemiką z mitologią bohaterstwa stworzoną w wielu dziełach „szkoły polskiej". Tu, wręcz prowokacyjnie, prawda jest niejednoznaczna i zagmatwana. Tadeusz (Jan Kreczmar), wezwany przez syna Maćka (Zbigniew Cybulski), wraca po latach do kraju, który opuścił w 1939 roku. Próbuje dowiedzieć się, czy młodszy syn Jędrek zginął z rąk Niemców, czy z rąk konspiratorów, ponieważ stał się dla nich niebezpieczny. Jednak te poszukiwania obnażają jeszcze inną bolesną prawdę – bohater nie rozumie ani zachowania najbliższych, którzy przeżyli okupację niemiecką, ani ich dzisiejszych lęków, ani najzwyklejszych reakcji. Wojna okaleczyła ciała i dusze ludzi na długie lata. A ktoś, kto był wówczas za granicą, nie jest w stanie tego wszystkiego naprawdę zrozumieć.

Has zderza w swym filmie sceny realistyczne z wizyjnymi, subtelnie i niejednoznacznie ukazuje prawdę o ludzkich losach zniekształconą przez czas i cierpienie. Zakonnik Janusza Gajosa to krótki epizod: rozmowa z ojcem poszukującym syna, który prawdopodobnie ukrywał się w tym klasztorze. Jednak epizod dla aktora ważny ze względu na partnera – Jana Kreczmara. Młody człowiek tak mu się spodobał, że powiedział o nim swemu przyjacielowi Erwinowi Axerowi, dyrektorowi Teatru Współczesnego w Warszawie.

Wątek wojennych obrachunków podjął Paweł Komorowski w filmie *Stajnia na Salwatorze*. Tym razem Janusz Gajos został obsadzony w głównej roli Michała, dwudziestoletniego chłopca, który po wybuchu wojny, zamiast

Scena z Janem Kreczmarem

Irena Horecka

Reportaż z realizacji
nowego filmu

SZY

„Mały ruszył z wolna pomiędz

oczekał w roli ojca

Reżyser
ciech Haś

„Sarmacka wizja żołnierzy na białych koniach"

Zbigniew Cybulski w roli Maćka

Na planie

„...y płomień"

ka do mieszkającej w Paryżu ciot
rego treść poznał przypadkowo:
mu powiedzieć, że matka jest bard
ra, żyje przeszłością, jak by śmie
było wcale, albo jak by sama już n
Sam z nią jestem i nie ma dla mn
nej możliwości odłączenia się o
Własnego życia także mi szkoda,
musi wiedzieć o tym, chociaż ni
w czym mógłby mi pomóc..."

Tadeusz wyjeżdża do kraju,
dociec prawdy, poznać okoliczności
ci młodszego syna, którego postać
nym, uroczystym ubranku i białe
petkach z zapaloną świecą w ręk
oporniej poddaje się działaniu

Spomiędzy ciemnych od roz
śniegu gałęzi drzew, z oparów m
nącej nisko po ziemi, wyłania się
wy orszak jeźdźców na białych
pokrytych warstwą szronu i błot
piec zaniepokojony niespodziewan
dokiem, zatrzymuje się, cofa i o
jąc się, rozpoznaje w ciemnej pos
nierza zbliżającego się na czele
oddziału — ojca, zarośniętego, w
skanym hełmie na głowie owinięt
tami.

Idąc śladami zaginionego syna,
okoliczności towarzyszące jego zn
— Tadeusz dostrzega inny obraz
lat i zdarzeń, znany jedynie z opo
modelowany wyobraźnią, sycona
rą i sztuką „ku pokrzepieniu ser
suwającą ową sarmacką wizję ż
na białych koniach tajemnie cia
lasami o zmierzchu". Napotyka spr
gicznie powikłane, nigdy nie wy
do końca, zadaje pytania, na kt
skutecznie oczekuje odpowiedzi.

Czy jego syn zginął? Czy zabit
przez Niemców czy przez Polaków
żeli żyje, to gdzie jest i kto go u
Czy dowiedział się całej prawdy
aresztowaniu?

Bezskutecznie stara się przeni
system szyfrów, umożliwiający
rozumienie się z tymi, których
przed laty. Otaczający go ludzie
czyli już swoją wojnę. On jedna
dzi ją nadal, z niknięty jest bowie
pleksem nieobec...

Wojciech Has w swo.. kam
psychologicznie filmie ponowni
sza ponurym tropem wojny, obec
jeszcze w naszym życiu, często
pozornie odległe od jej wpływu z
naszej codzienności. Będzie to za
współczesny, i jak się wydaje —
osobisty. Twórcy starają się za
from" formę realistyczną, potoczn
zlą. W podobnej tonacji mają b
mane również obrazy nawrotów
gry wyobraźni, strzępy wspomn

ANDRZEJ MAR
Fot. TADEUSZ KUBIAK I RENATA

W „Szyfrach" zobaczymy: w głó
ojca — Jana Kreczmara, w roli m
Irenę Eichlerównę, w roli ciotki
recka i w roli syna Maćka — Zbig
bulskiego. Ponadto: Barbara Krafftów
cy Gogolewski, Janusz Kłosiński, W
walski, Kazimierz Opaliński. Autore
dania i scenariusza jest Andrzej
operatorem — Mieczysław Jahoda. S
i kostiumy — Jerzy i Lidia Skarży
Tadeusz Kosarewicz. Muzyka — Krz
derecki. Kierownictwo produkcji
Straszewski. Dnia 3 lutego br. zaczę
w atelier we Wrocławiu, następnie r
sceny plenerowe pod Wrocławiem,
i w okolicach. Zdjęcia zakończone z
dopodobnie w początkach kwietnia.

Kiedy skręciliśmy w bok od
głównej szosy, na polną drogę przecinającą młody las —
zaczął padać gęsty, mokry
śnieg, wirujący w podmuchach
wiatru. W zagłębieniu terenu,
oplątanym zaroślami, skrytym wśród gę-
stniejących na jego krawędziach drzew —
miejscu pobytu ekipy filmowców reali-
zujących pod kierunkiem Wojciecha Hasa
film „Szyfry" — było jednak zacisznie
i spokojnie. Płomień zdobionej białą
wstążką świecy, którą trzymał chłopiec
w czarnym, uroczystym ubraniu jak do
komunii, palił się równym, jasnym światłem. Mały ruszył z wolna pomiędzy drzewa, osłaniając dłońmi drżący płomień,
trwożliwie nasłuchując stukotu kopyt
i parskania zbliżających się z głębi lasu
koni.

Takim zapamiętał go Tadeusz, bohater
opowiadania i scenariusza Andrzeja Kijowskiego, takim zobaczył go na fotografii w mieszkaniu swojej żony, takim
dojrzał w ożywionej wspomnieniem wyobraźni. Przed laty opuścił kraj, udając
się na wojenną tułaczkę. Potem urządził
się wygodnie za granicą, zapomniał.

Zdawało się, że wojna go nie odmieniła.
Zawsze potrafił przystosować się do obo-
wiązujących konwencji towarzysko-spo-
łecznych. „Nie mógłby żyć ze świadomością, iż w jego osobistej sytuacji jest coś
nienormalnego, co go od innych ludzi odróżnia". Tak postępował przez całe życie
i nagle, niespodziewanie dla samego siebie, w sposób trudny do wytłumaczenia
„obojętna mu się stała reguła zachowania, zaś opanowało go bez reszty pragnienie prawdy". Dojrzał je zapewne w
nowej perspektywie — jako grę fałszywych postaw, troskliwie zachowywanych
pozorów, konwencjonalnych, nic nie zna-
czących gestów.

Może źródłem refleksji stał się ów list
pisany przez żyjącego w kraju syna Mać-

nadal studiować, pracuje jako kierownik transportu w małej firmie Spedy-tor na krakowskim Salwatorze. Mieszka z matką (Ryszarda Hanin) w nie-wielkim, biednie urządzonym mieszkaniu. Co jakiś czas otrzymują listy z obozu od jego siostry. Michał wprawdzie pracuje, lecz bardziej pasjonuje go działalność konspiracyjna. Jest dowódcą jednego z oddziałów podziemia skupiającego młodych jak on ludzi. Jeden z nich, szef drużyny, Zyga (Tade-usz Łomnicki), zostaje aresztowany. Ponieważ koledzy są pewni, że on nie da się złamać, nie likwidują adresów kontaktowych. Po dwóch miesiącach następują jednak aresztowania.

Michał spotyka na ulicy Zygę, który został zwolniony przez gestapo. Melduje o tym dowódcy i otrzymuje rozkaz zlikwidowania zdrajcy. Wraz z kolegą zaczyna przygotowania do akcji; śledzą dawnego szefa. Pewnej nocy w domu Michała pojawiają się Niemcy, lecz aresztują nocującego w drugim pokoju kolegę. Mieszkanie jest spalone. W obliczu zagrożenia major odwołuje akcję i poleca Michałowi ucieczkę. Ten jednak uważa, że wykonanie wyroku jest jego obowiązkiem. Zyga wie, co go czeka, chce tylko Michałowi powiedzieć, jak doszło do tego, że zaczął sypać. „Dopóki nie zaczną bić, nic o sobie nie wiesz...". Był przekonany, że chłopcy zlikwidują punkty spotkań i ostrzegą ludzi, więc gdy się załamał, był pewien, że jego zeznania nikomu już nie zaszkodzą.

Główny ciężar filmowej opowieści spoczywa na Michale. Janusz Gajos – to cecha jego talentu – nie przeszarżował. Zagrał swojego młodego boha-tera bardzo powściągliwie, jako chłopca, który stał się – jak wszyscy z tego pokolenia – z dnia na dzień mężczyzną. Musiał nie tylko przejąć trud utrzy-mania matki i wspierania jej psychicznie po aresztowaniu ojca i siostry, ale też stanął wobec najtrudniejszych dylematów moralnych. Jest taka scena, gdy chłopcy losują, kto wykona wyrok. Michał wprawia w ruch pistolet i nie bez satysfakcji widzi, że lufa wskazała na niego. Jest wyraźnie zadowolony, że będzie mógł się wreszcie wykazać prawdziwym męstwem. Los wybrał go na bohatera. Ma wprawdzie wątpliwości, przypomina sobie straszliwie posiniaczone ciało Zygi, ale dominuje duma. Jednak gdy idzie z nim na długi spacer i w pewnym momencie widzi go oddalającego się, skurczonego w sobie, przygotowanego na śmierć, nie potrafi nacisnąć spustu. Odwraca

Wciąż uważano mnie za blondyna

się i ucieka z miejsca niedoszłej egzekucji. Jego szaleńczy bieg po lesie jest tyleż manifestacją wyzwolenia, ile ucieczką ze strachu przed zabiciem człowieka. Poza rozkazem i prawem wojny jest jeszcze sumienie...

Młody aktor uprawdopodobnił sytuację moralnego wyboru bez patosu, skromnymi a przekonującymi środkami. Tak zresztą budował całą rolę, choćby scenę w domu swojej dziewczyny. Chciałby zostać u niej na noc, ale dostrzegając pod łóżkiem kobiecą rękę (później się okazuje, że dziewczyna ukrywała Żydówkę i została za to aresztowana), opuszcza jej dom bez słowa. Podobnie aktor budował relacje swego bohatera z matką – ciepłą, bezsłowną więź, szacunek manifestowany nie całowaniem jej w rękę, tylko przejawiający się w rozumieniu jej cierpień. W kilku scenach stara się być bardziej dorosły, niż jest naprawdę – ukrywa przed matką swoje rozterki, by jej nie martwić. Wie, z jakim drżeniem serca otwiera ona każdy list od córki. Nie przeżyłaby jego śmierci, więc tym bardziej stara się być bardzo serdeczny i wesoły, żeby nie domyśliła się, w jak niebezpiecznych sprawach bierze udział.

Ładna, subtelnymi środkami zagrana rola. Zupełnie inna w tonacji i klimacie niż w tym samym czasie nagrywany Janek Kos z *Pancernych*, co podkreślano w recenzjach. „Januszowi Gajosowi popularność przyniosła telewizja, ale główna rola w *Stajni* raz jeszcze potwierdziła jego talent" – podkreślał Cezary Wiśniewski („Sztandar Młodych" 1967, nr 239). Podobnie oceniał Janusz Gazda: „Daje on [Janusz Gajos] interesującą rolę, potwierdzającą, że jest nie tylko zgrabnym młodzieńcem, ale również utalentowanym aktorem" („Głos Pracy" 1967, nr 242). Były to opinie dość zdawkowe, ale pozytywne. Skoro podkreślano, że aktor „wybija się", „ze swej roli wywiązał się doskonale", to znaczy, że młody Gajos wykazał się dojrzałością aktorską. Pokazanie heroizmu, jaki osiągali zwyczajni ludzie w codziennych sytuacjach, wymagało dużej wyobraźni i kultury.

W tamtych latach sztuka płaciła daninę ideologii. Kiedy więc Teatr im. Stefana Jaracza wystawiał na pięćdziesiątą rocznicę Wielkiej Socjalistycznej Rewolucji Październikowej *Przełom* Borysa Ławreniewa, aktorom nie przyszło do głowy, by protestować. Zwłaszcza że Karol Adwentowicz w tym

Maciej Małek, Joasia Jędryka i ja. *Mój biedny Marik* Arbuzowa w Teatrze im. Stefana Jaracza w Łodzi

samym łódzkim teatrze wystawiał ten sam utwór dwadzieścia lat wcześniej. Dramat z 1927 roku o Aurorze i szturmie na Pałac Zimowy wykorzystywał wiedzę historyczną i fikcję literacką. Autora interesowały postawy zarówno marynarzy na sławnym statku, jak i ludności Piotrogrodu wobec historii.

W spektaklu brało udział prawie sto osób, ważne były sceny zbiorowe odgrywane na platformie gigantycznego pancernika z wielkimi działami, zaprojektowanej przez filmowego scenografa Bolesława Kamykowskiego. Reżyserował Feliks Żukowski, on też zagrał jednocześnie dowódcę krążownika, kapitana Biersieniewa, który nie bez wewnętrznych wahań przyłączył się do szturmujących mas. Bardzo trudno wyróżnić się w scenicznym tłumie, a to młodemu aktorowi się udało. „Miczmani: Janusz Gajos i Maciej Małek, są zabawnie czupurni, wzbudzają sympatię" – zauważył Roman Łoboda („Odgłosy" 1967, nr 48).

Kolejna rola w teatrze i znów półtora zdania w recenzjach, jakie można znaleźć po latach. „Janusz Gajos, początkowo zamaszysty i junacki w roli Jaśka, ze szczerą rozpaczą konstatował potem, że «ostał mu się ino sznur»" – pisał Mieczysław Jagoszewski („Dziennik Łódzki" 1969, nr 35). A Władysław Rymkiewicz dodawał: „Ponad wszelkie pochwały wydają mi się utalentowany Józef Łodyński jako Dziad i pełen chłopskiego wigoru Janusz Gajos" (Udziwnione Wesele, „Odgłosy" 1969, nr 6). Chodzi oczywiście o rolę Jaśka w Weselu Stanisława Wyspiańskiego przygotowanym przez rozpoczynającego wówczas pracę Jerzego Grzegorzewskiego. Reżysera, który od pierwszych przedstawień ujawniał swą ogromną, oryginalną wyobraźnię teatralną. „Wesele – jak pisał w programie – jest nową próbą odczytania tego dramatu bezsilności, bez konwencji przedstawiania faktów ściśle przez pryzmat chaty bronowickiej". Potraktował więc całość jako wizję Wyspiańskiego, jako ostrzeżenie przed prowadzącą nieuchronnie do zatracenia poczucia rzeczywistości postawą, czyli chocholego tańca. Zjawy służyły tu jedynie do kompromitowania osób dramatu, ich drugiego „ja". Jasiek należy do postaci planu realistycznego, ale w tej koncepcji reżysera aktor musiał znaleźć sposób, by zaznaczyć podwójny status bohatera. Wesele jednak nie porwało recenzentów i nie zmusiło ich do bardziej precyzyjnych analiz.

O tym, że Janusz Gajos zdobywał krok po kroku pozycję w zespole, świadczy następne zadanie aktorskie. Po *Weselu* wszedł w próby *Pana Wołodyjowskiego* (na podstawie *Ogniem i mieczem*) – i to w roli tytułowej. Przedstawienie pomyślane jako produkcja dla szkół, sądząc z recenzji, nie wyróżniało się specjalnym artyzmem. „Sceniczne *Ogniem i mieczem* kończy się happy endem, sceną spotkania Skrzetuskiego z Heleną. Z wielkiej tragedii dwóch narodów pozostały pojedynki, pogonie, fortele pana Zagłoby, których nie równoważy parę szczątkowych zdań Chmielnickiego i jedna, bodaj tylko, drwiąca kwestia Bohuna. Blaski i cienie zostały rozłożone niesprawiedliwie, młody widz zapamięta, kto kogo bił, kto zaś kogo krzywdził okrutnie, będzie musiała opowiedzieć mu pani nauczycielka na lekcji historii" – oceniał

Młoda Magdalena Zawadzka i ja jeszcze nie stary w *Małym* Juliana Dziedziny

Jerzy Panasewicz („Express Ilustrowany" 1967, nr 213). Ale jego uwaga:
„a już zupełnie nijaki był Janusz Gajos jako pan Wołodyjowski – nakleił
sobie maleńki ciemny wąsik i to zgubiło go do reszty, bo nawet młoda
widownia miała trudności z rozpoznaniem swego ulubieńca", nie świadczy
o specjalnej przenikliwości. Może Gajos był nijaki, ale ten czarny wąsik,
czyli chęć oddalenia się jak najbardziej od Janka Kosa, dobrze świadczy
o aktorze. Słusznie chciał grać zupełnie inną postać, a nie powielać wizerunku ulubieńca młodzieży.

Lata spędzone w łódzkim teatrze nie przyniosły Januszowi Gajosowi
nadmiernych sukcesów. Kilka zdań w gazetach na pięć lat pracy to niewiele.
Można się domyślać, że rólki, jakie poza panem Wołodyjowskim dostawał, nie zaspokajały jego ambicji. W zespole Jaracza nie proponowano mu
Hamleta, Kordiana czy Konrada. Nie tylko dlatego, że go nie doceniano;
wielkie role wymagają dłuższego skupienia i stałej obecności w teatrze,
a częste wyjazdy na plan filmowy taką pracę uniemożliwiały. Z wielu zatem
powodów nie mógł się zmierzyć z naprawdę wielkim repertuarem. Przynajmniej na starcie.

Nie najgorzej wiodło mu się w kinie. W filmie *Mały* Juliana Dziedziny dostał
rolę tytułową młodego chłopca ze wsi, który postanawia zostać w Warszawie. Wprawdzie buduje mieszkania, ale w żadnym nie był. Nie zna nikogo
poza współmieszkańcami pokoju w hotelu robotniczym o obyczajach
dosyć swojskich. Dokucza mu samotność, czuje się obco w wielkim mieście, peszy go środowisko poznanej dziewczyny z dobrego domu, Natalii,
w jakim dotąd nie bywał. Film nie rościł sobie pretensji do wielkiej sztuki,
jednak jako jeden z pierwszych pokazywał koszty awansu społecznego nie
od strony statystyki, tylko oczami sympatycznego młodego chłopca. Walczy
on o lepsze życie, lecz liczyć może tylko na siebie.

„Janusz Gajos w roli Małego jest dynamiczny, wrażliwy, dojrzały
życiowo, krytyczny, rozumny – słowem, pozytywny bohater w najlepszym
sensie tego słowa" – przeczytać można w recenzji Stanisława Grzeleckiego
(„Życie Warszawy" 1970, nr 293). Czesław Michalski pokusił się o szerszą
analizę roli. „Mocną stroną *Małego* jest niewątpliwie aktorstwo. Odtwórca

W *Małym* Juliana Dziedziny

Panie Dyrektorze!

Nieporozumieniem nazwałem fakt,
że nie złościłem się z Panem po przed
stawieniu. Czułem się w obowiązku
traktować Pana jako swego gościa
i chciby odprowadzić na dworzec.
Zawiniłem ja i atmosfera konspiracji.
Jeżeli odebrał Pan to jako nietakt
z mojej strony – bardzo przepraszam.
Ż nim się zorientowałem, że wyszedł
Pan z teatru już było zapóźno.
Jeszcze raz dziękuję i ciekaw jestem
bardzo Pańskiego zdania o tym co
Pan zobaczył.

Szczere pozdrowienia

Janina Gajos

ul. Załętna 24,

Łódź 23. II 1970.

Janusz Gajos
Łódź, ul. Zakątna 24 m 21

Warszawa, dnia 21 marca 1970r.

Drogi Kolego,

bardzo mi przykro,że się wygłupiłem,co
prawda czuję się w pewnej mierze usprawiedliwiony,po-
nieważ powiedziano mi,że Pan gra Jaśka,ale z drugiej
strony odczułem ulgę,jako że prawdę mówiąc - wyczuł
Pan to zapewne z mego listu - Jasiek mi się nie podo-
bał.Nosa pamiętam,to było sympatyczniejsze i natural-
niejsze,jakkolwiek też nie powiem,żeby rola wydawała
mi się w pełni rozegrana,ale to już sprawa pewnego typu kompozycji reżyserskiej.

Wszystko razem,jak już Panu powiedziałem,
nie ma zasadniczego wpływu na nasze decyzje,jak się
okazało,/tak przynajmniej wygląda w tej chwili/nikt
nie odchodzi,zatem bardzo trudno kogoś zaangażować.
Gdyby w tym zakresie coś się zmieniło,coś zdarzyło,
dam Panu znać i o ile będzie Pan jeszcze wolny i chętny
będziemy mogli odnowić rozmowę.

Tymczasem serdecznie Pana pozdrawiam
jeszcze raz przepraszam,będę miał jeszcze
jedną anegdotę w życiu do opowiadania

szczerze oddany

/Erwin Axer/

tytułowej roli, Janusz Gajos, sympatyczny Janek z serii telewizyjnej *Czterej pancerni i pies*, ma tu rolę bez porównania bogatszą i co za tym idzie – znacznie trudniejszą. Ale jego zbuntowany bohater – postać psychologicznie bardzo złożona, pozornie nawet przeintelektualizowana w zamyśle autorskim – jest prawdziwy w każdej scenie, mimo że niektóre, jak na przykład nagły wybuch gniewu w rozmowie z Anią (Anna Nehrebecka), groziły przejaskrawieniem, inne znów, jak pierwsze spotkanie w hotelu robotniczym z Natalią (Magdalena Zawadzka), narzucały niejako pewną nienaturalność. Gajos szczęśliwie uniknął tych wszystkich zasadzek – jego Mały jest postacią absolutnie wiarygodną" („Gazeta Pomorska" 1970, nr 299).

Pozytywne opinie ukazały się po premierze filmu, czyli w końcu roku, sezon teatralny zaś kończy się przed wakacjami. Gajos, ufny w swe umiejętności, pragnął dostać się do któregoś z lepszych teatrów, a te były w Warszawie. Wiedział, że jest znany. Na *Wesele* Grzegorzewskiego specjalnie przyjechał do Łodzi Erwin Axer, by zobaczyć Janusza Gajosa, którego rekomendował mu Jan Kreczmar. Niestety, trafił na spektakl, w którym Jaśka grał kolega (ze względu na serial były dublury). Z angażu do Teatru Współczesnego nic nie wyszło. Nie było etatu. W innych warszawskich teatrach panowała opinia, że bohater *Pancernych* jako aktor jest spalony, nie da też sobie rady w innym emploi. Młody aktor nie przypuszczał chyba, że popularność zdobyta w serialu aż tak bardzo zaważy na jego dalszych losach. Poczuł się, co trafnie określi po latach Kazimierz Kutz, jak ktoś „przepędzony z salonów".

◄ Dziś załatwiamy wszystko telefonami i esemesami. Tymczasem listy zachowały klasę korespondentów

TO, CO NAJTRUDNIEJSZE

– KOMEDIA

Cztery lata w akademiku, sześć lat w domu aktora przy Teatrze im. Stefana Jaracza, kilkanaście ról w filmach i teatrze oraz ogromna popularność po *Pancernych* – to bagaż doświadczeń dziesięciu lat życia w Łodzi. Na tyle duży, by uwierzyć w siłę charakteru i dobrą passę i podjąć ryzyko dalszej walki. Aktorstwo zawsze przypomina ruletkę – niczego nie można przewidzieć, sukcesy i upadki przychodzą niespodziewanie – ale dobre rzemiosło nigdy nie zaszkodzi. Szlifować je warto pod okiem mistrzów, a tych w Łodzi za wielu nie było. Janusz Gajos cały materialny dobytek spakował więc do starego volkswagena i ruszył na podbój stolicy. Tam jednak wiele drzwi okazało się przed nim zamkniętych.

Znalazł w końcu przystań na warszawskim Żoliborzu. Etat w teatrze Komedia pokrywał koszty wynajęcia mieszkania, na resztę trzeba było zarobić dodatkowo. Wiedział, że będzie trudno, ale chyba nie przypuszczał, że aż tak bardzo. Telefon uparcie milczał. Jeśli już się odzywał, to z propozycjami udziału w filmach dla młodzieży, bynajmniej nie w głównych rolach.

Aktora nie stać było na odmowę. Jedyne, co mógł robić, to wykonywać każde zadanie jak najlepiej. W serialu Stanisława Jędryki *Wakacje z duchami* zagrał studenta; u Pawła Komorowskiego, z którym robił *Stajnię na Salwatorze*, w telewizyjnym filmie *Kocie ślady* jako porucznik Milicji Obywatelskiej przejmuje śledztwo w sprawie szajki przemytników drogich kamieni; u Marii Kaniewskiej dostał epizodyczną rolę, znowu milicjanta, w *Zaczarowanym podwórku*, filmie dla młodzieży według Hanny Januszewskiej.

Reżyserzy chyba lubili mnie w mundurze. W *Zaczarowanym podwórku* Marii Kaniewskiej ▶

Walentyna Maruszewska obsadziła go w *Darach magów* według O. Henry'ego, kameralnym filmie o młodym małżeństwie, które mimo biedy obdarza się w Wigilię prezentami. Zagrał tam wraz z Martą Lipińską (żona) i Niną Andrycz (matka), co było i miłe, i pouczające, lecz sytuacji zawodowej nie poprawiło. *Pancerni* kładli się cieniem na karierze.

■ Pewien reżyser powiedział mi wprost: „Nie mogę cię zaangażować, bo za bardzo kojarzysz się z Jankiem". Cóż można odpowiedzieć na takie dictum? Nic oczywiście. Później zacząłem żartować, że nikt mnie nie może obsadzić w roli Konrada, bo co zrobić z psem. Ale wtedy wcale nie było mi do śmiechu.

Miłym wyjątkiem był Jerzy Gruza, który dostrzegł w Gajosie aktora, a nie postać Janka Kosa. I zaproponował mu w *Czterdziestolatku* rolę Antka (brata Madzi Karwowskiej), badylarza z fortuną milionera, a manierami prostaka. To był maleńki przełom, ponieważ Gajos znalazł się w ekipie dobrych aktorów, którzy chętnie brali udział w komponowaniu dialogów. Poczuł, jakby wyrosły mu skrzydła, i swoją rolę zagrał świetnie. To znaczy pokazał, że potrafi uważnie obserwować ludzi i z tych obserwacji skorzystać, lepiąc postać i śmieszną, i groźną. Przypomnę taką scenę: Karwowscy chcą kupić nowy samochód, ale nie mają dość pieniędzy. Jadą na wieś do brata badylarza, żeby pożyczyć. Bardzo się przy tym kryguj, podchodzą, odchodzą, starają się wyczuć właściwy moment. Wreszcie w wielkiej szklarni pada kwota, a Antek (Gajos), wzruszając ramionami, mówi: „Eee, myślałem, że to prawdziwa suma". Wyciąga niedbale z kieszeni zwitek banknotów, przelicza pi razy oko i wręcza te „niebotyczne" dla siostry i szwagra dwadzieścia tysięcy. Bardzo to było śmieszne i prawdziwe: zderzenie świata socjalistycznej gospodarki (inżynier Karwowski budował, jak pamiętamy, Trasę Łazienkowską, Dworzec Centralny i Trasę Toruńską) z „kapitalistycznym" badylarzem – malowniczy obraz minionej epoki. Być może właśnie Antek z *Czterdziestolatka* utorował mu drogę do głównej roli w *Milionerze*.

Czy w teatrze było lepiej? Niezupełnie. Wprawdzie nikt Gajosowi nie mówił, z kim się kojarzy, ale pamiętajmy, że aktorstwo jest sztuką zbiorową. Udane przedstawienie wyzwala dobrą energię wykonawców; złe – popada w niepamięć, ale dręczy jak kac. Wysiłki poszczególnych aktorów nie uratują rzeczy źle pomyślanej czy źle wyreżyserowanej. Komedia była teatrem raczej drugoligowym, gdzie o wielkiej sztuce się nie mówiło. Aktorzy nie tyle tworzyli, ile produkowali rozrywkę.

Piękna Helena Offenbacha (libretto Meilhaca i Halévy'ego, przerobił i znacznie uwspółcześnił Janusz Minkiewicz) nie przełamała tej opinii. Choć podkreślano, że próba przeniesienia słynnej operetki na deski teatru dramatycznego powiodła się i została starannie opracowana reżysersko przez Stefanię Domańską, było to przedstawienie z gatunku użytkowych. Janusz Gajos doczekał się jednego pochlebnego zdania – „[nasz pancerny] tym razem przekonująco grał rolę stale «zawianego» Oresta" (Andrzej Markiewicz, *Piękna Helena*, „Trybuna Mazowiecka" 1970, nr 236). Dobrze, ale to przecież nie sukces.

Druga premiera w teatrze na Żoliborzu *Twój na wieki* była przede wszystkim popisem Aliny Janowskiej. Zbierała pochwały za rolę trzydziestoletniej samotnej kobiety, która usiłuje wyjść za mąż. Janusz Gajos zagrał rolę jednego z dwóch konkurentów do jej ręki – Janka. Wprawdzie decyzją czeskiego autora Ottona Zelenki rękę bohaterki zdobywa ten drugi, Piotr, to można było przeczytać: „Przecież aktorsko pojedynek ten wygrywa zdecydowanie Janusz Gajos" (Zofia Sieradzka, „Głos Pracy" 1971, nr 142). Podobnie wyraziła się Maria Kosińska: „Nieprzejednanych wrogów małżeństwa, później «zalotników», grają Józef Łotysz i Janusz Gajos – ten ostatni zabawny w trikowej wersji męża safanduły!" („Życie Warszawy" 1971, nr 128). Nawet surowy zwykle Stefan Polanica napisał: „Aktora Janka Kreta z wdziękiem kreuje bohater *Czterech pancernych i psa* Janusz Gajos" (*Twój na wieki*, „Słowo Powszechne" 1971, nr 127). W sumie trzy zdania trojga recenzentów to więcej niż jedna wzmianka po poprzedniej premierze.

Komedia *Twój na wieki*, przedstawiająca w konwencji małego realizmu małżeństwo na wesoło, bawiła publiczność wiele miesięcy. Gajos zdawał sobie jednak sprawę, że im dłużej będzie tkwić w tym teatrze, tym pewniej znajdzie się w szufladce z napisem: aktor komediowy. Nie lubił szufladek, któż je zresztą lubi. Na tyle poważnie traktował swój zawód, by wciąż ryzykować zgodnie ze starą zasadą: żeby wygrać, trzeba kupić los na loterię. Po dwóch sezonach w Komedii podjął próbę zmiany teatru. I trafił z deszczu pod rynnę. W Teatrze Polskim atmosfera była o wiele gorsza niż na Żoliborzu. Panowały tu jakieś przedziwne stosunki łączące strach z policyjną niemal dyscypliną.

Na domiar złego przedstawienia zbierały zasłużone cięgi od krytyków. Oliwer w *Jak wam się podoba* Szekspira to zadanie znaczące, ale… „W tym smutnym i zupełnie zbędnym przedstawieniu bronił się jedynie talent Bronisława Pawlika (Jakub), aczkolwiek i on także był jeno własnym cieniem. Reszcie wykonawców mogę jedynie serdecznie współczuć udziału w spektaklu, którego są ofiarami. Chodzenia na *Jak wam się podoba* do Polskiego należy zabronić młodzieży i wojskowym. Nie z uwagi na homoseksualne aluzje, lecz w obawie przed wyrobieniem w młodym pokoleniu przeświadczenia, że William Szekspir był grafomanem i idiotą!" (Andrzej Hausbrandt, *Młodzieży wstęp wzbroniony*, „Express Wieczorny" 1972, nr 278). Nie ma powodu cytować innych recenzji w tym stylu, niemniej uświadamiają, jak może czuć się świeżo zaangażowany aktor, czytając podobne opinie o swoim teatrze.

Niestety, nie był to tylko wypadek przy pracy. Mogłoby się wydawać, że *Świętoszka* trudno zepsuć – toż to jeden z najdoskonalszych dramatów w dziejach świata, szczytowe osiągnięcie geniuszu Moliera i tak dalej. Dla znakomitych aktorów samograj. Helmut Kajzar – reżyser, takich dostał: Tartuffe – Michał Pawlicki, Orgon – sam Władysław Hańcza, Kleant – Jan Kobuszewski, Pani Pernelle – Seweryna Broniszówna, Elmira – śliczna Anna Nehrebecka, i Janusz Gajos – Walery. Niestety, całość nie wzbudziła aplauzu. Zważywszy, że był to spektakl przygotowany na trzechsetną rocznicę urodzin patrona francuskiego teatru, należałoby mówić nie tyle o wątpliwościach, ile o klęsce.

Stało się to przede wszystkim za sprawą adaptacji, poza bowiem daleko idącym uwspółcześnieniem klasycznego przekładu Boya pojawiły się w tekście cytaty z *Zemsty* Fredry, *Dziadów* Mickiewicza, z Wyspiańskiego, a nawet z *Czarodziejskiej góry* Manna. Jakby *Świętoszek* nie był wspaniałą komedią, lecz traktatem o zakłamaniu ideologicznym. Reżyser zagubił się w tej

TEATR POLSKI
W WARSZAWIE

ROK ZAŁOŻENIA–1913

SEZON 1972-1973

DYREKTOR—ANDRZEJ KRASICKI ● KIEROWNIK ARTYSTYCZNY—AUGUST KOWALCZYK ● KIEROWNIK LITERACKI—ERNEST BRYLL

WILLIAM SZEKSPIR

JAK WAM SIĘ PODOBA

(AS YOU LIKE IT)

TŁUMACZENIE—CZESŁAW MIŁOSZ

AKTORZY

KRYSTYNA KRÓLÓWNA, IRENA SZCZUROWSKA, KAZIMIERA UTRATA, HANNA ZEMBRZUSKA
WOJCIECH ALABORSKI, ANDRZEJ ANTKOWIAK, HENRYK BOUKOŁOWSKI, PIOTR BRZEZIŃSKI
KAZIMIERZ DĘBICKI, JANUSZ GAJOS, ANDRZEJ GRĄZIEWICZ, ZYGMUNT HOBOT
TADEUSZ JASTRZĘBOWSKI, KRZYSZTOF MACHOWSKI, MACIEJ MACIEJEWSKI, LEOPOLD MATUSZCZAK
ADAM MULARCZYK, RYSZARD NAWROCKI, BRONISŁAW PAWLIK, LEON PIETRASZKIEWICZ
ANDRZEJ SIEDLECKI, LECH SOŁUBA, BOGUSŁAW STOKOWSKI, ANDRZEJ SZAJEWSKI
JULIUSZ WYRZYKOWSKI

SCENOGRAFIA
TERESA TARGOŃSKA

MUZYKA
KAZIMIERZ SEROCKI

REŻYSERIA
KRYSTYNA MEISSNER

PANTOMIMA
LEON GÓRECKI

PREMIERA W LISTOPADZIE 1972 ROKU

POCZĄTEK PRZEDSTAWIEŃ O GODZ. 19.30

BILETY OD 5 DO 25 ZŁ Z SZATNIĄ, KASY CZYNNE OD GODZ. 10-19, BILETY ZBIOROWE MOŻNA ZAMAWIAĆ W ORGANIZACJI WIDOWNI, KRAKOWSKIE
PRZEDMIEŚCIE 6, TEL. 26-61-64. PRZEDSPRZEDAŻ PROWADZĄ WSZYSTKIE PLACÓWKI „ORBISU" 7 DNI NAPRZÓD, W GODZ. 10-17, ORAZ KASY
SPATiF (AL. JEROZOLIMSKIE 25, TEL. 21-93-83) W GODZ. 11-18

T.P. W-wa. Zam. 1055/72. 600. A-8.

przedziwnej mieszance stylistycznej, podobnie jak aktorzy, którzy bronili się przed eksperymentem, jak kto umiał. „Nieoczekiwanie bliski Molierowi, i to pojętemu wcale niekonwencjonalnie, okazał się Walery Janusza Gajosa" (Michał Misiorny, *Eurypides i Molier*, „Trybuna Ludu" 1973, nr 74). Czy to znaczy, że aktor zagrał, brzydko mówiąc, „na czuja", bo go niezbyt pilnował reżyser, czy też wbrew reżyserowi, dziś nie rozstrzygniemy. To jednak wystarczyło, by stworzył postać wyrazistą, która nie wzbudzała protestów jak Tartuffe Pawlickiego.

Cztery sezony spędzone w warszawskich teatrach trudno uznać za udane. Aktor raczej czekał na role, a jeśli już je grał, to w przedstawieniach dość marnych. Ratował się występami estradowymi, mówił wiersze, monologi w różnych składankach, z którymi występował po kraju. Wreszcie trafił do kabaretu Pod Egidą Jana Pietrzaka, w połowie lat siedemdziesiątych przeżywającego apogeum popularności. Dość wspomnieć, że autorami Egidy byli Jonasz Kofta, Ryszard Marek Groński, Jan Tadeusz Stanisławski, Daniel Passent, Jan Pietrzak i wielu innych. Celem ich satyry były oczywiście absurdy życia w epoce Edwarda Gierka – nie tylko obyczajowe, choć te także. Główne ostrze zwrócone było w stronę ideologii i polityki. Epoka propagandy sukcesu uprawiała je z zapałem, za to nie dość uważnie przyglądając się obywatelom, ich myślom i odczuciom. Pod Egidą aktor spotkał plejadę świetnych kolegów – Piotra Fronczewskiego, Wojciecha Pszoniaka, Ewę Dałkowską; przeskoczył na odmienną orbitę humoru, zaczął grać dla innej, bardziej wyrobionej publiczności.

Niekiedy publiczności dość specyficznej, kabaret Pietrzaka bowiem często wyjeżdżał na zaproszenia Polonii. W tamtych latach wyjazdy zagraniczne same w sobie były rzadkością i atrakcją. Wyjazdy Egidy połączone były z pracą – sympatyczną i nieźle płatną. W ten sposób objechał Gajos pół świata – od Stanów Zjednoczonych przez Kanadę po Australię – co zawsze przewietrza głowę, skłania do porównań. Czasem staje się też okazją do nieoczekiwanych spotkań.

▮ Któregoś dnia, w Detroit, po występie, wpada organizator występów do garderoby: „Ubieraj się szybko, bo ktoś na ciebie czeka!". Moi koledzy z kabaretu, na przykład Stefan Friedmann, prawie w każdym mieście

W telewizyjnym *Magazynie Studia Gama* z Bohdanem Łazuką

za granicą mieli znajomych, ja nie, więc pytam: „Czy na pewno o mnie chodzi?!". „O ciebie, idź szybko!". Ujrzałem panią w średnim wieku, suto obwieszoną złotem, która po chwili wyciągnęła moje stare zdjęcie, jeszcze ze szkoły średniej. Ciekawsza była jego druga strona – rozpoznałem własną ręką napisane wyznania miłosne, dla niej. No i co z takim faktem można zrobić?

Pewnie nic, ale zdjęcie wróciło do sportretowanego.

Podczas karnawału Solidarności kabaret Pod Egidą na występach w Sopocie odwiedzili Lech Wałęsa i ksiądz Henryk Jankowski ▶

Kiedy zapadła decyzja o powołaniu na ulicy Czackiego teatru Kwadrat, w miejsce Małej Sceny Teatru Współczesnego, Janusz Gajos od razu się tam przeniósł. Predestynowały go do tego i warunki, i rodzaj talentu. Już nie był wdzięcznym, szczupłym efebem o zadziornym spojrzeniu błękitnych oczu, nadającym się do ról chłopców i romantycznych kochanków. Przytył, przekroczył trzydziestkę. Był dojrzałym mężczyzną i, co najważniejsze, w wielu spektaklach i filmach udowodnił, że potrafi już nie tylko być, ale i grać. Przede wszystkim role charakterystyczne, z czym widocznie się pogodził, przynajmniej na użytek publiczny. „Z aktora serialowego stałem się dobrym aktorem komediowym" – mówił w wywiadach.

Scenę przy Czackiego przez dziesięć lat, począwszy od 1974 roku, prowadził Edward Dziewoński – aktor (niezapomniany Dzidziuś Górkiewicz w *Eroice* Andrzeja Munka, Goebbels w *Karierze Artura Ui* Brechta w Teatrze Współczesnym Erwina Axera), reżyser, a nade wszystko człowiek z poczuciem humoru. Często powtarzał on swoją dewizę: „Życie bez poczucia humoru nie miałoby żadnego sensu. Poczucie humoru jest czymś absolutnie podstawowym".

Edward Dziewoński – pozwolę sobie na dygresję – to postać wyjątkowa. Oprócz

Dziś coraz mniej dobrego angielskiego humoru, jaki miał Edward Dziewoński

talentu wyróżniał się elegancją i własnym stylem bycia. W związku z tym w szarych czasach PRL-u nie był pupilem władzy, choć urzędnicy wysokich szczebli po prostu uwielbiali go oglądać. Zwłaszcza w założonym w 1965 roku słynnym kabarecie Dudek, który przez dziesięć lat regularnie występował w kawiarni Nowy Świat. Wśród plejady doskonałych aktorów byli Magdalena Zawadzka, Irena Kwiatkowska, Anita Dymszówna, Barbara Rylska, Wojciech Młynarski, Wiesław Michnikowski, Wiesław Gołas, Jan Kobuszewski, Jeremi Przybora, Jerzy Wasowski. Obejrzenie Dudka równało się spotkaniu z inteligencją w stanie wrzenia, a miejsc, gdzie podobnych uczuć można by doświadczyć, nie było wiele.

Jako wybitny kontynuator tradycji kabaretu przedwojennego (legendarnego Qui pro Quo, gdzie występowały Hanka Ordonówna i Zula Pogorzelska, pod wodzą niezrównanego konferansjera – Fryderyka Jarosyego) Dziewoński przyswajał zapomniane wartości i typ humoru wysokiego. Wyraźnie angielsko-surrealistyczny o posmaku dobrej whisky w klubie dla dżentelmenów. Podobny rodzaj humoru i wyobraźni można było odnaleźć w Kabarecie Starszych Panów, tyle że u Wasowskiego i Przybory było więcej piosenek, u Dudka zaś skeczy. Jego kreacje, a właściwie miniatury dramatyczne, jak słynny Rapaport czy Kuszelas, pozostały w pamięci paru pokoleń jako arcydzieła aktorstwa. Postępował zgodnie z dewizą: nie nudzić. W kilka minut potrafił stworzyć krwistą postać, opowiedzieć jej losy często i śmieszne, i tragiczne. Stefania Grodzieńska, wielka dama i autorka kabaretu, powtarzała o Dziewońskim: „To intelektualista, który jest aktorem komediowym. A w środku jest człowiekiem smutnym i samotnym".

Toteż jemu właśnie powierzono dyrekcję Kwadratu, a tym samym misję odnowienia zapomnianej tradycji. Prowadził więc scenę o bardzo określonym profilu repertuarowym – wystawiał komedie i farsy, przede wszystkim francuskie i anglosaskie, dbając o ich aktualność. Na jego zamówienie powstawały także komedie polskie rejestrujące śmieszność i absurd współczesnego życia. Aktorom, którzy się pod jego dyrekcyjną i reżyserską ręką znaleźli, nie mogło się zdarzyć nic lepszego. Samo obcowanie z Dziewońskim było nie tylko szkołą życia i bycia, ale też nieustanną podróżą w krainę absurdu i wyobraźni, w czasy przedwojennego obyczaju i manier. Nie lekceważyłabym w biografii mojego bohatera tego miejsca, jakim był prowadzony przez Edwarda Dziewońskiego teatr – enklawa gromadząca ludzi o podobnym poczuciu miary rzeczy.

Po remoncie Kwadrat stał się bardziej przytulny, zostały zamontowane miękkie fotele, a ponieważ było ich zaledwie dwieście piętnaście, nie było nigdy problemów z frekwencją. Publiczność kupowała bilety z kasy, a nie dostawała ich – jak to bywało w tym czasie – z komórki socjalnej (takie komórki istniały przy każdym zakładzie pracy, by „ukulturalniać załogę"). Zwolennicy Kwadratu podkreślali, że to był jeden z nielicznych teatrów pracujących wtedy w systemie kapitalistycznym. Złośliwi powiadali, że nietrudno zapełnić tak małą widownię najpopularniejszym i najchętniej oglądanym przez widzów repertuarem. Prawda pewnie leży – jak zwykle – pośrodku, co dziś widać znacznie lepiej. Wystarczy porównać, jakiej klasy literaturą komediową i jakimi sposobami „artystycznymi" walczą obecnie o widza niektóre teatry.

Ale prawdą też jest, że dla publiczności zasiadającej w owych miękkich fotelach teatr Szajny, Grotowskiego, Kantora to były propozycje tyleż trudne, nieoswojone, ile niedostępne. Grotowski żył raczej w legendzie, on sam i jego aktorzy prowadzili staże za granicą albo w Brzezince pod Wrocławiem. Ostatnie przedstawienie *Apocalypsis cum figuris* pokazywano w Starej Prochowni przy ulicy Boleść w Warszawie jesienią 1971 roku. Zespół Kantora dopiero tworzył legendarną *Umarłą klasę* i *Wielopole, Wielopole*, a później prezentował je częściej na zagranicznych festiwalach niż w kraju. Najwybitniejsi krytycy poświęcali pióra raczej Grotowskiemu, Kantorowi czy Staremu Teatrowi w Krakowie, gdzie swe największe przedstawienia tworzyli Konrad Swinarski, Jerzy Jarocki i Andrzej Wajda. Kwadrat Edwarda Dziewońskiego nie budził podobnych emocji, znajdował się poza głównym nurtem zainteresowań krytyki i elitarnej publiczności.

Ówczesne opinie o aktorstwie Janusza Gajosa nie grzeszą ani wnikliwością, ani kunsztem pisarskim. Są to lakoniczne wzmianki w równie lakonicznych recenzjach. Innych nie ma. Pokazują one jednak wyraźnie, jak Gajos z roli na rolę staje się aktorem coraz bardziej w zespole potrzebnym i ważnym. Lecz nie od razu. Pierwsza premiera Kwadratu stała się raczej falstartem. *Prawdziwy mężczyzna*, sztuka Jamesa Thurbera i Elliota Nugenta, napisana w latach czterdziestych XX wieku, okazała się cokolwiek zwietrzała. Sytuację ratowali aktorzy, celnie ukazujący postawy swoich bohaterów i konflikty środowiskowo-rodzinne sprowokowane polityczną nagonką na profesora amerykańskiego uniwersytetu. Janusz Gajos jako Meyers, jeden z kolegów bohatera, nie doczekał się pisemnych opinii.

Natomiast zamówione specjalnie dla tego teatru *Rozmowy przy wycinaniu lasu* Stanisława Tyma stały się sukcesem i teatru, i aktorów. O Gajosie pisano wręcz entuzjastycznie – „wyborny", „potrafi prowadzić absurdalny dialog, przekazać publiczności specyfikę humoru Tyma, autora STS-u", „prezentuje świetny talent komediowy", a nawet „jest małą rewelacją aktorską". Zdarzały się próby opisu roli, co jest zjawiskiem równie rzadkim jak księżyc w nowiu.

W tej sztuce surrealizm nie tyle miesza się z obserwacją obyczajową, ile raczej z niej wynika; a obyczaj jest taki, jakie są czasy. Czterech drwali metodycznie wycina las po to, by zasadzić na jego miejscu kapustę, kapusta zwabi zające, a kiedy i jej zabraknie, zające zaczną obgryzać drzewa owocowe, a kiedy drzewa uschną – nie będzie klęski urodzaju. I o to chodzi, bo z urodzajem tylko skaranie boskie, owoce zbierać trzeba, sprzedawać itd. Drwale wycinają las, ale w przerwach – długich – gadają o życiu, o karpiu, którego od dziesięciu lat nie mogą złapać, o *Hamlecie* i Dostojewskim. Ujawniają zasady życia w najweselszym baraku w socjalistycznym obozie. „Aktorzy czują ten rodzaj humoru i, jakby bawiąc się nim, prowadzą dialog w tonie kabaretowym. Celnie puentują kolejne dowcipy i sytuacje. Prym wiedzie wśród nich Janusz Gajos jako Bimber – gorliwy czytelnik *Hamleta* i *Zbrodni oraz kary* – który na wszystkie wydarzenia reaguje z namysłem i nieśpiesznie. Jego opóźnione reakcje są nieodparcie zabawne także przez to, że Gajos utrzymuje je w tonacji absolutnie serio. Kiedy Bimber, Zyzol (Włodzimierz Press), Macuga (Andrzej Fedorowicz) i Dunlop (Włodzimierz Nowak) dywagują w kwartecie na temat «rzeczy, o których się nie śniło nawet filozofom» – zabawa jest pyszna!" (Barbara Osterloff, *O karpiu, lesie i kapuście rozmowy w Kwadracie*, „Teatr" 1975, nr 10). „Janusz Gajos dobrze gra tę rolę – bez natręctwa, oszczędnie w dozowaniu szampańskiego humoru, co go korzystnie wyróżnia" (M.M., *Gadanina w lesie*, „Trybuna Ludu" 1975, nr 75). Opóźnianie reakcji nie jest w rolach komediowych wynalazkiem nowym; bardzo starym, co nie znaczy złym. Przeciwnie. Zamierzona safandułowatość Bimbra pozwoliła aktorowi budować jego

PRZY WYCINANIU LASU·

Stanisław Tym · ROZMOWY

TEATR KWADRAT RTV

„poważne" rozważania na kontrze, więc wypadały śmiesznie tym bardziej, im bardziej serio były traktowane.

Po dwudziestu latach sztukę zrealizował sam autor, Stanisław Tym, w Teatrze Telewizji i – choć obsada się zmieniła – Janusz Gajos znów bawił rolą Bimbra. Był jakby jeszcze bardziej wyciszony, reagował jeszcze wolniej (niby skupiony na lekturach) i jeszcze bardziej śmieszył. Nie zapomniał ponadto o surrealistycznej proweniencji tej postaci; gdy pobiegł z chłopakami popchnąć motor Siekierowego, po powrocie na łąkę jeszcze długo wypuszczał z ust dym, którego się nawdychał. Efekt prosty, a celny.

Takie role nie zdarzają się jednak często. Codzienność aktora nie składa się z samych wydarzeń artystycznych. Kiedy Witold Skaruch wyreżyserował klasyczną farsę Francisa Vebera, recenzenci narzekali: „*Podłużna walizka* jest raczej pusta i należałoby ją oddać do przechowalni i zgubić kwit". „Na uznanie zasługuje Kowalewski (Franciszek) i Gajos (Ralf) – obaj ci artyści mają wyraźny instynkt komediowy, tworzą zabawne figury, które mają i ręce, i nogi, i głowy" (Michał Misiorny, *Pusta walizka*, „Trybuna Ludu" 1975, nr 77). Lecz nawet ich wysiłki nie ożywiły starej już farsy, do czego powołany został w końcu ten teatr.

Podobnie nie udała się – pełna zamienionych walizek, narzeczonych, subtelnego cynizmu i zabawnych sytuacji okraszonych szczyptą prawdziwej miłości – stara farsa Claude'a Magniera *Oscar*. Tytułową rolą głup-

U Tyma Bimber służy do czytania Dostojewskiego.
Rozmowy przy wycinaniu lasu w Teatrze Telewizji, 1998

kowatego amanta-kierowcy Janusz Gajos umocnił swą pozycję w zespole, ale trudno powiedzieć, by odniósł sukces podobny jak Louis de Funès w filmowej przeróbce owej farsy sprzed lat.

Tu pozwolę sobie na intermedium kabaretowe, od komedii do kabaretu wszakże jeden krok. W roku 1975 Teatr Buffo – po trzynastu latach – wznowił swą działalność programem *Kabaretro, czyli salon zależnych*. Tytuł w jawny sposób nawiązywał do sławnego a tępionego przez cenzurę kabaretu studenckiego – Salonu Niezależnych Jacka Kleyffa, Michała Tarkowskiego i Janusza Weissa. Janusz Gajos jako zdolny artysta komediowy został zaproszony do udziału w inauguracyjnym programie Buffo z dwoma monologami *Nuda* i *Dylemat*, ale w kompanii Gozdawy i Stępnia długo nie zabawił.

Być może w Kwadracie przy ulicy Czackiego Gajos czuł się słabo wykorzystany, skoro szukał innych zajęć. Być może chciał się uwolnić od etykietki aktora tylko komediowego i spróbować innego emploi. W Starej Prochowni, kierowanej przez niezmordowanego Wojciecha Siemiona, przygotował wraz z Polą Raksą sztukę o problemach małżeńskich, wyrastającą z „małego realizmu" – *Alfa Beta* Edwarda Anthony'ego Whiteheada. „W ich interpretacji sztuka brzmi czysto, bez zbytecznego patosu, miejscami zaś z przejmującą prawdą. Na szczególne zainteresowanie zasługuje rola Janusza Gajosa, którego szeroka publiczność zna raczej z dość jednostronnego repertuaru, tu zaś ukazuje on nowe i zaskakujące możliwości swego aktorstwa: bardzo prawdziwie rysuje postać przegranego mężczyzny, bezskutecznie walczącego o rozwikłanie krępującego go węzła życiowych spraw, przypominając w tym aktorów angielskiego filmu lat sześćdziesiątych. Jeśli przypomnimy, że wówczas największe triumfy święcili Albert Finney i Tom Courtenay, porównanie to mówi samo za siebie" (Maciej Karpiński, *Z Off-Warszawy*, „Sztandar Młodych" 1976, nr 11).

Porównanie z wybitnymi angielskimi aktorami nie wydaje się tu tylko czczym komplementem. Karpiński trafnie zauważył inny genre aktora. *Alfa Beta* utrzymywała się na afiszu dwa sezony, ale głównym smaczkiem była jej obsada. Gajos i Pola Raksa grali skonfliktowane małżeństwo, dojrzałe do nienawiści, podstępnych gier i wzajemnych upokorzeń. Stanowili parę

zupełnie odmienną od tej naiwnej, zakochanej, którą stworzyli w *Pancernych* jako czołgista Janek i sanitariuszka Marusia. Recenzenci i publiczność z upodobaniem oglądali to nowe wcielenie ulubionej pary bohaterów; nawet podkreślali ten smaczek obsadowy. Aktor tak zrósł się z obrazem swego Janka, że nawet po latach dopisywano dalszy ciąg jego biografii.

Tymczasem w Kwadracie przygotowano klasyczną polską komedię *Damy i huzary* Fredry – przede wszystkim dla publiczności polonijnej, ponieważ teatr dostał zaproszenie do Stanów Zjednoczonych i Kanady. Fakt ten przesądził o zastąpieniu dekoracji polskimi flagami,

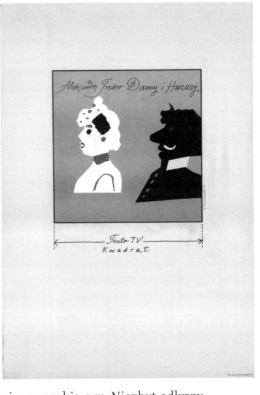

o pięknych napoleońskich kostiumach i o sposobie gry. Niezbyt odkrywczym, skoro pisano, że „jeden tylko Janusz Gajos marnuje się w roli Kapelana" (Edward Dziewoński grał Majora, Jan Kobuszewski – Rotmistrza, a Gabriela Kownacka – Zosię). Spektakl, utrzymany w najbardziej tradycyjnym stylu, budził wzruszenie w sercach Polonusów.

Zagraniczne tournée to trochę święto, trochę wakacje od codzienności. Normalne życie aktora polega na tym, że raz wchodzi na scenę jako lokaj, jak na przykład w farsie *Wstrętny egoista* Françoise Dorin, innym razem jako lord, hrabia czy niewierny kochanek. Farsę Dorina wyreżyserował Jan Kobuszewski i zagrał rolę tytułową – starego kawalera Lionela. Można było przeczytać, że: „Bratnią mu duszę – lokaja Wiktora – kreuje z dużym powodzeniem i poczuciem humoru Janusz Gajos" (pa, *Uroczy egoista*, „Życie Warszawy" 1977, nr 30).

Ewa Wiśniewska jako Judyta w objęciach Holofernesa w *Ewie, Judycie, kurtyzanie* Jana Sztaudyngera

Natomiast po wieczorze *Co słychać?*, na który składały się skecze i piosenki wybitnych autorów radzieckich – Bułata Okudżawy, Władimira Wysockiego, Michaiła Żwanieckiego – gazety odnotowały: „Gajos daje rozległy przegląd swych możliwości: od monologu chuligańskiego po rosnące zdenerwowanie spokojnego człowieka w *Idiocie* [Muzy Pawłowej – przyp. E.B.]" (Wojciech Natanson, *Kabaret*, „Życie Warszawy" 1978, nr 97); „*Co za muzeum* (skecz Żwanieckiego), w którym komediowym wyczuciem błysnął Janusz Gajos, utrzymując ten poziom w całym przedstawieniu" (Jerzy Żurek, *Co słychać w teatrze Kwadrat*, „Dziennik Ludowy" 1978, nr 88).

Powoli Gajos stawał się filarem zespołu. Choć nie brak było w nim zdolnych aktorów w podobnym wieku, jak Krzysztof Kowalewski, Andrzej Fedorowicz czy Bohdan Łazuka – to on coraz częściej dostawał główne role. *Za rok o tej samej porze* Bernarda Slade'a to niemal samograj, ale dla wszechstronnych aktorów. Opowiada o romansie pewnej pary, która od dwudziestu czterech lat spotyka się w tym samych hotelu o tej samej porze

ZDJĘCIE Z PRÓB KABARETOWEGO WIECZORU AUTORÓW RADZIECKICH   ZDJĘCIE Z PRÓB KABARETOWEGO WIECZORU AUTORÓW RADZIECKICH

Co słychać? w teatrze Kwadrat

roku. Sztuka, wychodząc od schematu bulwarówki, zmierza ku całkiem poważnej analizie uczuć ludzi związanych ze sobą może intensywniej niż w związkach oficjalnych.

„Doskonałym partnerem jest Janusz Gajos – amerykański mężczyzna, pracowity i uparcie pnący się w górę, który jednakże jest prosty, mało skomplikowany i łatwo daje się zdominować. Atutem Gajosa jest swoisty wdzięk i typ powściągliwego, ciepłego komizmu, który czyni tę postać niezwykle sympatyczną" – pisał Michał Misiorny (*Bulwar serio*, „Trybuna Ludu" 1978, nr 245). Krystyna Gucewicz zaś, odczytawszy tę sztukę jako komedyjkę, miała do aktorów pretensje o zbyt mało efektów: „grali ponad stan tej sztuki, zbyt poważnie" („Express Wieczorny" 1978, nr 230). Niezbyt to słuszny zarzut. Raczej na plus policzyć można wykonawcom – Halinie Kowalskiej (Doris) i Januszowi Gajosowi (George) – że ich aktorstwo podnosiło rangę sztuki, a nie pogrążało jej w banalnych chichotach.

Dyrekcja teatru, mając aktora o szerokiej skali wyrazu, stara się go wykorzystać, szukając odpowiednich sztuk. Co najmniej od czasu *Bliźniaków weneckich* Goldoniego wiadomo, że role podwójne – bliźniaków, sobowtórów – pisano dla aktorów najlepszych. Pomysł ten wykorzystał francuski dramaturg Gabriel Arout w komedii *On i nie on?* Akcja kręci się wokół sobowtóra pewnego kompozytora, który okazuje się o niebo lepszy od niego samego, co prowadzi do wielu nieporozumień, a w końcu do morderstwa. Już samo powierzenie Gajosowi tej roli było wyróżnieniem, a okazało się także sukcesem. „Niełatwa to rola, oparta na dwoistości i o dwoistości ludzkiej natury mówiąca. I rzeczywiście Gajos jako on i nie on zdołał zaznaczyć różnicę między fajtłapowatym Julianem i doskonałym pod każdym względem Dawidem. Właśnie tylko zaznaczyć. Gdyby bowiem zbyt wyraźnie zróżnicował swych bohaterów, całość okazałaby się kompletną bzdurą" (Renata Wojdanówna, *On i nie on*, „Nasza Trybuna" 1979, nr 157).

Podzielali to zdanie inni recenzenci. „Bo «On i jego sobowtór» to przede wszystkim popis aktora grającego główną rolę (czy role). Janusz Gajos wykorzystuje niemal wszystkie szanse. Niekiedy je nawet rozszerza. W pierwszej odsłonie trochę niepewny, jakby szukał «tonu», zanadto podkreślając nagłą zmianę tonu, w dalszych obrazach nabiera swobody, wybornie operuje wybuchami śmiechu. [...] Odcieniami gry, zaznaczającej podobieństwa i różnice, uwydatnia się siła aktorstwa, zakres jego oddziaływania. Gajos wyrasta w naszych oczach na wybitnego artystę komediowego. Myślę, że nie tylko na tym ono polega, że wykonawca otrzymuje efektowną i dobrze doń przylegającą rolę. Raczej na tym, że takich okazji nie chybia, że daje w nich – swą pełnię" (Wojciech Natanson, *Ciuciubabka*, „Życie Warszawy" 1979, nr 159). Aktor, któremu poświęca się w krótkiej recenzji tak długie akapity, może się czuć doceniony. Ale może nie chciałby pozostać li tylko przy lekkiej muzie.

Granie dość jednorodnej literatury wyjaławia i prowadzi do sztampy. Celnie opisał efekty owego procesu Adam Kreczmar: „Teatr Kwadrat wie, jak należy grać do śmiechu, nauczony pasmem olśniewających sukcesów fars francuskich i anglosaskich. Tzw. reakcje publiczności ocenia się tu wedle starych, dobrych reguł: może być *szmerek*, *brawko*, a najlepiej *sik*. Jeśli publiczność, nie daj Boże, cichnie i zaczyna jakby się zastanawiać nad tekstem, a nawet, wstyd powiedzieć, myśleć trochę ona zaczyna – to w żadnym wypadku nie jest «reakcja» i w takim momencie należy rzecz dośmieszyć, pogrepsować, dołożyć akcji scenicznej" („Szpilki" 1979, nr 4). Uwagi Adama Kreczmara wydają się bardzo istotne. W ironicznej formie wyraził on opinię wielu widzów, którzy omijali teatr adresowany do szerszej publiczności, szukającej rozrywki w niezbyt trudnych sztukach, a nie poważniejszej refleksji. Estetyka przedstawień dostosowana do owego powszechnego gustu pozostawała bardziej konwencjonalna niż na innych scenach szukających nowych form wyrazu.

Dla Janusza Gajosa pobyt w Kwadracie – mimo wszelkich zastrzeżeń – był doskonałą szkołą zawodu; nie ma bowiem lepszego treningu niż komedia, a zwłaszcza kabaret. Sprawdzian jest natychmiastowy – albo się ludzie śmieją, albo nie. Tu nie można oszukać, schować się za kostium, scenografię, głębię tekstu. Tu trzeba pokazać najwyższe zawodowe umiejętności, zgodnie z maksymą starego Diderota, autora *Paradoksu o aktorze*: „Aby poruszyć widzów, samemu trzeba pozostać nieporuszonym". Wielu ta umiejętność wystarcza. Wydawać się mogło, że Janusz Gajos pozostanie mistrzem komedii i kabaretu, jak Jan Kobuszewski, Krzysztof Kowalewski, Stefan Friedmann czy Edward Dziewoński. Pośród śmiechu i rzęsistych braw potrafił on jednak wyczuć rutynę. I przed nią uciec.

Sam mówi o magmie, jaka go otaczała przez mniej więcej dziesięć lat, z której powoli, powoli zaczął się wydobywać. W filmach grał postacie coraz bardziej złożone psychologicznie, dramatyczne, w teatrze wciąż te rysowane prostą, komediową kreską. Bardzo trudno aktorowi przełamać taki schemat, ponieważ to on zawsze czeka na zaproszenie do tańca. Nigdy sam sobie nie jest sterem, żeglarzem, okrętem jak pisarz czy malarz.

Warto też uświadomić sobie, jak wygląda dzień pracy aktora. Od dziesiątej do drugiej próby w teatrze, od trzeciej do szóstej nagrania w telewizji (bardzo często także w soboty i niedziele), od siódmej do dziesiątej przedstawienie, a później kabaret, który kończy się późną nocą. W tym czasie, jeśli ktoś ma propozycję zagrania w filmie, to wyjeżdża na kilka dni, lecz później odrabia zaległości.

Aktor ma być punktualny i zawsze w formie, nikogo nie obchodzą jego bóle duszy czy głowy. Trzeba samemu znaleźć jakiś złoty środek, proporcje pracy i odpoczynku, refleksji i uczuć. Nie wszyscy to potrafią, nie wszyscy też są w stanie utrzymać się w tej wyniszczającej psychikę profesji. Wystarczy sobie przypomnieć nazwiska błyszczące przez jakiś czas, a później zapomniane. Sukces i porażka są tu spektakularne. Stąd też wielu szuka w alkoholu odskoczni przed presją i bardzo często przed samotnością. Udane życie rodzinne to kolejna rzadkość w tym zawodzie, stresy i napięcia przenoszą się bowiem do domów i rodzin. Janusza Gajosa, który pracował wyjątkowo intensywnie, nie ominęły ani kłopoty małżeńskie (rozwodził się i żenił parokrotnie), ani poczucie niespełnienia. Zawsze jednak poważnie traktował to, co robił, i stawiał sobie kolejne progi do pokonania. Coraz wyższe. Czy samodyscyplina uchroniła go przed pogrążeniem się w sztampie? Czy tak zwane wyższe ambicje? Talent czy łut szczęścia? Trudno powiedzieć. Pewnie wszystko po kolei i wszystko razem.

PAN POWINIEN BYĆ

W NASZYM TEATRZE

Któregoś wiosennego dnia 1980 roku zadzwonił telefon. Znany wszystkim głos Gustawa Holoubka zapytał: „Panie Januszu, ktoś mi powiedział, że ja jestem tępy, bo nie wpadłem na to, że pan od dawna powinien być u nas w teatrze. Co pan na to?". W ten oto sposób Janusz Gajos, aktor komediowy, przeniósł się z teatru Kwadrat do Teatru Dramatycznego. Jednego z najlepszych wówczas zespołów w kraju. Tam byli znani aktorzy – Gustaw Holoubek, Marek Kondrat, Piotr Fronczewski; wybitni reżyserzy – Jerzy Jarocki, Maciej Prus, Witold Zatorski. Przedstawienia zapraszano za granicę na gościnne występy. Wielu artystów marzyło o tym, by pracować w bocznym skrzydle Pałacu Kultury i Nauki. To był dobry adres. Aktor z tego teatru był inaczej postrzegany zarówno przez publiczność, jak i przez środowisko.

Niewykluczone, że wiele propozycji, jakie Gajos dostał w tym czasie w filmie i telewizji, odbiegających wyraźnie od ról kabaretowo-komediowych, miało związek z tą zmianą adresu. Chociaż sam aktor uważa, że to nieprawda.

To, co się robi w teatrze, nie ma żadnego związku z tym, co się robi w filmie. Role w filmie rozdziela się trochę pocztą pantoflową, ktoś komuś powie: „Jest taki aktor, on to umie, to go weź". Skąd wiem? Gdy zagrałem jednego czy drugiego dygnitarza, to potem dzwonił telefon: „Stary, zagraj takiego samego jak u X, Y". Takiego samego to nie chciałem grać, bo już zagrałem. Ale wiem, że role w filmie „chodzą" raczej takimi drogami. Ludzie z tych telewizyjno-filmowych rejonów, poza kilkoma wyjątkami, rzadko oglądają spektakle, a jeszcze rzadziej zastanawiają się nad rozwojem czy możliwościami aktora. Oni są z innej bajki, za daleko, za wysoko, żeby się takimi sprawami zajmować.

W teatrze natomiast te zależności są wyraźniejsze. Dobry dyrektor powinien obserwować aktora, planować jego rozwój. Stawiać kolejne, coraz trudniejsze zadania, czyli sprawdzać w różnych gatunkach i estetykach. Wtedy aktor mógłby liczyć na awans, na to, że jeśli ciekawie zagra jedną rolę, to dostanie inną, wymagającą umiejętności z jeszcze wyższej półki.

Niewątpliwie doświadczenia zdobyte na próbach procentują w pracy przed kamerą, gdy brak czasu na twórcze dyskusje. Aktor pokazuje w ciągu paru minut to, czego się dopracował na scenie przez długie tygodnie. Próby na scenie są dla aktora tym, czym laboratorium dla chemika albo biologa – miejscem prób i eksperymentów. Czasem bywają ważniejsze niż same spektakle, bo droga okazuje się ciekawsza niż miejsce, dokąd prowadzi. Albo przynajmniej wiedzie w odmiennym kierunku, skąd roztaczają się inne niż dotąd perspektywy. Dla Gajosa ta zmiana miała zasadnicze znaczenie. Bardzo chciał się wydobyć z szufladki, tym razem komediowej. Ale i w Dramatycznym nie stało się to od razu.

Jesień 1980 roku była okresem niezwykle burzliwym politycznie. Teatr życia wyprzedzał wszystko, co mogło pojawić się na scenie. Uwagę społeczeństwa przykuwały wydarzenia w Stoczni Gdańskiej, a przez wiele późniejszych miesięcy – powstanie i działalność Solidarności. Teatr nie opustoszał, ale na pewno w stosunku do tego, co działo się dookoła, pozostawał w tyle. Dla wielu wlókł się w ogonie życia, dla innych stawał się swego rodzaju odskocznią, miejscem poważniejszej refleksji niż gazety i przekazy telewizyjne, pełne treści dotąd zakazanych, cenzurowanych. Niespotykany wybuch wolności stał się tłem wszystkiego, co działo się w sztuce. Szczelnie zamknięte dotąd drzwi oddzielające nas od wolnego świata zostały otwarte i nigdy już nie dało się ich dokładnie zamknąć.

Dramatyczny też podążył tropem wolności i wystawił Szekspirowską komedię *Jak wam się podoba* w przekładzie Czesława Miłosza, którego nazwisko zostało wymazane na kilka dziesięcioleci z polskiej literatury. Dziś te manifestacje wolnościowe mogą wydać się wręcz śmieszne, lecz w tamtych burzliwych miesiącach liczył się nawet drobny gest odstąpienia od zapisów cenzury. Sztuka weszła w próby jeszcze przed przyznaniem poecie Nagrody Nobla, premiera zaś zbiegła się prawie z jej wręczeniem.

Stary, jeszcze z lat czterdziestych, przekład Miłosza, który – jak pisano – „jest popisem bogactwa językowych odcieni", okazał się jednym z głównych walorów przedstawienia. Niestety, nie zostało ono podpisane na afiszu nazwiskiem żadnego reżysera, zamiast tego widniała formułka: reżyseria zbiorowa. Słusznie więc recenzenci podkreślali brak jasnej koncepcji i niezborność całości. W sytuacji bezkrólewia każdy z aktorów ratował się, jak mógł, i proponował, co umiał.

W spektaklu, którego kanwę stanowiły miłosne perypetie Rozalindy (Jadwiga Jankowska-Cieślak), z zamianą płci łącznie, Gajos został wyraźnie zauważony. „Jeszcze jedna para zachwyca, niestety, tylko skeczowym walorem w rozpełzającym się widowisku, mianowicie Janusz Gajos i Liliana Głąbczyńska jako błazen i wiejska dziewczyna. Pozostali mogli się zdobyć tylko na numery ściśle solowe" – pisał Jerzy Zagórski (*Co się nam podobało?*, „Kurier Polski" 1980, nr 260). Również Agnieszce Baranowskiej ta para podobała się bardziej niż główny trójkąt miłosny Rozalinda–Celia–Orlando. „Być może – pisała – odrobinę erotyzmu, w wydaniu wiejskim, rubasznym i zabawowym, zachowało się w duecie błazna (Janusz Gajos) i wiejskiej dziewczyny (Liliana Głąbczyńska)" (*Iluzje sztuczności i pozory*, „Kultura" 1980, nr 1). „Janusz Gajos – zauważył Wojciech Natanson – jest wybornym aktorem komediowym. Ale raczej w repertuarze współczesnym. Choć kunsztowna sofistyka błazna znalazła sprawny wyraz, zabrakło swobody. Oraz sugestii, że trefniś wyraża prawdy głębsze, ukryte pod pozorami paradoksów" (*Rozalinda*, „Życie Warszawy" 1980, nr 289).

Na pewno debiut aktora w Teatrze Dramatycznym mógł być większym sukcesem, ale o zmianie jego emploi nie można mówić. W następnym sezonie aktor otrzymał rolę z górnej półki, ale z tej samej komediowej szuflady – Orgona w *Świętoszku* Moliera. Reżyser Marek Walczewski, zgodnie z sugestiami Boya-Żeleńskiego, zmienił tytuł na *Biedaczek vel Tartuffe*. Janusz Gajos zagrał Orgona w duecie z Gustawem Holoubkiem jako Tartuffem właśnie. Do dziś mam w oczach ten rozkoszny spektakl, pełen humoru, swady i sztuczek komedii dell'arte (reżyser wywiódł Molierowską komedię z tej bogatej tradycji włoskiego teatru), opowiadający o obłudniku nad obłudnikami pławiącym się w rozkoszach i hedonizmie jak, nie

Rodzina Orgona

TEATR DRAMATYCZNY

M. St. Warszawy • Pałac Kultury i Nauki

Dyrektor i kierownik artystyczny
GUSTAW HOLOUBEK
Wicedyrektor
Mieczysław MARSZYCKI

BIEDACZEK vel TARTUFE

według
Moliera

przymierzając, najmożniejsi panowie tego świata. Tartuffe nie ma żadnych przekonań ani ideałów, lecz jego działania są skuteczne. Zdobywa pieniądze i władzę. Jego przeciwieństwo zaś – Orgon, człowiek pełen ideałów i zasad – przegrywa. „Orgon w interpretacji Gajosa to nie tyle fanatyk, ile prostak brutalny wobec słabszych, usłużny (lub zachwycony) wobec Biedaczka" – pisał Wojciech Natanson (*Biedaczek wspaniały*, „Życie Warszawy" 1982, nr 8).

Premiera odbyła się 6 grudnia 1981 roku. Jak trzysta lat wcześniej, gdy Molier walczył z zakłamaniem dworu Ludwika XIV, tak tydzień przed wprowadzeniem stanu wojennego każde słowo, które padało ze sceny, miało swoje drugie dno. Publiczność wychwytywała najmniejsze aluzje i niuanse polityczne. Teatr, choć posługiwał się zabawą, zabierał głos w sprawach całkiem poważnych. Nic też dziwnego, że po ogłoszeniu stanu wojennego, gdy teatry po dość długiej przerwie wznowiły pracę, publiczność kładła na scenie bukiety biało-czerwonych kwiatów i, bijąc brawo, składała palce w kształt litery V.

Dla aktorów był to czas niezwykły. Wprawdzie przestali występować w radiu i telewizji, ale spektakle w teatrze rekompensowały im ten gest odmowy. Nigdy później podobnych owacji, a tym samym niezwykłego porozumienia z widownią nie doświadczali. Bojkot masowych środków przekazu był próbą sił i charakteru dla wszystkich. Środowisko się podzieliło i te podziały – w skrajnych przypadkach – trwają do dziś. Dla całej rzeszy aktorów pojawił się także problem przeżycia, zarobki w teatrze nigdy bowiem nie były wysokie. To zawsze był zawód wolnej konkurencji, niejako kapitalistyczny, tyle że za socjalistyczne pieniądze.

W teatrze Na Woli pojawił się pomysł na interesujące przedstawienie, które przyciągnie publiczność. Arcydzieło Tołstoja *Wojna i pokój*, znane z wersji filmowych – amerykańskiej Kinga Vidora z Audrey Hepburn w roli Nataszy i rosyjskiej Siergieja Bondarczuka oraz dwudziestoodcinkowego serialu telewizyjnego emitowanego w latach siedemdziesiątych – było zawsze chętnie oglądane. Nowej adaptacji podjęli się Andrzej Chrzanowski i Michał Komar. Tę sławną – Erwina Piscatora – którą w różnych teatrach, począwszy od Powszechnego w Warszawie w końcu lat pięćdziesiątych po teatr w Lublinie w połowie siedemdziesiątych, wystawiała Irena Babel, uznali za zwietrzałą. Co najmniej pochopnie, zwłaszcza jeśli porównać obie adaptacje.

Wojna i pokój w teatrze Na Woli została opatrzona podtytułem *Melodramat historyczny w dwóch częściach na motywach powieści Lwa Tołstoja*. Mimo deklaracji adaptatorów „powrotu do decydującej o kształcie tej powieści filozofii tołstojowskiej, w której wątki konserwatywne mieszają się z kultem wyidealizowanej ludowości, a heretycka postawa wobec dogmatów religijnych daje globalną wizję historii nieuniknionej, której sens odsłania się bohaterom jako pozór przypadku w nurcie żelaznej konieczności" – niewiele z tej filozofii pozostało.

Przedstawienie z udziałem trzydzieściorga siedmiorga aktorów i podobnej liczby statystów przyciągało na ulicę Kasprzaka wielu widzów.

Zachwycała scenografia i kostiumy z epoki wojen napoleońskich oraz udział wielu znanych i lubianych aktorów. Nataszę Rostową grała Ewa Wencel, jej matkę, hrabinę Rostową – Barbara Horawianka, księcia Andrzeja Bołkońskiego – Jerzy Zelnik, autora – Józef Duriasz, Piotra Bezuchowa zaś – Janusz Gajos, w okrągłych okularkach krótkowidza, jakim go stworzył autor. Z powieści Tołstoja pozostały głównie perypetie miłosne arystokratów, Nataszy i Andrzeja, rozgrywane w pięknych salonach, wojna zaś i refleksja o niej pojawiały się w dalekim tle. „Postać Piotra Bezuchowa w interpretacji Janusza Gajosa w miarę wiernie realizowała nasze wyobrażenia wyniesione z lektury dzieła literackiego" – taką konwencjonalną pochwałę zanotowała Joanna Kempińska („Słowo Powszechne" 1982, nr 212). Przedstawienie cieszyło się powodzeniem, grano je przez dwa sezony; być może dlatego, że oferta innych scen nie była bogatsza.

Jedną z najważniejszych premier Teatru Dramatycznego po 1981 roku, za dyrekcji Gustawa Holoubka, stały się *Dwie głowy ptaka*. Władysław Terlecki przystosował swoją powieść do potrzeb teatru, a ściślej, na jej kanwie napisał osobny dramat o Aleksandrze Waszkowskim, zapomnianej postaci powstania styczniowego. Zanim z nominacji Rządu Narodowego został on ostatnim naczelnikiem miasta Warszawy, był czynnym działaczem niepodległościowym. Brał udział w napadzie na Kasę Główną Królestwa Polskiego, a zdobyte pieniądze przekazał na potrzeby powstańców i konspiracji. W sztuce Terleckiego poznajemy go w chwili uwięzienia przez Rosjan i składania zeznań. Szczególnych, bo „załamał się w śledztwie", ale nikogo nie zdradził. Po prostu „stracił wiarę w sens tego wszystkiego, co zrobił". Skoro odzyskanie wolności stało się niemożliwe, postanowił, że będzie ostatnią ofiarą walki o niepodległość. Nie walczył więc o siebie, tylko o to, by nikt więcej nie zginął.

Akcja sztuki rozgrywa się na zmianę w sali przesłuchań przed Komisją Śledczą osławionego pułkownika Tuchołki, pacyfikatora popowstaniowej Warszawy, oraz w celi X Pawilonu Cytadeli, którą Waszkowski dzielił z młodym Rosjaninem, osadzonym za wspieranie polskiego spisku. Gmatwanina uników i prowokacji, logiki rozumu i serca, tego, co osobiste, z tym, co publiczne, pokazana została w fascynujących dialogach przez fascynujących ludzi, którzy dzięki aktorom uzyskali pełnię istnienia. Oglądaliśmy zawodowstwo najwyższej klasy; świetny był zarówno Waszkowski w skupionym wykonaniu Andrzeja Blumenfelda, jak i wyjątkowo inteligentny oficer z Petersburga grany przez Piotra Fronczewskiego. Ten fanatyk policji działał również w konspiracji, by jak dwie głowy ptaka kontrolować wszystko, a tym samym umacniać potęgę władzy.

W tym wspaniałym spektaklu nie było złych ról, wszyscy wiedzieli, co grają i czemu służy wymowa sztuki. Przewrotna, bo na racje Waszkowskiego, czyli kapitulację przed silniejszymi carskimi policjantami, publiczność nie chciała i nie mogła się wówczas, w grudniu 1982 roku, zgodzić. Rola prostego, brutalnego policmajstra Tuchołki, „któremu Janusz Gajos nadaje rysy ambitnego aparatczyka, dyspozycyjnego i operatywnego" (Teresa Krzemień, *Casus: Waszkowski*, „Tu i Teraz" 1983, nr 10), przyniosła aktorowi uznanie. „Tuchołko – wedle Józefa Szczawińskiego – tak, jak go zagrał Janusz Gajos, to oprawca, skradający się, ukazujący tylko z dala pazury, zdradzający się nerwowym gestem" (*Co to jest zdrada?*, „Słowo Powszechne" 1983, nr 42). Tuchołko był bohaterem moralnie odrażającym, ale ciekawym. Pokazywał nowe możliwości aktora: siłę, pewność siebie i umiejętność budowania postaci pełnej okrucieństwa, groźnej. Nie wszyscy znali odłożony na półkę film Ryszarda Bugajskiego *Przesłuchanie*, który w nieoficjalnym obiegu krążył na kasetach, gdzie Gajos w roli ubeckiego majora zagrał kwintesencję stalinowskiego zła.

Władza stanu wojennego nie polubiła Gustawa Holoubka za *Dwie głowy ptaka*. Publiczność doskonale rozumiała, po co w obecnej sytuacji kraju wystawia się ten tekst, i biletów nie sposób było dostać. Zło uosabiał w tym spektaklu aparat carskiej policji, owi mundurowi obywatele państwa w państwie, silni swoją władzą, a jeszcze bardziej bezkarnością. Ale postawa Waszkowskiego – mimo całego jej tragizmu i heroizmu wyboru – była odczytywana jako bezsensowna rezygnacja z wytyczonego celu. Tak antyromantycznej postawy publiczność nie chciała łatwo zaakceptować.

Atmosfera wokół teatru zaczęła się zagęszczać. Któregoś dnia Gustaw Holoubek dostał wymówienie. Przestał być dyrektorem jednego z najlepszych polskich teatrów. Zespół jeszcze przez kilka miesięcy dogrywał sztuki będące w repertuarze, aż w końcu się rozproszył. W miejsce Dramatycznego powołano Teatr Rzeczypospolitej. Jego dyrektorem został Jan Paweł Gawlik,

Dwie głowy ptaka Władysława Terleckiego zamknęły świetny okres Teatru Dramatycznego; z Gustawem Holoubkiem nad Andrzejem Blumenfeldem

w latach siedemdziesiątych dyrektor oraz jeden z architektów wielkich sukcesów Starego Teatru w Krakowie. Liczono zapewne, że i tym razem mu się uda. Niestety. Sytuacja w teatrze i wokół niego zasadniczo się zmieniła. Znani reżyserzy nie chcieli współpracować z mianowanym przez władze następcą Gustawa Holoubka, aktorzy angażowali się do innych zespołów. Zmieniła się również publiczność. Widzów zwożono autokarami z zakładów pracy, lecz po całodziennym zwiedzaniu stolicy sztuka nie obchodziła ich zupełnie. Na widowni dochodziło do gorszących incydentów – pijaństwa, chamstwa – kto mógł, uciekał z teatru. Janusz Gajos siłą inercji został; pewnie także dlatego, że nie miał innych ciekawych propozycji.

Ostatnia premiera, w jakiej wziął udział, nie przyniosła mu spodziewanej satysfakcji, choć dostał rolę w słynnej sztuce Pierre'a Augustina de Beaumarchais. *Wesele Figara*, wystawione jako pierwsza sztuka nowej dyrekcji, miało scalić rozbity zespół. To jednak okazało się za mało jak na przesłanie artystyczne sztuki owianej legendą, od której rozpoczęła się rewolucja francuska.

„Śmiech kwituje monologi Figara tak samo jak dwieście lat temu. I podobnie owacyjnie publiczność oklaskuje zjadliwe pointy, wymierzone przeciwko temu wszystkiemu, co zakres wolności ogranicza. W ogóle wesołości jest wiele: zarówno na widowni, jak i na scenie, gdzie oglądamy wspaniałego Figara – Janusza Gajosa, grającego w najlepszym stylu politycznego kabaretu" (F.Z.K., *Figaro*, „Szpilki" 1983, nr 47).

Paweł Chynowski krytykował w tym przedstawieniu wszystko, z jednym wyjątkiem. „Słowem mizernie wyglądałoby to *Wesele Figara* w Teatrze Dramatycznym, gdyby nie... Janusz Gajos w roli tytułowej – ot, co nadaje temu spektaklowi właściwy wymiar i ponadczasowy wydźwięk. Może nieco przyciężki jako Figaro, może mało ruchliwy, a jednak to on trzyma całe przedstawienie. Jest w nim coś z Kubusia Fatalisty, jest i głębsza refleksja, jaką nosi w sobie dziś każdy Polak, ale nade wszystko – dźwięczy w jego interpretacji owa gorycz życiowego niespełnienia, gorycz Figara" (*Gorycz Figara*, „Życie Warszawy" 1983, nr 268).

Pełniejszą analizę roli dała Zofia Sieradzka, porównując dwóch wykonawców roli Figara, Marka Kondrata i Janusza Gajosa, odmienne i warte uwagi propozycje. „Figaro Janusza Gajosa jest oczywiście starszy, z wyraźnie przybraną postawą wesołka i lokaja. Charakterystyczny ton głosu i przerysowany gest to maska, pod którą kryje się osobliwy obserwator życia i filozof. Te partie sztuki, w których Figaro atakuje niesprawiedliwość i nierówność społeczną czy konkretne wynaturzenia praw, łaskawych dla uprzywilejowanych, a bezwzględnych dla maluczkich, wypowiada Gajos jak gdyby od siebie, wyraźnie odrzucając sceniczną pozę. Dzięki temu potrafi przekazać gorzką dojrzałość Figara i uprawdopodobnić wszystkie tyrady serio, tak wielką rolę odgrywające w tej komedii. W oglądanych dotąd przeze mnie inscenizacjach zazwyczaj trudno było reżyserom pogodzić te dwa odrębne nurty sztuki, ostatecznie jej refleksyjność, ograniczana zazwyczaj do długiego monologu Figara, przegrywała w zestawieniu z tonem ogólnej

Miałem szczęście być w dobrych dyrektorskich rękach

wesołości. Odwaga autora i rewolucyjność sztuki ginęły wśród miłosnych podbojów jej bohaterów. [...] I właśnie Gajos – tak inny od dotychczas widzianych przeze mnie aktorów, pokazując Figara bez jego przysłowiowej lekkości i czaru, ale z pobłażliwym uśmiechem dla szaleństw i wynaturzeń świata – ostro zderzył przybraną pozę lokaja (może nawet chwilami nadto ją przerysowując) z długoletnim doświadczeniem i życiową mądrością Figara. Ten Figaro, nieco ociężały i leniwy, jest raczej opiekuńczy wobec Zuzanny, raczej partneruje, niż służy swemu panu. Zmienne układy losu narzuciły mu kolejną maskę, ale jak zawsze ukrywa się pod nią człowiek samodzielnie myślący" (Figaro *w Dramatycznym*, „Teatr" 1983, nr 12).

Niestety, ta dobra rola nie zaprocentowała kolejną propozycją. Po pierwszym sezonie wiadomo było, że dyrektor Gawlik nie zdoła wyprowadzić zespołu Dramatycznego na szersze wody. Środowisko ten teatr bojkotowało. Gajosowi znów groziło albo błąkanie się po jakichś manowcach, albo praca w rozbitym zespole. To już nie był teatr, do którego przyszedł i dzięki któremu awansował.

▬ Gustaw Holoubek powtarzał zawsze, że aktorowi na scenie musi być wygodnie, musi znaleźć taką sytuację, żeby czuć się w niej naturalnie i swobodnie. Nauczył nas takiego zachowania na scenie i za kulisami. Po jego odejściu nie było już o tym mowy. Chodziłem wokół Pałacu Kultury i nie wiedziałem, co ze sobą zrobić.

Mogło być tylko gorzej. Trzeba było coś postanowić. Aktor zdecydował się zadzwonić do Zygmunta Hübnera, dyrektora Teatru Powszechnego.

▬ Po raz pierwszy w życiu sam poprosiłem dyrektora teatru o rozmowę. Przedtem zawsze uważałem to za mało skromne, ale sytuacja wymagała ode mnie jakiegoś wyraźnego ruchu.

„Umówmy się u mnie w gabinecie jutro o dziesiątej" – usłyszałem. Przyjechałem, usiedliśmy, obaj nie należeliśmy do gadatliwych, więc dłuższą chwilę milczeliśmy, potem on się odezwał: „No to chyba wiem, o czym będziemy rozmawiali". Ja na to: „Właśnie". On: „To ja się cieszę, a pan?". „Ja też się cieszę". Mnie się to strasznie spodobało, bo niepotrzebne jest oblewanie się lukrem, wzajemne zapewnienia. Mówimy, że będziemy dla siebie pracować, i wierzymy, że będzie to owocowało dobrymi skutkami. Koniec, co tu dużo gadać.

Zygmunt Hübner nie wszystkich przyjmował do swego zespołu. Bardzo uważnie dobierał nie tylko talenty, różnorodne, bogate, zdolne pracować w wielu rejestrach, ale dobierał też charaktery. Po prawie dziesięciu latach miał zespół zgrany i okrzepły. Uformowany tak, by mogło być bez problemów wystawione *Wesele*, co wedle niepisanej teatralnej reguły jest ideałem aktorskiego zespołu. Janusz Gajos opowiada skromnie, ale gdyby wówczas nie był aktorem tak wybitnym i potrzebnym w Powszechnym, na pewno rozmowa z dyrektorem wyglądałaby inaczej. Umiał odmawiać w elegancki, lecz stanowczy sposób, o czym wiedzą ci, którzy nie tylko marzyli, ale też próbowali pracować na Pradze przy ulicy Zamojskiego.

NARESZCIE POWAŻNE ROLE

Lubimy narzekać – kiedyś było lepiej. Wyobraźmy sobie los aktora przed epoką filmu i telewizji. Jeśli mu się nie wiodło w teatrze, to mu się nie wiodło w ogóle. Dziś, jeśli na scenie ma okres chudy, to w kinie może mieć lepszy. Główna rola w *Milionerze* Sylwestra Szyszki tę prawidłowość potwierdza. Aktor, który lubi grać postacie od siebie odległe, poddawać się procesom transformacji, musiał już przy czytaniu scenariusza zobaczyć materiał dla siebie. Oto trzeba przeistoczyć się w chłopca ze wsi, kierowcę w bazie transportowej sprzedającego na lewo żwir i benzynę, który wygrywa w totolotka milion. A przede wszystkim szansę na lepsze życie. Józef Mikuła okazuje się człowiekiem całkiem trzeźwym. Nie zamierza przehulać wygranej, co pewnie najbardziej podobałoby się jego sąsiadom i narzeczonej. Przeciwnie. Postanawia postawić na nogi upadające gospodarstwo, a nawet dokupić płachetek ziemi i stać się rolnikiem pełną gębą.

I tu następują komplikacje. Sąsiadom wcale nie podoba się jego pomysł na życie. Zazdrość – całkiem bezinteresowna – okazuje się silniejsza niż rozum, choć Józek Mikuła nie jest egoistą. Kupuje do świetlicy nowy telewizor, stawia wszystkim wódkę, co raczej miejscową społeczność rozwścieca, a nie uspokaja. Chłopi opluwają telewizor, w barze dochodzi do bójki, nawet na wesele Józka nikt z sąsiadów nie przychodzi. Zawiść jest zapiekła, ktoś podpala mu siano na podwórku, truje kury, usiłuje utopić krowy.

Jedyną osobą, która Józka wspiera, jest stara matka, którą darzy on prawdziwym szacunkiem i miłością. Jednak za akty wrogości wobec syna

Z Jadwigą Andrzejewską w *Milionerze* Sylwestra Szyszki – pierwsze Lwy Gdańskie 1977

płaci ona atakiem serca. Dopiero wtedy mieszkańcy wsi pojmują, że doprowadzili do prawdziwego nieszczęścia. Czując się winni, wzywają pogotowie, próbują ratować matkę, biegną nad rzekę wyławiać topiące się krowy. Dopiero wtedy „przebaczają" synowi bogactwo, jakby uspokoiła ich myśl, że wobec nieszczęścia wszyscy są równi.

Film utrzymany w konwencji komediowo-groteskowej zawierał wiele prawdziwych obserwacji obyczajowych. Na tle ówczesnych produkcji odznaczał się pogłębionym psychologicznie portretem bohaterów ujawniających mentalność polskiego piekła – nikt nie może się wychylić – spotykaną nie tylko na wsi, lecz w każdym środowisku. Wyróżniał się również dobrym aktorstwem, by wymienić nowobogackie maniery narzeczonej Zośki (Ewa Ziętek) czy skromność obejścia i kulturę osobistą matki (Jadwiga Andrzejewska).

Milioner stał się autentycznym sukcesem Janusza Gajosa. Przyniósł mu główną nagrodę na festiwalu w Gdyni i uznanie publiczności. Widać to po recenzjach, nareszcie nie tak zdawkowych jak dotychczas, choć etykietka „pancernego Janka" ścigać będzie aktora jeszcze długo. „Reżyser robi wszystko, żeby grający tę rolę Janusz Gajos błysnął pełnią talentu, był kimś innym niż dobroduszny Janek z *Czterech pancernych i psa*. Gajos precyzyjnie opracował swą rolę: jest w miarę butny, w miarę przebiegły, rzeczowy i zawadiacki, wyrachowany i zamaszysty. Pan pełną gębą" (Janusz Skwara, *Kłopoty milionera*, „Barwy" 1977, nr 10).

„Kreacja Gajosa jest, bez przesady, rewelacją. Ten do niedawna specjalista od ról młodzieżowych prezentuje się oto jako aktor charakterystyczny o ogromnym doświadczeniu i zdumiewająco szerokiej skali wyrazu. Jego Józek nie jest bynajmniej postacią jednoznaczną. Prymityw, wiejski cwaniak – brutalny i chytry – odznacza się równocześnie wielką wrażliwością, nieprzeciętnym poczuciem osobistej godności. Żywiołowość i wyrachowanie, splot cech odstręczających i ujmujących, wzruszających i śmiesznych – wszystko składa się na osobowość bogatą, fascynującą, niełatwą do scenicznego oddania. Gajos radzi sobie z problemem po mistrzowsku. Budzi całkowite zaufanie każdym gestem, każdą intonacją głosu. Nie ulega wątpliwości, że mamy do czynienia z aktorem wielkiej miary" – pisał jeden z najciekawszych prozaików Jan Józef Szczepański (*Milioner*, „Tygodnik Powszechny" 1977, nr 41).

Z Ewą Ziętek, narzeczoną Milionera

Były też bardziej sceptyczne oceny filmu: „Janusz Gajos robi, co może, żeby w nie najlepszym filmie Sylwestra Szyszki wypaść przekonywająco. Gajos zapisał się nam w pamięci głównie jako Janek z *Czterech pancernych i psa*, ale już parokrotnie udowodnił, że ma talent nieco większy, że jest dobry w rolach charakterystycznych" (Dorota Terakowska, *Milioner*, „Gazeta Południowa" 1977, nr 210).

„Jak zwykle wszystko ratują aktorzy. Wspaniała, boleściwa twarz-maska Jadwigi Andrzejewskiej. Gajos (zupełnie inny niż w *Czterech pancernych*) gra, można powiedzieć, ponad stan filmu. Widać, że reżyser podtyka mu sceny, żeby się mógł popisać ekspresją twarzy. Są to jednak tylko wydzielone momenty. Aktorzy stwarzają złudzenie jakiejś całości, jakiejś psychologii, której w tym filmie nie ma" (Tadeusz Sobolewski, *Z biedniaka milioner*, „Film" 1977, nr 37).

Jerzy Płażewski, omawiając film głównie od strony scenariusza i jego znaczeniowej konstrukcji, zauważył jako jedyny z recenzentów – „wileński akcent w ustach Jadwigi Andrzejewskiej i już znacznie słabszy, ledwie wyczuwalny w ustach Janusza Gajosa (nieapetycznie tłustego i długowłosego)" („Kino" 1977, nr 11). Nikt jednak nie zwrócił uwagi, że oprócz akcentu wskazującego na obce pochodzenie bohatera, który wraz z matką przybył na Ziemie Odzyskane ze wschodu, tę rolę współtworzył właśnie kostium. Owe długie, zmierzwione włosy wystające spod robotniczej czapki, brzuch obciśnięty sweterkiem ręcznej roboty czy prowincjonalna elegancja faceta wbitego w kremplinowy garnitur. Ruchy bohatera były równie niezgrabne, toporne jak jego pokraczne ubrania, co potocznie nazywa się ogrywaniem kostiumu. Trudno, aby rolę prostego chłopa aktor zagrał, w dodatku przekonująco, wymuskany i we fraku.

Przeważały opinie pochlebne: Gajos powrócił na ekran w „kapitalnej roli", „prawdziwej kreacji", jako „interesujący aktor charakterystyczny o bardzo naturalnym i przekonującym stylu gry" (Cezary Wiśniewski, „Sztandar Młodych" 1977, nr 212). Dla jego przyszłości zawodowej udział w filmie Sylwestra Szyszki okazał się inwestycją dobrze oprocentowaną.

Przez kilka lat grywał role drugoplanowe, ale u coraz lepszych reżyserów. Nie lekceważyłabym tu spotkania Janusza Gajosa z Andrzejem Kondratiukiem, autorem kina osobnego, o własnej filozofii i specyficznych klimatach. Adresowanego do ludzi, którzy nie przepadają za filmami akcji, tylko lubią poddać się pewnej refleksji, zobaczyć w codziennej rzeczywistości niezwykłość albo po prostu zastanowić się nad sensem powszedniej krzątaniny. Pierwsze wspólne filmy – *Pełnia* i *Gwiezdny pył* – to dla Gajosa epizody znaczące, wykonane znakomicie. Zwłaszcza w pierwszym z nich, opowiadającym o architekcie, który uciekł przed zgiełkiem miasta na wieś, gdzie pośród przyrody i zwykłych ludzi odzyskuje równowagę ducha, aktor zagrał postać Janka, wiejskiego pijaczka cwaniaczka. Notorycznie pijany, umykał (nieskutecznie) ze strachu przed żoną, która i tak umiała poznać, że pił. Janek Gajosa to człowiek o dużym wdzięku i fantazji, ale i jakiejś bezradności wobec świata, przed którym broni się przekleństwami albo pijacką euforią. Najpierw śmieszył, lecz ze sceny na scenę stawał się bardziej dramatyczny, coraz bardziej świadomy, że z alkoholizmu już się nie wyrwie.

Pełnia nie została w swoim czasie doceniona, a był to jeden z najoryginalniejszych filmów lat siedemdziesiątych, proponujący inne wartości niż wyścig po karierę czy dorabianie się nowych wynalazków cywilizacji. Kondratiuk jako jeden z pierwszych pokazał, że nie wszyscy chcą startować w tych konkurencjach. Dla swojej filozofii znalazł język poetyckiej ballady, tyleż przekorny, ile dowcipny, osadzony twardo w realiach wiejskiego życia, a jednocześnie zdolny unieść metaforę. Przesłaniem filmu nie jest powierzchowna krytyka miasta, spalin i głupich ludzi, lecz powrót do podstawowych wartości, jakie daje kontakt z naturą. Jej zrozumienie może przywrócić człowiekowi poczucie harmonii ze światem, dystans do ważnych miejskich spraw, oczyszczenie. To film dla tych, co wolą „być" niż „mieć". Do jego sukcesu przyczyniły się piękne zdjęcia Witolda Leszczyńskiego. „Przyroda nigdy nie jest tu groźna, jest swojska, ściszona, życzliwa i jakby trochę bezradna" – pisała Wanda Wertenstein, broniąc balladowo-szopkowej poetyki tego filmu (*Jasełka nad Narwią*, „Kultura" 1980, nr 3).

„Film wątły anegdotą, łatwy do zaatakowania za dramaturgiczną niespójność, przypadkowość wplecionych weń «samodzielnych» etiud.

Z Tomaszem Zaliwskim w *Pełni* Andrzeja Kondratiuka

A jednak naprawdę to film godny obejrzenia i wbrew pozorom jakoś pasują w nim nawet te odrębne etiudy. [...] W tej jedności tonu – w jedności, choć *Pełnia* wywołuje miejscami dawno na polskim filmie niesłyszane salwy śmiechu (kapitalne sceny z udziałem Janusza Gajosa), a za chwilę potrafi wyciszyć roześmianą salę i narzucić jej przejmujące milczenie (pożegnanie z Tadeuszem Fijewskim, finał epizodu z Janem Świderskim)" (Marcin Stachurski, *Bardzo długi urlop*, „Ekran" 1979, nr 45).

Podobną filozofię jak w *Pełni* zawarł Kondratiuk w kameralnym filmie *Gwiezdny pył*. Bohaterowie, stare małżeństwo (Iga Cembrzyńska i Krzysztof Chamiec), w najprostszych czynnościach odnajdują radość bycia ze sobą i przyrodą. Mąż, budując elektrownię wodną, czyni rzekę posłuszną, ona zaś odpłaca cudownie, bo gdy zapalają się żarówki wokół domu, oboje czują powiew metafizyki. Janusz Gajos zagrał w tym filmie sąsiada, prostego chłopa, który nie jest ani tak głupi, ani tak prymitywny, na jakiego wygląda w gumiakach i pokracznym kapeluszu. On z przyrodą obcuje zawsze, więc doskonale rozumie mężczyznę, który usiłuje ją poskromić.

Kolejną znaczącą rolą stał się Bolesław, ojciec Lilki, głównej bohaterki w *Kontrakcie* Krzysztofa Zanussiego. Film rozliczał epokę sukcesu, ukazując mizerię umysłową ludzi zamożnych, należących do elity. Reżyser posłużył się wielokrotnie już w literaturze wykorzystywaną figurą wesela, kiedy w sposób naturalny spotykają się przedstawiciele różnych warstw społeczeństwa. Gajos pojawia się na weselu córki, które się jednak nie odbywa – młoda para ucieka sprzed ołtarza. Kilkoma charakterystycznymi gestami buduje wiarygodną postać butnego, pełnego kompleksów nuworysza. Pieniądze dodają mu poczucia wartości, ale wobec eleganckiego towarzystwa czuje się zagubiony, stale spięty, by nie popełnić gafy.

Na przełomie lat siedemdziesiątych i osiemdziesiątych Gajos stał się niemal specjalistą od niewielkich ról dygnitarzy, przedstawicieli socjalistycznej burżuazji. Ludzi z awansu, którzy starając się ukryć swe chłopsko-robotnicze korzenie, wypełniają swe zadania bardziej gorliwie niż trzeba. Ale aktor próbował różnicować swoich bohaterów. Bolesław w *Kontrakcie* to człowiek aspirujący do elity kulturalnej. Postać zastępcy

Ojciec panny młodej w *Kontrakcie* Krzysztofa Zanussiego

prezesa Radiokomitetu w *Człowieku z żelaza* Andrzeja Wajdy to wysokiej rangi aparatczyk usiłujący zachować swoje stanowisko i apanaże. Namawia dziennikarza Winkla (Marian Opania), aby przygotował paszkwil kompromitujący Maćka Tomczyka, znanego działacza Solidarności. Gajos zagrał tu człowieka pewnego swych racji, ale przede wszystkim perfidnego: uwielbia manipulować ludźmi i faktami, bo jest silny swoim stanowiskiem i wpływami. Dzięki tej małej kreacji można było przeczytać, że Wajda „ostro i bez taryfy ulgowej" rozlicza „stróżów porządku publicznego".

Maciek, redaktor naczelny gazety, w *Kung-fu* Janusza Kijowskiego, choć też partyjny dygnitarz, jest postacią odmienną. To niby kumpel i przyjaciel dziennikarzy, ale przecież nie bezinteresowny. Dobrze wie, czym może się narazić władzy, i tego unika. Dając zgodę na reportaż demaskujący prowincjonalną klikę, pamięta, by po „przyjacielsku" powiedzieć Markowi (Andrzej Seweryn), gdzie są granice owej demaskacji. Film Kijowskiego – o perypetiach przyjaźni trzech kolegów ze studiów – nazywano manifestem pokolenia trzydziestolatków, które w zakłamanej rzeczywistości lat siedemdziesiątych nie umiało znaleźć swego miejsca.

Ciekawe, Janusz Gajos był obsadzany w rolach butnych i silnych polityków, dygnitarzy, choć prywatnie jest człowiekiem raczej nieśmiałym i bardzo skromnym. Tworząc na ekranie człowieka absolutnie odmiennego od siebie temperamentem, charakterem i mentalnością, robił to wiarygodnie, zawsze dodawał jakiś rys dramatyczny. Bohaterowie zewnętrznie pozostają silni, pewni siebie, ale choć przez moment zdradzają strach i niepewność. Aktor starał się nie powtarzać tych samych środków, tylko każdą postać konstruował z nieco odmiennych elementów.

Udało mu się zaprezentować portrety przedstawicieli polskiej elity władzy tyleż zróżnicowane, ile mało pociągające. Są to dygnitarze swojskiego chowu, o szczególnych manierach i poczuciu ważności, jaką daje władza. Ten typ ról i epizodów konsekwentnie budował pozycję Gajosa jako aktora wszechstronnego, wykorzystującego swój talent komediowy do podkreślenia ułomności postaci, wydobycia innej barwy dramatyzmu.

Jednocześnie nie porzuca dawnych swoich wcieleń charakterystycznych. W filmie z gatunku science fiction *Wojna światów – następne stulecie* Piotra Szulkina, dedykowanym pisarzowi Herbertowi George'owi Wellsowi

RTV

ADIO I TELEWIZJA ● TYGODNIK ●

Cena 3 zł

1979 **15**

PROGRAMY 9–14 IV

...et przez lornetkę trudno bę-
JANUSZOWI GAJOSOWI
...erdzić, jak będzie wyglądała
...wizja lat osiemdziesiątych.
...wnątrz numeru — przeprowa-
...a przez nas krótka sonda i
...konkurs na ten temat.

ZYGMUNT JANUSZEWSKI

(autorowi powieści *Wojna światów*) i reżyserowi George'owi Orsonowi Wellesowi, postać Gajosa – „jak z życia wzięta" – pełniła funkcję znaczeniowego kontrapunktu. Szulkin, posługując się historią najazdu Marsjan (jak Welles w słynnym słuchowisku radiowym *Wojna światów*), pokazał wszechwładność mediów w sterowaniu bezwolnym społeczeństwem. Gajos jako pracownik wodociągów z niekłamaną ironią komentował telewizyjne przemówienie głównego bohatera, zaprzedanego telewizji Irona Idema, ocalając zdrowy rozsądek prostego człowieka i poczucie przyzwoitości.

Podobnie złożona psychologicznie pozostała postać robotnika Kuschmerka w filmie Filipa Bajona *Limuzyna Daimler-Benz* opowiadającym o fascynacji faszyzmem młodych chłopców w Poznaniu. Tam – podobnie jak na Śląsku – słowo patriotyzm miało wiele odcieni znaczeniowych. Bohater Gajosa to postać epizodyczna – pojawia się zaledwie w dwóch scenach – ale dzięki aktorowi rozumiemy, że prosty człowiek, szykanowany i przesłuchiwany, także potrafi się zdobyć na akt heroizmu i ocalić swą godność.

Janusz Gajos stał się aktorem coraz chętniej angażowanym, bo niezawodnym. Nawet niewielkie zadanie potrafił wykonać perfekcyjnie. Jednak rolę główną dostał dopiero kilka lat po *Milionerze*, tym razem w telewizyjnym filmie zrealizowanym przez Filipa Bajona. *Wahadełko* powstało między sierpniem 1980 a grudniem 1981 roku, kiedy społeczne protesty osłabiły ucisk cenzury. W tym okresie swobody powstało kilka filmów – *Dreszcze* Wojciecha Marczewskiego, *Matka Królów* Janusza Zaorskiego, *Przesłuchanie* Ryszarda Bugajskiego – podejmujących próbę rozliczenia się ze stalinizmem. *Wahadełko* Bajona ukazuje ten historyczny okres nie od strony kultu wodza, widowiskowych pochodów, lecz od strony ludzkiej psychiki. Bolesny cierń tkwi w duszy nawet tych, którzy wówczas, jak bohater filmu Michał Szmańda, byli dziećmi. Matka, zamiast wychowywać syna i córkę, poświęciła się wspieraniu jedynie słusznej ideologii, co wymagało poświęcenia życia rodzinnego. Potrafiła wypracować pięćset procent normy, ale, by tego dokonać, syna oddała na święta Bożego Narodzenia do sanatorium. Wiara matki w socjalizm położyła mroczny cień na życiu chłopca.

Michał, gdy go poznajemy, jest człowiekiem trzydziestoparoletnim. Wiele czasu spędza w łóżku, ponieważ cierpi na depresję. Mieszka z matką rencistką (Halina Gryglaszewska), która nadal chętnie bierze udział w spotkaniach z załogami fabryk jako dawna przodownica pracy. I z siostrą (Mirosława Marcheluk), starą panną, czas po pracy w biurze wypełniającą podawaniem bratu lekarstw oraz hodowaniem roślinek w kuchni. Ta trójka egzystuje na peryferiach rzeczywistości, w przedziwnym splocie miłości i nienawiści.

W pokoju straszą trofea matki – puchary, ozdobne talerze, proporczyki. Stary telewizor Wisła, biedne sprzęty korespondują z dość niechlujnym wyglądem Michała, z jego rozpiętym szlafrokiem, pospolitymi koszulami i krawatami. Jednak tamte lata najboleśniej tkwią w psychice wszystkich trojga. Najbardziej traumatycznym wspomnieniem Michała jest Wigilia w sanatorium, gdy prezenty rozdawał Dziadek Mróz z twarzą Stalina, przygarniając go jak czuły ojciec. Ta scena śni mu się po nocach i jest ważniejsza niż „Proust, Musil, Broch i Joyce" razem wzięci, jak powie, pokazując książki na półce. Był przecież – wzorem matki – działaczem organizacji młodzieżowej, wstąpił do partii, ale nie wytrzymał tego psychicznie. Zwariował.

Janusz Gajos zagrał tu wyraźne studium szaleństwa, rozłożone na poszczególne etapy. W pierwszych scenach filmu jego bohater zachowuje się spokojnie, jest nawet apatyczny, odwrócony do świata plecami. Później jednak byle drobiazg go drażni. Pamięć dzieciństwa wraca w snach, powoduje silną psychozę i lęki. Kolejna kłótnia z matką kończy się drastycznym atakiem epilepsji. Ważniejsza jednak od objawów pozostaje przyczyna schorzenia – okaleczone dzieciństwo. Michał Szmańda drogo zapłacił za złudzenia matki. Na jego przykładzie dobrze widać, jak wysoka była cena społecznej wiary w jedynie słuszną ideologię.

„Skoro za pomocą ruchów wahadełka można u człowieka wywołać atak epilepsji, czy nie podobnie dzieje się ze społeczeństwem? Czy za pomocą pewnych psychospołecznych działań, w pewnej sytuacji, nie wywołuje się masowych konwulsji, masowej hipnozy? Czy ten kult nie był jednostką chorobową? – pyta w swoim filmie Filip Bajon" (Tadeusz Sobolewski, *Praca domowa* Wahadełko, „Gazeta Wyborcza" 1988, nr 137).

Film pokazano w telewizji bez wcześniejszej zapowiedzi, późnym wieczorem 11 grudnia 1981 roku, czyli dwa dni przed wprowadzeniem stanu wojennego, a potem powędrował na półkę jako niecenzuralny. Dopiero

Wariactwo – skutek okaleczonego ideologią dzieciństwa.
Wahadełko Filipa Bajona

jesienią 1984 roku został pokazany na festiwalu w Gdyni, gdzie został nagrodzony.

Dla Janusza Gajosa był szczególnym doświadczeniem zawodowym nie tylko dlatego, że ekipa korzystała z pomocy lekarza psychiatry, by nie popełnić błędu w obrazie choroby psychicznej. Zagranie ataków epilepsji wymagało przekroczenia pewnej bariery, nie tyle może psychicznej, ile zawodowej.

■■■ To jest rodzaj scen [...], których nie lubię grać, bo graniczą z ekshibicjonizmem, z odkrywaniem fizyczności. To jest bardzo krępujące. [...] Ciało, ciało, to, jak się ciało porusza, że są drgawki, żeby to zrobić, trzeba przekroczyć w sobie jakąś barierę. Przekraczanie barier jest konieczne i należy do mojego zawodu, ale są momenty, których nie lubię. W takich scenach włącza się samoobserwacja, widzę siebie na podłodze, w drgawkach, i wstydzę się, że tak wyglądam. Oglądam siebie bezradnego, kiedy rządzi mną, jak zepsutym mechanizmem, nie umysł, lecz ciało. Nie przepadam za tym (*Podróżowałem dookoła Pałacu Kultury*, rozmowa z Katarzyną Bielas, „Magazyn Gazety Wyborczej", 16.05.2002).

W tej samej rozmowie Janusz Gajos mówi o kolejnej swojej roli – majora Zawady w *Przesłuchaniu* Ryszarda Bugajskiego. Filmie, do którego zdjęcia zakończyły się 12 grudnia 1981 roku, a dzień później zaczęła się jego dziwna historia, zakończona premierą... siedem lat później. Dla aktora takie przetrzymanie filmu, w tym wypadku dwóch, jest tym bardziej trudne, że po latach odbiór się zmienia, przychodzi już inna publiczność, z innymi emocjami. I naprawdę nie można być pewnym, czy wówczas film się jeszcze obroni.

Major Kąpielowy – podobnie jak Michał Szmańda – wymagał pokonania barier, tylko nieco innej natury.

▬▬ Dostałem dobry scenariusz i wiedziałem, że to ma być bardzo ważny film, zastrzyk bolesnej wiedzy. Bardzo nie podobała mi się jednak postać majora Kąpielowego, którego miałem zagrać. Była ohydna, jednoznacznie

Symbol zła – major Zawada. *Przesłuchanie* Ryszarda Bugajskiego

zła, po prostu sztandar zła. Pierwszy raz odkąd uprawiam swój zawód, miałem poczucie rozdwojenia, wiedziałem, że trzeba i że chcę zagrać, a jednocześnie czułem obrzydzenie do postaci. [...] Miałem też obawy, że będę postrzegany przez ludzi jako ktoś bardzo zły, że będą na mnie pluli na ulicy, a to zaszkodzi mojemu wizerunkowi. Nie było też we mnie zgody na to, że daję własne ciało, psychikę, własnego ducha takiemu właśnie człowiekowi.

To, co w tej chwili mówię, świadczy, że myślałem jak amator. [...]

Oczywiście, jak większość z nas za mało mam wiedzy na temat pochodzenia zła. Faktem jest jednak, że źli ludzie i zło istnieje. Uważam, że najpierw trzeba się przyjrzeć jego formie.

Myślałem: major Kąpielowy ma jakąś żonę, pewnie dzieci. Prawdopodobnie na ulicy nikt nie wie, że on zawodowo kopie kobiety w brzuch. [...]

W scenariuszu *Przesłuchania* niewiele było materiału na pokazanie, jaka idea przyświeca Kąpielowemu. Ale nie podejrzewam, żeby tacy ludzie wykonywali swoją pracę, jakby obsługiwali maszynę, musiało być w nich przekonanie, że działają w dobrej sprawie.

Wypowiedź aktora pokazuje sposób jego myślenia o roli i obawy, jakie budziła. A także sposób budowania postaci, drążenia tematu, szukania jakiegoś szczegółu, zachowania, reakcji, które charakteryzują człowieka. Takim szczegółem były równiutko zatemperowane ołówki, pedantycznie układane na biurku, jakby w tym porządku major szukał równowagi. Takie role nie zdarzają się często, bo też zło w tak czystej postaci pojawia się w okolicznościach wyjątkowych. Jak każde dzieło sztuki *Przesłuchanie*, choć oparte na wielu faktach, dokumentach i relacjach świadków, także pozostaje uogólnieniem prawdy historycznej, a nie jej dokumentalnym zapisem. Aktor właśnie swoją rolą musi takie uogólnienie skonstruować i uwiarygodnić. Bez talentu Janusza Gajosa przerażająca metafora stalinizmu nie osiągnęłaby aż takiej siły wyrazu.

Major Zawada rzeczywiście jest postacią odrażającą, ale o tym przekonamy się w trakcie akcji. Na pierwszy rzut oka wygląda elegancko – tenisowy garnitur, zaczesane starannie do góry włosy, układny. Mówi spokojnie, grzecznie przekonuje aresztowaną dziewczynę, że lepiej dla niej będzie niczego nie taić, tylko wyczerpująco odpowiadać na pytania. W każdym

Kat i jego ofiara. *Przesłuchanie* Ryszarda Bugajskiego

razie dość długo nie daje się wyprowadzić z równowagi. Doświadczenie śledczego podpowiada, że dobrocią – pozorną – osiągnie lepsze efekty. Dopiero reakcje młodej piosenkarki, jej bunt, ironia, kpina, doprowadzają go do szału. Nic tak nie boli jak ośmieszenie, a major jest wystarczająco inteligentny żeby wiedzieć, że Tonia ma rację. Wykpiwa pytania pozornie neutralne i te coraz bardziej intymne, prowokacje i kłamstwa o jej kochankach i mężu. Kiedy major kopie ją w brzuch, upokarza składaniem zeznań nago, z pistoletem przystawionym do głowy, ona się nie poddaje. I to go kompromituje bardziej niż zamroczenie ideologią nakazujące wydobywanie zeznań.

Major postępuje tym brutalniej, im wyraźniej Tonia obnaża swoją naiwność. Dobrze wie, że ta lekkomyślna dziewczyna jest niewinna, że nie ma nic wspólnego z przestępczą szajką. Reaguje agresją, żeby ukryć swą słabość. To ona dyktuje mu pomysł zastraszania Toni, najpierw psychicznego, a później fizycznego. Major będzie polewał ją strumieniem zimnej wody, później zostanie umieszczona w piwnicy, gdzie brudna woda podpływa jej pod usta, grożąc utopieniem, wreszcie oprawca każe zainscenizować na jej oczach rozstrzelanie innego więźnia. Wszystkie te wymyślne tortury stosuje bez jakichkolwiek widocznych wahań. Opór i niezłomność dziewczyny prowokują go do agresji, bo zdaje sobie sprawę, że to ona w tym układzie jest silniejsza. Z dnia na dzień z głupiej gąski staje się istotą świadomą rzeczywistości, w jakiej żyła do tej pory, i coraz bardziej zdeterminowana walczy o swoją godność.

Krystyna Janda świetnie zagrała Tonię Dziwisz. Widz w naturalny sposób utożsamia się z ofiarą systemu, przyjmuje jej perspektywę. Ale przecież bez Gajosa Janda nie zagrałaby tak doskonale. Wzajemna tortura tych postaci, jego przewaga i jej osaczenie, jego bezwzględność i jej wrażliwość, jego cynizm i jej „naiwna" walka o prawdę pozostają dwiema stronami paranoicznego układu. Jak awers i rewers chorego od ideologii świata.

Przesłuchanie prowokowało do zastanowienia się nad sposobami przełamywania wewnętrznych oporów, jakie napotyka aktor, realizując skomplikowane zadania. Tym samym wybiegłam dość daleko w przyszłość. Pamiętajmy o tym, że film Ryszarda Bugajskiego powstawał w bardzo nietypowych warunkach. Zdjęcia ukończono 12 grudnia 1981 roku. Dzień później wprowadzono stan wojenny. Życie uległo zawieszeniu.

Dziwnym trafem Wytwórnia Filmów na ulicy Chełmskiej nie została zamknięta, tam spotykali się filmowcy. Na początku żeby pogadać o tym, co się działo dookoła, ale później, niejako z nudów, zaczęto myśleć o pracy. W styczniu, nie całkiem legalnie, zespół zrobił kilka potrzebnych dokrętek i Ryszard Bugajski zaczął montować film. W kwietniu 1982 roku odbyła się kolaudacja w Ministerstwie Kultury i Sztuki. Film okazał się całkowicie niecenzuralny, nawet pewien reżyser, członek komisji kolaudacyjnej, proponował, by zniszczyć negatyw, ale, o dziwo, urzędnicy resortu wyrazili zgodę na wykonanie kopii wzorcowej, która powędrowała na półkę filmów zakazanych. Reżyser został ukarany najniższą notą artystyczną, co dla debiutanta oznaczało oblanie egzaminu i brak dyplomu.

Okazało się jednak, że *Przesłuchanie* krąży po Polsce, i to w niejednej kopii. Było pokazywane nieoficjalnie, a to w wybranych jednostkach wojskowych, a to na zebraniach ważnych działaczy, o czym dowiedzieli się jego realizatorzy. Reżyser wydobył ukrytą taśmę i skopiował kilka kaset, by uruchomić tak zwany drugi obieg. Film wiódł więc potajemne życie w dwóch nieoficjalnych obiegach. W 1985 roku Ryszard Bugajski zdecydował się na emigrację, w ślad za nim opuściła kraj kaseta z *Przesłuchaniem*. W Kanadzie została opatrzona angielskimi dialogami i film rozpoczął jeszcze jedno życie – był pokazywany na różnych zebraniach polonijnych, a nawet w 1987 roku trafił na festiwal filmowy do Rotterdamu.

Oficjalna premiera *Przesłuchania* odbyła się już po zmianie ustroju – 13 grudnia 1989 roku w warszawskim kinie Skarpa, z udziałem Bugajskiego, który po raz pierwszy od chwili wyjazdu pojawił się w Polsce, ale jako... reżyser kanadyjski. Nawet ambasada tego kraju wydała specjalny bankiet na cześć „swojego" artysty. W maju następnego roku film został wysłany na festiwal do Cannes, gdzie rola Krystyny Jandy zdobyła najwyższe uznanie jury i aktorka została uhonorowana Złotą Palmą.

Rola ofiary przyćmiła rolę kata. Choć mówi się, że zło jest bardziej fotogeniczne niż dobro, to o tej wielkiej roli nikt nie chciał pisać. Tylko Zdzisław Pietrasik w „Polityce" (1981, nr 52) zauważył: „Gajos był wspaniały". To tłumaczy obawy aktorów przed graniem złych charakterów. Budzą one odrazę i strach tak wielki, że trudniej o uznanie zawodowych umiejętności.

Na szczęście nie recenzje są miernikiem zawodowych sukcesów. We wrześniu 1990 roku odbył się w Gdyni Festiwal Polskich Filmów Fabularnych, który Janusz Gajos może zaliczyć do swoich największych triumfów. Właśnie wtedy został pokazany – jako ostatni zwolniony „półkownik" – film Ryszarda Bugajskiego, jak również film Wojciecha Marczewskiego *Ucieczka z kina „Wolność"* (Gajos w głównej roli cenzora). Za obie role aktor otrzymał najwyższe trofeum – Złote Lwy Gdańskie – a zgromadzona publiczność zgotowała mu długą, kilkunastominutową owację na stojąco. Wprawdzie od kilku lat, zwłaszcza po telewizyjnych spektaklach – *Opowieści Hollywoodu, Ławeczka, Przedstawienie Hamleta we wsi Głucha Dolna* – mówiło się, że jest aktorem znakomitym, wybitnym, ale po tym festiwalu stał się aktorem wielkim.

Warto zastanowić się, jak wyglądałaby kariera aktora, gdyby *Przesłuchanie* nie zostało zatrzymane na siedem lat. W chwili powstania było obrazem demaskatorskim, otwierającym zakazane dotąd obszary historii, natomiast w roku 1990 było jej bolesnym podsumowaniem, zamknięciem pewnego etapu. W 1990 roku rzeczywistość niejako przerosła nadzieje, nikt się przecież nie spodziewał, że komunizm rozpadnie się tak szybko i przestanie istnieć cenzura. Fakt, że w nowej epoce film nie przepadł, lecz przeciwnie – zdobył nagrody – było zasługą świetnej roboty ekipy i aktorów. Choć, jak mówił reżyser w wywiadach – „w filmie zawarta jest cała frustracja mojego życia w PRL-u" – w chwili oficjalnej premiery *Przesłuchanie* zachowało moc moralnego oskarżenia i klasę dzieła sztuki.

Rzeczywistość wyprzedziła również film Wojciecha Marczewskiego, zrodzony z poczucia absurdu życia w PRL-u , a szczególnie z protestu wobec rzeczywistości stanu wojennego. Przypomnijmy, że *Ucieczkę* od ostatniego filmu reżysera, *Dreszczy*, dzieli dziewięć lat milczenia. Długi czas twórczych zwątpień, wahań i depresji, które artystyczny wyraz znalazły w jego filmie *Ucieczka z kina „Wolność"*. Owej groteskowej, filozoficznej bajce o „oporze materii".

Otóż bohaterowi filmu przydarza się osobliwa przygoda. W czasie projekcji filmu *Jutrzenka* w kinie Wolność postacie przestają grać swoje role. Najpierw rozmawiają ze sobą o marności scenariusza, jaki przyszło im grać, a później z widzami o różnych problemach. Cenzor, zmęczony życiem pięćdziesięcioletni mężczyzna, wpada w przerażenie, a widząc, że postacie z ekranu przemawiają także do niego, słabnie. Przed kinem ustawia się tłum ludzi i on, jako osoba odpowiedzialna za praworządne myślenie, musi zapobiec „buntowi materii". Poleca wykupienie wszystkich seansów, ale to, że film idzie przy pustej widowni, sprawy nie rozwiązuje. Kiedy cenzor wraca odebrać zostawiony w kinie płaszcz, jedna z bohaterek pyta, dlaczego podjął się tak wstrętnej pracy, skoro był kiedyś poetą i krytykiem teatralnym. I to jest moment jego duchowej przemiany, ale na drugą stronę ekranu przejdzie dopiero później, sprowokowany przez cenzora wyższej instancji, który poleca spalić dziwną taśmę. „Być świnią a być mordercą to zupełnie co innego" – odpowiada. Skoro postacie filmu uzyskały samodzielny byt – rozumuje – nie można ich unicestwiać, bo są jak żywi ludzie. Cenzor namawia je do ucieczki z kina i sam wyrusza z nimi w wędrówkę po dachach, rezygnując z dalszej kariery. Ale w czasie tej wędrówki spotyka osoby, którym zniszczył życie.

Obok doskonale napisanego, oryginalnego scenariusza – podejmującego finezyjną grę z filmem Woody'ego Allena *Purpurowa róża z Kairu* – o sukcesie filmu zadecydowała właśnie kreacja Janusza Gajosa. Swoim powściągliwym aktorstwem potrafił uprawdopodobnić ten dziwny sen? marzenie? przeczucie? bohatera. Jego cenzor, pozostając w każdym odruchu prowincjonalnym urzędnikiem cenzury, odsłania swe niespełnione ambicje literackie, nieważne, że raczej niskiego lotu. Tacy jak on, bezwolni oportuniści, podpory systemów przemocy – a znajdą się w każdym środowisku, grupie zawodowej – nie zyskują szczęścia. Cenzor Gajosa jest człowiekiem wyraźnie zawiedzionym, praca, jaką wykonuje, skazuje go na ostracyzm, stąd w rozmowach unika spojrzenia prosto w oczy. Nie przynosi ona ani specjalnego dostatku – sądząc po skromnym zadymionym mieszkaniu – ani satysfakcji. Wciąż czuje się zmęczony, boli go głowa i chętnie sięga po kieliszek. Gajos pokazuje, jak w niezbyt lotnym człowieku budzi się jeśli nie sumienie, to wrażliwość, sublimując niegdysiejsze artystyczne ambicje w akt świadomego wyboru wolności. Ponadto aktor przenosi swego bohatera ze sfery realistycznej w obszar fantazji i z powrotem z taką łatwością, jakby były one utkane z jednej materii. Wodzi nas za nos, przeprowadza z jednej strony rzeczywistości na drugą.

Scenariusz przeczytałem jednym tchem.

Ucieczka z kina „Wolność" Wojciecha Marczewskiego

Na gdyńskim festiwalu spotkały się *Przesłuchanie* i *Ucieczka z kina „Wolność"* – filmy z dwóch różnych epok. Oba wybitne, z wybitnymi, choć jakże odmiennymi rolami Janusza Gajosa. Można pomyśleć, że gdyby nie polityka, moglibyśmy mieć aktora wielkiego już wcześniej. Pod warunkiem, że powstałyby wybitne filmy. Niestety, lata osiemdziesiąte dla wszystkich chyba twórców okazały się okresem trudnym.

Za najlepszy obraz z tamtego czasu należałoby uznać *Nieciekawą historię* (1983), bardzo piękny, głęboko filozoficzny film Wojciecha Hasa, będący adaptacją noweli Antoniego Czechowa. Janusz Gajos wystąpił w nim jako narzeczony Lizy, córki głównego bohatera, starzejącego się profesora pogrążonego w rozważaniach nad sensem minionego życia, którego doskonale zagrał Gustaw Holoubek – to na nim spoczywał ciężar filmu. Janusz Gajos zaś budował postać Aleksandra Gnekkera świadomie jako kontrastową wobec nobliwego profesora. Już sam jego strój zdradzający gust prowincjusza – monstrualne bokobrody, spodnie w kratkę, fulary – wprowadzał dysonans w atmosferę dostatniego mieszczańskiego domu. Jeszcze większy niepokój profesora budziły jego umysł i charakter. Pretendent do ręki Lizy ujawniał podejrzane koneksje albo nieprawdziwe informacje o swoim pochodzeniu i bogactwie, pretensjonalnymi wypowiedziami o sztuce i muzyce obnażał zaś marny intelekt. W kapitalnej scenie obiadu, kiedy to przy stole spotyka się cała rodzina, Janusz Gajos każdym ruchem, każdym odezwaniem się brawurowo charakteryzował i kompromitował swego bohatera. Stworzył figurę obmierzłego, lepkiego karierowicza, który

Z Elwirą Romańczuk w *Nieciekawej historii* Wojciecha Hasa

licząc na naiwność zakochanej panienki z dobrego domu, funduje sobie dostatnie życie. Nic dziwnego, że mądry profesor reagował alergicznie na jego pokraczne maniery i hucpę. Tak kontrastowe postacie aktorzy tworzą w duecie; czasem się mówi, że jeden pracuje na drugiego. Tu spotkali się partnerzy doskonali, świadomi swoich umiejętności. Powstał więc kolejny świetny film Wojciecha Hasa, gdzie Gajos był już postacią wiodącą.

Stan wewnętrzny, przeciętny obraz debiutującego Krzysztofa Tchórzewskiego, próbował uchwycić atmosferę pierwszych dni stanu wojennego i środowiska związanego z ruchem Solidarności. Młoda kobieta, Ewa (Krystyna Janda), wyrusza w samotny rejs dookoła świata, żegnana przez przyjaciół, byłego męża (Jan Englert) i zakochanego w niej Jakuba (Janusz Gajos), który zadbał o doskonałe wyposażenie jachtu. Samotną żeglarkę dosięga wiadomość o wprowadzeniu stanu wojennego. Odcięta od kraju – jej rozmowę z Kubą kontroluje oficer, więc niczego naprawdę się nie dowie – postanawia wrócić.

Znani aktorzy starali się oddać atmosferę tamtych gorących dni, pełną entuzjazmu dla zmian, jak i poczucia zagrożenia. Emocje bohaterów związane z ich sympatiami politycznymi udało się przekazać bardziej wiarygodnie niż psychologiczne. Film, zrealizowany na przełomie 1982/1983 roku, oficjalnej premiery doczekał się dopiero po siedmiu latach, co znów miało spore konsekwencje dla odbioru i oczywiście dla aktorów. Oglądało się ten obraz z zadumą i niejaką nostalgią w stosunku do dobrze zachowanej „ikonografii" tamtego czasu, ale brak dobrze napisanych ról widoczny był chyba bardziej niż w czasie jego powstawania.

Nakręcony rok później film *Przemytnicy* także nie przyniósł Gajosowi wielkiego sukcesu, mimo że wystąpił w głównej roli Józka Trofidy, szefa gangu przemytników, który po wyjściu z więzienia wraca w swe rodzinne strony, w rejon Karpat, by znów podjąć nielegalną robotę. Podczas jego nieobecności powstał nowy rodzinny gang Alińczuków, więc Józek musi walczyć o odzyskanie swego terytorium. Wprawdzie nadal demonstruje z upodobaniem ułańską fantazję (wraca z więzienia do domu dorożką, szampan leje się strumieniami) i maniery króla Janosików, który rozdaje pieniądze i dobra wedle własnego uznania, to nie jest już królem kontrabandy.

Szef przemytników wychodzi z więzienia

Konkurenci walczą zaciekle; Józek wpada w zastawioną przez nich pułapkę, łamie nogę i w końcu przegrywa.

Gajos dał pyszny portret prowincjonalnego kanciarza, utracjusza z charakteru i pijusa, który dla dobrej zabawy gotów poświęcić wiele fatygi i pieniędzy, ale w gruncie rzeczy jest szlachetny i sprawiedliwy, zwłaszcza gdy stosuje w praktyce zasady kodeksu złodziejskiego. Film powstał na podstawic powieści *Kochanek Wielkiej Niedźwiedzicy* Sergiusza Piaseckiego, autora po wojnie raczej nieobecnego, co miało być jego atutem. Ale nie było. Scenariusz oparty na schemacie znanym z popularnych powieści międzywojnia nie wnosił do znanych legend wiele nowego. Nie bardzo było wiadomo kto co przemyca, dlaczego akcja dzieje się na granicy polsko-rumuńskiej itd. Pomysł na kino popularne czy przygodowo-historyczne w postaci ekranizacji trzeciorzędnych powieści dwudziestolecia okazał się w połowie lat osiemdziesiątych anachroniczny.

Zupełnie innej klasy film zrealizował natomiast Andrzej Kondratiuk. Jego telewizyjny *Big Bang* opowiada o ludziach prostych, którzy oprócz tego, że pracują na roli albo w gminnym sklepiku, potrafią się zastanawiać nad strukturą świata. Mieszkańcy podwarszawskiej wioski, sprowokowani lądowaniem kosmitów na przywiślańskich piaskach, zadają sobie fundamentalne pytania.

Gajos zagrał tu krewniaka bohaterów. Ponieważ to on dostrzegł późnym wieczorem statek kosmitów na polu wuja, staje się spiritus movens całej przygody. Organizuje wódkę i zagrychę, budzi w nocy sklepową, zmusza wujostwo do wydania przyjęcia dla kosmitów, którzy się nie pojawią, ale zamiast nich w wiejskiej chałupie zbierze się lokalna społeczność i zacznie dyskutować o życiu i wszechświecie. Oprócz doskonale podpatrzonych realiów obyczajowych, prawdziwych dialogów prowadzonych niby gwarą, aktorom udało się wznieść postacie na wyższy poziom refleksji.

▬ Po raz pierwszy zetknąłem się z takim zadaniem w filmie. Na pierwszy rzut oka mój wieśniak to postać zwyczajna. Ale Andrzej chciał, żeby to był ktoś, kto się nie tylko dziwi światu, ale ten świat próbuje rozumieć, komentować. Powtarzał: „Nie graj patałacha, tylko faceta, który mnie fascynuje". Dopiero po kilku dniach znaleźliśmy stosowną formę. Moja postać została ociosana do wymiaru, jaki chcieliśmy pokazać: że zwykłe życie może być cudem zdziwień, że może być podszyte metafizyką. Człowiek wie, gdzie kończy się stół, ale gdzie zaczyna się kosmos...

Wieśniacy z *Big Bangu* na naszych oczach wyrastają na filozofów, nie przymierzając jak górale z Łopusznej opisani przez księdza Tischnera. Być może dzięki tej czułej i mądrej postawie wobec prostych ludzi filmy Andrzeja Kondratiuka zwyciężyły w ankiecie „Polityki" na najlepsze

filmy telewizyjne, przeprowa-
dzonej z okazji pięćdziesięciolecia tygodnika.

Jaśniejszym punktem trud-
nych lat osiemdziesiątych był
w karierze Janusza Gajosa
sędzia Jan Laguna w *Piłkarskim
pokerze* Janusza Zaorskiego.
Film pokazywał różnego rodzaju machinacje, typowo mafijne oszustwa, jakie za plecami
pracowicie biegających po
boisku zawodników rozgrywają
skorumpowani działacze, boga-
cąc się i opływając w zaszczyty.

„Bo stół się kończy tu, a gdzie się, kurna, kończy kosmos?".
Big Bang Andrzeja Kondratiuka

Bohater Gajosa, były zawodnik, międzynarodowy sędzia, to człowiek,
który w tym gangsterskim światku stara się być uczciwy, choć nie naiwny.
Rolą Jana Laguny aktor zaskarbił sobie ogromną sympatię wielbicieli piłki
nożnej, nawet tych, którzy uważali, że w rzeczywistości świat piłki nożnej wygląda o wiele gorzej niż ten pokazany na ekranie. I recenzentów
– „świetna rola Janusza Gajosa, mającego wspaniałą passę", „koncertowo
kreował rolę sędziego".

Zdarzały się też poważniejsze analizy roli. „Sędzia Laguna – pisała
Maria Malatyńska, wnikliwy krytyk i raczej nie fanatyk piłki nożnej –
w ciepłym, choć iście diabelskim wizerunku Janusza Gajosa jest przede
wszystkim głównym graczem. To on rozgrywa tytułowego pokera z całym
mistrzostwem, z całą matematyczną precyzją, z inteligentną bezwzględ-
nością i z prawdziwą radością z samej gry. Jest inteligentniejszy od wszystkich, ale jest równocześnie jedną z nielicznych tu postaci ludzkich. Jest
ciepły i zdolny do ludzkiego odczuwania rzeczywistości, poza samym pie-
niądzem i bezwzględną walką o sukces. I tu dochodzimy do tego, co jest
myślowym, czy raczej moralnym przesłaniem filmu. Jest to w sumie wartość maleńka i prościutka, ale istniejąca wyraźnie w tym gwałtownie kry-
tycznym filmie. Jest to obrona emocji piłkarskich, tych typu «chłopięcego,

podwórkowego», tych bez sędziowania i bez konkurencji. Przewijająca się w tle, a nawet towarzysząca zaskakującemu finałowi stara, zapomniana piosenka o «trzech przyjaciołach z boiska» (tu obok Gajosa grają Marian Opania i Edward Lubaszenko) jest właściwie komentarzem jedynie słusznym i sprawdzalnym" (*Pokerzyści*, „Życie Literackie" 1989, nr 15).

W wywiadach Gajos wielokrotnie mówił, że nigdy nie grał w piłkę nożną, nie jest zagorzałym kibicem, co najwyżej ogląda mistrzostwa świata jako wielkie widowisko. To nie przeszkodziło widzom uwierzyć, że sędzia Laguna jest postacią z krwi i kości, i ta wiara sprawia aktorowi do dziś niespodzianki.

■■■ Zdarza się jeszcze dziś, po wielu latach, że żona odbiera telefony z prośbą o skomentowanie jakiegoś meczu albo wydarzenia w świecie piłkarskim. Kiedy odpowiada, że ja nie udzielam takich wypowiedzi, nie mam ani tytułu, ani nic do powiedzenia, słyszy: „No jak to!? A sędzia Laguna!". Co by znaczyło, że na przykład jeśli zagram dentystę, to mógłbym otworzyć gabinet stomatologiczny i zęby wyrywać? Strach pomyśleć. Najzabawniejsze, że dzwonią w tej sprawie dziennikarze...

Kilkadziesiąt epizodów i kilka głównych ról w ciągu dwudziestu lat – to dużo czy mało? Po błyskotliwym debiucie Janusz Gajos długo musiał potwierdzać swój talent i możliwości, aby osiągnąć dzisiejszą pozycję – mistrza przemiany. Wirtuoza metamorfozy posługującego się starannie obmyślaną formą tak, by poszczególne gesty i zachowania postaci robiły wrażenie improwizacji i spontaniczności. By psychologiczna struktura bohaterów sprawiała wrażenie wydobytej z doświadczenia, z prawdy życia. Mistrza posługującego się często formą statyczną – nieruchomym starannie wymodelowanym wyrazem twarzy. Owa lapidarna forma, nakładana na postać jak maska, dyskretnie, a zarazem dobitnie unaocznia jej dramat, komplikacje moralne.

Role Józka Mikuły, Michała Szmańdy, majora Kąpielowego, Cenzora, Jana Laguny wytrzymują konkurencję z filmowymi osiągnięciami kolegów nie tylko w skali krajowej. Aktorów, którzy potrafią odnaleźć w sobie tak wielu ludzi, nigdzie nie ma wielu. Oglądając Dustina Hoffmana, Meryl Streep czy Ala Pacino, zachwycamy się, jak potrafią zmienić się na użytek

Sędzia Laguna naprawdę nigdy nie istniał. *Piłkarski poker* Janusza Zaorskiego

postaci, jak wielu środków użyć, by stworzyć bogaty portret psychologiczny w sposób prosty i powściągliwy. Myślę, że aktorstwo Gajosa, który nigdy nie eksponuje własnej osoby, poddane całkowicie charakterowi granej postaci, pozostaje najbliższe światowym wzorom. Szczyty zaś osiąga w rolach określających pełny zakres doznań i klęsk, pełny wymiar losu, jaki przypadł ludziom pod naszą szerokością geograficzną.

TELEWIZJA

TO NIE TYLKO ROZRYWKA

Dla aktorów rozpoczynających karierę w latach sześćdziesiątych telewizja stała się bardzo ważnym medium. Nie tylko jako producent seriali, które po sukcesie *Pancernych* zaczęły powstawać niemal lawinowo, obejmując swą tematyką zarówno historię, jak i współczesność. W tym czasie został zrealizowany pomysł na Teatr Telewizji, czyli udostępnianie masowej widowni najlepszych dzieł polskiej i światowej dramaturgii klasycznej i współczesnej w możliwie najlepszym wykonaniu. Co poniedziałek tysiące widzów zasiadało na dwie godziny przed szklanym ekranem, by obcować z wysoką kulturą. Żaden zespół teatralny nie liczył tylu aktorów, ilu miał Teatr Telewizji, żaden też nie był w stanie zaangażować tak znakomitych reżyserów i scenografów. Nie mówiąc już o tym, że widownia tego teatru przekraczała w jeden wieczór liczbę widzów we wszystkich polskich teatrach razem wziętych w ciągu kilku miesięcy, a nawet roku.

Ten osobliwy wynalazek polskiej telewizji rósł w siłę – mnożyły się dni, kiedy na ekranie pojawiał się dramat, komedia, kryminał, czyli słynna Kobra, spektakle poetyckie, spektakle dla dzieci – i spełniał niezwykłą rolę edukacyjną. Powstawały specjalne kluby fanów nagradzające najlepsze przedstawienia, o których się dyskutowało. Aktorom zaś – poza możliwością zarobienia dodatkowych pieniędzy – stwarzał szansę przyspieszonego rozwoju, sprawdzenia się w wielu gatunkach, estetykach teatru, o czym w nawet najbardziej repertuarowym teatrze mowy być nie mogło, oraz zdobycia popularności, o jakiej również żaden aktor teatralny nie mógł nawet marzyć.

Przygoda Janusza Gajosa z Teatrem Telewizji zaczęła się, zanim jeszcze został zawodowym aktorem. Ponieważ po maturze nie dostał się do szkoły teatralnej, pracował przez dwa sezony w Teatrze Dzieci Zagłębia w Będzinie. Kiedy w roku 1958 uruchamiano Katowicki Ośrodek Telewizyjny, zaproszono teatr kierowany przez Jana Dormana, by na inaugurację zagrał *Baśń o zaklętym kaczorze*. Janusz Gajos, ubrany w czarny trykot, zasłaniając się przezroczystą tarczą, wystąpił jako Słońce.

■ Spektakl był grany na żywo, więc wszyscy poszliśmy do telewizji bardzo, bardzo spięci. Już samo wnętrze studia – po przejściu całej plątaniny korytarzy – robiło niesamowite wrażenie. Kamery stały na ogromnych trójnogach, zajmując wiele miejsca, poza tym miały wielkie, przekręcane obiektywy. Przebierać trzeba się było gdzieś w kącie i tak się poruszać po studiu, żeby nie wejść w pole kamery, jeśli się nie brało w danej scenie udziału. Pamiętam, jak realizator Raj-Zawadzki niezwykle przejęty krzyczał: „Proszę państwa, to jest technika, proszę się skupić, uważać!!!". Światła, tumult, głos Dormana z reżyserki umieszczonej na górze brzmiał tak, jakby sam Pan Bóg dowodził. Miałem wrażenie, jak zresztą wszyscy, że dotykam innego świata, Po powrocie do domu – gdzie nie było oczywiście telewizora, ojciec za to namiętnie słuchał radia, szczęśliwy, gdy złapał Londyn – opowiadam, że byłem w telewizji, w jakieś innej rzeczywistości, jak na stacji kosmicznej. Ojciec się skrzywił: „E tam, w radiu jakbyś zagrał, toby było coś!".

Można to nazwać różnie – przeznaczeniem, wyrokami losu, przypadkiem – ale faktem faktem, że telewizja stała się dla Janusza Gajosa medium bardzo przyjaznym. Ale też i on dołożył swoją cegiełkę – dziesiątki wybitnych ról – by Teatr Telewizji stał się tym, czym był w swych najlepszych latach. A był dumną wizytówką dziesiątej muzy, jakiej zazdrościli nam przedstawiciele innych telewizji w wielu krajach. Niektórzy mówią nawet, że był najważniejszym zjawiskiem kulturalnym drugiej połowy XX wieku. Niestety, dziś świetność tego zjawiska należy do przeszłości. Dość porównać dane statystyczne: w swych najlepszych latach (siedemdziesiątych i osiemdziesiątych) powstaje rocznie sto dwadzieścia spektakli, dziś produkuje się ledwie dziesięć, góra kilkanaście, a repertuar uzupełnia powtórkami. W archiwach znajduje się ponad cztery tysiące siedemset widowisk.

Początki kariery Gajosa na małym ekranie były jednak skromne. Popularność serialu wszech czasów – *Pancernych* – nie zaowocowała wielkimi rolami w Teatrze Telewizji. Przynajmniej nie od razu. Jako aktor łódzkiego Teatru im. Stefana Jaracza w naturalny sposób trafił do łódzkiego studia telewizji, gdzie spektakli nie nagrywano jak dziś na taśmę, tylko szły na żywo. Pierwszym już zawodowym spotkaniem z tym rodzajem teatru był epizod w poetyckiej sztuce Marcela Aymégo *Księżycowe ptaki,* po którym nie została żadna taśma ani też żadna recenzyjna wzmianka, tylko data debiutu: 2 marca 1969 roku. Następny występ, trzy tygodnie później, to główna rola w sztuce Irwina Shawa *Zamach* w reżyserii Romana Sykały, o której również nic dziś nie potrafię powiedzieć z braku materiałów.

Za to tytułowa rola w widowisku *Młodość Jasia Kunefała,* według autobiograficznej powieści Stanisława Piętaka zaadaptowanej przez Tadeusza Papiera, została zauważona. Obok krytycznych uwag pod adresem scenariusza recenzent tygodnika „Ekran" pisał: „Dla jednej z nich warto było otworzyć telewizor – dla sceny rozmowy Jasia Kunefała z ojcem, gdy nad szklanką wódki nawiązuje się nić zaufania i porozumienia. Ojca zagrał znakomicie Janusz Kłosiński, jednocześnie reżyser przedstawienia. Kilka słów o odtwórcy roli tytułowej Januszu Gajosie. Ten młody aktor [...] pokazuje się coraz częściej w telewizji, i to w nader różnych rolach. Poprzednio oglądaliśmy go jako Chopina, teraz w roli Jasia stworzył ciekawą postać wiejskiego chłopaka, któremu upór pozwala przezwyciężyć trudności na niełatwej drodze awansu kulturalnego" (Jan Szumski, *Młodość Jasia*

Artykuł w „Ekranie" z 1969 roku, nr 24

Kunefała, „Ekran" 1969, nr 24). Powieść Piętaka opowiada o losach ambitnego chłopca z podtarnowskiej wsi, który uporem i pracą uniezależnia się od otoczenia, zdobywa wiedzę i możliwości wypowiedzi artystycznej. Została nagrodzona w 1938 roku przez Polską Akademię Literatury za autentyzm w pokazywaniu środowiska i skomplikowanej drogi twórczej bohatera – chłopskiego dziecka walczącego o równe prawa w międzywojennej Polsce. Od młodego aktora rola wymagała sporej wyobraźni, z realiami powieści bowiem – przedwojenną nędzą polskiej wsi pozbawiającą jej synów możliwości awansu – się nie zetknął.

Po przeprowadzce do Warszawy w 1970 roku telewizyjne losy Gajosa nie układały się pomyślnie; kilka lat trwało oswajanie się z nowym środowiskiem. Był wprawdzie aktorem bardzo popularnym, ale, jak już pisałam, w jego wypadku stanowiło to raczej przeszkodę, niż dawało przepustkę na mały ekran. Wielu reżyserom wydawał się zbyt określony i nawet udane role filmowe, zupełnie odmienne od Janka Kosa, nie zmieniły szybko tej opinii. Na początku dostawał epizody, niewielkie rólki. Zagrał Lekarza w *Mgle* Zofii Lorenz, sztuce współczesnej o nudzących się z braku zajęć, czyli wypadków, lekarzach w szpitalu, wyreżyserowanej przez Marię Kaniewską. Później rosyjskiego żołnierza Ilię Drakina w widowisku Stefana Szlachtycza według powieści Leonida Leonowa *Idź z nami w tamte dni,* opisującej dramatyczne przeżycia wiejskiej społeczności w latach wojny, która w walce ze złem kieruje się odwiecznymi normami moralnymi. Poza tym zagrał komiczną postać Juana Ribeiry, konstruującego pas cnoty dla żony dyplomaty, w polskiej współczesnej komedii Jana Zakrzewskiego *Porwanie,* opowiadającej o porwaniu dyplomatów, czyli świecie bliskim autorowi, zważywszy, że na placówkach zagranicznych spędził wiele lat, a potem był komentatorem wydarzeń politycznych w telewizji. U Jana Bratkowskiego w *Pierwszym dniu wolności* Leona Kruczkowskiego jako Karol znalazł się w doborowej obsadzie – obok Kazimierza Opalińskiego, Henryka Borowskiego, Gustawa Lutkiewicza, Anny Seniuk i Ewy Szykulskiej. I to chyba była pierwsza rola w poważnym repertuarze, wówczas już klasycznym. Spektakl usiłował wydobyć uniwersalność tego tekstu. Akcentował pojęcie wolności, jej niejednokrotnie zdumiewających sensów, rozumianych inaczej przez każdego z bohaterów.

Sam aktor określa ten okres jako bardzo trudny: „Nie było zapotrzebowania na moje usługi". Dlatego „właziłem w maliny i potem sam z nich musiałem wyłazić". Te maliny to zgoda na wszystkie pojawiające się propozycje, żeby istnieć w zawodzie, a także po to, żeby móc się utrzymać, gdyż zarobki w teatrze nigdy nie były wielkie. Szukał każdej pracy, występował w kabaretach, na estradach, słowem – starał się jak najlepiej wykonywać swój zawód. Dopiero angaż do teatru przy ulicy Czackiego sprawił, że jego kariera telewizyjna nabrała przyspieszenia.

Teatr Kwadrat był integralnie powiązany z telewizją, można powiedzieć, że powstał dla jej potrzeb. Stał się sceną, na której można było szlifować – na co w telewizji nie ma ani czasu, ani warunków – spektakle, w większości przenoszone na szklany ekran. Teatr Telewizji to teatr najbardziej masowy, a jednocześnie najgorzej opisany, zwłaszcza w pierwszych dwóch dziesięcioleciach działalności. Redakcje gazet uważały za swój obowiązek odnotować choćby w kilku zdaniach każdą premierę w teatrze czy w kinie, lecz o Teatrze Telewizji pisano rzadko i mało. Z czasem gazety codzienne oraz pisma specjalistyczne zaczęły poświęcać mu więcej uwagi, ale wciąż trudno się oprzeć wrażeniu, że była to, i jest nadal, dziedzina traktowana przez recenzentów po macoszemu.

Do wielu spektakli z lat siedemdziesiątych nie można dziś dotrzeć. Nawet jeśli tak zwane taśmy matki istnieją, to zapisane są w starym systemie, więc przegranie ich na taśmy wideo czy dyski jest niemożliwe albo bardzo skomplikowane technicznie. Jedno wiadomo na pewno. Janusz Gajos stał się aktorem telewizyjnym w pełnym tego słowa znaczeniu. To znaczy bardzo, bardzo popularnym. Ale też coraz sprawniejszym zawodowo. „Kto umie grać komedię, umie grać wszystko" – mówi stara teatralna maksyma. Wielu aktorów podkreśla, że scenicznego fachu nauczyli się, grając w farsach.

Dziś bez obycia przed kamerą aktor właściwie nie może istnieć. Telewizja wymaga zupełnie innego rodzaju umiejętności niż teatr. Na scenie aktor musi grać cały czas, a w telewizji rola bywa budowana jak w filmie, małymi ujęciami, ale za to w zbliżeniu widać wszystko. Żaden gest, grymas twarzy nie może być fałszywy, a nade wszystko przerysowany. Nadmiar jest w telewizji grzechem głównym. Poza tym, o czym się mówi rzadko, w telewizji pracuje się szybko. Nie ma czasu na wątpliwości ani dyskusje artystyczne. Aktor musi być gotów i w formie, bo każde ujęcie to premiera. Co kamera zarejestruje, widz zobaczy.

Kamera jednak nie wszystkich lubi, nie wszyscy są fotogeniczni; ale to nie dotyczy Gajosa. Toteż pojawiał się w Teatrze Telewizji coraz częściej, i to nie tylko w spektaklach przenoszonych z teatru Kwadrat. Wiele przedstawień w tym okresie specjalnie dla telewizji zrealizował Edward Dziewoński. Dla swojego aktora znalazł epizody w *Operze za trzy grosze* Bertolta Brechta, utrzymanej w estetyce ekspresjonizmu lat dwudziestych, zwłaszcza jeśli chodzi o kostiumy i charakteryzację aktorów, oraz w sztuce *Fräulein Doktor* Jerzego Tepy, dziennikarza, spikera radia we Lwowie, opowiadającej dzieje kobiety szpiega w służbie wywiadu niemieckiego, która działała

Z Ewą Wiśniewską w Teatrze Telewizji. *Fräulein Doktor* w reżyserii Edwarda Dziewońskiego

na frontach pierwszej wojny
światowej i była nie mniej
fascynująca niż Mata Hari.

Jednak prawdziwej satys-
fakcji dostarczyła aktorowi
rola Szczastliwcewa w *Lesie*
Aleksandra Ostrowskiego.
Jedna z najlepszych komedii
tego mistrza humoru i prze-
nikliwego krytyka dziewiętnastowiecznego społeczeństwa
ma doskonale napisane role.
„Edward Dziewoński zaprosił
do roli dziedziczki Gurmy-
skiej wielką aktorkę sceny kra-
kowskiej – Zofię Jaroszewską.

Dwaj prowincjonalni aktorzy – Gienadij Nieszczastliwcew
(Jan Kobuszewski) i Arkadij Szczastliwcew (ja) w *Lesie*
Aleksandra Ostrowskiego

Z kolei obok niej wystąpili aktorzy odnoszący ostatnio duże sukcesy w kolejnych kabaretach Olgi Lipińkiej – Jan Kobuszewski i Janusz Gajos. Z tym
większą satysfakcją śledziliśmy ich ciekawy i udany występ w wielkim
repertuarze, z mocnym i wzruszającym finałem, w którym dwaj wędrowni,
prowincjonalni aktorzy mówią gorzką prawdę w oczy bogatej krewniaczce
i jej marnemu otoczeniu" (Zofia Sieradzka, „Głos Pracy" 1978, nr 62).

„Większe zdolności transformacji ma Janusz Gajos, który grając Szczastliwcewa, nie przypominał żadnego ze swoich innych telewizyjnych wcieleń,
włącznie z najnowszym – woźnego Tureckiego w kabarecie Lipińkiej –
w przeciwieństwie do Kobuszewskiego, który przypominał wcielenie Pana
Janeczka z tegoż kabaretu" (Romana Konieczna, *Teleimpulsy*, „Trybuna
Odrzańska" 1978, nr 69).

I jeszcze jeden ważny głos Jerzego Andrzejewskiego, pisarza wyraźnie poruszonego spektaklem. „Wczoraj w Teatrze Telewizji *Las* Aleksandra Ostrowskiego w świetnej, bardzo zresztą teatralnej reżyserii Edwarda
Dziewońskiego i z wielką Zofią Jaroszewską w roli Raisy Pawłownej Gur-
myskiej. Wspaniałe przedstawienie. Arcydzieło Ostrowskiego przez dwie
godziny żyło pełnym blaskiem genialnego tekstu. I jak bezbłędnie przez
wszystkich wykonawców było grane: zwłaszcza Jan Kobuszewski (Genadij

Nieszczastliwcew), Janusz Gajos (Arkadij Szczastliwcew) i Damian Damięcki (Aleksiej Bułanow) jak naj-
świetniej zrealizowali świetność ról. Pod każdym
względem znakomity wieczór" (Jerzy Andrzejewski,
Z dnia na dzień, „Literatura" 1978, nr 12). Niewykluczone, że pisarz, jak wielu starszych widzów, pamiętał
owe słynne dialogi Nieszczastliwcewa ze Szczastliw-
cewem w wykonaniu Władysława Krasnowieckiego
i Jana Kurnakowicza w Teatrze Narodowym w 1952
roku.

Padło w recenzjach słowo: kabaret. Tak jest, nowe
wcielenie Janusza Gajosa – woźny Turecki z cyklicz-
nego programu Olgi Lipińskiej *Kurtyna w górę* (miał
aż osiemnaście odsłon) – pokonało wszystkie inne
stworzone w tym czasie na małym ekranie. „Chciałam
stworzyć postać, która skupiałaby w sobie wszystkie
wady i zalety polskiego charakteru. Woźny Turecki
to synteza Polaka w tym, co dobre, i w tym, co złe",
mówi twórczyni programu. Postać ta przyniosła
aktorowi nową falę popularności. Postać Tureckiego
łączyła w sobie najlepsze tradycje purnonsensowego
humoru rodem z Teatrzyku Zielona Gęś Konstantego
Ildefonsa Gałczyńskiego, nadwiślański język Wiecha,
dostosowany do realiów epoki Gierka, z tak zwanym
chłopskim rozsądkiem prostych ludzi oraz iroczno-
-poetycką tradycją STS-u.

Olga Lipińska, twórczyni kabaretu, który pojawiał
się na ekranach telewizorów od 1968 do 2005 roku
pod nazwami *Głupia sprawa*, *Gallux Show*, *Właśnie leci
kabarecik*, *Kabaret Olgi Lipińskiej*, opowiada, w jaki sposób trafił do jej zespołu Janusz Gajos. „Po dziesięciu
odcinkach zdjęto mi program *Właśnie leci kabarecik*
– cenzura zorientowała się, że propagandy sukcesu

„Szmelcgrupa" w kabarecie Olgi Lipińskiej

on nie wspiera, tylko ją dezawuuje. Wymyśliłam więc nowy cykl programów *Kurtyna w górę* i po dwóch latach dostałam zgodę na jego realizację. Woźnego Tureckiego przeznaczyłam dla Marka Siudyma, ale on się gdzieś zapodział i nie można było nawiązać z nim kontaktu. Wtedy przypomniałam sobie aktora – podkreśla Lipińska – który był jednym z towarzyszy Mackiego Majchra, granego przez Piotra Fronczewskiego w telewizyjnej *Operze za trzy grosze* Brechta w reżyserii Edwarda Dziewońskiego. Niewiele mówił, tylko jadł pestki słonecznika, ale łupinami pluł niesamowicie, bo w takt tekstu Mackiego. Zachwycił mnie wtedy i chciałam go zaangażować do kabaretu, co okazało się bardziej skomplikowane niż zwykle. Ponieważ nie mam dzieci, nie oglądałam serialu *Czterej pancerni*, więc go z tamtą rolą nie kojarzyłam. Zresztą Gajos już nie był szczuplutkim Jankiem Kosem o blond włosach i błękitnych oczach. Przytył, nie miał już powodu, by rozjaśniać swe ciemne włosy, stał się dojrzałym mężczyzną o pięknych oczach i ciepłym spojrzeniu. Odnalezienie go okazało się jednak nie całkiem proste, w telewizyjnej bazie aktorów nie istniał, przez teatr też nie można się było z nim porozumieć. Ktoś mi powiedział, że mieszka na Saskiej Kępie, urządza mieszkanie. Nie każdy miał wówczas telefon, to był towar deficytowy, więc pojechałam na tę Saską Kępę i odnalazłam go w nowo wybudowanym mieszkaniu. Ale on nie chciał, nie chciał grać Tureckiego w kabarecie!!! Wtedy w ogóle był w słabszej formie psychicznej i fizycznej. Namawiałam go tak długo, aż się zgodził. Trafił do zgranego zespołu, gdzie byli już Piotr Fronczewski, Czesław Majewski, Siostry Sisters – Barbara Wrzesińska i Krystyna Sienkiewicz, Jan Stanisławski, Marek Kondrat, Jan Kobuszewski. Koledzy go przyjęli bardzo serdecznie, ale też on od razu chwycił konwencję. Jest to aktor obdarzony wyobraźnią, wysoką inteligencją aktorską, prawdą i, nie na końcu, wdziękiem. Dla mnie te cechy są bardzo ważne, ponieważ kabaret jest znacznie trudniejszy od dramatu i komedii. Wymaga precyzji, znakomitego aktorstwa oraz prawdy i jeszcze raz prawdy. Aktor nie może niczego ukryć, zamarkować, udać, bo publiczność albo się śmieje, albo nie. Musi więc doskonale posługiwać się skrótem, ironią, poczuciem absurdu, musi wiedzieć, kiedy użyć pastiszu, kiedy aluzji, kiedy finezyjnego żartu, tak by ominąć dosłowność".

Najsłynniejszy woźny PRL-u prezentował dumnie koszulkę z napisem „I am Turecki" wystającą spod robotniczej kufajki. Do tego zawsze miał na głowie czarny berecik z antenką, szaliczek w kratkę i szarmancki wąsik. Maniery cokolwiek swojskie. Trochę Edka z *Tanga* Mrożka, a trochę Piszczyka. Kompleks niższości i wyższości w jednym czyniły tę postać bliską i śmieszną, tym bardziej że aktor z lubością odsłaniał całe pokłady absurdu. Turecki miał niebywałe pole do popisu: albo gryzł kawę, albo ją mielił językiem, bo młynek ukradli, albo wydzielał każdemu 30 centymetrów papieru toaletowego, bo sklepy były niedotowarowione (sic!). Tłumaczył nowej dyrekcji zamianę kisielu na jajko, jajka na kurze łapki, łapek na kawę, kawy na pół litra, czyli właśnie obowiązujący system kartek. Jego powiedzonka: „Możesz mi pan skoczyć na pukiel" albo „na puklerz", ćwierćinteligenckie „par excellence", dodawane jako przerywnik często i bez sensu, szły w Polskę. Ludzie w tych smutnych czasach bawili się postacią zadufanego w sobie prostaczka, co to i dyrektora szturchnie, i artystów ustawi, koks sprzeda na lewo, słowem nikogo się nie boi, bo prosty i szczery człowiek jest.

„Janusz Gajos stworzył tę postać tak przekonująco, bo wie, co się godzi, a co się nie godzi – dodaje Olga Lipińska – ma jakieś niezwykłe poczucie prawdy, niezawodny azymut, który go prowadzi w zawodzie, w życiu chyba też, bo jest człowiekiem prywatnie bardzo skromnym. Introwertycznym wręcz. Nigdy nie był i nie jest duszą towarzystwa, do zabawiania innych. Mało o sobie mówi, nie pcha się nigdy na pierwszy plan, ale pracuje fantastycznie. Zawsze oglądał na małym monitorku nagraną już scenę i wielokrotnie żądał powtórzenia. Mówiłam: «Janusz, ja to wytnę, w montażu przykryję», a on nie, zróbmy jeszcze raz, bo ja tu taką minę zrobiłem, a można to lepiej pokazać. I wielokrotnie powtarzaliśmy na jego prośbę sceny czy ujęcia.

O jego inteligencji świadczy szybkość, z jaką proponuje rozwiązania, i ich jakość, czasem zawarta w samej intonacji. Kiedyś cenzor nie chciał się zgodzić na tekst: «Musi to na Rusi, a w Polsce jak kto chce». Na każdej kartce scenariusza miałam parafkę cenzora, a później jeszcze na kolaudacjach sprawdzano zgodność owego scenariusza z wykonaniem i ze strachu wycinano «podejrzane» sceny, więc o żadnym zignorowaniu ingerencji cenzorskiej nie było mowy. Wymyśliłam, żeby zamiast «Musi to na Rusi» powiedzieć: «Ja pójdę górą, a...», ale Jankowi się to nie spodobało. W pierwszej chwili się żachnął, ale Kobuszewski powiedział: «Ja pójdę górą...»

i wtedy Gajos powtórzył za nim: «...a w Polsce jak kto chce». Ale jak!!! Cudownie, ta kwestia zrobiła się zupełnie surrealno-absurdalna, a i tak wszyscy wiedzieli, o co chodzi, bo wszyscy powiedzenie «Musi to na Rusi» znali".

Za sprawą niezwykłych osobowości – ludzi piekielnie inteligentnych, zdolnych do improwizacji, nie tylko aktorów, choć ich przede wszystkim – kabaret Olgi Lipińskiej przekształcił się w odrębne zjawisko artystyczne o własnej estetyce. Główną jego cechą, poza bazarowo-surrealistycznymi strojami łączącymi najprzeróżniejsze fragmenty modnej garderoby, był i jest nadal sposób narracji; wspomagany częstymi cięciami montażowymi i nieoczekiwanymi zestawieniami kadrów podkreśla absurdalny typ humoru skeczy i piosenek.

Gallux Show, Właśnie leci kabarecik, Kurtyna w górę – czyli napuszenie i fanfaronada, głupota i chamstwo, megalomania i kompleksy w całej krasie, z baletem, piórami i przytupem. W krzywym zwierciadle satyry? A cóż w tym złego? Satyra to ostra broń i śmiechem można sporo zdziałać. Można obśmiać zarówno socjalistyczne ideały – że żyje się nie dla pieniędzy, lecz dla pasji – jak i absurdy życia. Nade wszystko głupotę, brak wyobraźni i wszelkiego rodzaju frazesy serwowane przez władze. Kabarecik, sięgając po dobre wzory, klisze mentalne utrwalone w najsławniejszych utworach literackich, które trafiły pod strzechy, w lekkiej formie mówił o sprawach dotkliwych. A że posługiwał się pastiszem, parodią, przerysowaniem i groteską – to jego dobre prawo. Bawił i uczył, ośmieszał i głowy otwierał, no i był bardzo, bardzo popularny. A zarazem niezbyt lubiany przez prezesów telewizji – rzadko zgadzał się bowiem z obowiązującą linią propagandy. I tak było do końca, choć zmieniali się wykonawcy, ale nie formuła i typ humoru. Głupota i zadufanie, brak kultury i blaga mają się, jak widać, świetnie w każdym ustroju.

Jednak popularność miała dla aktora także swoje złe strony.

■■■ Olga Lipińska zaproponowała mi w połowie lat siedemdziesiątych udział w *Kabareciku*, co się spotkało, brzydko mówiąc, z ogromnym odzewem społecznym. Dostawaliśmy z Fronczewskim i Kobuszewskim zarys scenariusza, taką watę, i staraliśmy się zrobić z tego prawdopodobne postacie. Tak wiarygodne, że się coraz bardziej ludziom podobały. Ale to była kolejna pułapka. Zaczęto do mnie coraz częściej na ulicy mówić: „Panie Turecki". Kiedy pan doktor po operacji powiedział: „Obudź się pan, panie Turecki", zrozumiałem, że trzeba uciekać, że to kolejna szufladka, z której bardzo mi będzie ciężko wyskoczyć. Nie była to uliczka, w którą chciałem wejść, ale wszedłem, i wcale niełatwo się było od Tureckiego uwolnić. Był to program cykliczny, więc jego zniknięcie musiało zostać jakoś zaplanowane. Długo po odejściu z programu byłem dla wielu ludzi Tureckim. Także dla reżyserów, co było bardziej bolesne.

Woźny Turecki przykleił się do mnie wyjątkowo mocno

Olga Lipińska z kolei uważa, że „aktor po kabarecie literacko-satyrycznym jest w stanie zagrać wszystko, bo w tak trudnym *genre*, jakim jest kabaret, trzeba umieć wszystko. Zwłaszcza po Tureckim Gajos jest w stanie zagrać wszystko: prymitywa i zagubionego inteligenta, prostaka i subtelnego intelektualistę, wspaniałego króla i kanalię, bandytę i szlachetnego zwykłego człowieka, schizofrenika i świętego, księdza i pederastę – wszystko, każdą postać. Jeśli nie zawsze odnosi sukces, to jest to wina reżysera, który nie umiał do niego dotrzeć, otworzyć w nim jakiejś przestrzeni, uruchomić we właściwy sposób wyobraźni. Dlatego rozeźliła mnie recenzja Jana Skotnickiego, reżysera przecież, zatytułowana *Turecki gra Bezuchowa*, bo niby dlaczego to jest dziwne. Raz aktor gra postać, która skupia w sobie wszystkie polskie cechy złe i dobre, a innym razem zagubionego i zniszczonego przez wojnę napoleońską arystokratę w okularkach”.

Olga Lipińska do swoich programów zapraszała ludzi, którym „rośnie kwiatek na głowie”, nie tylko utalentowanych i inteligentnych, ale przede

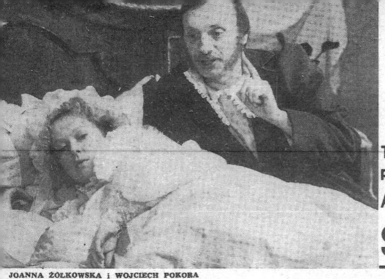

JOANNA ŻÓŁKOWSKA i WOJCIECH POKORA

Teatr Telewizji
przedstawia komedię
ALFREDA DE MUSS
ŚWIECZN
Przekład: Tadeusz Boy-Żeleński
Reżyseria i realizacja tv: Olga Lipiń
Scenografia: Jerzy Gorazdowski
Kostiumy: Tatiana Kwiatkowska
Muzyka: Jerzy Derfel

Zdjęcia: ZYGMUNT JANU

ANDRZEJ GRABARCZYK   JOANNA ŻÓŁKOWSKA

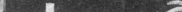

JANUSZ REWIŃSKI i MARCIN SŁAWIŃSKI

JOANNA ŻÓŁKOWSKA i JANUSZ GAJOS

JOANNA ŻÓŁKOWSKA i ANNA ŁACHMAN

wszystkim twórczych, zdolnych do improwizacji na planie. Przy tworzeniu kabaretu poczucie humoru i umiejętność odnajdywania absurdu w otaczającej rzeczywistości, patrzenia na nią zezem są niezbędne wszystkim. Nic więc dziwnego, że gdy Lipińska reżyserowała przedstawienia dla Teatru Telewizji, sięgała po swoich aktorów „z kwiatkiem na głowie" i powstawały z takich spotkań spektakle pełne wdzięku, wyczucia stylu i poczucia humoru.

Urocza romantyczna komedia Alfreda de Musseta *Świecznik* wyjątkowo się do takiej zabawy nadaje. Safandułowaty mąż (Wojciech Pokora), pełna temperamentu młoda żona (Joanna Żółkowska) i ten trzeci – przystojny oficer Clavaroche (Janusz Gajos). Scenografia podkreśla detale z epoki – sielankowo-romantyczne kostiumy, bokobrody, loczki, epolety, empirowe mebelki w salonie i sypialni. Aktorzy bawią się miłosną intrygą nie nazbyt serio, za to dbając o zachowanie salonowych manier, za którymi coraz trudniej ukryć temperamenty, uczucia i późniejsze rozczarowanie. Clavaroche Gajosa to człowiek zmanierowany cokolwiek powodzeniem u dam, cyniczny i w sobie zakochany. Z zachwytem przegląda się w lustrze albo zajada orzeszki, nie bacząc na innych. Wprawdzie podboje przychodzą mu łatwo, ale równie łatwo przegrywa z prawdziwym uczuciem i partnerki, i chłopca zakochanego w niej naprawdę. Jednak od perypetii miłosnych ważniejsze okazało się doskonałe wyczucie przez aktorów stylu francuskiej romantycznej komedii, owych konwencjonalnych spojrzeń, westchnień, słówek. Spektakl zasłużenie znalazł się w „Złotej setce", czyli grupie wytypowanych przez widzów najlepszych przedstawień Teatru Telewizji. Jest w tym zasługa Janusza Gajosa i pani reżyser, która uparła się, by właśnie on zagrał uroczego amanta, choć jego powierzchowność wielu wydawała się mało do tej roli odpowiednia. Podpowiadano obsadzenie Tadeusza Plucińskiego.

Kolejny spektakl ze „Złotej setki" to wyreżyserowane przez Olgę Lipińską w 1985 roku *Przedstawienie Hamleta we wsi Głucha Dolna* Ivo Brešana, które pozwolę sobie omówić w tym miejscu, przeskakując chronologię o kilka lat i kilka ról. Sztuka obrosła swego rodzaju legendą. Wystawiona została w Warszawie przez teatr Na Woli z Tadeuszem Łomnickim, ówczesnym członkiem Komitetu Centralnego, w roli partyjnego łajdaka. Teatr ten był przez opozycyjnie nastawioną publiczność bojkotowany, lecz gdy rozeszła się wieść, że przedstawienie zaraz zdejmą, bo niecenzuralne, bo dokłada władzy, że zamknięte pokazy itd., jednym słowem, sensacja, publiczność stawiła się tłumnie. Rzeczywiście warto było obejrzeć sztukę jugosłowiańskiego autora, a zwłaszcza Tadeusza Łomnickiego w roli prowincjonalnego kacyka, który dla ukrycia malwersacji finansowych i zwyczajnej ludzkiej podłości otumania wiejską społeczność, posługując się aparatem partyjnej propagandy. Aby odwrócić uwagę mieszkańców wioski od własnych niecnych postępków, przewodniczący Bukara postanowił „w ramach intensyfikacji działań na polu oświaty i kultury" wystawić jakąś sztukę. Przypadek podyktował wybór *Hamleta*, którego ktoś widział „na delegacji" w Zagrzebiu. Analiza dramatu sprawia, że członkowie spółdzielni produkcyjnej, zaangażowani jako aktorzy, odnajdują w sztuce problemy, które dręczą ich samych, ponieważ relacje między postaciami Szekspira i chłopami z dalmatyńskiej wioski w dużym stopniu się pokrywają.

Uczciwy księgowy zostaje zaszczuty przez klikę notabli (nawiasem mówiąc, zwykłych złodziei) i wiesza się w więzieniu. Jego syn, który właśnie dostał rolę Hamleta, próbuje bezskutecznie dojść sprawiedliwości. Kocha Andzię, córkę przewodniczącego miejskiego oddziału Frontu Narodowego, obsadzonego oczywiście w roli Poloniusza. Rolę Klaudiusza, nie całkiem świadomie, bo najważniejsza, królewska, zagarnia Bukara – przewodniczący spółdzielni i sekretarz miejscowej organizacji partyjnej. Prywatnie smali koperczaki do niedawno owdowiałej bufetowej Majkacy grającej, rzecz jasna, Gertrudę. I chociaż w miarę rozwoju akcji *Hamleta* i tej w dalmatyńskiej wiosce Hamlet-Skoko wyjaśnia, kto zabrał pieniądze z kasy spółdzielni, a tym samym doprowadził do śmierci jego ojca, to sprawiedliwość wcale nie triumfuje. Przeciwnie, sztuka kończy się kołem, ludowym tańcem, który jak chocholi rytm *Wesela* rozmywa wszystko. Triumfuje Bukara coraz bardziej pijany i coraz bardziej pewny siebie, bezkarny, paraliżujący pozostałych.

Przedstawienie Hamleta we wsi Głucha Dolna stało się autentycznym sukcesem teatru Na Woli i Tadeusza Łomnickiego, który w roli przewodniczącego Bukary dał wspaniałe studium plebejskiego partyjnego działacza, zwyczajnej szui, która znajdzie się wszędzie i dla zaspokojenia małych ambicyjek gotowa jest na każde świństwo, każdą podłość. Odwaga i maestria aktorska, z jaką Łomnicki zbudował paskudną moralnie postać Bukary, radość, z jaką pompował ją władzą, zdobywaniem wpływów, perfidią, zjednały mu publiczność i środowisko. I choć Łomnicki wiedział, że jako działacz, członek najwyższych władz ryzykował zaufanie towarzyszy, tak jawnie obnażając mechanizmy sprawowania władzy, to jednak nie cofnął się. Zwyciężył jako artysta stający po stronie prawdy i autentycznych wartości. Niewątpliwą zasługę w zwycięstwie Łomnickiego artysty miał Kazimierz Kutz, reżyser przedstawienia. Przeprowadzili on niebywałą na owe czasy wiwisekcję duszy partyjnego karierowicza, pokazali, jak dalece ludzie podli potrafią wykorzystywać polityczne frazesy do swoich niecnych uczynków i przykrywać nimi zwykłe świństwo.

Świadomie tak dużo piszę o premierze *Przedstawienia Hamleta...* Na Woli, gdyż musiała być punktem odniesienia dla telewizyjnej realizacji Olgi Lipińskiej. Po pierwsze artystycznym, po drugie politycznym.

Przez dwa lata (1984–1986) gotowe przedstawienie leżało na półce. „Nieprzyjemnie kojarzy się z aktualną sytuacją" – odpowiadali kolejni prezesi Radiokomitetu pani reżyser dopominającej się o emisję gotowego spektaklu. Rzeczywiście, siła tego tekstu nie malała w dniach stanu wojennego. Tymczasem pamięć o przedstawieniu Kutza paraliżowała decydentów, tym bardziej że telewizyjne było jeszcze bardziej zjadliwe, bo bardziej śmieszne. Janusz Gajos w roli Bukary rozgrywał wszystkie przywary partyjnej duszy swego bohatera spokojnie i konsekwentnie. Precyzyjnie obnażał jego łajdactwo, posługiwanie się partyjnym frazesem dla własnych korzyści, tym bardziej perfidne, że wśród bardzo prymitywnych wieśniaków on był człowiekiem choć trochę wykształconym. Przyłapany na oszustwach, uciekał nie jak Łomnicki w pijaństwo, choć pił także i sporo, ale w błazenadę. Rola Klaudiusza, nowego władcy Danii, staje się doskonałym schronieniem. Pod warstwami kolorowej szminki Bukara stał się cyrkowym klownem, który gra króla. To już nie partyjny dureń i szalbierz, ale kompletny błazen, kukiełka. Ktoś, kogo nie można nawet na serio oskarżyć. Zaprawiona goryczą diagnoza była zapewne przyczyną trzymania spektaklu na półce.

„Powoli buduje [Olga Lipińska – przyp. E.B.] nastrój tragedii ludzkiej, ostrożnie punktuje sytuacje komiczne, by doprowadzić całość do przeraźliwie gorzkiego finału. Wszyscy tańczą, jak każe król Klaudiusz z *Hamleta*,

a w rzeczywistości miejscowy sekretarz, który obezwładnia otoczenie bez-
względnością i prymitywnym cynizmem. W tej postaci tkwi cała siła i groza
wynaturzeń możliwych za parawanem sloganów. Styl realistycznej groteski
pozwolił na zarysowanie kilku świetnych kreacji aktorskich. Janusz Gajos
koncertowo zagrał sekretarza. Jego autorytatywność, choć «niedouczona»
i instynktowna, od pierwszej chwili tłumaczy bezkarność i swobodę działania tej postaci" (M. Garlicka, *Wiejski Hamlet*, „Rzeczpospolita" 1987, nr 62).

„Główną zasługą Olgi Lipińskiej jako reżysera stało się zrozumienie tej
złożonej sytuacji – zachowanie równowagi między komizmem metateatru
Brešana i tragizmem jego teatru, w czym dopomogło w decydujący sposób
ujęcie roli Klaudiusza – sekretarza partii przez Janusza Gajosa. Szef wiejskiej kliki jest równie dobrym i jednocześnie bezwzględnym dyplomatą, jak
był nim król Danii, z tą wszakże różnicą, że dokonuje swych manewrów
w realiach i normach współczesnego życia chłopskiego. Gajos doskonale
wykorzystał daną mu szansę komiczną, a jednocześnie potrafił przekonać
widzów, z jak groźną figurą mamy tutaj do czynienia. W podobnej skali,
bardziej już jednak gogolowskiej niż szekspirowskiej, zmieścili się pozostali aktorzy" (Grzegorz Sinko, *Miesiąc sumiennej roboty*, „Teatr" 1987, nr 6).

„Ivo Brešan nie napisał, a Olga Lipińska nie wyreżyserowała ani żarli-
wej satyry politycznej, ani farsy archetypów. Zarówno w dramacie, jak i zna-
komitej inscenizacji emocje trzymane są na uwięzi. Trwa kalkulacja. Trochę
jak u Brechta, trochę jak w kabarecie. Wcieleniem tej zasady jest kreacja
Janusza Gajosa. Na odrębną analizę zasługiwałby plebejski nurt tej inscenizacji, który okazał się niezwykle pojemny, jednakowo sprzyjając zarysowaniu
najszlachetniejszych, jak i najohydniejszych spraw, jakie dzieją się we wsi
Głucha Dolna" (Wacław Tkaczuk, *Emocje na uwięzi*, „Antena" 1987, nr 13).

„Schemat tragedii szekspirowskiej niespodziewanie nakłada się na
stosunki w głuchej wioseczce rządzonej przez dogmatycznego sekretarza – satrapę; spod farsy przykrawania *Hamleta* do postępowej ideologii
wyłania się niespodziewanie prawdziwy mechanizm bezkarnego zaszczu-
wania ludzi. Olga Lipińska bardzo precyzyjnie pokazuje owo wyłanianie
się dramatu spod burleski: najpierw przy użyciu niezawodnego Janusza
Rewińskiego rozkręca groteskowy kabarecik głupoty i demagogii, potem
przekłuwa kolejne balony wesołości krótkimi migawkowymi ujęciami
dramatycznymi serio: zaciętym grymasem wściekłego sekretarza (znowu

Gajos – cóż za wspaniały czas przeżywa ten aktor), błogą głupotą jego świty (Stanisława Celińska, Jerzy Turek), rozpaczą rozdzielanych młodych (Beata Późniak, Sylwester Maciejewski), poniewierką zeszmaconego nauczyciela bełkocącego «Być albo nie być» (Adam Ferency)" (Jacek Sieradzki, *Teatr TV dla myślących*, „Polityka" 1990, nr 12).

„Pamiętam – wspomina Olga Lipińska – że po tym przedstawieniu Kazimierz Kutz prawie się na mnie obraził. Moim zdaniem Janusz był bardziej przejmujący niż Łomnicki, który miewał momenty ról bardzo sformalizowane, wykonywał takie fiorytury dla efektu, natomiast Janusz nigdy tego nie robi, nie wychodzi poza ludzką prawdę. Jego taniec w końcowych sekwencjach spektaklu był ogromnie przejmujący, pokazywał, jak jego bohater chce zatupać, zagłuszyć w tańcu prawdę o tym, że przyczynił się do śmierci człowieka. Cały czas unikał wzroku jego syna, jakby się bał... siebie.

Janusz potrafi pokazać w komediowej formie dramat czy nawet tragedię. Na przykład w *Żabusi* Zapolskiej, którą robiliśmy kilka lat później, w 1988 roku, zagrał rolę Raka, uważaną za obyczajową, jako postać wręcz strindbergowską, dramatyczną, świadomą trudności życiowych, jakie spowoduje ten wybór serca. Był w tym i wstyd dorosłego pana zakochującego się w młodziutkiej dziewczynie, fascynacja nią, ale też gorzka świadomość, że to może za późno, ale mimo wszystko warto. Po emisji *Żabusi* zadzwonił do mnie Jerzy Kawalerowicz, by mi pogratulować; zachwycał się przede wszystkim strindbergowskim dnem roli Janusza".

Rzeczywiście, dla Gajosa lata osiemdziesiąte w telewizji to był wspaniały czas, ale nie zapominajmy, że na ten sukces złożyły się także wcześniejsze role, często epizodyczne. Jak choćby Dziennikarza w *Kartotece* Tadeusza Różewicza, wyreżyserowanej przez Krzysztofa Kieślowskiego, który w końcowej sekwencji pyta wieloimiennego Bohatera (Gustaw Holoubek) o jego poglądy polityczne. Jak rola diabła Omnimora w *Igraszkach z diabłem* Jana Drdy, inspirowanych czeskim folklorem góralskim, które również znalazły się na liście stu najlepszych przedstawień Teatru Telewizji. Nie bez powodu. Reżyserował jc Tadeusz Lis, Czech, który po ukończeniu Szkoły Filmowej w Łodzi osiadł w Polsce na stałe, skąd w latach osiemdziesiątych wyjechał do Kanady. Reżyser bardzo dobrze czuł poetykę tej naiwnej, pełnej ludowego praśnego humoru oraz fantazji baśni opowiadającej o dobru

i złu, i karze za grzechy. Rzecz bowiem dzieje się na ziemi i w piekle, a diabły czyhają z widłami na zbłąkaną ludzką duszę. Marcin Kabat (Marian Kociniak), bohater *Igraszek*, naiwny prostaczek, wyprowadza diabły w pole i nawet niebo przeciąga na swoją stronę. To on, weteran dragonów, trafia do czarciego młyna, gdzie spotyka rozbójnika Sarkę-Farkę napadającego na podróżnych i razem zaprowadzają sprawiedliwość. Udaje mu się wyciągnąć z piekła dwie naiwne dziewczyny, księżniczkę i jej służkę, które w zamian za szybkie i bogate zamęście podpisały cyrograf z diabłami. Janusz Gajos zagrał diabła ze świty Belzebuba. Jego Omnimor miał ogromną perukę z kędzierzawych włosów, diabelskie rogi i zabawnie się jąkał, a nadto z rozkoszą grał w mariasza. Rólka niewielka, ale zrobiona precyzyjnie, jak na takiego aktora przystało.

W połowie lat osiemdziesiątych Gajos jest już aktorem, który dostaje duże role, głównie z repertuaru komicznego. Zdobywa nagrody, a przede wszystkim uznanie publiczności. Dlaczego ludzie chcą oglądać tego, a nie innego aktora? Odpowiedź prosta i banalna: bo jest dobry. To znaczy wiarygodny, prawdziwy, przekonujący. Ale takich aktorów jest wielu, bardzo profesjonalnych, znakomitych, dlaczego więc wygrywa ten a nie inny? Tajemnica talentu – zapewne. Jednak jest chyba coś jeszcze, co wydaje się ważne, szczególnie przy oglądaniu teatru na małym ekranie. W domu, w najbardziej prywatnych kapciach, gdy jesteśmy sami ze sobą albo z najbliższymi, obcujemy z aktorem niemal intymnie. Ulegamy złudzeniu, że do nas przyszedł, że go zaprosiliśmy. W takiej sytuacji wolimy chyba oglądać człowieka bez pozy, który mówi do nas i tylko do nas. Wprawdzie doskonale wiemy, że każdy występ aktora to tworzenie nieistniejącej postaci w nieistniejącej rzeczywistości i że wraz z nami oglądają go miliony, to jednak pragniemy, by rozmawiał z nami ściszonym głosem i w sposób jak najbardziej naturalny. Każdy nieprawdziwy gest, sztuczny grymas odbieramy jako coś udawanego, konwencjonalnego, co nas razi i drażni. Zmęczeni rolami, jakie narzuca nam życie, we własnym domu chcemy być sobą. Tym samym liczymy na kontakt z tak samo prywatnym człowiekiem na ekranie. Wcale nie doskonałym, przeciwnie, sami nie jesteśmy doskonali i właśnie w domu

U Tadeusza Lisa grywałem takich amantów. *Zapomniany diabeł* w Teatrze Telewizji, 1985

nie musimy tego ukrywać. Jesteśmy tacy, jacy jesteśmy. Trochę mądrzy i trochę głupi, raczej dobrzy, a jeśli postępujemy źle, to zawsze mamy na to jakieś usprawiedliwienie. Wiele marzeń i pragnień chronimy przed światem i obcymi. Ale w szlafroku, ze szklanką herbaty w ręku chętnie byśmy o tym z kimś pogadali. Tylko rzadko mamy okazję, kogoś, przed kim można by się naprawdę otworzyć, kogoś, kto by nas wysłuchał.

Myślę, że Janusz Gajos doskonale zrozumiał, jakie obszary ma do wypełnienia. Przestrzeń ludzkich marzeń, samotności, nieudanych czy tylko powikłanych losów. I potrafił to wykorzystać. Jak? Nie wiem. Może bardziej intuicyjnie niż świadomie, może taki się urodził albo tak został wychowany. W każdym razie, oglądając jego bohaterów, widzę, że ich nie ośmiesza, nie szydzi z nich, tylko stara się zrozumieć motywy działania. Wtapia się w graną postać absolutnie i rzadko ją potępia, choć potrafi poddać autokompromitacji. On nią jest w każdym ruchu, geście, intonacji głosu, jakby zapomniał o sobie. Jest śmieszny, zabawny, tragiczny, ironiczny, bo nigdy nie stara się być mądrzejszy od postaci, choćby jej głupota biła w oczy. Daje jej szansę, pozwala błądzić, mylić się, robić głupoty, a potem się z tego wydobywać. Albo nie. Tworzy ludzi raczej zagubionych w świecie niż ludzi sukcesu, samotnych, przegranych, niezdarnie poszukujących szczęścia. Niosą w sobie, czasem beznadziejnie, wiarę, że mimo nieudanych związków, fatalnych szefów jakoś da się żyć. Jego bohaterowie są trochę jak Chaplin, trochę jak Fijewski – niezbyt fartowni, ale bardzo sympatyczni i pełni wdzięku.

Dobrze ilustruje to pewna historia z *Mgiełką* Józefa Hena. Było tak. Poszłam któregoś dnia do redakcji Teatru Telewizji, by wypożyczyć kasety z nagranymi spektaklami; nie można przecież pisać, nie oglądając spektakli na świeżo. Nie wszystkie widziałam, a te, które widziałam ileś lat temu, zatarły się w pamięci. Kiedy poprosiłam o *Mgiełkę*, usłyszałam: „Jak to nie znasz *Mgiełki*? To jak możesz pisać o Gajosie, nic o nim nie wiesz! On tam był wspaniały!!!". Przecież był wspaniały w wielu innych spektaklach, filmach. Skąd ten entuzjazm i rozmarzenie w oczach pań redaktorek? Wieczorem, po obejrzeniu kasety w domu, zrozumiałam. Gajos zagrał ni mniej, ni więcej, tylko ideał mężczyzny, o jakim marzą kobiety bez względu na wiek, stan cywilny czy inne przypadłości.

Historyjka jest prosta. Pewien naukowiec przeżywa kryzys rodzinny i zawodowy. Właśnie został wyrzucony z ministerstwa, ponieważ już nie jest potrzebny
jako doradca Osoby Wysoko Postawionej.
Z człowieka, który wszystko potrafi i może
załatwić w mgnieniu oka, staje się osobą
pozbawioną wpływów. Jego przyjaciel
Sewek (Piotr Fronczewski), który właśnie
szukał u niego protekcji, podaje pomocną
dłoń. Zaprasza do siebie. Pojawiają się
zabawowe dziewczęta z Białegostoku. I oto
poważny naukowiec zakochuje się w jednej
z nich, Fince (Marta Klubowicz). Milton,
bo tak go nazywali na studiach, skupiony
na robieniu kariery, od dawna nie myślał
o uczuciach. Nic dziwnego, że młoda, ładna
dziewczyna zawróciła mu w głowie tak bardzo, iż nie zauważa ani jej ograniczenia,
ani cynizmu, z jakim go jawnie oszukuje.
On chce kochać, bo oto uświadomił sobie,
że wiedza naukowa i kariera pozbawiły go
czegoś bardzo w życiu ważnego. Nie zauwa-
żał żony ani syna, a tu nagle zakochał się
jak smarkacz w głupiutkiej spryciuli, która
wodzi go za nos. Tym gorliwiej, że właśnie
przyjeżdża wybrany przez rodziców narzeczony, porucznik. Finka weźmie z nim ślub,
a Milton wróci do mądrej i tolerancyjnej
żony (Pola Raksa).

Nie w scenariuszu tkwi jednak urok
tego spektaklu, ale w rolach aktorskich.
Gajos uruchomił tu całe pokłady wdzięku
i charme'u, by stworzyć na ekranie postać
zakochanego mężczyzny. Uśmiechnięty do

swojej Mgiełki, czuły i męski, przystojny i dobrze wychowany. Do tego nieszczęśliwy w małżeństwie, nic tylko się nim zająć, pomóc mu, otoczyć go opieką. W kapitalnej scenie zbierania potłuczonego kieliszka, żeby Finka nóżek sobie nie pokaleczyła, aktor ujawnił, że żadnego ośmieszenia się nie boi, od wizerunku macho ważniejsze okazuje się uczucie. Jaka kobieta nie chciałaby spotkać na swej drodze takiego ideału?

Recenzje dają o tej roli blade pojęcie – „zagrał wyjątkowo przekonująco", „stworzył kreację", „kolejny raz dowiódł, iż jest aktorem wszechstronnym, o olbrzymiej skali talentu" czy nawet „genialna rola Gajosa" to jakieś erzac... Ileż więcej emocji budził w kobietach Milton Gajosa. Tych przed telewizorami, które w czasie zarezerwowanym dla Teatru Telewizji mogły zobaczyć na ekranie swoje marzenia, swój ideał. Czy można chcieć więcej?

Historia z Mgiełką miała kontynuację. Kiedy opowiedziałam aktorowi reakcje pań redaktorek, uśmiechnął się ciepło:

▪ Nie wiem, co było w tej roli, ale moja żona kiedyś wyznała, że oglądała ten spektakl, kiedy się jeszcze nie znaliśmy, i pomyślała sobie: „O, takiego faceta mieć w domu!". No i ma, ale ja przecież w domu nie jestem aktorem, prywatnie jestem inny. Oczywiście opowiedziałem o reakcji swojej żony Józkowi Henowi, autorowi powieści, bardzo się ucieszył i teraz na spotkaniach z czytelnikami opowiada, jak to dzięki niemu mam taką świetną żonę. No tak...

Nie tylko kobiety reagowały pozytywnie na aktorstwo Gajosa. W 1984 roku po raz pierwszy pojawiła się w prasie próba portretu, sumująca dorobek – przede wszystkim ról filmowych i telewizyjnych – artysty. „Gajos, taki jakim go znamy z ostatnich lat, to aktor o niesłychanej wyrazistości i sile komicznej, gra dawne swoje postaci, na które jakby teraz patrzył z dystansu – z niedowierzaniem, że to on jest, a nie kto inny. Rodzi się w ten sposób drugie «dno» jego kreacji, parodystyczne, złośliwe i satyryczne w stosunku do pierwowzoru. [...] Gajos przezwyciężył naiwny wdzięk Janka Kosa, jest aktorem dojrzałym, który niejedną jeszcze niespodzianką może nas zaskoczyć. Widać to najlepiej po tym, że każdą swoją nową rolą filmową, telewizyjną czy teatralną, dokonuje rewizji dotychczasowego dorobku, każe o nim myśleć na nowo i z nowego punktu widzenia. A to świadczy o żywotności jego sztuki aktorskiej i ciągłym jej doskonaleniu" (Janusz Skwara, *Janusz Gajos*, „Ekran" 1984, nr 4).

I tak się stało. Aktor zaskoczył nas jeszcze niejednokrotnie. A w połowie lat osiemdziesiątych dla wielu był to wykonawca zdolny, użyteczny, obdarzony dużą siłą komiczną i niejako automatycznie umieszczany w szufladce „charakterystyczny". Realistyczna faktura aktorstwa pozornie wydawała się wyczerpywać jego możliwości w innych gatunkach, choć nie raz dawał dowody, w małych rólkach, że stać go na wiele więcej. Ale to drugie dno jego postaci widzieli tylko nieliczni. Blisko dwadzieścia lat po debiucie wciąż był raczej aktorem z przyszłością niż aktorem spełnionym. Długo jeszcze trzeba było wierzyć, że lepsze czasy nadejdą. Pracować i się nie załamać. Niby łatwe, lecz nie wszyscy owe najprostsze wartości potrafią urzeczywistnić.

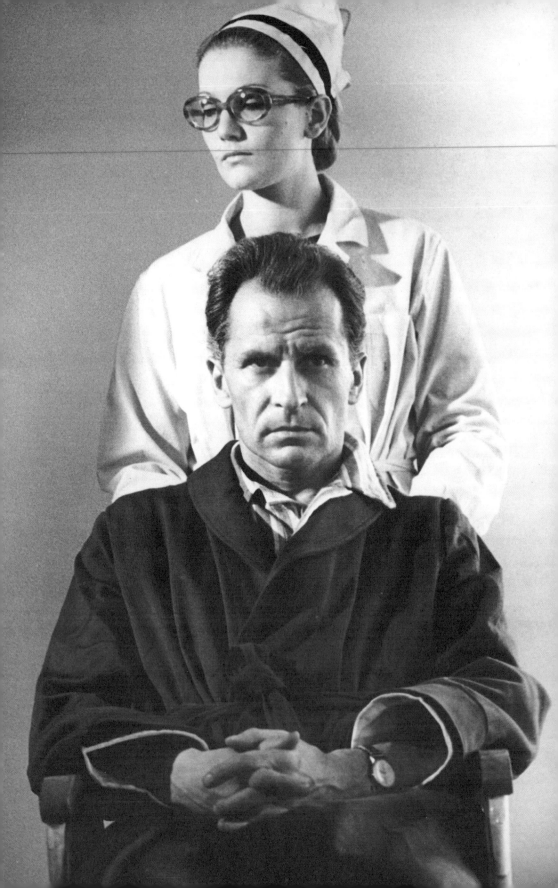

W TEATRZE ZYGMUNTA HÜBNERA

▬▬ Dla mnie, jak zresztą każdego aktora, znalezienie się w zespole Teatru Powszechnego to była ogromna nobilitacja, a z drugiej strony wyzwanie. Hübner wymagał od swoich aktorów dojrzałości nie tylko zawodowej, ale także światopoglądowej i moralnej. Miał jakieś niebywałe wyczucie ludzi, bo dobierał celnie i nigdy nikogo nie nauczał ani nie pouczał. Co nie znaczy, że z nami nie rozmawiał czy nie wpływał na pewne zjawiska, postawy. Tyle że robił to w sposób dość przewrotny. Pisał felietony drukowane w miesięczniku „Dialog"; kto chciał, to je czytał, i rozumiał dyrektora lepiej. Nie był to najgorszy sposób rozmowy z zespołem.

Spotkanie z Zygmuntem Hübnerem u każdego, kto miał szczęście się z nim zetknąć lub pracować, pozostawiało uczucie obcowania z osobą wybitną. Byłam jego studentką w szkole teatralnej, więc dobrze wiem, że oddziaływała nie jego sława, popularność, tylko specyficzny sposób bycia. Raczej mało przystępny. Na tle innych profesorów był człowiekiem oschłym, ale zajęcia z nim były pobudzające; wymagał od nas samodzielnego myślenia, a nie powtarzania książkowych formułek. Sam będąc inteligencją w stanie wrzenia, tych, którzy nie chcieli bądź nie umieli jej sprostać, po prostu lekceważył. Tych zaś, których cenił, otaczał opieką, proponował współpracę, umiał powiedzieć słowo uznania czy zachęty.

Nie przypadkiem miał opinię jednego z najlepszych dyrektorów w polskim teatrze. W środowisku artystów, ludzi barwnych i nie wszystko

Zygmunt Hübner w *Zbrodniarzu, który ukradł zbrodnię* Janusza Majewskiego

traktujących z powagą, był człowiekiem serio, co nie znaczy pozbawionym poczucia humoru. Poważnie traktował i siebie, i swoją pracę. Teatr uważał za miejsce pracy twórczej, a nie za przedsiębiorstwo dostarczające towar czy usługi. W czasach, gdy cenzura szczególnie uważnie przyglądała się tak zwanej wymowie ideologicznej sztuk, stale poszerzał obszary wolnej myśli. Już sam dobór repertuaru stanowił o formacie teatru. Intelektualnym i moralnym.

Wprowadził na swoją scenę teksty – nie zawsze były to dramaty – ważne dla polskiej inteligencji: *Dantona* Stanisławy Przybyszewskiej, *Rozmowy z katem* Kazimierza Moczarskiego, *Pana Cogito* Zbigniewa Herberta, *Spiskowców* według powieści *W oczach zachodu* Josepha Conrada, *Cesarza* Ryszarda Kapuścińskiego, *Lot nad kukułczym gniazdem* Kena Keseya i wiele innych. Przedstawienia w jego teatrze trzeba było oglądać, bo warto było się o nie spierać. Hübner sięgał po dramaturgię różnych epok i stylistyk, tak zwaną poważną i tak zwaną rozrywkową, ale zawsze po to, by dzięki niej powiedzieć coś ważnego o współczesności. Mówiło się, że robił teatr dla dorosłych. To prawda. Uznawał teatr za miejsce wymiany myśli między sceną a widownią, za rodzaj rozrywki dla inteligentnych ludzi. Nie pytał, na co ludzie przyjdą. Sam proponował tematy warte zastanowienia.

▬▬▬ Trzon zespołu stanowili koledzy zaangażowani w momencie tworzenia Teatru Powszechnego od podstaw, to znaczy w chwili oddania do użytku po remoncie budynku przy ulicy Zamojskiego w 1975 roku. Ja pojawiłem się prawie dziesięć lat później, kiedy teatr pod jego dyrekcją działał jak znakomicie naoliwiony mechanizm. Miałem nieco tremy, gdy znalazłem się w tych murach, ale wiadomo było, że dyrektor wiedział, kogo i po co angażuje. Chcę to podkreślić, bo nierzadko angażuje się aktora, ponieważ jest popularny, ogólnie zdolny, więc się do czegoś przyda, albo z innego, mało merytorycznego powodu. Tu dyrektor doskonale wiedział, jaki aktor do czego mu będzie potrzebny. W jego działaniach nie było żadnego przypadku, improwizacji, miał zawsze w zespole obsadę *Wesela*, co jest klasycznym określeniem liczebności i różnorodności dobrego, zawodowego zespołu; jeśli nadal uzupełniał skład, to pod kątem planowanych sztuk.

Jeśli powiem, że mnie to bardzo odpowiadało, będzie to prawda, ale zabrzmi banalnie. Posłużę się przykładem. W wydrukowanym w jubileuszowym programie liście Hübnera przeczytałem jego opinię, że może wystawić *Wujaszka Wanię* Czechowa, bo nareszcie ma Gajosa do roli Astrowa. Mnie tego nigdy nie powiedział, tylko któregoś dnia zobaczyłem swoje nazwisko w obsadzie *Wujaszka Wani*.

Dyrektor w ogóle był człowiekiem mało wylewnym, raczej surowym, o nienagannych manierach, w każdym razie żaden brat łata. Jeśli już coś mówił do aktorów, to zwięźle i treściwie. Ale potrafił zaskoczyć ciepłem i zrozumieniem. W połowie lat osiemdziesiątych miałem trudny okres w życiu osobistym, rozwodziłem się, trochę balowałem, słowem, nieciekawie. Raz nie przyszedłem na przedstawienie, innym razem też nawaliłem. Na dobrą sprawę powinien mnie wyrzucić, nawet jeśli mnie cenił. W jego teatrze był porządek. Ale któregoś dnia powiedział tylko: „Bardzo pana proszę, żeby pan to jakoś ogarnął, bo nie chciałbym pana stracić!". On, taki surowy i niedostępny, użył ciepłego słowa! Nie za ładne oczy, tylko dlatego, że cenił to, co robię. Tym jednym zdaniem tak mnie zmobilizował, że natychmiast postawiłem się do pionu.

Pierwsza rola i od razu skok na głęboką wodę, zważywszy, że *Zapisz to, Miron* nie jest tradycyjną sztuką z dialogami, podziałem na akty, sceny itd. Scenariusz – ułożony przez reżysera Ryszarda Majora z późnych tekstów prozatorskich Mirona Białoszewskiego oraz fragmentu z *Pamiętnika z powstania warszawskiego* – był tu tylko partyturą działań aktorskich. Zarówno forma sceniczna, jak i sens poszczególnych postaci musiały zostać stworzone w trakcie prób. Z odgłosów rzeczywistości, szumów codzienności, jakie zapisywał poeta wbrew obowiązującym w „normalnej" poezji regułom, aktorzy musieli odtworzyć tę rzeczywistość. Białoszewski z ułamków słów, z westchnień, intonacji, okruchów rozmowy usłyszanej w tramwaju, windzie, kolejce podmiejskiej, na ulicy, w sklepie, gdziekolwiek zresztą, stworzył jeden z najbardziej przejmujących, bo nieoszlifowanych literacką konwencją, surowych zapisów ludzkiego życia. Także własnego. Zmieniającego się pod wpływem przeprowadzki, choroby, wizyt w przychodni, pobytu w szpitalu, gdzie wielkim wydarzeniem stają się odwiedziny matki, przyjaciół. Zapis życia, w którym poeta realizował swą osobną i bardzo prywatną filozofię stawiającą autentyzm przeżyć i wzruszeń nad wielkie zbiorowe uniesienia, choćby najsłuszniejsze. Dlatego w spektaklu pojawia się poeta (Władysław Kowalski) i jego wieloletni przyjaciel Leszek – Le (Janusz Gajos) – w otoczeniu bliskich, rodziny, przypadkowo spotkanych ludzi, mieszkańców bloku na Saskiej Kępie itd. Postacie przywoływane do istnienia przez aktorów kilkoma słowami, jednym gestem, jakąś znaczącą sytuacją, intonacją głosu. Pojawia się ich wiele, bo scenki są króciutkie, epizody liczne jak rozbłyski świadomości uchwycone na różnych jej poziomach.

Nie było to pewnie przedstawienie proste do zbudowania, ale efekty chyba nie najgorsze. „Trafnie został obsadzony w roli malarza Leszka, przyjaciela poety, Janusz Gajos. Le pojawia się na scenie najczęściej razem z Mironem, zasadniczo ma być jego przeciwieństwem. Gajos pokazuje go jako ociężałego, ale energicznego, przewidującego i praktyczniej od poety nastawionego wobec życia. To na nim raczej spoczywa ciężar prowadzenia akcji, podczas gdy Władysław Kowalski gra więcej z pozycji obserwatora. Gajos zaznacza także te cechy Le, które zadecydowały o porozumieniu malarza z poetą: wrażliwość, umiejętność życia na własny rachunek i ocalania na co dzień prywatności spojrzenia" (Barbara Riss, *Stróż rzeczywistości*, „Kierunki" 1985, nr 32).

Nie podobało się to przedstawienie recenzentce „Teatru". „Na ich [innych aktorów – przyp. E.B.] tle niezmienni pozostają protagoniści – Miron (Władysław Kowalski) i Leszek (Janusz Gajos). Swoją postawą zaświadczają, tak można sobie wyobrazić intencje reżysera, że udaje się zachować osobność mimo nachalnie pchającej się rzeczywistości. I w efekcie mamy w przedstawieniu złożonym z luźno powiązanych scenek – rezonerów z dziewiętnastowiecznego teatru. Komentują, interpretują, formułują nauki płynące z ukazanych zjawisk, słowem wyręczają reżysera. Inna poetyka, inny świat" (Iwona Libucha, *Wszyscy wychodzą, znaczy będzie koniec*, „Teatr" 1985, nr 10).

Cytuję ten głos wyraźnego sprzeciwu wobec poetyki przedstawienia, chociaż sama inaczej je zapamiętałam. Na Małej Scenie Teatru Powszechnego powstał niezwykle barwny dywan ludzkiego życia, niby bezładnej krzątaniny wokół małych spraw, zakupów, kolejek, zdobytych produktów, które z perspektywy wielkich idei wydają się nieistotną miazgą, lecz bez których nie da się żyć. W każdym razie fizycznie. Życie – co spektakl dobitnie unaoczniał – jest mieszaniną tego, co wielkie i małe, wzniosłe i pospolite.

Białoszewski uważał, że w codziennych zachowaniach, w gestach zrozumienia, współczucia dla innych, wyrażanych nawet nieudolnie, realizuje się nasze człowieczeństwo, nie w głoszeniu wielkich haseł czy szczytnych idei. Dlatego kaleki język, tak bliski życia, starał się wiernie przenieść do poezji. Psychologizm, o jaki Iwona Libucha oskarża aktorów, nie przeszkadzał. Z tego prostego powodu, że aktor nie może być lingwistyczny, strukturalistyczny, semiotyczny, tylko mały albo duży, gruby albo chudy, i zawsze gra człowieka, czyli prawdę przeżyć.

Kolejnym zadaniem Gajosa w Powszechnym stała się rola Ekarta w *Baalu* Bertolta Brechta, sztuce napisanej przez autora we wczesnej młodości, wielokrotnie przerabianej, lecz ze względu na obyczajowe drastyczności, tudzież niemile widzianą w NRD poetykę ekspresjonistyczną, rzadko granej. Tekst skompilowany na użytek tego przedstawienia z kilku wersji sztuki stworzył tłumacz Robert Stiller. Dziś już dyrektorzy teatrów bardzo rzadko kuszą się o przywracanie scenie takich znalezisk, o nowe przekłady, polskie prapremiery po sześćdziesięciu kilku latach itd. To sprawa innej epoki w kulturze, ale także postawy dyrektora, który dbał o rozwój swoich aktorów. *Baal* został wystawiony, gdy pojawił się w zespole Powszechnego Zbigniew Zapasiewicz.

Zagrał tytułową rolę. Człowieka, który umacnia swoje ego w buncie nie tylko przeciw wszelkim normom, prawom, powinnościom. Ten bunt objawia się niepohamowaną chęcią życia i użycia, zwłaszcza że Baal wiedzie bogate życie towarzyskie, erotyczne, ale także twórcze. Jest postacią tyleż fascynującą, ile odrażającą, więcej niż inni umie, wie, także kobiety chętniej się z nim zadają niż z innymi. Jednocześnie jest prymitywny, wulgarny i bezwzględny. A nade wszystko cyniczny; traktuje ludzi, zwłaszcza kochające go kobiety, instrumentalnie. Sprośne żarty, obrazoburcze teksty są częścią jego jestestwa. Jest zachłanny, grzeszny i w tym wszystkim wielki, ponieważ ma talent. Śpiewa pieśni, songi, tworzy poezję równie łatwo w tawernie czy artystycznym salonie. Budzi odrazę i ciekawość, strach i podziw tym większe, że niczego się od innych nie domaga poza wódką. Jego niekonwencjonalność przekracza granice na tyle, że bunt już przestaje być tylko buntem, ociera się o anarchię. Jednak ta mu nie przeszkadza, choć grozi tragedią. I staje się nią, gdy w drugiej części widzimy starego, otyłego Baala błąkającego się po knajpach i szpitalach w oczekiwaniu na śmierć.

W tych ostatnich wędrówkach towarzyszy mu najwierniejszy przyjaciel Ekart, którego zabije.

„Znakomity Janusz Gajos alkoholizm Ekarta umiał przenieść w wymiar egzystencjalny. Mimo jednak wspaniałej gry obu aktorów druga część *Baala* robi wrażenie smutnej i ciągnącej się w nieskończoność" (Agnieszka Baranowska, *O uwodzeniu aniołów*, „Kultura" 1985, nr 28).

„A przedstawienie? Z pewnością należy ono do interesujących zjawisk nowego sezonu. Zbigniew Zapasiewicz jest u szczytu formy, zdumiewa nas od nowa jego potencjał artystyczny, skala możliwości. Kontrast Baala agresywnego i Baala cierpiącego, poniżonego staje się w jego ujęciu bardzo wyrazisty. Na drugim miejscu Janusz Gajos w roli Ekarta: ładny to i nowy ton w dorobku tego aktora. Czy jednak Ekart jest jednocześnie Mefistem Baala? Czy sam Baal jest raczej człowiekiem dojrzałym, zmierzającym w stronę starości? – to tajemnice reżyserii Piotra Cieślaka" (Michał Misiorny, *Brecht, jakiego nie było*, „Trybuna Ludu" 1985, nr 28).

Najpełniej opisała to przedstawienie Bożena Winnicka. „Zapasiewicz gra Baala, który ani nie prowokuje, ani nie demonstruje. Nawet nie sprawdza zła tego świata. On wie, że żyje w plugawym trzęsawisku, a ludzie taplają się w nim, równie plugawi i obrzydliwi. Niewinność, miłość, przyjaźń – to pozór. Wszystkie wartości są wątpliwe. Każdego można zdeprawować, utaplać w błocie. Nie trzeba sobie zadawać wiele trudu. Wystarczy tylko wyciągnąć rękę. Jedyne więc, co pozostaje, to nienawiść. Do świata za to, jaki jest, a na którym przyszło się narodzić. I do siebie także. Baal Zapasiewicza rzeczywiście «żyje wrogością», żywi się wrogością. Zaciekłą i prawdziwą. Nie wymyśloną. Brzydzi go świat, brzydzi człowiek. I usiłuje to udowodnić. Nie sobie, lecz ludziom. Oto motywacja wszystkich świństw, jakie popełnia bez skrupułów, bez wyrzutów i bez okrucieństwa. Jego amoralność nie jest buntem. To postawa. Czym jest bowiem w istocie człowiek? Odrażającym potworem, który na domiar złego żyje złudzeniami: bawi się życiem, żąda szczęścia, pragnie wolności. I wierzy, że to już ma lub osiągnąć może. W rzeczywistości zaś żyje między gwiazdami a bagnem. Głupotą jest patrzeć w gwiazdy, nie zauważając bagna. Baal Zapasiewicza wie, że szczęście nie istnieje, wolność jest niemożliwa, życie zaś upływa w gorzkiej świadomości nieustannego przemijania i ciągłego nienasycenia.

Są wprawdzie jakieś «zielone pola», po których błądzi Ekart. Świetna to rola Janusza Gajosa. Ściszony, skupiony, niemal nieruchomy, w jego wewnętrznym spokoju tkwi pewność, że dobro jest, istnieje, ma smak wolności, która jest szczęściem. Baal musi więc zabić Ekarta – jedyny dowód, że jego wyzywający nihilizm może być pomyłką. Jako filozofia i jako sposób na życie także" (Bożena Winnicka, *Między gwiazdami a bagnem*, „Życie Literackie" 1986, nr 10).

Przytoczyłam tak długie fragmenty opisu przedstawienia nie bez powodu. Pokazują bowiem skalę i rangę problemów, jakże różną od tych zawartych w sztukach bulwarowo-rozrywkowych dominujących na naszych scenach. Klasa literatury dramatycznej przesądza o klasie aktorstwa, a przynajmniej stawia wysokie poprzeczki do pokonania. To też niemało.

Z następną rolą, a właściwie dwiema, zdarzyła się aktorowi pewna przygoda.

■ Kiedyś Hübner wezwał mnie do gabinetu i dał dwa teksty: *Ławeczkę* Aleksandra Gelmana i *Nawróconego w Jaffie* Marka Hłaski, do wyboru. Bardzo się poczułem dowartościowany; już miałem ponad czterdzieści lat, a wciąż mi się wydawało, że jestem młody. W każdym razie nikt jeszcze mnie tak elegancko, po partnersku nie potraktował. Przeczytałem uważnie obie sztuki i powiedziałem, że jeśli już mogę wybierać, to wolałbym zagrać Roberta u Hłaski, ponieważ wydaje mi się postacią ciekawą, trochę zwariowaną, jakiej jeszcze nie grałem. „No dobrze – odpowiada Hübner – zagra pan obie role". On wiedział, że Hłasko daje materiał na ciekawe i potrzebne wtedy przedstawienie, i chciał je dać do roboty

obsada
ONA Joanna Żółkowska
ON Janusz Gajos

ALEKSANDER GELMAN

Przekład: Jerzy Koenig

SKAMIEJKA

ŁAWECZKA

TEATR POWSZECHNY W WARSZAWIE MAŁA SCENA 1986

inspicjent i sufler
Teresa Brzostowska

reżyseria
Maciej Wojtyszko
scenografia
Wiesława i Allan Starscy

22.VII

prapremiera polska

młodemu reżyserowi. Jednocześnie wiedział też, że *Ławeczka* będzie hitem. Miał rację, ludzie przez pięć lat walili jak do kościoła, zagraliśmy to dwieście pięćdziesiąt razy, a potem jeszcze nagraliśmy specjalnie dla telewizji.

Ławeczka Aleksandra Gelmana to historia z pozoru banalna. Dwoje bohaterów w czasie wolnym, gdy praca nie wypełnia pustki godzin i dni – Ona przychodzi na ławeczkę, by kogoś spotkać, choćby na jedną noc, najchętniej na zawsze; On także plącze się po parku wieczorową porą, szukając łatwych zdobyczy. Ona rozeszła się z mężem i sama wychowuje dorastającego syna. Pracuje jako kontrolerka jakości w fabryce skarpetek. O nim pozornie wiadomo mniej, poza tym, że jest kierowcą w bazie transportowej. Posługuje się zmyślonymi imionami – Jura, Kola, Aleksy, Fiedia – i dopasowuje do nich biografie. Ale i tak, im bardziej chce ukryć domowe perypetie z żoną i dziećmi, tym bardziej się odkrywa. Akcję zaś posuwa jej dociekliwość. Prowokuje, zachęca, pyta wprost, łapie za słowa, próbuje zedrzeć kolejną maskę. Zwłaszcza gdy rozpoznaje w nim faceta, z którym spędziła już noc jakiś czas temu. Spoza gry pozorów wyziera coraz bardziej ich samotność. Wyłania się zdegradowana egzystencja ludzi, którzy mimo wysiłków niewiele mogą w swym życiu zmienić.

Na Małej Scenie odrapana ławka, obok połamany kosz na śmieci i Ona (Joanna Żółkowska) w pretensjonalnej koronkowej bluzce pali papierosa. On (Janusz Gajos) pojawia się wejściem dla widzów, przeciskając się pomiędzy rzędami, czemu towarzyszy melodia niegdysiejszego przeboju *Kaczuszki*. W obcisłych dżinsach, skórzanej kurtce i szpanerskich okularach. W stanie wyraźnie wskazującym na spożycie: nie całkiem skoordynowane gesty, częste poprawianie fryzury. Przesadna elokwencja prowincjonalnego Don Juana. W miarę rozwoju parkowego romansu trzeźwieje. I staje się coraz bardziej tragiczny. Coraz bardziej zaplątany we własne kłamstwa, w gry z kobietą na ławce i zapewne podobne gry z żoną czy innymi. Coraz bardziej samotny, świadom, że jest autorem własnych niepowodzeń. Nie potrafi już tego zmienić. Nie wyprowadzi się z domu. Nadal będzie zdradzał żonę, by odreagować jej zaborczą dominację. Nadal będzie siebie i innych oszukiwał. Ona wręczy mu klucz do własnego mieszkania, ale on nie podejmie zobowiązań. Zbyt słaby, by stać się odpowiedzialny?

Kto napisze współczesną *Ławeczkę*?
Z Joanną Żółkowską w *Ławeczce* Aleksandra Gelmana, Teatr Powszechny

Mówiło się po tej premierze o mistrzostwie pary aktorów, o idealnych wykonawcach, fantastycznych rolach, kreacjach itd. Ale nie wszyscy byli tego zdania. „Dlaczego Fiedia kłamie, dlaczego coraz inaczej opowiada o swoim nieudanym życiu Wierze? Oglądając *Ławeczkę* w Teatrze Powszechnym, odnosimy wrażenie, iż wyłącznym powodem jest nieustanne pragnienie Fiedii, by ponownie i jak najprędzej znaleźć się z Wierą w łóżku. Powód taki oczywiście w sztuce istnieje. Ale każda z fantazji Fiedii posiada również «drugie dno», każda odsłania jakąś część jego obolałej osobowości, co już w spektaklu przebija się z trudem. Janusz Gajos pojawia się w czarnej skajowej marynarce, białej koszuli, okularach: jest miękki, kokieteryjny, kabaretowy. Wraz z jego wejściem z sugerowanego przez autora autentyzmu od razu następuje przesunięcie akcentów w kierunku konwencji buffo. Dośmieszającej sytuacyjny komizm sztuki, lecz mało przydatnej właśnie dla ukazania złożoności postaci. Gajos prezentuje cały repertuar zdziwionych min, przeciągłych jedwabistych spojrzeń, lecz interpretacyjny klucz, którym mógłby otworzyć przed widzem powikłania osobowości Fiedii, najwyraźniej wymyka mu się z rąk" (Jerzy Niesiobędzki, *Dramat z pozorami farsy*, „Fakty" 1986, nr 45).

„Poprzez kolejno nakładane maski – bezlitośnie zrywane przez partnerkę – Gajos prowadzi nas do prawdy o swym bohaterze, najpełniej odsłaniającej się w jednej z końcowych scen spektaklu, w przejmująco dramatycznym monologu. [...] Aktor – skulony na ławce, z łamiącym się od emocji głosem, kiwając się rytmicznie (jak to czasem można zaobserwować u osób psychicznie chorych) – gra człowieka świadomego życiowej porażki, pragnącego wyrwać się z dotychczasowych układów, człowieka, który jest jednak zbyt słaby, zbyt poobijany, by sam mógł w swej sytuacji cokolwiek zmieniać" (Andrzej Multanowski, *Przyjrzyj się, jak żyjesz, co robisz...*, „Teatr" 1986, nr 11).

Który z krytyków ma rację, dziś rozstrzygnąć można, oglądając wersję telewizyjną spektaklu, nakręconą w prawdziwym parku. W czasie czatu z Januszem Gajosem w „Rzeczpospolitej" widzowie pytali, dlaczego telewizja nie powtarza *Ławeczki*. No właśnie, dlaczego?

Druga z propozycji Zygmunta Hübnera – *Nawrócony w Jaffie* – nie stała się tak spektakularnym sukcesem, ale też spora liczba przedstawień i późniejsze przeniesienie do Poznania świadczą co najmniej o powodzeniu. Na pewno zaś o sukcesie Gajosa, w Poznaniu bowiem dał serię występów gościnnych, dla których przygotowano nową obsadę sztuki. Właśnie rola Roberta była główną atrakcją tego mądrego przedstawienia. Spoza sardonicznego humoru Marka Hłaski wyłania się bardzo smutne i pozbawione złudzeń spojrzenie na życie. Bohaterowie, Marek i Robert, dwóch inteligentnych facetów w średnim wieku, znaleźli się na dnie. Nie mają co jeść ani gdzie spać w sensie najbardziej dosłownym. Instynkt samozachowawczy każe im szukać jakiekolwiek zajęcia, byle przeżyć do wiosny. Wiosną

Plakat spektaklu w poznańskim Teatrze Polskim

MAREK HŁASKO

JAFFIE

NAWRÓCONY 3

zjawią się bogate turystki zza oceanu spragnione romansów. Wtedy się odkują. Łatwowierność (i szeroko otwarte serca) kobiet wzruszających się losem pokrzywdzonych przez los inteligentnych panów bywa bezgraniczna. Tymczasem jednak w Izraelu jest zima, więc obaj podejmują się każdej pracy za kawałek chleba i dach nad głową – przerabiają nowe dywany na stare persy, depcąc je po kilka godzin dziennie. Marek powoduje wypadek na zamówienie podejrzanego typa, pozwala się za parę groszy nawrócić misjonarzowi na katolicyzm, choć zawsze wyznawał tę właśnie religię. Robert znajduje sponsorów wymyślonego filmu, dość naiwnych i dość snobistycznych, by wdawać się z nim w kontakty i za nie płacić. Wszystkie te przygody pokazują tę stronę emigracji, o jakiej nikt nie myśli, decydując się na nią, tak jak wsiadając do samochodu, nikt nie podejrzewa, że mógłby ulec wypadkowi. One zdarzają się przecież tylko statystycznie.

Przedstawienie stało się sukcesem Janusza Gajosa także dlatego, że Piotr Machalica w roli Marka wydawał się znużony i znudzony swoją sceniczną egzystencją. Robert Gajosa był tym, który go do działania dopinguje, wymusza je wręcz, ale to znaczy, że sam wierzy w odmianę losu, choćby droga do niej wiodła na skróty, nie całkiem uczciwie. „Robert – znakomicie zagrany przez Janusza Gajosa – jest intelektualistą, a zarazem na wpół błaznem, na wpół filozofem" – pisał Bronisław Belusiak („Razem" 1987, nr 17).

Słusznie, ale wątpliwości nie ominęły niektórych recenzentów. „Hłasko był ironiczny, ale nie był śmieszny. Trudno stwierdzić, gdzie tkwi błąd. Po paru wspaniałych scenach, jak choćby rozmowa dwóch naszych rodaków-emigrantów na temat hamburgera, za pomocą którego jeden (Marek – Piotr Machalica) chce nauczyć drugiego (Roberta – Janusz Gajos) odpowiedzialności za swoje pomysły i marnotrawienie pieniędzy, następują sceny komiczne, wbrew nawet zamierzeniom aktorów starających się grać dyskretnie i z umiarem. Chociaż pierwsza część robi wrażenie lepszych lub gorszych skeczy, jednak na końcu przedstawienie wiąże się w całość. Po zabawie, jakiej dostarcza Gajos (świadomie lub nieświadomie) w scenach rozmów ubijania interesu ze Sponsorem (Kazimierz Kaczor) i jego żoną (Joanna Żółkowska), następuje gorzki finał. Złapany w potrzasku strumienia świetlnego mały, nieszczęśliwy, zrozpaczony wewnętrznie, a zewnętrznie poszukujący sukcesu Robert pointuje swoją filozofię życiową. W ostatniej minucie z komedii znów przechodzimy w dramat,

dramat ludzkiej egzystencji, w tragiczny los człowieka tułającego się poza miejscem swego dzieciństwa" (Agnieszka Baranowska, *Znowu szeleszczą*, „Kultura" 1987, nr 16).

„Gość z Warszawy nie zawiódł pokładanych w nim nadziei i uczynił z Roberta twór arcyludzki, na przemian budzący odrazę, współczucie i rozbawienie, a czasami nawet wszystkie te trzy uczucia jednocześnie! Co dziwniejsze – ten rajfur i marzyciel samą swoją obecnością demaskuje moralną nicość tzw. porządnych obywateli, jak np. w przypadku pary sponsorów. Oni także okazują się do kupienia" (Maria Mikołajczyk, *Każdy na sprzedaż*, „Gazeta Poznańska" 1992, nr 240).

Zaplanowana przez Zygmunta Hübnera premiera *Wujaszka Wani* Antoniego Czechowa odbyła się w maju 1989 roku, pięć miesięcy po jego przedwczesnej śmierci. Podczas tych kilku miesięcy w kraju wiele się zmieniło. Historia rosyjskich inteligentów z drugiej połowy XIX wieku miała posłużyć obrachunkom inteligenckich lat osiemdziesiątych wieku następnego. Współczesność klasyków polega na tym, że zapisane w nich słowa nabierają aktualnych sensów. Ale nie w tym przypadku. Aktorzy nie odpowiedzieli na pytania zadawane przez autora w jego najbardziej tragicznej sztuce. Ani na te pochłaniające polską inteligencję w czasie wielkich przemian roku 1989.

Już sama przestrzeń zrujnowanego domostwa pozbawionego otoczenia przyrody, która tak silnie współtworzy egzystencję bohaterów, stała się metaforą świata po katastrofie. A przecież w pierwszym akcie wszystko jest jeszcze na swoim miejscu. No, prawie. Samowar na stole przed domem, niania, kury, domownicy poruszają się od lat wyznaczonymi szlakami. Tylko rytm inny niż zwykle. Woda w samowarze kipi godzinami, obiad je się wieczorem, a kolację w nocy. Wizyta profesora Sieriebriakowa w domu szwagra przestawia najpierw rytm dnia, później życia. Bohaterowie jedzą, spacerują, a przede wszystkim rozmawiają. Zwykłe rozmowy, mniej lub bardziej istotne, sumują emocje dyktowane pragnieniami, oczekiwaniem, poczuciem krzywdy. Rezultatem jest wybuch rodzinnej awantury, a później gorzka świadomość przegranego życia. Po wyjeździe profesora i jego żony domownikom będzie jeszcze trudniej żyć; zostali pozbawieni złudzeń.

Narastająca ze sceny na scenę tragiczna świadomość klęski – klęski także na własne życzenie i z własnej winy każdego z bohaterów – nie została

Czasem dialog brzmi jak jazz.
Z Joanną Szczepkowską w *Wujaszku Wani* Antoniego Czechowa, Teatr Powszechny

pokazana w sposób porywający. „Pierwsza krótka scena Astrowa, Maryny, później Wani, rozegrana w zwolnionym, leniwym rytmie ma urodę, klimat, nastrój. Nie tylko rozmowy, ale wewnętrznego monologu. Gajos jest wprawdzie nieco zbyt plebejski jak na Astrowa, ale interesuje i zaciekawia. Zapewne odsłoni duszę dziwną, intrygującą. Ten nastrój pewnego napięcia utrzymany jest do końca pierwszego aktu. Mniej więcej. [...] Niepokoi nieco gęsty opar beznadziejnego smutku i rezygnacji, jaki od początku rozlewa się po scenie, ale ciągle mamy nadzieję, że zostanie rozwiany, a w tych dymach uda się dostrzec barwy bardziej żywe. Nic z tego. Zioło popełnił bowiem podstawowy błąd. W pierwszym akcie zawarł wszystko, co miał do powiedzenia, od początku widzimy więc ruinę ludzi. Wszystkich, poza Maryną i parobkiem oczywiście. Aktorom pozostaje więc tylko jedno: przez trzy długie akty rozprowadzać i rozcieńczać to, co dobitnie, w niemałym stężeniu zagrali w pierwszym" (Bożena Winnicka, *Zamiast życia wieczne skomlenie*, „Życie Literackie" 1989, nr 37).

To chyba najbardziej precyzyjny opis tego przedstawienia. Niestety, tak to wyglądało, by już nie wdawać się w pomyłki obsadowe. Astrow Gajosa pomyłką nie był, jednak jako postać najbliższa autorowi (też lekarz) czy wręcz wyrażająca wiele jego przemyśleń nie przekonał. Ale w teatrze tak bywa – świetny tekst, świetni aktorzy, reżyser i scenograf, a nie wyszło. Powstało poprawne przedstawienie, które nie stało się wydarzeniem. Czechow jest wyjątkowo trudnym autorem, kusi i bardzo rzadko się udaje. Na palcach można policzyć realizacje wybitne.

Tym bardziej szkoda, że reżyser miał w ręku co najmniej asa. Po sukcesie *Ławeczki* Janusz Gajos stał się aktorem uwielbianym przez publiczność. Inaczej mówiąc, pełnił funkcję haka. Wiem, nie jest to określenie eleganckie, ale po pierwsze prawdziwe, po drugie wyróżniające. Nie kto inny, tylko Zygmunt Hübner sformułował w jednym ze swoich felietonów teorię haka. Aktora, na którego chodzi publiczność, dla którego planuje się repertuar, na którym „wisi" teatr. Na Astrowie Gajosa, oprócz Władysława Kowalskiego w roli Wani, miał „wisieć" przecież cały *Wujaszek Wania* Czechowa. Ironia losu sprawiła, że Janusz Gajos stał się filarem zespołu, albo właśnie hakiem w pełnym tego słowa znaczeniu, gdy pracował w Teatrze Powszechnym noszącym imię Zygmunta Hübnera. Był to okres prawie trzykrotnie dłuższy niż ten współpracy z patronem teatru.

WYJŚCIE NA PROSTĄ

■■■ Kiedy poznałem Kazimierza Kutza, miałem już sporo doświadczenia. On jest, jak często powiadam, człowiekiem, dzięki któremu wychodzi się nagle na prostą i przebiega po niej kawał życia. *Opowieści Hollywoodu* dały głośno znać wielu ludziom, że jest taki aktor, który potrafi więcej, niż się po nim spodziewano (*Wszyscy podejmujemy ryzyko*, rozmowa z Beatą Matkowską-Święs, „Gazeta Telewizyjna", dodatek do „Gazety Wyborczej", 13–19.04.2001).

„Spore doświadczenie zawodowe" obejmowało ponad dwadzieścia lat pracy i właściwie jedną szufladkę: komediową. Janusz Gajos, któremu udało się po wielu latach uwolnić od wizerunku sympatycznego i zawadiackiego Janka Kosa, tym razem zaczął się kojarzyć z postacią woźnego Tureckiego z kabaretu Olgi Lipińskiej. Nic nie wskazywało na to, że się z tego komediowego *genre*'u wyzwoli.

■■■ Miałem nawet ukryty żal do losu, do reżyserów, ale trudno się z takim żalem obnosić i opowiadać: „Proszę, mam jeszcze parę piszczałek w duszy". A Kazio Kutz swoim nosem, jakąś nadwrażliwością, wyczuł te piszczałki i je wykorzystał. Jako jeden z nielicznych reżyserów podjął ryzyko pracy ze mną wbrew panującej opinii. Trzeba było dużej i nieschematycznej świadomości zawodowej reżysera, żeby zaproponować mi rolę z innej działki. Kazio, obserwując mnie z boku, potrafił zobaczyć coś innego; takie spojrzenia „pod włos" należą w naszym zawodzie do najcenniejszych, bo bardzo, bardzo rzadkich.

Opowieści Hollywoodu Christophera Hamptona to historia z życia sławnych niemieckich i niemieckojęzycznych pisarzy, którzy po dojściu do władzy Hitlera w 1933 roku zostali zmuszeni do opuszczenia ojczyzny albo sami wybrali emigrację. Thomas i Heinrich Mannowie, Bertolt Brecht, Lion Feuchtwanger, Hermann Broch, Franz Werfel jak wielu innych artystów podczas ostatniej wojny znaleźli schronienie w Ameryce. Historia kilku trudnych lat, obfitująca w wiele groteskowo-tragicznych sytuacji, kiedy owi wybitni pisarze zostali zatrudnieni w hollywoodzkich wytwórniach filmowych jako scenarzyści, jest tu opowiadana przez węgiersko-austriackiego pisarza Ödöna von Horvátha. Autor, korzystając z *licentia poetica*, podarował mu jeszcze kilkanaście lat życia. Naprawdę Horváth zginął w zupełnie absurdalny sposób: na paryskim Champs Élysées został w czasie burzy przywalony konarem kasztanowca, gdy w 1938 roku pojechał podpisać kontrakt z francuskim tłumaczem Amandem Pierchalem i niemieckim producentem Robertem Siodmakiem, który chciał sfilmować jego powieść.

Janusz Gajos w roli Ödöna narratora ma ciepło i wdzięk, gdy relacjonuje zdarzenia i wtedy gdy bierze w nich udział. Jednocześnie zdradza ton wyrozumiałej, acz bezwzględnej ironii, mierząc wszystkie postacie, jakie go otaczają, najzwyklejszą miarą – ludzkiej przyzwoitości. Dzięki temu ukazują się one nie tyle w krzywym zwierciadle, ile w skali sumienia. A że są to prawdziwe postacie wielkich pisarzy w prawdziwych okolicznościach, tym rzecz bardziej przejmująca. Ich codzienne zachowania przeczą ideom zapisanym w dziełach, albo przeciwnie, wbrew biedzie i poniżeniu ujawniają heroizm postawy moralnej, jakiego w czasie emigracyjnej tułaczki trudno byłoby się spodziewać.

Ot, choćby Heinrich Mann (świetna rola Jerzego Bińczyckiego), stary już pisarz, zagubiony w obcym świecie, zmuszony jak inni do zarabiania na życie pisaniem scenariuszy do hollywoodzkich filmów. Witany był jako wuj Golo Manna (który nie napisał żadnej książki!), czyli człowiek niemal anonimowy, nikt nie pamiętał o jego dorobku. „Cała moja sława w tym kraju stoi na nogach Marleny Dietrich" – mówi w pewnym momencie z goryczą; dla Amerykanów pozostał tylko autorem scenariusza do filmu *Błękitny anioł*, zrealizowanego według jego powieści *Profesor Unrat*. A jednak właśnie on, zmęczony życiem mężczyzna zdradzany przez żonę, ocali swą godność dzięki własnej mądrości i prawości. W obronie swoich poglądów – odmówił bowiem wydania w Ameryce ocenzurowanej książki – gotów jest zapłacić ccnç upokarzającej biedy.

W najgorszych warunkach nie wyrzeknie się ani dobroci, ani tolerancji, dlatego rozumie, choć niewiele może jej pomóc, swą młodą żonę Nelly, żydowską barmankę z Berlina, dziwnym zrządzeniem uczuć i losu zaplątaną w świat literatury. Tragicznie rozdartą między żywiołowym temperamentem a potrzebą bezpieczeństwa. Postawę starego Heinricha głęboko szanuje Ödön Gajosa. Z poczucia zwykłej przyzwoitości nie chce uwieść mu żony mimo jej wyraźnych zachęt. Ale gdy Nelly prowokacyjnie dezawuuje fałsz wzniosłych idei i zakłamanie wielkich emigrantów, wyraźnie ją popiera. Ona jedna w tym zakłamanym światku ma odwagę ujawnić swe autentyczne uczucia, zarówno wtedy, gdy potrzebuje mężczyzny, jak i wtedy, gdy widzi taktykę stosowaną przez wielkich pisarzy, aby zachować i majątek, i twarz (znakomita w tej roli Monika Niemczyk). Heinrich Mann – wbrew przeciwnościom losu – zachowuje do końca wielką klasę, pozostaje wierny ideałom, jakie wyznawał jako pisarz. Zachowuje też szacunek potomnych, bo przecież tak można odczytać postać Ödöna von Horvátha, naprawdę nieżyjącego, lecz jakby oglądającego dzieje kolegów z niebieskiego balkonu.

Inaczej niż Heinrich zachowuje się jego młodszy brat Thomas, szacowny noblista, otoczony splendorami i pieniędzmi. Jego kabotynizm z lubością demaskuje Jan Peszek. Thomas, uważając wojnę za „kurację, którą przepisał doktor Nietzsche", gotów jest nagiąć swe poglądy do zmienionej sytuacji. Ubiera je w piękne słowa, tak by na wszelki wypadek nie przeszkodziły mu wrócić do kapitalistycznych Niemiec po wojnie w roli... prezydenta.

Oczywiście Bertolt Brecht z tego powodu uważa go za „ograniczonego impotenta" i „zasranego kunktatora". Słusznie. Ale sam – jako skończony megaloman („drugie miejsce mnie nie interesuje") – nie zauważa, jak mimochodem czynione wyznania dezawuują nie tylko jego własne komunistyczne przekonania, lecz zwykłą moralność. „W Moskwie nie mogliśmy dłużej zostać. Brakowało mi cukru. Musieliśmy zostawić moją... Gretę Steffin, była chora, musiała iść do szpitala. Umarła". Wprawdzie Brecht w tej okropnej „Ameryce, która jest cmentarzyskiem ducha", gdzie liczy się tylko handel, a „na każdym drzewie wisi metka z ceną", aby „nie tracić kontaktu z rozumem", przekłada *Manifest Komunistyczny* dwunastozgłoskowcem, lecz *Dzieła* Lenina wyrzuca w porcie do wody – ze strachu przed celnikami.

Henryk Bista – w robotniczym surduciku, z tępo obciętą grzywką, w małych okularkach – znakomicie pokazuje Brechta jako nadętego, cóż że inteligentnego, bufona z frazesem w ustach. „Wy naprawdę nie rozumiecie, że w teatrze nie wystarczy już objaśnianie świata, trzeba go zmieniać" – mówi w pewnym momencie, na co Horváth odpowiada z prostotą: „Pan naprawdę nie docenia ludzkiej inteligencji. Ludzie nie chcą dokładnych wzorców, nie chcą instrukcji. I tak przez cały dzień wysłuchują, co mają robić, toteż nikt nie chce iść do teatru, by znów słyszeć, co powinien robić. Ludzie chcą, żeby im mówić, jacy są".

I jeszcze jeden dłuższy cytat. W scenie z kochanką, żydowską scenarzystką Helen (Anna Dymna), Gajos, czyli Ödön, jeszcze źle mówiący po angielsku, opowiada jej o swoich sztukach:

„Horváth: – Nie, ja myźlę, ich nie można nazwać sztuki polityczne. Nie mówią o żadne konkretne... Themen...

Helen: – Sprawach?

Horváth: – Nie. I nie są na ideach Marksa, jak sztuki Brechta.

Helen: – Czyje?

Horváth: – Bertolta Brechta. To pisarz. Trochę więcej stary jak ja. Ja piszę o zwyczajnych ludziach, jacy są dziwaczni. Piszę o życiu, jakie ono żałosne jezd. Piszę o biedakak, o ignorantak, o ofiarach społeczeństwa, specjalnie kobietak. Lewicowcy zawsze atakują. Mówią: łatwy pesymizm. Tylko oni kochają lud, ale żadne ludzie nie znają. Ja znam ludzie. Znam, jak okropne są, ale i tak ich lubię. I także się okazuje, że moje sztuki były za mało pesymistyczne".

Oglądając widowisko Kazimierza Kutza, odniosłam wrażenie, że właśnie przytoczona wyżej wypowiedź bohatera *Opowieści Hollywoodu* charakteryzuje zarówno jego postawę, jak i metodę samego reżysera. Można powiedzieć, że akurat tak rzecz została przez Hamptona napisana z ogromnym wyczuciem efektu obcości, dystansem i ironią. Reżyser tylko ją znakomicie zrealizował. Przez częste zmiany planów filmowych, kontrastowanie nastrojów i scen (jak choćby tej intymnej Ödöna z Helen, przerwanej gwałtownym cięciem – wbiegnięciem Bisty–Brechta do studia) nadał sztuce dobre tempo oraz świetnie poprowadził role. I stworzył spektakl, którego tematem są postawy, moralne dylematy, wreszcie cierpienia emigrantów pokazane w brutalnie szczery sposób na przykładzie autentycznych losów wybitnych postaci europejskiej kultury. Spektakl pozbawiony jest jakiegokolwiek morału, dlatego tak bardzo poruszający.

Komentatorem świata przedstawionego jest Ödön von Horváth, który w rewelacyjnym wykonaniu Janusza Gajosa stał się jak gdyby *porte parole* i autora, i reżysera. Kimś, kto niesie przesłanie całego spektaklu. Uboczną, lecz dla aktora niezwykle ważną sprawą stało się poruszenie, jakie ten spektakl wywołał. Tak nie pokazywano do tej pory sławnych autorów, zwłaszcza w Polsce, gdzie pisarz to zwykle ktoś wybrany, kto dźwiga na sobie dumne posłannictwo, jest przewodnikiem narodu, sięga po rząd dusz dla realizacji wyższych celów itd. Po emisji *Opowieści* zaczęto mówić, że Gajos znalazł sposób grania pisarza, przeciw czemu on sam dość stanowczo oponuje.

▆ Zagrać pisarza jest bardzo trudno, gdyż coś takiego nie istnieje. Nigdy się nie przejmuję tym, czy gram pisarza, lekarza, hydraulika, ponieważ zawsze gram człowieka. Jeśli z faktu uprawiania zawodu wynikają jakieś konsekwencje, to zwykle są one zapisane w tekście. Aktor szuka prawdziwych problemów: jaki to człowiek? jak reaguje? jak odbiera świat? To, jaki zawód wykonuje bohater, jest rzeczą drugorzędną.

Janusz Gajos woli mówić o samym rzemiośle.

▆ Jedną z furteczek czysto zawodowych, które próbowałem wówczas otworzyć, był sposób używania języka. Miałem zagrać kogoś, kto źle mówi po angielsku, z tym że na początku roli mówi bardzo źle, a potem trochę lepiej. Można to było robić tak, jak się to przeważnie robi, używając złych przypadków, słów w złej formie czasu, tak jak to zresztą zostało przetłumaczone. Ja próbowałem znaleźć trochę inne ścieżki. Po nocach, w hotelu, bo z Kutzem pracuje się tak, jakby zawsze był pożar, ćwiczyłem, jak się źle mówi po polsku. Przestawiałem podmiot z orzeczeniem, zmieniałem czasy i znaczenie słów, jak to się zdarza komuś, kto dosłownie tłumaczy zwroty z własnego języka na obcy. Chciałem, by kwestie Horvátha brzmiały prawdopodobnie i zarazem śmiesznie. Język mówiony i pisany bardzo się różni, to oczywiste, ale dla aktora, który przede wszystkim mówi, najmniejsze niuanse, modyfikacje słów, akcenty są bardzo istotne, one określają charakter postaci. Byłem zresztą niepewny tych zabiegów, nie chciałem, by były odczytane jako jakieś sztuczki, sposoby, ale reżyser mnie uspokajał.

Słusznie. Z emisją spektaklu wiąże się słynny telefon Tadeusza Łomnickiego do Kazimierza Kutza. „Kaziu, czy ty wiesz, kto to jest Gajos?". „Nie, Tadziu, kto?". „Jak to kto? To ty nie wiesz? Gajos to jest wieeeelki aktor!!!" – padła odpowiedź tubalnym głosem innego wieeeelkiego aktora.

Ponieważ bez udziału reżysera żaden aktor nie stworzy arcydzieła, warto powiedzieć kilka słów o tym, jak pracuje Kutz, ponieważ aktorzy w jego spektaklach uzyskują jako postacie inny wymiar. Ważne więc wydaje się spojrzenie reżysera. Podobnie jak Horváth pozostaje on we wszystkich swoich pracach ironicznym świadkiem zdarzeń, unika wszelkiej ideologii, świadomie wybiera bezstronną, behawiorystyczną obserwację życia.

Bohater nie jest opisany przez reżysera, lecz przez niego pokazany w różnych sytuacjach, charakteryzowany nie poprzez literaturę, lecz przez działanie, w żywych reakcjach na innych. Stąd też jego spektakle mają ogromną energię wewnętrzną, bez fałszu ujawniają sprzeczności ludzkiej natury. Postacie, jakie aktorzy tworzą na małym ekranie, nie są dzięki temu płaskie i jednoznaczne, lecz właśnie dziwne i niepowtarzalne, choć przecież nie można im odmówić prawdy przeżycia czy psychologicznie umotywowanych reakcji. Bez względu na to, jak bardzo burzą one potoczne wyobrażenia dobrego smaku, obyczaju czy po prostu konwencjonalne przyzwyczajenia widzów karmionych grzecznym teatrem. Reżyser wraz ze swymi aktorami – pokazując prawdę o rzeczywistej wartości bohaterów – poszerza wciąż granice intymności, dociera do tego, czego jeszcze nie pokazywano w podobny sposób.

Wystarczy tu przypomnieć choćby inną sztukę – *Kolację na cztery ręce* Paula Barza. Z woli autora w roku 1747 do uczty zasiedli Jan Sebastian Bach (Janusz Gajos) i Fryderyk Jerzy Haendel (Roman Wilhelmi), obsługiwani przez kamerdynera Schmidta (Jerzy Trela). Oto wysmakowana sceneria tej kolacji autorstwa Bolesława Kamykowskiego: rzęsiście oświetlony świecami stół uginający się pod srebrami pełnymi wykwintnego jadła i trunków, barokowe złocenia na szarych ścianach. I kontrastujący z tym sposób jedzenia tychże potraw. Wielcy kompozytorzy, nie dbając o sztućce, spożywają dania palcami, mlaskają, mówią z pełnymi ustami, oblewają się winem, sosami, „paprzą" eleganckie stroje, lecz nie przerywają przy tym subtelnych rozważań o muzyce. Sztuka kompozycji rozpala ich mózgi i namiętności; choć z początku udają, że nic o sobie nawzajem nie wiedzą, to przecież każdy z nich zna utwory rywala do najdrobniejszej nuty.

▩ Pamiętam pierwsze wejście Bacha; miałem zagrać je tak, by zawierało wszystko, co jest w tym człowieku i za chwilę się ujawni, wszystkie jego kompleksy i świadomość własnej wielkości, i zazdrość wobec rywala, i obrzydzenie wobec niego, i poczucie, że rozumie muzykę nie gorzej od niego, choć los skąpi uznania. Od tej sceny potem się odbijałem.

Miło popatrzeć, jak butny, witalny, brutalny wobec kamerdynera Haendel tężeje i cierpi, gdy cichy, skromny Bach, który przyszedł na kolację w nicowanym, ale wciąż najlepszym surducie, gra *Wariacje Goldbergowskie*. Ten piękny koncert dzieli reżyser na parosekundowe ujęcia: kamera przeskakuje z siedzącego za klawesynem Bacha, z uduchowioną twarzą zatopionego w muzyce, na wykrzywione bolesnym grymasem oblicze Haendla. Niedojedzone resztki, napoczęta butelka i znów twarze – rozanielona Bacha, stężała w bólu i zawiści Haendla, rozpromieniona kamerdynera. W takich momentach najlepiej widać, jak Kutz – łącząc ruchliwość kamery śledzącej intymne reakcje postaci z szerokim jak w teatrze planem grania – uzyskuje nową jakość. Właściwy telewizji język sztuki, inny niż kino uciekające w widowiskowość czy teatr zbyt odległy, by przekazać tak subtelnie niuanse psychologiczne.

Pojedynek na muzykę pozostaje w końcu nierozstrzygnięty; obaj kompozytorzy, obżarci i upici, w pojednawczym uścisku oddalają się chwiejnym krokiem po pięknej, bogato intarsjowanej podłodze. Rozbrzmiewający zza kadru *Mesjasz* Haendla, choć stworzył go człowiek zepsuty i zawistny, pozostaje utworem równie genialnym jak *Pasja św. Mateusza*, napisana przez poczciwego kantora, który żył w ubóstwie i pośród harmidru dzieci rozwiązywał problemy kompozycji. Los nie stosuje się do reguł moralności; wcale nie jest tak, że tylko szlachetni mają talent, a źli skazani zostają na poniewierkę. Bywa, że geniusz dosięga największych rozpustników

i nicponi, pozwalając im pławić się w dostatku, podczas gdy ludzie uta-
lentowani i dobrzy żyją w udręce. Zatem żadnego pocieszenia, prawdzie
można tylko spojrzeć w oczy.

Kazimierz Kutz, poszukując wciąż drażliwych tematów, zainteresował się
literaturą powstałą w Związku Radzieckim. Rewolucja przewróciła życie
Rosjan do góry nogami, dostarczyła nieprzewidzianych doświadczeń jed-
nostkom i całemu narodowi. *Samobójca* Mikołaja Erdmana ujrzał światło
dzienne dopiero po blisko siedemdziesięciu latach. Nie bez powodu zresztą.
W czasach zwycięskiej rewolucji, powszechnej kolektywizacji i zadekreto-
wanego entuzjazmu mas Erdman upomniał się o prawa jednostki – Siemiona Siemionowicza Podsiekalnikowa. Jak wielu podobnych mu inteligentów, zmiecionych wybuchem rewolucji z właściwego duktu historii
i zbędnych, Podsiekalnikow jednak żyje. W kołchozowym, zapuszczonym
mieszkaniu, wśród rozwalających się sprzętów, gdzie nic do niczego nie
pasuje, a nędza szczerzy zęby. Cóż to za życie, podszyte bezustannym strachem, który potęgowany był przez byle szmer, skrzypnięcie, ruch współ-
lokatora. Sienia Podsiekalnikow wie, że ten strach można pokonać tylko

Trudno sobie wyobrazić, że jest się własną duszą.
Samobójca Mikołaja Erdmana

wolą trwania, dlatego śni mu
się po nocach pasztetówka,
tandetny erzac życia. Metafizyczny lęk – „Czy w państwie
masy mas będzie istniało życie
pozagrobowe?" – Sienia zagłu-
sza pasztetówką. Je łapczywie,
nieestetycznie, za to z rozkoszą. Kolejna doskonała rola
Janusza Gajosa, tylko pozornie łatwa.

█ Podsiekalnikow jest postacią złożoną z różnych gatun-
kowo elementów, z których
musiałem ulepić przekonu-
jącą całość. Z jednej strony jest

inteligentem, jednym z tych po rewolucji „zbędnych" ludzi, z drugiej zaś autor napisał tę postać w konwencji groteskowej. Prawdopodobieństwo życiowe podpowiada, że człowiek inteligentny jakoś daje sobie radę w życiu, przynajmniej próbuje racjonalnych rozwiązań. Podsiekalnikow przeciwnie, nagle postanawia, że będzie utrzymywał siebie i rodzinę jako muzyk, choć wie, że nigdy nie nauczy się grać na trąbie. To są rzeczy wymyślone na użytek formy i tę formę trzeba znaleźć. Wymyśliłem sobie specjalny sposób mówienia, a reżyser nie dyskutował nad moim „wynalazkiem", tylko go po prostu zaakceptował.

Potem był moment, gdy Podsiekalnikow jest pijany... znajdują go na „drodze historii" i taszczą do domu jako trupa, a on budzi się na marach, czym przeraża żałobników i rodzinę. Zawsze jest śmiesznie, gdy facet przebierze się za babę, no i każdy aktor potrafi zagrać pijanego. Zapytałem Kazia, jak mam grać to pijaństwo, bo tak po prostu to może będzie za mało szlachetnym środkiem, chciałem coś tu wymyślić. A on powiedział tylko: „Graj tak urżniętego, jak sam w życiu nie byłeś". „Tak? Na pewno tak? Ja to umiem, na całość?". Poparty autorytetem reżysera, wszystkie swe umiejętności włożyłem w pijaństwo bohatera. Nawet statyści mnie zapytali, czy przypadkiem nie chlapnąłem sobie czegoś dla kurażu, i musiałem wyjaśniać, że chętnie wypiję, ale po pracy.

Erdman wiedział, że w czasach, jakich był świadkiem, „to, co pomyśli żywy, może powiedzieć tylko martwy", więc postanowił, że jego bohater popełni samobójstwo. Jednak w nowym społeczeństwie nie można tak po prostu się zabić, bo ma się wszystkiego dość. Jeśli już ktoś decyduje się na krok ostateczny, powinien to uczynić w imię wyższej idei; o nią zadbają inni, stawiając się u Podsiekalnikowa z propozycjami.

Pożegnalny bankiet, ozdobiony transparentem z napisem „Wisielczak", staje się metaforą społeczeństwa. Już sama knajpa, przypominająca przepychem i monumentalną kolumnadą stacje metra, te świątynie socjalizmu, daje wyobrażenie proporcji między jednostką a wielką ideą. Nieprzytulność i obcość można pokonać tylko alkoholem. Wszyscy bankietowicze zagłuszają wielką pustkę, jaka ich dzieli od historii, piciem i żarciem *à la manière russe*. Czekają na samobójczy strzał Podsiekalnikowa, podczas gdy on, co chwila pytając o godzinę, szampanem tłumi metafizyczny strach. „Czy życie pozagrobowe i dusza istnieją? Według religii – tak, według nauki – nie, a zgodnie z sumieniem – nie wiadomo". Niezdolny więc do rozstrzygnięcia podstawowych kwestii wychodzi samotnie z rewolwerem na „drogę historii", skąd zostaje, pijaniuteńki, przytaszczony do domu. Po wielu perypetiach z własnym zgonem już na trzeźwo biegnie do kuchni, gdzie z radością odnajduje zawiniętą w gazetę... pasztetówkę. Mimo wszystko symbolizuje ona pochwałę życia, jakkolwiek by ono było żałosne i beznadziejne. Pochłania więc ją żarłocznie, z radością, budząc nieme zdumienie małej dziewczynki o smutnych oczach, która przypadkiem przygląda się tej manifestacji witalności.

Kazimierz Kutz, zachwycony pracą z Januszem Gajosem, który umie wszystko, opowiadał w wywiadach, że właśnie w tej scenie aktor wzniósł się na orbitę metafizyki. Aktor jednak konsekwentnie odrzuca aż tak pochlebne interpretacje.

▄▄▄ Kazio tę dziewczynkę wymyślił, nie było w tekście takiej postaci, ale nie wiem, czy jej obecność na planie poruszyła we mnie coś, co pozwoliło mi zmienić stosunek do zawodu. Na pewnym etapie pracy, gdy myśli się o tekście, uruchamiają się bardzo prywatne odczucia, ocena postaci, uznanie jej za bliską sobie lub zupełnie odległą. Dzieje się to wówczas, gdy próbuję sobie wyobrazić daną postać, jak wygląda, jak się rusza, jak się odnosi do świata. Posłużę się jeszcze przykładem Podsiekalnikowa. On ma taki piękny monolog, gdy pyta: Czy jest dusza, czy jej nie ma? Bo potem będzie tylko jedno pif-paf i co, nic? Nie ma słońca, nie ma żony? Gdy się to czyta, jest to dość zwyczajne opowiadanko, rzecz w tym, by wyobrazić sobie, że się jest własną duszą.

Ale gdy się już nagrywa, nie ma miejsca na takie rzeczy, zostaje zimna kalkulacja: jak – zachowując całą świadomość – najlepiej pokazać wymyślonego przez siebie człowieka komuś, kto na to patrzy.

Podobnie zimną kalkulację stosuje się nawet tam, gdzie – wydawałoby się – należałoby być najbliżej rzeczywistości. Myślę o filmie Kazimierza Kutza *Śmierć jak kromka chleba*, poświęconym tragedii w kopalni „Wujek" w pierwszych dniach stanu wojennego. Bezpośrednią przyczyną strajku stała się obrona sponiewieranego kolegi, przewodniczącego zakładowej

Pierwszy raz w życiu byłem w prawdziwej kopalni.
Śmierć jak kromka chleba Kazimierza Kutza

Solidarności, który został wywleczony z domu w nocy i pobity jak pospolity przestępca. W sprawie jego uwolnienia delegacja górników udaje się po poradę do księdza na plebanię, a dopiero później zapada decyzja o strajku. Film Kutza, z założenia zbliżony do dokumentu, odtwarza krok po kroku wydarzenia trzech dni po 13 grudnia 1981 roku. Zakończyły je, jak wiadomo, wtargnięcie oddziałów ZOMO na teren okupowanej przez strajkujących górników kopalni i śmierć dziewięciu z nich.

Twórcy przyjęli dosyć radykalne założenie artystyczne i bohaterem filmu miała być i była ludzka zbiorowość. Strajkujący górnicy skazani na siebie przez kilkadziesiąt godzin, poddani niezwykłej presji z zewnątrz i wewnątrz. Nie było więc bohatera, z którym widz mógłby się utożsamić, poczuć do niego sympatię i śledzić jego losy na tle wydarzeń, jak to się dzieje w większości filmów. Kilkoro zawodowych aktorów – Jerzy Trela, Jan Peszek, Jerzy Radziwiłowicz, Janusz Gajos, Teresa Budzisz-Krzyżanowska, Anna Dymna – musiało wtopić się w ten bezimienny tłum.

Jednak sztuka różni się od rzeczywistości i film musiał zostać „skażony" artystycznie. Owo skażenie najlepiej pokazać na przykładzie roli Janusza Gajosa. Zagrał on inżyniera nadzoru, który jako jedyny z ekipy kierowniczej przystąpił do strajku. Ale, jak mówi, punktem odniesienia był dla niego przede wszystkim scenariusz, nie autentyczna postać, człowiek żyjący do dziś. Dla zmiany zaś ponurego klimatu znalazła się scena, kiedy to działacze kopalnianej Solidarności próbują w obawie przed rewizją wynieść z pokoju dokumenty i bibułę. Inżynier grany przez Gajosa wkłada kartki papieru do butów. Niestety przesadza, wychodząc z pokoju, wywraca się, budząc śmiech kolegów i widzów. Wyjmuje więc te kartki i wypycha sobie nimi biust. Ta sytuacja w rzeczywistości wyglądała być może inaczej, jednak w filmie została zrealizowana z dużą dozą prawdopodobieństwa. Życie nawet w najbardziej tragicznych chwilach objawia swoją drugą, komiczną stronę. I dopiero obie tworzą jego pełnię. Wydaje się, że Janusz Gajos zagrał w tej scenie tę drugą stronę rzeczywistości, w innych zaś człowieka, który z determinacją – podobnie jak górnicy – broni ludzkiej godności.

Wspiera działania załogi, pomaga formułować postulaty strajkowe i pozostaje solidarny z górnikami do końca, do masakry na terenie kopalni dwa dni później.

Role Janusza Gajosa stworzone we współpracy z Kazimierzem Kutzem pokazały, że stać go na więcej niż przypuszczano. Od tego czasu jest uznawany za jednego z najlepszych polskich aktorów. Nawet wcześniejsze role – stworzone pod okiem innych reżyserów, zrealizowane tak samo dobrze, wedle wszystkich prawideł zawodowego rzemiosła – nabierają rangi i znaczenia, jakby przekroczył Rubikon i coś się w jego życiu artystycznym zsumowało. W powszechnej świadomości z bardzo dobrego aktora stał się aktorem wybitnym. Nagle jego role zaczęły wyrażać coś więcej.

To coś, to, jak się wydaje, stosunek do świata, wywiedziony z zaufania do podstawowych kategorii etycznych. Poczucie proporcji i naturalna zdolność odróżniania dobra od zła. Jego postacie, ukazując bezmiar ludzkiej samotności i cierpienia, jednocześnie dają nadzieję, że normalność jest możliwa, że mężczyzna może być mężczyzną, a dobroć czy szlachetność nie są pojęciami z innej planety. Oglądając bohaterów Gajosa, ma się poczucie, że świat normalnieje, że można przeżyć życie godnie, bez zbędnych słów i deklarowanego patosu, kierując się zwykłą ludzką przyzwoitością. Zarówno zachowania, jak i wybory jego bohaterów są zrozumiałe, prawdziwe, choć wcale nie banalne. To, w jaki sposób mierzą się z losem, jak reagują na konkretne sytuacje, uświadamia, że każdy z nas, widzów, może zdobyć się na gest ocalający godność, przywracający, choćby na chwilę, poczucie harmonii ze światem.

▬ Bardzo ważne, by przy pracy mieć zaufanego i inteligentnego partnera. Kogoś, kto powie, czy to, co robię, jest w porządku, czy też nie. Pracując z Kaziem Kutzem, mam poczucie bezpieczeństwa, wiem, że poruszamy się w podobnym systemie wartości. On nie zawsze jest grzecznym chłopcem, potrafi domagać się swego i jeśli czegoś nie akceptuje, to mówi, zmienia. Ale też przyjmuje argumenty. Nie zawsze aktor ma na planie tak dobrego partnera, fachowca, nierzadko zostaje sam i musi się jakoś obronić.

Chyba nie bez znaczenia jest fakt, że obaj – reżyser i aktor – pochodzą ze Śląska. Z regionu ukształtowanego wyjątkowo silnie przez etos pracy, który określał przez wieki stosunek ludzi do siebie, rodziny, miejsca, gdzie się pracuje i gdzie się żyje. Prostolinijność, uczciwość, zaufanie oraz bardzo specyficzne poczucie humoru na pewno obu do siebie zbliżają. Pozwalają rozumieć się bez słów i tworzyć na ekranie światy rzadko spotykane gdzie indziej.

Za Kutzem poszli inni. W roku 1987, gdy odwaga jeszcze nie staniała, a przekonanie o konieczności obrony własnych poglądów było bardzo silne, Janusz Gajos zagrał rolę niewielką, ale w ważnym spektaklu – Strażnika w *Antygonie* Jeana Anouilha w reżyserii Andrzeja Łapickiego. Napisana w 1942 roku sztuka przypomina o postawie Antygony, która wbrew zakazom panującego króla, a zgodnie z odwiecznym prawem religii, pochowała swego brata Polinika. W dramacie francuskiego autora ważniejsze niż wierność bogom i ich przykazaniom staje się odważne głoszenie własnych przekonań, bohaterska apoteoza indywidualizmu. Joanna Szczepkowska jako Antygona grała współczesną dziewczynę, która wbrew Kreonowi (Andrzej Łapicki) stara się pokonać strach i zachować godność. Atmosfera społeczna po zniesieniu stanu wojennego była bardzo wyczulona na przejawy

wierności ideałom, trzeba więc aktorskiej odwagi, by zagrać postać utoż-
samianą z władzą. A taką był Strażnik na dworze Kreona.

Janusz Gajos, wówczas już uznany za wybitnego aktora, mógł sobie
pozwolić na granie potworów moralnych bez obawy o narażenie na szwank
własnego wizerunku i czynić to w sposób fascynujący.

Problemy moralne *Antygony* wydają się „łagodne" w porównaniu z ukaza-
nymi w sztuce Edwarda Radzińskiego *Teatr czasów Nerona i Seneki*. Zawiera
ona nie tylko spojrzenie współczesnego dramaturga na historię czasów
starożytnych, ale przede wszystkim próbę opisania współczesności poprzez
odwołanie się do modelowych niejako postaw. Neron – którego zagrał Gajos
– cesarz rzymski, morderca swej żony, matki i brata, zwyrodnialec odpowiedzialny za masowe prześladowania i mordy chrześcijan, a jednocześnie miłośnik i znawca sztuki – to jedna z najbardziej okrutnych, a jednocześnie fascynujących postaci świata starożytnego.

Protoplasta wielu dyktatorów był wychowankiem Seneki – filozofa,
stoika, moralizatora. Odpowiedzialnego za jego deprawację i amoralność. Dlaczego? Ponieważ milczał, gdy trzeba było krzyczeć, wolał być
rzeczywistym władcą Rzymu, niż poskramiać swego wychowanka.
A nade wszystko winny okrucieństwom Nerona był senat, który bez
dyskusji i sprzeciwu akceptował wszelkie decyzje buńczucznego młodzieńca, zamiast się im przeciwstawić. Obdarowywał zbrodniarza coraz
to nowymi godnościami, tytułami, z boskimi łącznie. Wszystko to działo
się pod płaszczykiem dobra ojczyzny. Rosyjski autor skonstruował postać
Nerona tak, by odsłonić psychologiczno-społeczny mechanizm, który je
umożliwiał.

„Przedstawienie w Dramatycznym było zręczną, błyskotliwą i aluzyjną
sztuką polityczną, natomiast przedstawienie telewizyjne jest ponadto studium osoby Nerona. Do zbrodni dochodzi on poprzez poznanie podłości
i zakłamania całego otoczenia, z Seneką włącznie; jego droga do tyranii jest
jednocześnie drogą do tyranii całego narodu rzymskiego. To właśnie pokazał Janusz Gajos w roli, która jest uwieńczeniem wszystkich jego dotychczasowych sukcesów. Oczywiście wielki udział w pogłębionej interpretacji
sztuki ma też Gustaw Holoubek – bodaj najlepiej predestynowany do roli
Seneki ze wszystkich aktorów polskich. Ale jednak *Teatr czasów Nerona...*

stał się w telewizji przedstawieniem należącym do Gajosa" (Grzegorz Sinko, *Co mogą aktorzy w Teatrze Telewizji*, „Teatr" 1988, nr 8).

„Wielki spektakl, wielki popis dwóch wspaniałych aktorów – Gustawa Holoubka i Janusza Gajosa. Gajos w roli Nerona! Wpaść na taki pomysł mógł tylko reżyser z wyobraźnią. Konstanty Ciciszwili nie musi już nikogo przekonywać, że wyobraźnię ma. Zrobił widowisko klasy światowej. [...] Sztuka Radzińskiego jest stworzona dla małego ekranu. Sądzę, że teatr żywego planu nie potrafiłby oddać jej klimatu tak, jak potrafi najazd kamery na twarz aktora. Twarz aktora... Twarz Gajosa patrzącego przez kraty na orgię seksualną w wykonaniu skazanych na rzeź, twarz Holoubka, kiedy się zastanawia nad słowem – to są już dzieła sztuki. Kiedy te dwie twarze wpisują się w taki tekst – sztuka nabiera wielkości. Ta sztuka jest wyraźnie uniwersalnym opisem władzy totalitarnej" (Bohdan Drozdowski, *Metamorfozy*, „Sprawy i Ludzie" 1988, nr 28).

„Na arenie rzymskiego cyrku dysputa: Nerona – Janusza Gajosa i Seneki – Gustawa Holoubka. Ranga tych dwóch aktorów jest bardzo ważna. Determinuje wagę argumentów i sens rozmowy. To już nie spektakl o starożytnym Rzymie. To racje nam współczesne i bliskie. Rozważna, wręcz konformistyczna postawa Seneki. Teoria mniejszego zła. Trzeba być lisem, jeśli nie można być lwem. Wpływ na władcę, milcząca zgoda na jego czyny, na jego zbrodnie może zaprocentować pozytywnie. Pozytywnie nie tylko dla Seneki, ale dla całego narodu, czyli ideologia kompromisu i ugody. Ale to teoria dająca się stosować tylko do pewnego momentu. Okrucieństwo Nerona wymyka się jakiejkolwiek kontroli. Uczeń uciekł spod wpływów nauczyciela" (Beata Gościk, *Teatr czasów Nerona i Seneki Edwarda Radzińskiego*, „Antena" 1988, nr 26).

Cytuję te opinie tym chętniej, że zaprzeczają podejrzeniom o idealizację mojego bohatera. Od połowy lat osiemdziesiątych recenzenci nie tylko zaczęli poświęcać Januszowi Gajosowi więcej miejsca, ale stawiać go też na równi z największymi aktorami naszych scen. Wypowiedź profesora Grzegorza Sinki, który już po *Przedstawieniu Hamleta...* Bréšana pisał o nim entuzjastycznie, wydaje się tu znamienna. Gajos jest już nie tylko popularny, sławny, lubiany przez publiczność. Zdobywa uznanie kolegów, a zadziwić własne środowisko o wiele trudniej niż „cywilów".

▰▰▰ W telewizji, gdzie – jak w teatrze – nie ma ciszy, tego poczucia panowania nad wyobraźnią widza i jego emocjami, którymi można zawładnąć, tworzenie postaci wydaje się jeszcze trudniejsze. Tu rolę się tworzy kawałkami i trzeba przewidzieć czy zaplanować reakcje widza oglądającego spektakl w domu, intymnie, ale też w mniejszym skupieniu niż na widowni przy zgaszonym świetle. Czasem pomagają reakcje ekipy czy reżysera, jeśli to jest człowiek, do którego ma się zaufanie. Bardzo ważny, bo zawsze potrzebne jest takie zimne oko, żeby ocenić, skorygować.

Na małym ekranie rodzi się więc aktor wielki, wspaniały, a to już inna jakość artystycznego istnienia. I swego rodzaju fenomen; do tej pory bowiem aktorzy wybitni rodzili się na deskach scenicznych. Przygoda Janusza Gajosa z telewizją, zwłaszcza udział w widowiskach Kazimierza Kutza, pokazuje, że potrafił on przekształcić to wyjątkowo trudne medium w dzieło sztuki o własnej estetyce i niepowtarzalnej sile wyrazu. Nie jest to mało.

BANDYCI PRZYCHODZĄ

Z KAPITALIZMEM?

Nieprawda, bandyci nie przychodzą z kapitalizmem. Oni oczywiście istnieją w każdym ustroju i pod każdą szerokością geograficzną, tylko socjalizm niejako ustawowo ich unicestwił. Podobnie jak prostytucja czy pornografia bandyci w Polsce Ludowej oficjalnie nie istnieli. W każdym razie przestępczość zorganizowana czy mafijne porachunki nie były tematem dla kina, ponieważ nie zatwierdziłaby go cenzura. A jeśli już się pojawiały, to jako poszczególne przypadki, w scenerii egzotycznej lub historycznej, ale nie współczesnej. Poniekąd słusznie, trudno zrobić kino akcji z bandytami walczącymi o malucha czy pół kilo wołowego z kością, na kartki. Filmowcy, zwłaszcza ci ambitni, wadzili się w swych utworach z dziedzictwem wojny, historią, mitami patriotyzmu, później z moralnymi pytaniami egzystencjalnymi, obyczajowością, nie zaś z gangsterami. Po 1989 roku zmienił się nie tylko ustrój, nasza rzeczywistość także. Pojawiły się wielkie pieniądze, a z nimi wielkie przestępstwa, przekręty i afery. Filmy, które zaczęły coraz śmielej przejmować wzory amerykańskiego kina sensacyjnego, gangsterskiego, zaczęły pokazywać świat coraz brutalniejszy, który był już i naszym światem.

Nie stało się to od razu, ale się stało, i to w sposób bardzo widowiskowy. W roku 1993 na Festiwalu Polskich Filmów Fabularnych pokazano *Szwadron* Juliusza Machulskiego i *Psy* Władysława Pasikowskiego. Oba filmy dzieli tematyka, sposób opowiadania, rodzaj aktorstwa – jakby pochodziły z dwóch różnych epok, choć kręcone były prawie jednocześnie. W obu Janusz Gajos ma swój wydatny udział, co jest o tyle znamienne, że wielu aktorów jego pokolenia nie znajduje miejsca dla siebie w nowych czasach.

Można powiedzieć, że jest aktorem dobrym na każdy czas i jak dobre wino
– im starszy, tym lepszy. Właściwie jest jedynym aktorem o takim poziomie
umiejętności zawodowych i takiej pracowitości – słyszałam to zdanie wypo-
wiadane po wielekroć przez ludzi z tak zwanej branży i tych bardzo od niej
dalekich. Zawodowcy wciąż bardzo chcą z Gajosem pracować, publiczność
zaś ciągle chce go oglądać. Wspomniany festiwal, choć nie tylko on, dobrze
uzmysławia, dlaczego tak jest.

Szwadron – oparty na prozie Stanisława Rembeka, wprowadza nas w lata
1863–1864, kiedy to car wysłał do polski trzystutysięczną armię żołnierzy
i kozaków, która miała dobić resztki oddziałów powstańczych, błąkających
się po lasach i wioskach bez specjalnej nadziei na zwycięstwo. Rotmistrz Jan
Dobrowolski, dowódca szwadronu konnej jazdy, w ujęciu Janusza Gajosa
to postać wyjątkowo odrażająca fizycznie i mentalnie. Wielkie bokobrody
okalające twarz i długie włosy wystające spod oficerskiej czapki zdradzają
wyraźnie, że nie jest to człowiek nadmiernie dbający o higienę. Wygląd
koresponduje z manierami – pan Rotmistrz głównie krzyczy albo głupko-
wato się śmieje. Jest buńczuczny i pewny siebie, choć może to być poza
przyjęta na użytek rosyjskich oficerów, wszak jest Polakiem. Człowiekiem,
który głośno i ostentacyjnie udowadnia swoją lojalność.

Okrucieństwo także. To on decyduje, by powiesić żydowskiego chłopca
podejrzewanego o współpracę z powstańcami, mimo protestów rosyjskiego oficera, który domaga się śledztwa i sądu. Dobrowolski wydaje się
pozbawiony normalnych ludzkich odruchów. Kiedy chłopca wieszają, on
się śmieje i bez żenady zajada chleb. Gdy jego żołnierze podpalają wio-
skę i dokonują rzezi jej mieszkańców, siedzi na jakimś pniaku i przygląda
się spokojnie masakrze. Czy manierka, z której pociąga wódkę, świadczy o szczątkach sumienia (wszak giną jego rodacy?). Niekoniecznie.
Rotmistrz pije dużo i często, widać, że dla tego zruszczonego ze szczę-
tem Polaka to normalne. Swe polskie pochodzenie usiłuje wykorzystać
do zdobycia zeznań pułkownika Markowskiego, jednego z przywódców
powstania. Obiecuje mu uwolnienie za jedno choćby nazwisko i adres.
Jednak pułkownik popełnia samobójstwo (wbija sobie igłę w serce!!!),
czym ocala honor, budząc swoim bohaterstwem wściekłość i zdumienie
Rotmistrza.

Rola wspaniała, w dużej części grana po rosyjsku. Aktor nie usiłuje bronić postaci, robi wszystko, by Dobrowolski stał się symbolem ohydy i moralnego upadku. A jednak niepełna. Skoro film ociera się o kicz patriotyczny, to i Rotmistrz Gajosa został zagrany jednoznacznie w tonacji potępienia, jako negatyw wzorca patriotycznego. Machulski opowiada całą historię z perspektywy młodziutkiego rosyjskiego oficera – barona Jeromira, postaci wzorowanej na Piotrze Bezuchowie z *Wojny i pokoju* Tołstoja – coraz bardziej przerażonego okrucieństwem swoich podwładnych i kozaków wobec powstańców. Zabieg ten nie wystarcza, by przełamać sentymentalny schemat, który powiela klisze polskiego bohaterstwa, honoru i patriotyzmu rodem z Grottgera.

Jan Dobrowolski – zruszczony Polak, zdrajca.
Szwadron Juliusza Machulskiego

Jury nagrodziło Janusza Gajosa za rolę Dobrowolskiego. I słusznie. W filmie, gdzie podzielono bohaterów na nieskazitelnych polskich patriotów i brutalnych rosyjskich najeźdźców, był jedyną żywą, dramatycznie rozdartą postacią. Gdyby scenariusz był ciekawszy, więcej moglibyśmy się dowiedzieć o motywach postępowania i charakterze tego człowieka, Polaka aż tak lojalnego wobec zaborcy.

Równie dobrze jak w kostiumie, czyli w mundurze carskiego oficera, na koniu, czuje się aktor we współczesnym ubraniu z pistoletem w ręku. I podobnie jak w *Szwadronie*, w *Psach* reprezentuje stronę zła. Gross, były funkcjonariusz Urzędu Bezpieczeństwa, już w 1989 roku, kiedy w kraju wszystko się zmieniało, potrafił się urządzić w nowej rzeczywistości. Nie został zweryfikowany, musiał opuścić szeregi tajnej policji, ale szybko nauczył się wykorzystywać swoją wiedzę, kontakty i umiejętność strzelania dla gangu bandytów. W wykonaniu Gajosa jest to superbandyta, nie tylko elegancki, zamożny, ale przede wszystkim silny, bo cyniczny. To człowiek inteligentny i sprytny, pozbawiony złudzeń w każdej sprawie. Poznajemy go, kiedy w kawiarni proponuje jednemu z niezweryfikowanych funkcjonariuszy współpracę z mafią narkotykową. Już wówczas jest w nowych strukturach ważną figurą. To on mówi słynne zdanie: „Na pohybel czerwonym, na pohybel czarnym, na pohybel wszystkim". Jest typem twardziela, który nie zawaha się przed strzelaniem do ludzi, nawet jeśli są byłymi kolegami. Ale to tylko nowa maska. W lodowatych oczach ma wyraźne znużenie, rozczarowanie ideami, którym służył. Także pogardę dla oszalałego świata i głupich ludzików omotanych nowymi ideami. Wie, że zwycięża ten, kto szybciej strzela, niż myśli, ale w jego rozumieniu to okazja do odwetu zawartego w dewizie Klary Zachanassian Dürrenmatta: „Skoro świat zrobił ze mnie dziwkę, ja ten świat przemienię w burdel". Kiedyś był funkcjonariuszem – bezwzględnym, posłusznym i oddanym ideologii. Dziś jest bandytą oddanym sprawie zdobywania pieniędzy na luksusowe życie.

Film Władysława Pasikowskiego wywołał pewien szok. Po pierwsze stał się filmem najbardziej w tym okresie kasowym. Widownia – przyzwyczajona już do amerykańskiego kina akcji – znalazła w *Psach* podobną konwencję, wartko opowiedzianą historię. Co najważniejsze, była to historia z własnego podwórka, thriller po polsku. Po drugie, premiera zbiegła się z aferą teczek, kiedy odkryto, że dawne akta tajnej policji są świadomie niszczone. Można więc było mieć wrażenie, że film jest paradokumentalnym zapisem wydarzeń, o których można było przeczytać na pierwszych stronach gazet. Oskarżano nawet Pasikowskiego o szarganie świętości – sparodiowanie solidarnościowej legendy, jaką było wyszydzenie słynnej sceny z *Człowieka z żelaza* Andrzeja Wajdy, kiedy ubecy niosą pijanego kolegę na drzwiach, śpiewając *Janek Wiśniewski padł*. Mało tego, reżyser pozbawił nas złudzenia, że racje moralne są tylko po jednej stronie. Oto bohater, Franz Maurer (Bogusław Linda), były i obecny pracownik służb specjalnych, przechodzi znamienną ewolucję. Walczy o zwykły ludzki honor i uczciwość, ponieważ uważa, że nawet policjant powinien bez obrzydzenia patrzeć na siebie przy goleniu. „Jeśli ja bym zdradził, to trzeba wszystkich wyrzucić

Taki widać los. Ja, człowiek niezwykłej łagodności, grywam szubrawców.

Psy Władysława Pasikowskiego

na śmietnik" – mówi. Poświęca karierę, pieniądze i zabija przyjaciela, który uwiódł mu kobietę oraz zaczął pracować dla mafii. Wyląduje w więzieniu, lecz sympatia widzów będzie po jego stronie, a nie po stronie nowych, uczciwych policjantów.

Pasikowski zakwestionował ideologiczne myślenie o świecie, które dzieli świat na „nas" i „onych", z tym że my to uczciwy kolektyw, a oni to wredna klika. Zakwestionował tym samym mit bohaterstwa i cierpiętnictwa, tak silnie osadzony w polskiej mentalności. Na naszych oczach wspaniali bohaterowie podziemia dzielnie walczący z komuną stali się ministrami, działaczami, lecz nie okazali się nieomylni ani kryształowo czyści. Wolność wyniosła na powierzchnię także szumowinę wszelkiej maści, która bruka piękne ideały. W momencie przełomu cały świat wartości się zachwiał, ale reżyser – wbrew opiniom wielu recenzentów – nie mówi, że wszystko spsiało: i ludzie, i czasy. Robi film brutalny i całkowicie pozbawiony sentymentów, ale jednocześnie jest to film o oczyszczeniu albo o dążeniu do czystości, choćby droga wiodła przez błoto i upadek. I nie robi tego w sposób dydaktyczny, tylko zmuszający do samodzielnego myślenia. Pokazuje życie takie, jakie jest, a nie jakie powinno być.

Wracam jeszcze na chwilę do owego festiwalu w Gdyni. Otóż film Machulskiego, twórcy *Seksmisji* i *Vabanku*, został tam wygwizdany, a *Psy* przyjęto oklaskami. Dlaczego? Czas patriotycznych uniesień, reprezentowanych w *Szwadronie* przez pułkownika Markowskiego oraz śliczną i dumną panienkę o imieniu Emilia, której patriotyczne frazesy nie schodzą z ust, po prostu minął. Widownia nie chciała już słuchać ani oglądać grottgerowskich klisz słusznego męczennictwa. Nagrodziła brawami film brutalny, wolny od patosu, lecz ukazujący polską współczesność bez upiększeń i dydaktycznego przesłania. Bardzo wymowne, że nagrodę za pierwszoplanową rolę męską dostał Bogusław Linda (Franz Maurer w *Psach*) i Janusz Gajos za drugoplanową rolę męską (Dobrowolski, sprzedawczyk, łajdak i kanalia, w *Szwadronie*). Nie bez racji pisano, że film Władysława Pasikowskiego pokonał parę etapów rozwoju naszej kinematografii, rozpoczynając nowy okres – dominację kina sensacyjnego, gangsterskiego, ze szlachetnym bandytą, dawniej szeryfem w westernach, w roli głównej. Czyli etap oddania kina kulturze masowej, produkowanej wedle hollywoodzkich wzorów. Czy to naprawdę taka wspaniała ewolucja? Można dyskutować.

Sukces *Psów* uruchomił inwencję reżyserów, Władysław Pasikowski wkrótce nakręcił drugą część, *Psy 2*, Wojciech Wójcik zaś przystąpił do produkcji telewizyjnej *Ekstradycji*, której popularność przeszła oczekiwania. Serial o sympatycznym komisarzu Halskim, zamierzony na sześć odcinków, rozrósł się do dziewiętnastu, czyli o dwie kolejne serie. O ile w pierwszej części tematem były wymuszenia haraczy od restauratorów na Starówce, w drugiej zaś działalność mafii narkotykowej, o tyle w trzeciej serii komisarz Halski pracuje już nie w policji, a w Biurze Ochrony Rządu i ściga polityków uwikłanych w ciemne interesy. Jednym z bardziej efektownych działań owych skorumpowanych polityków ma być wysadzenie w powietrze Pałacu Kultury.

Ekstradycja, jak pisano, to najlepszy od czasów *Stawki większej niż życie* polski serial sensacyjny, z tym że tamten musiał płacić daninę ideologii, a ten nie. Co ciekawe, ten film z gatunku *political fiction* wyprzedzał rzeczywistość albo życie dogoniło fantazję scenarzystów. Okazało się, że bomby wybuchają w prywatnych mieszkaniach, przestępcy prowadzą na oczach publiczności swe krwawe porachunki, Rosjanin zajmuje ważne miejsce w polskich sferach bankowych, ponieważ bandyci zakładają bank i piorą brudne pieniądze – naprawdę, a nie tylko na ekranie. Janusz Gajos pojawia się na krótko w ostatnim odcinku drugiej serii jako Fidur, następnie w wielu odcinkach trzeciej, jako bandyta oczywiście. Grany przez niego major Tuwara, szef mafii rosyjskiej, prowadzi w Polsce rozległe interesy. Aktor nie ograniczył się do powtórzenia roli Grossa z *Psów*, czyli bezwzględnego zabijaki z często używanym pistoletem; uczynił swego bohatera postacią o wiele bardziej złożoną.

Tuwara jest mózgiem owej mafii, inteligentnym strategiem, który wymyśla coraz bardziej niekonwencjonalne sposoby działania. Tym łatwiej, że nie on jest od mokrej roboty, tylko żołnierze mafii. Jeśli sądzić po wystroju gabinetu, luksusowych samochodach i zainteresowaniach, próbuje działać jak szef wielkiego koncernu. Nie ma nic wspólnego z potocznym wizerunkiem bandyty, podejrzanego typa w ciemnych okularach chyłkiem przemykającego pod murem. To człowiek zamożny, bywały w świecie, którego łatwo wziąć za bankowca albo biznesmena, zwłaszcza że pozuje na konesera sztuki i znawcę kobiet. I tylko jakaś chwila refleksji zdradza jego niepewność, ten kruchy lód podejrzanych interesów, od których chętnie by się uwolnił, gdyby umiał inaczej zarabiać wielkie pieniądze.

„Najciekawszy jest tu Tuwara (Janusz Gajos), łotr snobujący się na konesera sztuki. Grzęźnie w związku miłosnym, choć przeczuwa, że może przezeń wszystko stracić, że jest oszukiwany. Tuwara i Halski «startują» zresztą do tej samej kobiety. [Pięknej *femme fatale*, Krystyny, którą gra Danuta Stenka – przyp. E.B.]. Mamy pikantny trójkąt. Gajos gra Tuwarę finezyjnie. To nuworysz peerelowskiego chowu, w którego oczach dostrzegamy czasem romantyczny błysk" (Jacek Szczerba, *Ekstradycja III*, „Gazeta Wyborcza" 1999, nr 79).

Innego rodzaju figurą zła był pułkownik Krawcow w filmie, a później w serialu telewizyjnym *Akwarium*. Nakręcił go Antoni Krauze na podstawie głośnej książki Wiktora Suworowa, zawierającej autentyczną historię autora, pracownika radzieckiego wywiadu wojskowego GRU. Za ucieczkę do Wielkiej Brytanii i sprzedanie tajemnic owego wywiadu Suworow został w 1978 roku skazany przez Najwyższy Sąd Wojskowy Związku Radzieckiego na karę śmierci. Do dziś żyje na Zachodzie pod zmienionym nazwiskiem i ochroną służb specjalnych, choć na promocję swej książki pojawił się w Warszawie.

Film został przyjęty dość chłodno, być może ze względu na jego para-dokumentalny, a nie sensacyjny charakter. Trudno akurat czynić zarzut reżyserowi z tego, że zamiast opowieści w stylu Bonda zrealizował psy-chologiczny film szpiegowski. Sensacyjność książki polega nie na widowi-skowych ucieczkach czy brawurowych akcjach, tych nie było wiele. Rzecz w ujawnieniu mechanizmów psychicznych przekształcających myślącego, czującego człowieka w automat bezwarunkowo posłuszny i absolutnie lojalny wobec organizacji, filaru totalitarnego państwa. Akwarium, przy-pomnę, to centralny gmach II Zarządu Sztabu Generalnego, tajna orga-nizacja, o której wiedzą tylko ci, którzy do niej należą, a tych obowiązuje absolutne milczenie.

Na przykładzie losu Wiktora (Jurij Smolski) film pokazuje proces wer-bowania inteligentnych, zdolnych ludzi do owej supertajnej organizacji, a później szkolenia ich na szpiegów doskonałych. Młody żołnierz zdradza dość inteligencji i odporności psychicznej, by pułkownik zajął się jego awan-sem. Gajos gra owego pułkownika zrazu jak starszego brata, jest przyjaciel-ski i surowy, ciepły i szorstki. Wie może i więcej niż inni – to wystarcza, by zdobyć zaufanie Wiktora. Ambitny chłopak posłusznie i gorliwie wykonuje kolejne polecenia szefa, nieświadomy, że w ten sposób zdaje trudny egza-min weryfikacji do specsłużby. Krawcow tak prowadzi młodego człowieka, by miał on poczucie, że tylko sobie zawdzięcza kolejne awanse i kolejne wtajemniczenia. Kiedy Wiktor zdaje sobie sprawę, gdzie się ostatecznie znalazł, jest już za późno. To Akwarium. Stąd wyjść można tylko do nieba.

Jako supertajny agent wyjeżdża do Wiednia. Tam w ambasadzie radzieckiej ze zdumieniem odkrywa swego dawnego szefa jako pracownika placówki dyplomatycznej, ale po cywilnemu. W wyniku prowokacji zostaje zmuszony do wydania na Krawcowa wyroku śmierci, choć zachował się tylko zgodnie z instrukcjami Akwarium. Fakt ten ukazał mu świat, w którym tkwi, jako świat paranoi i obłędu, gdzie nie liczą się żadne ludzkie uczucia i myśli. Wszyscy wszystkich szpiegują, sprawdzają, poddają prowokacjom. A cała ta machina nie służy ani dobru ojczyzny, ani ludziom – przekształciła się w autonomiczną grę bez celu. Dlatego Wiktor ucieka do ambasady brytyjskiej.

Po bandytach przyszedł czas na pułkownika KGB w *Akwarium* Antoniego Krauzego
według Wiktora Suworowa

Sprawą aktorów było ten upiorny świat najpierw uwiarygodnić, potem skompromitować. To znaczy, trzeba było rozłożyć cały mechanizm super-tajnej organizacji na części, podobnie jak psychikę bohaterów, i go pokazać. Niby tak się pracuje zawsze, przy każdym filmie, ale co innego posługiwać się jakimś własnym doświadczeniem, choćby bardzo przetworzonym, a co innego wyobraźnią. Ponieważ i Gajosowi, i Smolskiemu-Wiktorowi udało się stworzyć przekonujące postacie, należałoby uznać siłę ich wyobraźni; tym razem była ważniejsza niż doświadczenie.

„Dużą rolę – czytamy w recenzjach – w kształtowaniu Wiktora wywiadowcy, najpierw negatywną, ale z czasem podszytą dramatem, wieloznaczną, gra jego bezpośredni zwierzchnik, pułkownik Krawcow (znakomity Janusz Gajos). To, jak ci dwaj ludzie oddziałują na siebie wzajem, jest bodaj najlepszą częścią filmu Krauzego" (ADE, *Uciec z Akwarium*, „Kurier Szczeciński" 1997, nr 3).

„Suworowa gra aktor rosyjski Jurij Smolski, ale postać jego zwierzchnika, ojca duchowego (przepraszam za słowo: duchowego), człowieka, który go odkrył, wykierował i wychował, a także zaprzyjaźnił się z nim, gra nasz JANUSZ GAJOS. W mundurze nie naszym, [...] pobrzydzony albo raczej świadomie proletariacki – tworzy bardzo dobrą, przyjazną wybrańcowi postać. Ale w systemie nawet przyjaźni nie może być. I o tym też ten przerażający film mówi dobitnie. Polecam go Państwu, choć zimno się robi, gdy ogląda się to wszystko z bliska" (Maria Malatyńska, *Akwarium*, „Echo Krakowa" 1997, nr 13).

Z aktorskiego punktu widzenia granie bandytów, potworów, dewiantów psychicznych nie różni się od grania lordów, lekarzy czy kogokolwiek. Problem polega na tym, że zawsze gra się człowieka, w wypadku bandyty człowieka pozbawionego moralnych skrupułów albo służącego złej sprawie. Ponieważ kino gangsterskie stało się popularne, zaczęto postacie przestępców tworzyć pospiesznie, a tym samym schematycznie.

■■■ I znowu nie chciałem już grać tych wszystkich bandziorów ganiających z pistoletami, twardzieli z przekleństwami w ustach – bo ile razy można krzyczeć: „Ty skurwielu, urwę ci jaja" albo podobne kwestie. Te postacie nie wnosiły nic nowego do mojego warsztatu. Miałem lepsze propozycje.

Aby zamknąć pewien wątek, pominę tu chronologię, jest ona dokładnie podana w kalendarium. Ciekawsze wydaje mi się omówienie pewnego typu ról, ponieważ lepiej widać, jak aktor umyka sztampie, jak stara się każdą postać z tej samej szufladki „zło" pokazać inaczej. Tak samo było zresztą z szufladką komediową czy szufladką „dygnitarze".

Film *To ja, złodziej* Jacka Bromskiego jest doskonałym przykładem, jak aktor sam musi się bronić przed sztampą. Wyskocz, którego miał zagrać, w scenariuszu był postacią typowego bandyty – pistolet w ręku, co kwestia, to przekleństwo. Janusz Gajos zmienił przede wszystkim te przekleństwa na nuworyszowskie „Proszę ja ciebie!" rozpoczynające niemal każde zdanie, co od początku dawało komiczne efekty i charakteryzowało mentalność bohatera, właściciela warsztatu samochodowego, u którego pracuje młodociany przestępca Jajo. Wyskocz, w pretensjonalnych kraciastych marynarkach, z muchą oraz fryzjerskim wąsikiem i brwiami wystylizowanymi na amanta przedwojennego kina, wygląda jak król przedmieścia. Bo też jest ćwierćinteligentem z zadęciem na inżyniera. I kompleksami. Jajo jest chłopcem fantastycznie uzdolnionym – rozbroi każdy alarm, złamie każdy szyfr, o czym pryncypał może tylko pomarzyć. Komputery, elektronika to dla niego czarna magia, nie wie, jak się do tego zabrać, dlatego Jajo jest mu niezbędny. Ale marzeniem chłopca jest praca dla mafiosów, którzy mu imponują manierami i forsą. Wyskocz z jednej strony chciałby chłopca uchronić przed mafią złodziei, wie, czym to pachnie, sam ma z nimi na pieńku, bo są silniejsi i psują mu interesy. Z drugiej strony potrzebuje chłopca. Postępuje z nim wedle zasady: jedną ręką bije, drugą głaszcze. Nawet stary motor podaruje. Zamiast schematycznego bandyty zobaczyliśmy bardzo barwną postać. Wyskocz kiedyś był bokserem (cóż za cudna opowieść o jego sportowych wyczynach prowadzona w samochodzie: „Proszę ja ciebie, ja tu gołą dupą świstam, a on co?!"), prowadzi szemrane interesy, bo takie jest życie, ale pod szyldem legalnego warsztatu. Wprawdzie zdradza żonę z puszystą klientką, robi przekręty, ale w sumie uważa się za porządnego faceta. W końcu sam wymierza sprawiedliwość, zabijając kilku złodziei.

„Komedię Jacka Bromskiego *To ja, złodziej* warto obejrzeć przede wszystkim ze względu na kreację – jak zawsze wspaniałą – Janusza Gajosa. Ten aktor za każdym razem jest inny; w tym filmie uwodzi widza jako prześmieszny właściciel warsztatu samochodowego" (Kosz, *Zobacz*, „Głos Szczeciński" 2002 nr 87).

„Tak naprawdę więc z dorosłych ciekawość budzi jedynie Wyskocz, dawny bokser, obecnie właściciel warsztatu samochodowego i pracodawca Jajo, prowadzący ciemne interesy z mafią. Jego tania elegancja à la sędzia na ringu, staromodny sposób mówienia z nieustannie powtarzanym zwrotem «Proszę ja ciebie» współgrają z równie dzisiaj anachronicznym niepokojem moralnym. Wyskocz, choć sam «umoczony», próbuje przestrzec Jajo przed karierą gangstera. Czyni to zresztą nie za pomocą dobrych rad, ale kilku

„Proszę ja ciebie, rozumiesz mnie".
To ja, złodziej Jacka Bromskiego

uderzeń w łepetynę. Janusz Gajos świetnie gra tego szorstkiego w obejściu geszefciarza i nieco żałosnego playboya, ale gra w próżnię" (Bartosz Żurawiecki, *Pół żartem, pół serią*, „Film" 2000, nr 8).

„Brawa dla aktora w trakcie spektaklu nawet w teatrze zdarzają się rzadko, w kinie prawie nigdy. Jeśli tak właśnie widzowie wyrażają swoje uznanie dla aktora podczas prasowego pokazu filmu *To ja, złodziej* – a nie jest to publiczność skłonna do łatwego entuzjazmu – oklaskiwany aktor musiał naprawdę zachwycić. Ten aktor to Janusz Gajos. [...] Lecz atutową kartą filmu jest postać, którą zagrał, a właściwie zbudował Janusz Gajos. Ma w tym filmie tylko nazwisko, dość zresztą dziwaczne: Wyskocz, a powinien mieć przede wszystkim imię. Właściciel warsztatu, w którym pracuje chłopak, to przecież tutejszy w każdym calu pan Henio czy pan Edzio, a raczej pan Heniu czy pan Edziu, człowiek o moralności dość elastycznej, w której swoisty etos musi się pogodzić z wymogami pragmatyzmu. Trochę rzemieślnik, a trochę szef *small businessu*, trochę gość umaczany w lewe interesy, a trochę porządny człowiek, w niebezpiecznej sytuacji trochę tchórz, a kiedy uzna, że nie ma innego wyjścia, przerażony własną odwagą gieroj. Tzw. prosty człowiek, ale bardzo niegłupi, odróżniający życiowe konieczności od fałszywych życiowych wyborów, zna bowiem – właśnie – życie. A jego poczucie odpowiedzialności za napalonego małolata też stanowi charakterystyczny do niedawna rys tej formacji. Wyskocz w wykonaniu Janusza Gajosa ma coś jeszcze: ludzki wdzięk w swej specyficznej, nadwiślańsko-podmiejskiej odmianie. Postać charakterystyczna, czyli typ, a jednocześnie jedyna w swoim rodzaju; pozostawiająca wrażenie pełnej autentyczności, a zarazem aktorskiego kunsztu. Rola mistrzowska" (Bożena Janicka, *Jak do liceum*, „Kino" 2000, nr 7/8).

Takich zachwytów nie wzbudziła od dawna żadna rola w naszym kinie, więc warto je przytoczyć.

Filmy sensacyjne oferują nie tylko role bandytów. Jest przecież tak zwana druga strona medalu – policjanci. Też mogą być barwni, inteligentni, zabawni. Na przykład gliniarz w komedii *Fuks* Macieja Dutkiewicza. Gajos w roli śledczego nie nosi żadnego munduru, cały czas występuje w cywilnej kurtce, golfie, płaszczu, i cały czas pogryza hamburgera z papierowej torebki. Zachowaniem trochę przypomina porucznika Columbo, takiego naiwnego safandułę, zajętego myśleniem o niebieskich migdałach albo owym hamburgerem. Ale to tylko pozory, maska dla zmylenia przeciwników, bo ów gliniarz jest od nich o wiele bystrzejszy. Od razu orientuje się w istocie konfliktu i współpracuje z młodym chłopcem Aleksem (Maciej Stuhr), który chce oskubać ważnego biznesmena, a tak naprawdę własnego tatusia, który porzucił rodzinę. I tym samym wystawić mu rachunek za całokształt. Zabawna, podszyta ironią rola Gajosa wnosi do tej niezobowiązującej komedii kina popularnego rys sympatycznego humoru.

Także w filmie Wojciecha Wójcika *Ostatnia misja* Janusz Gajos zagrał safandułowatego policjanta Sobczaka, który zastąpił porucznika Halskiego z *Ekstradycji*. Wprawdzie wciąż trwają negocjacje w sprawie naszego przystąpienia do Unii Europejskiej, ale mafiosi i przestępcy znad Wisły znaleźli się tam już dawno. Drukują fałszywe dokumenty w Hiszpanii, mieszkają w dobrych paryskich hotelach, kradną luksusowe samochody, gdzie się da, prowadzą interesy narkotykowo-sutenerskie już nie tylko w Europie, ale na całym świecie. Słowem, korzystają z uroków życia zachodniego. Nadto potrafią się skutecznie ukryć przed wymiarem sprawiedliwości pod bardzo niekiedy egzotycznymi adresami.

Sensacyjno-gangsterski film Wojciecha Wójcika bawi raczej konwencją gatunku niż oryginalnością, ale dzięki obsadzie aktorskiej i zręcznemu scenariuszowi opowiada o swojskich realiach świata przestępczego. O całkiem pokaźnej grupie obywateli pracujących w szarej strefie, dzielących miasta na rewiry i zajmujących w hierarchii społecznej coraz wyższe pozycje. To ich brudne interesy ma wyśledzić policjant Sobczak, zwykły – wydawałoby się – urzędnik resortu, który nigdy nie zrobi kariery, bo jest za uczciwy i „nieukładowy", a nawet potrafi wejść w konflikt z zięciem, obecnie przełożonym. Ale to on w końcu rozpracowuje bandę chłopaków z podziemia, jakby od niechcenia, jakby przypadkiem, z nutką pobłażania w głosie i zmęczonym spojrzeniem. A przy okazji swoją niedoskonałością skupia sympatię widzów. Zwłaszcza gdy oglądają ulubionego aktora w kuchni, obwiązanego w pasie ścierką i przygotowującego z wielkim trudem posiłek dla swoich filmowych wnuków.

Kolejny policjant w dorobku Janusza Gajosa pojawił się kilka lat później. To Zbigniew Chyb, pseudonim Benek, z *Pitbulla* Patryka Vegi. Film z 2005 roku, oparty na faktach, opowiada o funkcjonariuszach stołecznego wydziału zabójstw i walki z terrorem. Wzbudził zachwyt widzów i krytyków. Porównywano go do *Psów* Pasikowskiego czy amerykańskich filmów demaskujących świat przestępczy, gdyż w podobnie brutalny i prawdziwy sposób pokazał środowisko przestępców i policjantów. Ci ostatni wiedzą, kto strzelał, kto wymuszał haracze, kto podkładał bomby, ale bez dowodów nikogo nie można wsadzić za kraty. Służba w owym wydziale to nie przekładanie papierów od ósmej do szesnastej za biurkiem, tylko szukanie owych dowodów wbrew niedoskonałym przepisom prawa, zasadzkom przestępców i własnym słabościom czy problemom rodzinnym. Reżyser pokazał, że za sukcesem policjantów – w ciągu dziesięciu lat zatrzymali dwa i pół tysiąca osób, ponad siedemset aresztowali, odzyskali dwa tysiące sztuk broni i ponad dziewięć ton materiałów wybuchowych – stoi ich pasja. Na pewno nie marne zarobki czy warunki pracy przypominające epokę

Benek, policjant przed emeryturą. *Pitbull* Patryka Vegi

głębokiego Gierka. Ceną, jaką się za tę pasję płaci, są rozwody, alkoholizm, narkotyki, a nade wszystko samotność.

Benkowi brakuje ledwie dwóch miesięcy do emerytury, jednak zamiast leczyć chorobę wieńcową, nadal przychodzi do pracy. Jest od niej uzależniony. Bohater Gajosa to twardziel; z satysfakcją sadysty przesłuchuje podejrzanego, nawet go podpina do prądu, którym tak steruje, że się przewody palą. Skoro zawsze panował nad sytuacją, teraz nie przyjmuje do wiadomości, że ciało odmawia posłuszeństwa. Benek zasłabł w pracy, ale gdy kolega podwozi go do domu, nie pozwala sobie pomóc. Patrzy z przerażeniem na kilka pięter klatki schodowej, po chwili jakby na przekór słabości wbiega po schodach. Zatrzymuje się na drugim piętrze bez tchu. Po chwili z jeszcze większym zacięciem zmusza ciało do wysiłku, biegnie do mieszkania pod dachem. Zwycięstwo! Niezupełnie. Kilka dni później bierze udział w zasadzce na bandytę, ale w kulminacyjnym momencie akcji osuwa się na podłogę, umiera. Jego śmierć – aktor gra atak serca, czyli ogromną duszność – sprawia, że twardziel Despero, z którym poszedł na akcję, płacze. Widzowie też są poruszeni.

Do serii swoich policjantów Janusz Gajos dołożył Benka. Skromnego i samotnego aspiranta policji, który został pokonany przez chorobę. Nie była to rola pierwszoplanowa, ale znów wykonana inaczej niż poprzednie tego typu, i ciekawie.

Okazuje się, że nie ma złych ról, są tylko marni aktorzy. Choć, prawdę mówiąc, dialogi w naszych filmach rzadko bywają ich mocną stroną – zwykle napisane dość schematycznie, sucho, zawierają zbyt wiele informacji – są więc trudne do uwiarygodnienia dla aktorów. Nie trzeba przecież mówić: „Jestem wściekły". Aktor potrafi ten stan uczuć zagrać na każdym tekście. I bez tekstu także. Janusz Gajos zawsze umawia się z reżyserem, że nie będzie się sztywno trzymał napisanych dialogów, tylko improwizował na planie. I robi to zgodnie z zasadą – nie wszystko trzeba powiedzieć. Ciało, zachowanie człowieka mówi więcej niż słowa. W tym pewnie zawarta jest odpowiedź na pytanie: czy aktor to twórca, czy odtwórca? Zależy jaki aktor. Dobry potrafi wyczarować postać z niczego, zły zepsuje nawet niezły scenariusz.

KŁAMAĆ NAPRAWDĘ

Zapytałam Janusza Gajosa, kiedy po raz pierwszy usłyszał słowo „mistrz" skierowane pod swoim adresem.

■ Kręciliśmy *Opowieści Hollywoodu* Hamptona w Krakowie. W niedzielne przedpołudnie umówiłem się z kolegą, którego nie widziałem całe lata, na rogu Floriańskiej przy Rynku. Przyszedłem, czekam, nie ma go. Pomyliłem miejsce? Godzinę? Rozglądam się, bez rezultatu. Nagle podchodzi do mnie dwóch facetów: „Przepraszam bardzo, pan Gajos?". „Tak", mówię z wyraźnie połechtaną próżnością. „Mistrzu! Dej pan stówkę, tak nas suszy...".

Właściwie wszystko się zgadza. Po *Opowieściach Hollywoodu* Janusz Gajos stał się niekwestionowaną wielkością. Po mistrzu – status zobowiązuje – spodziewamy się czegoś więcej niż profesjonalnej sprawności. Oczekujemy uchylenia tajemnicy okrywającej ten zawód, może nawet tchnienia metafizyki. Janusz Gajos, choć niezmiennie podkreśla, że efekty osiąga w wyniku zimnych kalkulacji, a nie natchnienia, to dostarcza widzom przeżyć przywracających wiarę w magię swego zawodu. Sprzyja mu też sytuacja. Scenariusze czy dramaty próbujące przybliżyć zwykłym ludziom tajniki sztuki trafiają akurat w jego ręce. Także dlatego, że są bardzo trudne i nie ma zbyt wielu aktorów zdolnych podołać im z taką wiarygodnością i wdziękiem.

Pretekstem dla Aleksandra Dumasa ojca do napisania *Geniusza i szaleństwa* stało się obejrzenie wielkiego angielskiego tragika Edmunda Keana, specjalizującego się w rolach szekspirowskich. Podziwiali go najwybitniejsi ludzie epoki. Stendhal jeździł specjalnie do londyńskiego teatru Drury

Lane, by go obejrzeć jako Hamleta, Otella, Ryszarda III, po czym napisał wielką rozprawę o Szekspirze, która przygotowała francuską publiczność do walki o nowy teatr – romantyczny. Wcale nieprostą. Sercami paryskich widzów władał niepodzielnie François Joseph Talma i ukształtowany przez niego styl klasyczny, charakteryzujący się patetyczno-podniosłym sposobem deklamacji. Doskonale współbrzmiący z klasycystycznymi tragediami Racine'a czy Corneille'a przestrzegającymi zasady trzech jedności: czasu, miejsca i akcji.

Kean zakwestionował styl gry oparty na wzorcach klasycystycznych, wybierał dramaty Szekspira niestosujące się do reguł jedności. Zamiast melodyjnej deklamacji zaproponował silne nasycenie postaci emocjami, a także zgodność wyrazu twarzy i postawy ciała z uczuciami. Dziś wydaje się to oczywiste, ale wówczas (na początku XIX wieku) było rewolucyjnym zamachem na gust artystyczny kształcony na wielu podręcznikach, ustalających reguły dobrego smaku dla poezji, dramatu, malarstwa.

Po tekst dramatu sięgnął ponad sto lat później papież egzystencjalistów Jean Paul Sartre. Dostrzegł w nim atrakcyjny materiał, by odpowiedzieć na pytanie, kim jest aktor. W realia romantycznej epoki wpisał podstawowe pytania egzystencjalne, kondycja aktora pozostaje bowiem funkcją jego ludzkiego doświadczenia. Brzmi to uczenie, ale wystarczy uważnie obejrzeć sztukę, by zdać sobie sprawę z tych zależności i uwarunkowań. Sartre pokazuje nam wielkiego Edmunda Keana u szczytu powodzenia, gdy jego nazwisko nie schodzi z ust londyńskiej elity. Sam książę Walii, brat króla, odwiedza go w garderobie, przyjmuje w prywatnych pałacach, ba!, gotów jest nawet spłacić jego długi. Dla człowieka niskiego stanu – aktorów nie chowano wówczas w poświęconej ziemi – takie honory pozostają wyjątkowym wyróżnieniem. Damy marzą, by sławny Kean zaszczycił je spojrzeniem lub rozmową. Hrabina de Koefeld, żona ambasadora Danii, nie odmawia mu również uczuć, gotowa dla namiętnego romansu zaryzykować honor i pozycję społeczną.

Ale Kean, osiągnąwszy sławę i wielkość, zadaje sobie fundamentalne pytanie: Kim jestem? Aktorem, który co wieczór żyje w fałszywych sytuacjach? Kimś, kto na chwilę wciela się w kogoś, kto nie istnieje? Kto daje swoje ciało i krew, by ożywić twór wyobraźni nazywany Hamletem, Otellem, Ryszardem III? „Co wieczór się zabijam, by ożywić Szekspira", powie w pewnym momencie. Ale powie też inaczej: „Co rano dobieram sobie namiętność, która pasuje do ubrania".

Odpowiedź na pytanie – kim jestem? – wcale nie jest oczywista. Jest wielkim Keanem, ponieważ swoje nazwisko stworzył, a nie dostał go w spadku jak arystokraci. Jest kapłanem sztuki, ponieważ co wieczór ucieka od samego siebie, by wznieść się na wyżyny ludzkiej wyobraźni. Ale nadal pozostaje niemiłosiernie zadłużonym artystą, ściganym przez wierzycieli. Nawet do pojedynku nie ma prawa – „Par Anglii nie może się strzelać z komediantem, tylko człowiekiem sobie równym". Wieczorem jest księciem Danii, rano parweniuszem, który wyrzuca pieniądze przez okno, by dorównać w fantazji księciu Walii. Kogo więc kochają kobiety? Genialnego oszusta Keana czy prawdziwego Edmunda, który poza sceną może być co najwyżej jubilerem sprzedającym cacka otrzymane w darze od wielbicieli w dniach swojej świetności.

Dylemat pomogą mu rozwiązać kobiety. Kean, zaprawiony w miłosnych podbojach dam z wielkiego świata, odkrywa prawdziwe uczucie młodziutkiej panny Dumby, córki handlarza serów. I zdaje sobie sprawę, że pożądana przez niego hrabina de Koefeld kochała jedynie sceniczne wcielenia aktora, nie jego samego. Pełna wdzięku panna Anna Dumby (świetna rola Joanny Szczepkowskiej) okazuje się pierwszą kobietą, która rozumie jego duszę rozdwojoną między sztukę a życie, między udanie i prawdę, ponieważ sama chce być aktorką. To znaczy osobą znającą wiele wcieleń samozakłamania, co instynktownie odróżnia od autentycznych uczuć. Tu dochodzimy do sedna sprawy – aktor to ktoś, kto jest czy stara się być najmniej zakłamany, ktoś, kto widzi rzeczywiste motywy ludzkich działań i uczuć, najczęściej skryte pod licznymi przebraniami.

Janusz Gajos w roli Keana pokazał nam świat za kulisami teatru, ale także kulisy wielkiego świata. Z bohatera uczynił człowieka świadomie walczącego o swoje prawa: wolność i godność. Pokazał wielkość i okrucieństwo zawodu aktora, bo aktorstwo to sposób na życie i sposób postrzegania świata. Czyli zawód i stan duszy, umiejętność wydobycia z siebie różnych ludzi i pozostania sobą. Możliwość bycia najbardziej fałszywym i najbardziej autentycznym; kłamać trzeba naprawdę, ponieważ prawdziwe uczucia są zawsze źle grane. „Człowiek rodzi się aktorem – mówi Kean – tak jak rodzi się księciem. Gra się, ponieważ się siebie nie zna, i gra się,

Być aktorem – co to znaczy? Kto to wie?
Kean Aleksandra Dumasa i Jeana Paula Sartre'a

ponieważ się siebie zna za dobrze. Gra się, ponieważ kocha się prawdę, i gra się, ponieważ się prawdy nienawidzi".

Dwuczęściowy spektakl Teatru Telewizji w reżyserii Wojciecha Adamczyka stał się pokazem mistrzowskiego odkrywania tajemnicy aktorstwa. Kean Gajosa już w pierwszej scenie, w salonie księcia Walii, zapowiada walkę z fałszywymi wyobrażeniami o swej profesji; „Nie można zaprosić aktora bez człowieka", powiada. W kilkunastu następnych scenach bawić się będzie kolejnymi maskami i kostiumami wielkiego tragika. Zwłaszcza tymi pełnymi szarży, gdy demonstruje w garderobie fochy Keana, decydującego wedle widzimisię, czy zagra spektakl, czy nie. Albo tymi na scenie, gdy porzuca rolę Otella (czym wywołuje skandal na widowni), bo ma już dość życia w fikcji, i poprzez wywołanie chaosu chce zaprowadzić porządek. Kończy spektakl nadzwyczaj szczerą rozmową z hrabiną de Koefeld, podczas której uświadamia jej, że kochała własne złudzenia, uwznioślone przez postacie sceniczne, a nie Keana, człowieka z krwi i kości. Takiego, jakim jest naprawdę – geniuszem aktorstwa i wrażliwym mężczyzną – kocha go panna Dumby. Dlatego Kean z nią się ożeni. Janusz Gajos w spektaklu poświęconym analizie duszy i kondycji aktora dokonuje jej na naszych oczach. Tak wiarygodnie, że wierzymy, iż wreszcie widzimy Keana prywatnie, pozbawionego wszelkiej pozy, udania, choć owa prywatność to kolejne wcielenie... tym razem Gajosa. Z aktorstwem jest trochę tak jak z cebulą – zdejmując kolejne łuski, mamy nadzieję, że dotrzemy do jądra, tymczasem istotą cebuli jest łuskowatość. Istotą aktorstwa jest zdejmowanie kolejnych masek i przebrań, aż do nagości, która też może być kostiumem.

A czy – będąc aktorami – na pewno wiemy, kim jesteśmy?

Pytanie o tożsamość człowieka stawiali pisarze różnych epok. Szwajcarski autor Max Frisch w utworze *Rip van Winkle* odwołał się do starej legendy o człowieku, który poczęstowany przez tajemniczych ludzi winem zasypia na dwadzieścia lat i budzi się w dziwnym świecie. Współczesny Rip to dostatnio ubrany mężczyzna zatrzymany w wyniku nieporozumienia na stacji kolejowej i przewieziony do aresztu. Utrzymuje, że jest wielokrotnym mordercą. Jednak sędziowie rozpoznają w nim sławnego rzeźbiarza Anatola Wadela. Odnajdują w Paryżu jego śliczną żonę (w tej roli Jolanta Fraszyńska). Choć związana już z innym, stawia się w sądzie i w zatrzymanym rozpoznaje byłego męża. Postanawia przywrócić go życiu. Lecz on nie rozpoznaje (nie chce?, nie może?) ani jej, ani własnych rzeźb w pracowni, ani miasta, w którym spędził wiele lat. Zerwanie z przeszłością okazuje się trudniejsze, niż przypuszczał. Nie tylko my tworzymy siebie, tworzą nas też inni.

Bohater Gajosa to człowiek o rozchwianej tożsamości. Woli być uznany za przestępcę niż za szanowanego rzeźbiarza, ponieważ więzienie daje mu szansę na spędzenie reszty życia w określonej roli. „Wiemy, jacy chcielibyśmy być, nie wiemy, jacy jesteśmy", powie w pewnym momencie. Aktor – ubrany z niewymuszoną elegancją (czarny golf pod marynarką) – bardzo dyskretnymi środkami tworzy studium człowieka zmęczonego życiem, wypalonego. Jego nieporuszona prawie twarz nie zdradza emocji. Ani marzenia, ani radość nie mają do niego dostępu, jakby życie przyniosło mu wyłącznie rozczarowania. Jedyne, czego chce, to zapomnieć, kim jest, kim był. Trudno pokazać niejasną tożsamość współczesnego człowieka. Dzięki intensywności bycia, jaką Gajos potrafi obdarzyć ekranowych bohaterów, nawet nieprawdopodobne staje się rzeczywiste.

Kolejny bohater Janusza Gajosa także jest artystą. Tym razem reżyserem Leonem, który podczas wojny znalazł schronienie w klasztorze. Przełożoną jest siostra Benigna, dawna znajoma, niegdyś aktorka warszawskich teatrów. W *Mateczce* Władysław Terlecki wykorzystał autentyczne zdarzenia i postacie – głośną w dwudziestoleciu międzywojennym historię aktorki Stanisławy Umińskiej, która na życzenie umierającego w straszliwych męczarniach ukochanego mężczyzny przyspieszyła jego śmierć strzałem z pistoletu. Sąd ją uniewinnił, jednakże porzuciła scenę i wstąpiła do klasztoru. W zarządzanym przez nią zgromadzeniu sióstr w Henrykowie znalazł się po wyjściu z Auschwitz wielki reżyser Leon Schiller.

W klasztorze pojawia się siostrzeniec siostry przełożonej. Nie wykonał wyroku podziemia i boi się zemsty kolegów. Do drzwi dobija się konfident gestapo, który doniósł Niemcom, kto rzeczywiście przebywa w klasztorze, ale nie zostaje wpuszczony. Dla siostrzeńca oznacza to wyrok śmierci. W zamkniętym budynku klasztornym przebywają również nieletnie prostytutki, z którymi Reżyser przygotowuje *Pastorałkę*, słynne widowisko misteryjne ułożone na podstawie ludowych kolęd, piosenek i jasełek. Jedna z dziewcząt znajduje starą gazetę, a w niej artykuł o sprawie Umińskiej, więc w sypialni postanawia zainscenizować zabójstwo kochanka. Dziewczyny analizują problem eutanazji, litości, bohaterstwa.

Reżyser, Stanisław Różewicz, we właściwy sobie subtelny sposób prowadzi aktorów tak, by wydobyć wszystkie niuanse postaw moralnych każdego z mieszkańców klasztoru wobec przeszłości Mateczki, śmierci ludzi podziemia, konfidentów. Wybory moralne zaprezentowane przez autora i reżysera wcale nie są łatwe ani jednoznaczne; życia nie da się zamknąć w formułach prawnych czy religijnych.

„Rolę Leona Stanisław Różewicz powierzył odtwórcy Nosa-alkoholika z *Wesela*, Januszowi Gajosowi. Aktor jest niepodobny fizycznie do pierwowzoru, ale mimo tych różnic dość przekonująco prezentuje postać Leona, bo nie stara się, na szczęście, naśladować Schillera. Tylko w jednym momencie, kiedy próbuje przywołać owo słynne stukanie palcami w policzek, razi sztucznością. W sumie Gajos tworzy postać wiarygodną, nieco ociężałego, palącego wiele, niewyglądającego specjalnie na artystę – artysty" (Anna Schiller, *O Bogu, sztuce i zabijaniu*, „ExLibris", dodatek do „Życia Warszawy" 1995, nr 333).

Przywołałam tu opinię córki wielkiego reżysera, Anny, która jak mało kto zna realia sztuki. Ponieważ jest krytykiem teatralnym raczej surowym i wymagającym, jej pochlebna opinia wydaje się tym cenniejsza. Bogata ikonografia i literatura wspomnieniowa nie skusiły Janusza Gajosa do naśladowania pierwowzoru. Po raz kolejny zaufał aktorskiej wyobraźni i stworzył postać ciepłego człowieka, który wszystko rozumie i czyni więcej, niż mówi i chce powiedzieć.

Odbita sława Ronalda Harwooda, autora słynnego *Garderobianego*, to także rzecz o teatrze. Oto dwaj bracia Manks – jeden jest restauratorem, drugi dramaturgiem i reżyserem. Już w pierwszej scenie widać napięcie związane z pojawieniem się przed premierą sztuki Michaela *Mój brat* jego prawdziwego brata Alfreda. Nie widzieli się dziesięć lat, ponieważ w poprzedniej sztuce, *Sprawy rodzinne*, Mike opisał własną rodzinę w sposób obrażający uczucia bliskich. Tym razem może być jeszcze gorzej, znów bowiem wraca do kluczowych wydarzeń z życia swojego i brata. W trakcie próby dochodzi do awantury. Alfred protestuje przeciw sprzedawaniu intymnych spraw rodziny.

Harwood jest dobrym majstrem teatralnym, sprawiedliwie dzieli argumenty między braci. Wyraźnie podkreśla, że każda sztuka wyrasta z biografii, ale też broni prawa zwykłych ludzi, by ich słabości nie były traktowane instrumentalnie. Odbita sława ma tu podwójne znaczenie – życie przegląda się w sztuce, a sztuka w życiu. Aktualne pozostają pytania: Gdzie są granice sztuki? Do jakiego stopnia artysta ma prawo manipulować faktami? Czy ma prawo ośmieszać bliskich? Janusz Zaorski, obsadzając Janusza Gajosa i Daniela Olbrychskiego w swym telewizyjnym spektaklu, dobrze wiedział, że obie role zawierają doskonały materiał do aktorskiego pojedynku.

„Olbrychski tedy w roli Mike'a jest dość monotonny i blady wobec pełnokrwistego brata Alfreda (właściciela restauracji), z której to roli Gajos mógł zrobić prawdziwy koncert. I zrobił. Jego Freddie jest na przemian to błaznującym bon vivantem, to urażonym do głębi wyznawcą tradycji, to prostodusznym poczciwcem ulegającym czarom brata artysty i intelektualisty, w finale zaś mądrym Żydem, który ma rację i ostatnie słowo. Nie świeci odbitym światłem brata, ma swoje własne. [...] Świetnym pomysłem, dodającym sztuce komizmu i kolorytu, jest sekwencja, w której bracia w ferworze kłótni porzucają wytworną angielszczyznę i zaczynają z lekka zatrącać o ton szmoncesu. Ale najlepszym pomysłem reżysera było jednak zaangażowanie do roli Alfreda niegdysiejszego pana Tureckiego. Bo to przede wszystkim światło talentu Janusza Gajosa dało sztuce sznyt i fajer i trzymało widza przy ekranie" (Janina Wieczerska, *Własne światło*, „Dziennik Bałtycki" 1997, nr 60).

Ładnie powiedziane – światło talentu. Talent, tak niemożliwy do zdefiniowania, na pewno jest promieniującą energią, czymś, co uruchamia w innych lepszą stronę duszy.

„Przedstawienie Janusza Zaorskiego należy do ważnych propozycji telewizyjnego teatru przede wszystkim dzięki wielkiej roli Janusza Gajosa. Znakomity aktor gra Alfreda w sposób niezwykle różnorodny, jego bohater bywa ściszony i zamknięty w sobie, po chwili zaś jest duszą towarzystwa. Najważniejsze są jednak moralne zasady, w które święcie wierzy. Gajos pozwala sobie kilka razy na odrobinę aktorskiej szarży. W tych momentach, wpisanych w rolę Alfreda, widać, że sztuka aktorska nie ma przed nim tajemnic" (Jacek Wakar, *Popis aktorski Janusza Gajosa w sztuce* Harwooda, „Życie Warszawy" 1997, nr 57).

Inną wersję tajemnic teatru i poplątanych ludzkich losów zawiera *Adrianne Lecouvreur* Eugène'a Scribe'a, najbardziej klasyczna z klasycznych tragedii sentymentalnych. Dzięki gwiazdom w roli tytułowej przez wiele dziesięcioleci święciła triumfy na scenach świata. Dzięki gwiazdom i dziś wraca do łask. Adriannę w telewizyjnym przedstawieniu Mariusza Trelińskiego zagrała Danuta Stenka, jej arystokratyczną rywalkę – Krystyna Janda, ukochanego obydwu, księcia de Saxe – Jan Frycz. Janusz Gajos wcielił się zaś w Michoneta, jedynego prawdziwego przyjaciela Adrianny. Sposób ujęcia tej roli narzuciła estetyka spektaklu. Podkreślała dekadenckość świata tonącego w barokowym przepychu opuszczonych, niegdyś bajecznie bogatych wnętrz. Pogrążonego w atmosferze intryg, rozkładu i niespełnionych namiętności. Na tle bohaterów pochłoniętych przemyślnymi grami o pieniądze i uczucia postać Michoneta przyciąga uwagę normalnością. Tylko on nie kieruje się interesem, lecz odruchem serca, bezinteresowną przyjaźnią. Daremnie. Adrianna umiera, ponieważ przyjęła bukiet zatrutych róż podrzuconych przez rywalkę. Rola Gajosa, tworzona w wyraźnym kontrapunkcie wobec innych, przywraca tej sentymentalnej sztuce prawdziwy dramatyzm. Tym bardziej że na manierystyczną estetykę nałożyła się manieryczna gra innych aktorów.

Kolejny spektakl także mógł stać się popisem maniery, ale szczęśliwie się jej ustrzegł. *Wielka magia* Eduarda de Filippo, wieloletniego współpracownika Luigiego Pirandella, jest sztuką realistyczną i poetycką, magiczną i tajemniczą. Pokazuje, że prawda, tak w sztuce, jak w życiu, nie jest kategorią obiektywną. Zależy od intencji patrzącego, czyli jest tak, jak się państwu wydaje.

Intryga wygląda na mało skomplikowaną. W kurortowej knajpce towarzystwo plotkuje, najchętniej o romansach. Oto młoda żona pana di Spelty zniknęła w czasie seansu wielkiej magii. Jej kochanek zapłacił sporą sumkę profesorowi wiedzy tajemnej, słynnemu iluzjoniście, za niepostrzeżone zniknięcie ukochanej. Z oddali słychać warkot motorówki. Kiedy po czterech dniach żona – zamiast wrócić – przysyła list z Wenecji z wyznaniem: „Jestem szczęśliwa jak w raju", mąż nie może uwierzyć, że jest rogaczem. Wielki mag wręcza mu szkatułkę. Jeśli nigdy nie wątpił w wierność żony, może bez obaw ją otworzyć, a znajdzie w niej kobietę, którą kocha; jeśli otworzy magiczne pudełko bez tej wiary, nie zobaczy jej już nigdy. Zdesperowany Calogero di Spelta woli cierpieć, niż poddać się próbie uczuć. Jednak ta naiwna sztuczka maga powoduje jego przemianę duchową. Wreszcie zrozumiał, że przegrał wielką miłość na własne życzenie. Zamiast być dla żony czuły, otwarty i serdeczny, był pyszny, pewny siebie i bardzo zazdrosny.

Gajos – w wielkim kapeluszu, z szelmowsko zawiniętymi do góry brwiami i wąziutkim wąsikiem – wmawia opuszczonemu mężowi, co chce. Robi to tak sugestywnie, że biedaczek nie wie, czy naprawdę szuka żony, czy też śni mu się to wszystko. Profesor czarnej magii – wraz z reżyserem Maciejem Englertem – wodzi widzów po piętrach złudzenia i rzeczywistości tak, że momentami naprawdę nie wiemy, kiedy Mistrz Otto kłamie, a kiedy mówi prawdę, kiedy gra, a kiedy niczego nie udaje. Dopiero na końcu spektaklu orientujemy się w przemyślnym i nieustannym mieszaniu prawdy i fikcji, zmyślenia i szczerości, jakim się posługuje. Po to, by łudzić i dawać nadzieję, by prawda bolała mniej, a okrutny świat wydał się do zniesienia. Jak prestidigitator pokazuje sztuczki, tak bohater grany przez Gajosa kreuje rzeczywistość. Udowadnia, że nie można żyć bez złudzeń i iluzji, ale też nie można żyć tylko nimi. Prawda jest tam, gdzie chcemy ją widzieć. Świat jest wyłącznie subiektywny, a człowiek zdany na własną świadomość; to ona określa jego granice.

„Zdradzony i porzucony mąż wierzy, bo chce wierzyć w niewinność swej żony – wielki mag jedynie pomaga mu w tej wierze wytrwać. Ich przedziwny związek jest kośćcem tej sztuki. Janusz Gajos jako iluzjonista przykuwa uwagę dwoistością oszusta i moralisty, spryciarza i człowieka zdolnego do głębokiej przyjaźni. Piotr Fronczewski dał zrazu wizerunek męża zazdrośnika, który z czasem okazuje się człowiekiem głęboko zranionym, cierpiącym, ale i ożywionym nadzieją lepszych dni. Dwie kreacje na miarę pierwszej sceny w kraju" (Tomasz Miłkowski, *Magia trwa*, „Trybuna" 1999, nr 27).

Kolejny Teatr Telewizji i kolejna rola Gajosa ukazująca co najmniej dwoistość ludzkiej natury. *Kochanek* Harolda Pintera opowiada o tyleż niekonwencjonalnej, ile niebezpiecznej grze, jaką uprawia pewne małżeństwo. Kiedy On wychodzi do pracy, Ona przyjmuje kochanka, ale wie, że i On nie dochowuje jej wierności. Wieczorem, przy drinku, ze zdumiewającą szczerością opowiadają sobie erotyczne przygody. Niespodzianka autora polega na tym, że On jest mężem i kochankiem, Ona żoną i prostytutką. Przedmiotem kultowym w ich domu jest bębenek bongo. Jego dźwięk uruchamia wyobraźnię i rozpala żądze. Czy rozdwojenie jaźni, jakiemu ulegają, to remedium na rytuały codzienności, czy wycieczka w krainę marzeń – nie wiadomo. Dla aktorów – Joanny Żółkowskiej i Janusza Gajosa – sztuka Pintera na pewno zawierała frapujący materiał. Oboje uniknęli banału, zaproponowali postacie złożone, pełne lęków, ale i świadomie dążące do pokonania ograniczeń narzucanych przez mieszczańską egzystencję. Pokazali, że nawet tak perwersyjna gra psychologiczna może mieć działanie terapeutyczne. Przynajmniej w przypadku tej pary aż tak daleko posunięta szczerość w ujawnianiu swych potrzeb czy pragnień seksualnych zapewnia stabilny związek.

Piękny widok Sławomira Mrożka powstał na zamówienie Teatru Współczesnego w Warszawie. Premiera jednak odbyła się w Teatrze Telewizji z powodu... Janusza Gajosa. Po otrzymaniu maszynopisu Maciej Englert, dyrektor Współczesnego, uznał, że rolę Nicka może zagrać tylko Gajos. Ponieważ aktor nie należał do jego zespołu, zrezygnował z wystawienia sztuki. W ten sposób trafiła ona w ręce Janusza Kijowskiego, który bez kłopotów mógł obsadzić Janusza Gajosa, Krystynę Jandę i Krzysztofa Wakulińskiego w spektaklu telewizyjnym.

Doszliśmy do tego, że nikt nie jest w stanie wierzyć nikomu.
Piękny widok Sławomira Mrożka z Krystyną Jandą

Rzecz dzieje się na Bałkanach. Do małej miejscowości Narodni Zbrsk przyjeżdża na wakacje para zamożnych Europejczyków. Kraj ogarnięty jest wojną. Na tle niebieskiego nieba krążą samoloty, mieszkańcy pozostają w domach, słychać strzały, co lekko deprymuje turystów. A może pod pretekstem wakacji mają oni do spełnienia jakąś misję? Kobieta pozostawia męża w kawiarni przy piwie i wybiera się na wycieczkę. Trafia do opuszczonego klasztoru przekształconego w muzeum, gdzie spotyka kustosza. Po chwili rozmowy między obojgiem nawiązuje się nić porozumienia, ciekawości, a później erotycznej fascynacji. Spędzają ze sobą długie popołudnie. Nick, mężczyzna pięćdziesięcioletni, ze zmierzwionymi włosami i długo niegolonym zarostem, okazuje się nie tylko kustoszem. Niewykluczone, że jest to ukrywający się terrorysta; często wspomina o akcjach, wrogach, zagrożeniu, pod łóżkiem trzyma broń. A może jest psychopatą, który całe to zagrożenie tylko sobie wymyśla, choć równie dobrze może być człowiekiem skrachowanym wewnętrznie, który w odosobnieniu znalazł sposób pokonania przeszłości. Do końca nie będzie to jasne.

Zachowanie kobiety również mnoży wątpliwości. Jej mąż, jak wyznaje, wychodząc od kochanka, jest pracownikiem Ministerstwa Spraw Wewnętrznych, być może zawodowo poszukuje terrorystów. Czy ona z nim współpracuje? Czy też pod wpływem nagłego romansu postanowiła Nicka ocalić? Każde przypuszczenie w ich ostatniej rozmowie jest uprawomocnione, oboje są sobą zafascynowani, ale też boją się do tego przyznać, każde z nich próbuje grać tak, by nie ujawniać prawdy, zamiarów, uczuć.

Tak wieloznaczną rolę w sposób przekonujący mógł zagrać tylko Janusz Gajos. Jego Nick, w dżinsach, kraciastej koszuli i dużych okularach, wygląda na abnegata, któremu do życia wystarcza minimum – trochę jedzenia, dach nad głową. Gdy pojawi się piękna Mary-Lou (Krystyna Janda), staje się wrażliwym i czułym mężczyzną, o wiele bardziej interesującym niż skryty za maską chłodnej elegancji mąż. Nick jest wolnym człowiekiem, który potrafi stanowić o własnym życiu, choćby mu przyszło za to płacić cenę samotności i wyobcowania. Jak wielu buntowników z pokolenia kontrkultury – jeśli nie zdradzili młodzieńczych ideałów, zostając bankowcami, przemysłowcami – którzy dziś jeszcze nimi żyją. W samotności rozpamiętują swój bunt w poczuciu własnej wyższości i klęski. Pogrążają się w apatii, choć nadal starają się być czujni i gotowi do walki, nade wszystko otwarci na przygody serca.

Z zupełnie innym wymiarem uczuć przyszło aktorowi zmierzyć się w telewizyjnym spektaklu *O przemyślności kobiety*, według sześciu opowieści ze słynnego *Dekamerona*. Boccaccio-Gajos oprowadza widzów po Florencji, odkrywając tajemnice niejednej alkowy. Często sam bierze aktywny udział w wydarzeniach. Zawsze jako kochanek, nigdy jako zdradzany mąż. To on pomaga kobietom wodzić mężów za nos, ułatwia schadzki i sam często korzysta z ich największych walorów, a są nimi szczodrość w miłości. Śmiałość obyczajowych obrazków w stylizowanych na renesansowe wnętrzach i plenerach przypomina o tym, że seks może być zabawą i źródłem radości, a nie, jak w naszej kulturze, czynnością naznaczoną grzechem.

„Główną postacią w sztuce jest, kreowany przez Janusza Gajosa, sam Boccaccio, który w poszczególnych opowieściach wciela się w postaci: narratora, wędrowca, sąsiada, kochanka, cyrulika, dworzanina czy sędziego. Jego osoba łączy poszczególne nowelki, a dowcipne komentarze nadają podpatrzonym zdarzeniom stosownej pikanterii" (Janusz R. Kowalczyk, *O przemyślności kobiety niewiernej...*, „Rzeczypospolita" 2001, nr 209).

Lubię role Janusza Gajosa w sztukach rosyjskich i radzieckich ponieważ w nich faktura jego aktorstwa, osadzona twardo w realizmie, nabiera dodatkowego oddechu. Stworzone przez niego typy są w szczegółach obyczajowych i psychologicznych perfekcyjnie dopracowane, a jednocześnie niosą ze sobą przestrzeń tej wielkiej literatury pokazującej małych ludzi w powiększeniu.

Ot, choćby taki cyniczny typ jak Ametystow w spektaklu *Chińska kokaina, czyli sen o Paryżu*. Krzysztof Zaleski dokonał adaptacji pięknego opowiadania Michaiła Bułhakowa *Mieszkanie Zojki*. Przenosimy się więc do Rosji lat dwudziestych, kiedy w czasach NEP-u, czyli nowej ekonomii, ożyły zasady wolnego rynku i ludzka energia. Nie bez patologii, rzecz jasna. Bohaterka, elegancka Zoja Pelc (Maria Pakulnis), zajmuje piękne kilkupokojowe mieszkanie. W obawie przed przekształceniem go przez kolektyw robotniczy w pospolity kołchoz postanawia założyć w nim zakład krawiecki. Przy okazji zaś zarobić na wyjazd z ukochanym mężczyzną do Paryża i uciec od absurdów życia w porewolucyjnej ojczyźnie.

W tym momencie wkracza do akcji szanowny Ametystow, kuzyn nie kuzyn, w każdym razie podejrzane typiszcze, ale obdarzone głową do interesów. Wiedziony nieomylnym instynktem hochsztaplera szybciutko przekształca zakład krawiecki w agencję modelek, a naprawdę w salon uciech zamożnych klientów. Finansowo wychodzi na tym świetnie w przeciwieństwie do eleganckiej Zoi Pelc, która zostanie zrujnowana pod każdym względem. Marzenia o dostatnim życiu w Paryżu pozostaną tylko marzeniami, gdy szanowny „kuzyn" ulotni się z pieniędzmi.

Janusz Gajos gra szpetnego człowieka do ciemnych interesów z ciepłą nutą ironii. Jego Ametystow umie być przymilny, uczynny i przekonujący.

Z nieodpartym wdziękiem zdoła nakłonić Zojkę i innych, by mu zaufali. Potrafi też być okrutny, bo jest inteligentniejszy niż inne a bogate typy zjawiające się w agencji modelek. Ot, choćby sekwencja rozmowy z obywatelem Gęś-Ładowny (Andrzej Grabowski), kiedy to metodycznie upija tę pokraczną figurę, powtarzając radośnie: „Do dna, do dna", sącząc wciąż ten sam kieliszek. Dobre interesy lepiej robić na trzeźwo, hulać będzie później. Bohater Gajosa wyraźnie unika efektów melodramatycznych; zgodnie z ulubioną przez Bułhakowa poetyką groteski sprowadza wszystko do absurdu.

Od Bułhakowa do Gogola jeden krok, a raczej odwrotnie. Nigdy się wprawdzie nie spotkali, ale w dwudziestowiecznej literaturze właśnie autor *Mistrza i Małgorzaty* był najzdolniejszym kontynuatorem satyryczno-groteskowego spojrzenia Gogola. *Płaszcz*, zaadaptowany na scenę przez Juliana Tuwima i uzupełniony o wiele postaci z jego świetnej prozy, wciąż pozostaje niezwykle rosyjski i niezmiernie aktualny. Telewizyjny spektakl Andrzeja Domalika należał niewątpliwie do Jerzego Treli jako cudownego wprost Akakija Akakijewicza Baszmaczkina – małego, zaszczutego człowieczka, plasującego się na samym dole urzędniczej drabiny. Przez całe życie dorobił się jedynie nowego płaszcza z futrzanym kołnierzem i srebrnymi guzikami. W nim nareszcie czuje się ważnym, godnym człowiekiem. Pozwala sobie na spacery po Newskim Prospekcie, a nawet w wieku pięćdziesięciu kilku lat (!) myśli o założeniu rodziny. Trudno sobie wyobrazić egzystencję bardziej zdegradowaną.

Odpowiada za to tak zwana struktura społeczna i jej podpory – generałowie, bojarowie – najbliżsi cara. Janusz Gajos zagrał tu jednego z nich – generała Gromotrubowa. Już jego pierwsze wejście, w oblepionym medalami mundurze z czasów cara Mikołaja, pozostaje imponującym pokazem buty i wszechwładzy. Krzyki i pohukiwania na maluczkich obnażają jego prymitywizm. Tacy upojeni władzą urzędnicy jednym słowem lub gestem decydowali o życiu dziesiątków czy tysięcy Baszmaczkinów. To oni sprowadzili system rosyjskiego możnowładztwa do absolutnej karykatury, nie licząc się z nikim i niczym poza stojącymi od nich wyżej.

▬ Trudno mówić o Gromotrubowie jako o człowieku. To raczej symbol zjawiska, które reprezentuje – bezdusznego państwa, które istnieje samo

Gromotrubow jest raczej głupi niż zły, ale zło bierze się z głupoty. *Płaszcz* Mikołaja Gogola

dla siebie. Jak każdy człowiek wyobrażający siebie jako pępek świata – jest tragiczny. Generał jest raczej głupi niż zły, ale zło bierze się przeważnie z głupoty (*Strój zdobi człowieka*, „Antena" 1999, nr 16).

Symbol zła, wyrosłego z rosyjskiej i radzieckiej tradycji samodzierżawia, jakim był Stalin, oglądamy z innej niż znana perspektywy. *Herbatka u Stalina* przedstawia obraz władcy tyleż cynicznego, ile fascynującego zachodnich intelektualistów. Zapraszani do Związku Radzieckiego, stawali się niejednokrotnie entuzjastycznymi wyznawcami nowego ustroju. Rzadko bowiem zdawali sobie sprawę, że oglądali jedynie piękną fasadę, że każdy ich krok był śledzony, każda wypowiedź podsłuchana i zanotowana. Byli zbyt naiwni i prostolinijni? Niekoniecznie, po prostu w głowach przyzwyczajonych do demokratycznego obyczaju i cywilizowanych zachowań nie mieściło się, że władza radziecka posługuje się oszustwem od początku do końca. Ronald Harwood opisał jedną z historycznych wizyt, jaką w 1931 roku złożył w Związku Radzieckim angielski pisarz i socjalista George Bernard Shaw w towarzystwie lorda Aston i jego żony. Został oczywiście przyjęty przez włodarza Kremla – Josifa Wissarionowicza Stalina, którego zagrał Janusz Gajos.

▨ Stalina nigdy wcześniej nie grałem. Uważam, że postacie historyczne o ustalonym wizerunku nie są wdzięcznym materiałem dla aktora. Pozostawiają mało możliwości interpretacyjnych. Dramaturdzy często proponują obserwację wyimaginowanych spotkań osób znanych z historii. Grałem w takich przedsięwzięciach (Fouché w *Kolacji* Brisville'a czy Bach w *Kolacji* Barza). Te postacie były jednak umieszczone w czasie tak odległym od współczesności, że samo wyobrażenie sobie ich w jakichś konkretnych, codziennych sytuacjach było frapujące. W przypadku Stalina mamy do czynienia z postacią znaną, ale nie tak bardzo zamgloną przez czas. Stalin dla wielu z nas był osobą żyjącą i działającą współcześnie, czego konsekwencje odczuwamy do dziś. Tak więc nie można na tę postać spoglądać z bezpiecznego oddalenia. Trzeba siłą rzeczy poddać się wizerunkowi, jaki nakreślił Harwood, dla którego Stalin był postacią współczesną, tyle że obserwowaną zza żelaznej kurtyny („Rzeczpospolita" 2001, nr 10).

Zewnętrzny wizerunek Stalina został tu silnie podkreślony przez szary mundur generalissimusa, sumiaste wąsy i gęstą czarną czuprynę nad niskim czołem. Własnym wkładem aktora w portret dyktatora wydaje się sztywna lewa ręka, która bardzo ogranicza poruszanie się postaci i wymusza niejako uwagę dla niej, ponieważ wszystkie czynności – zapalenie fajki, wyjęcie butelki i kieliszków z sekretarzyka, nalanie wódki, podanie herbaty sceniczny Stalin wykonuje prawą ręką. Lewa nieruchoma założona jest zawsze do tyłu. W głównej scenie spektaklu – wizyty Shawa (Gustaw Holoubek) wraz z towarzyszącą mu parą arystokratów, Nancy (Joanna Szczepkowska) i Waldorffem (Jan Englert) Astorami, u przywódcy państwa radzieckiego – Stalin Gajosa wspina się na wyżyny kultury. Jest miły, spokojny, troskliwie podaje gościom herbatę „zdrową" ręką, co czyni z niejaką trudnością, zapala fajkę, wybierając ją ze znajdującej się na biurku kolekcji.

Po dwugodzinnej charakteryzacji. *Herbatka u Stalina* według Ronalda Harwooda

Wszystkie te gesty obliczone są na to, by wydać się gościom dobrym gospodarzem Kremla i kraju. W głębi gabinetu widać piękną sekreterę, z której chwilę wcześniej wyjmował alkohol, by wypić z zaufanym adiutantem kilka kieliszków. Ścianę pokrytą boazerią ozdabia portret Lenina. Wszystkie te zewnętrzne oznaki dostatku, dobrych manier, a nawet dobrego gustu wprowadzają gości w błąd.

Tylko lady Astor ma odwagę stawiać niewygodne pytania, dociekać prawdy, mimo że Shaw, połechtany iście królewskim przyjęciem, ją mityguje, sam wygłasza zaś peany pod adresem Stalina i jego kraju. Grymas pogardy na ustach Gruzina po wysłuchaniu owych zachwytów staje się tylko ironicznym komentarzem – intelektualistów można tanio kupić. Ich zachwyt dla rosyjskiej rewolucji trwał długo, mimo dostatecznie rozpowszechnionych wiadomości o głodzie na Ukrainie, czystkach partyjnych i prześladowaniach niepokornych. Stalin, chytry gracz, dobrze wiedział, że zbyt łatwo popełniają grzech zaniechania nazywany zdradą klerków. Dlatego Janusz Gajos uczynił swego bohatera najbardziej przebiegłym uczestnikiem owego historycznego spotkania przy herbatce. Spod maski spokoju i dobrotliwości goście nie potrafili odczytać prawdziwych intencji tyrana, zbyt naiwni, zbyt kulturalni, by pojąć grozę radzieckiej rzeczywistości. Ciekawe przedstawienie z udziałem gwiazd nie zdarza się w każdy poniedziałek, tym cenniejsze są spotkania jak na *Herbatce u Stalina*. Nie potrzeba wielkich inscenizacji, by widzowie poczuli się poruszeni.

Porównanie realizacji tych samych sztuk na scenie i małym ekranie wypada zdecydowanie korzystniej dla telewizji. Technika montażu, eliminująca zmiany dekoracji i ułatwiająca przenoszenie postaci w różne miejsca oraz wymiary rzeczywistości, zastępuje teatralną inscenizację. Ale tym bardziej eksponuje aktora. Jego twarz rejestrowana w zbliżeniach staje się ważniejsza niż ta sama twarz widziana z dziesiątego rzędu. Kamera lepiej niż lornetka odnotowuje każdy fałsz, niepotrzebny grymas, nadmierną ekspresję, a już nie daj Boże bebechowatość czy ekshibicjonizm. Cechą aktorstwa Janusza Gajosa od początku była oszczędność środków, dyskretne ukazywanie przeżyć postaci, w czym niemałą zasługę ma perfekcyjne operowanie głosem. Niskim, dobitnym, o dużej skali i nośności, w pełnym brzmieniu wykorzystywanym tylko w wyjątkowych sytuacjach. Aktor mówi wyraźnie, spokojnie, często cedzi słowa z wysiłkiem, „jakby mu język wysechł", by nie-spodziewanie przyspieszyć, a potem zastosować długą chwilę ciszy. Pauzy, chwile milczenia nasycone emocjami, dają szansę wyobraźni widza. Aktor pamięta o tym, że nie wszystko musi być dopowiedziane do końca, by uruchomić uczucia i myśli. Przeciwnie, daje widzowi poczucie wolności, uruchamia wyobraźnię.

Janusz Gajos potrafi łączyć komediowo-tragiczne środki wyrazu, dla-tego mówi się, że jest aktorem o współczesnej skali wrażliwości. Dzisiej-sza barwa czasu pozwala zestawiać ze sobą różne wartości emocjonalne, ponieważ wiemy, że tragedia miewa maskę błazna, a komediant mówi niekiedy rzeczy bardziej serio niż kapłan. Aktor ujmuje te skrajne walory uczuć w ryzy formy, poddaje surowej dyscyplinie transformacji, precyzji szczegółów, które dzięki temu urastają do rangi metafory. Nie zatrzymuje się jednak na opisowej jednoznaczności. Przestrzeganie narzuconych rygo-rów formy sprawia, że w jego interpretacjach pojawia się odrobina ironii, dystansu do postaci, co stwarza wrażenie głębi, „drugiego dna". Dlatego z taką maestrią wodzi nas po piętrach rzeczywistości, labiryntach snów, marzeń i potrafi urzeczywistniać swoją obecnością na małym ekranie to, co tylko pomyślane.

WYBIERAM

CIEKAWSZE PROPOZYCJE

Janusz Gajos długo zdobywał wysoką pozycję – prawie połowę życia zawodowego. Dopiero z końcem lat osiemdziesiątych, po sukcesie *Opowieści Hollywoodu*, *Ławeczki*, *Przesłuchania* czy *Ucieczki z kina „Wolność"*, stał się aktorem uznanym, wielkim, wybitnym. A nade wszystko wolnym. Tym, który może wybierać najciekawsze propozycje zgodnie ze swoją zawodową ciekawością, chęcią poznania nowego reżysera, estetyki, poczucia humoru wreszcie. Wolność aktora nie jest taka jak wolność pisarza czy malarza decydującego, o czym i jak chce tworzyć. Nie musi on grać wszystkiego, nawet jeśli jego profesja w większym stopniu zależy od rynku mediów niż życie zawodowe innych artystów.

Wraz ze zmianą ustroju pojawiły się na naszych ekranach filmy akcji, filmy sensacyjne, gangsterskie, a niemal jednocześnie – jako antidotum – powstały też filmy wymagające namysłu, o wysmakowanej estetyce, ze względu na niezbyt liczną widownię nazywane niszowymi. Ale ta widownia istnieje i, sądząc chociażby po wielbicielach kina Krzysztofa Kieślowskiego, wcale nie jest tak mała, jak się nam wmawia. Na pewno jest to widownia złożona nie z tłumu poszukiwaczy atrakcji, którym można łatwo manipulować, tylko z jednostek myślących. Aktor bardzo dobrze zdawał sobie sprawę z siły tego kina i rzadko odmawiał w nim udziału.

Jedną z ciekawszych propozycji tego okresu była rola starego śpiewaka w filmie *Kiedy rozum śpi* Marcina Ziębińskiego, którego akcja ma miejsce podczas burzliwych lat rewolucji francuskiej w Austrii. W zamku zmarłego

Zapomniany artysta – to smutne. *Kiedy rozum śpi* Marcina Ziębińskiego

hrabiego bohaterowie filmu poszukują tajemniczego perpetuum mobile, które przed śmiercią właściciel ukrył. Dla tego wynalazku decydują się poświęcić wszystkie wartości. Przy okazji obnażają, jak bardzo arystokratyczne towarzystwo potrafi być zepsute, fałszywe i zawistne. Jak bezwzględnie każdy z tych niebiednych i kulturalnych ludzi potrafi walczyć o spadek po zmarłym, wierząc, że pokona on zło i zapewni szczęście.

Janusz Gajos gra starzejącego się śpiewaka, który w czasach baroku był u szczytu sławy, a gdy go poznajemy – zapomniany przez wszystkich – dożywa swych dni. Aktor w osiemnastowiecznym bogato zdobionym złotem kostiumie i białej peruce nosi się jak wielki pan. Tylko spojrzenie pozwala dostrzec gorzką świadomość bliskiego już końca, zwłaszcza gdy zauważa, jak coraz więcej niegdyś wiernych mu ludzi go opuszcza. Jako człowiek o nienagannych manierach nie pozwala sobie na biadolenie. Niby rola niewielka, ale przygotowana starannie. Warto ją zapamiętać w kontekście przesłania filmu – upiory nie usypiają nigdy.

„Pyszne role Janusza Gajosa (śpiewak Cinqueda), Wojciecha Pszoniaka (demoniczny hrabia Ottenhagen, główny reżyser ostatecznej rozgrywki), Jana Peszka (bankier Kaltfisch), wyszukana i nieco obłędna sceneria rozległej posiadłości, w której co krok napotkać można niesamowite wynalazki zmarłego Aleksandra Planta, obraz zmierzchu pewnej obyczajowości i kultury – wszystko to czyni z filmu Ziębińskiego kino interesujące. [...] Debiutant zrobił chyba dobry początek. Zafascynowane potęgą rozumu oświecenie zrodziło między innymi teorię deizmu, czyli niewiary w Bożą Opatrzność. Porównywano w niej Stworzyciela do zegarmistrza, który uruchomił wielki mechanizm świata i pozostawił go samemu sobie, więcej nim się nie interesując. Może to jeszcze jedna wersja legendy o perpetuum mobile?" (Agnieszka Czachowska, *Utracona niewinność racjonalizmu*, „Film" 1993, nr 47).

Słowo „współczesność" w kinie ma tyle znaczeń, ilu jest reżyserów. Krzysztof Kieślowski rozumiał to pojęcie w sposób bardzo szczególny. Druga część trylogii *Niebieski, Biały, Czerwony* – zamierzonej jako nawiązanie do haseł Wielkiej Rewolucji Francuskiej: wolność, równość, braterstwo – opowiada o równości, a raczej jej braku. *Biały* jest gorzką czarną komedią o przygodach utalentowanego polskiego fryzjera Karola (Zbigniew Zamachowski), który wygrał, wydawałoby się, los na loterii. Talent strzyżenia damskich głów umożliwił mu otwarcie salonu w Paryżu i mariaż z piękną Dominique (Julie Delpy), lecz cóż z tego, skoro okazał się impotentem. Francuska żona wyrzuca go z domu, więc ląduje w metrze, gdzie próbuje zarobić na powrót do kraju, grając na grzebieniu. W przejściu metra spotyka rodaka, Mikołaja (Janusz Gajos), który w zamian za dużą sumę pieniędzy i powrót do kraju (w walizce) proponuje mu zabicie kogoś, „komu się żyć odechciało".

Po powrocie Karol zaczyna zarabiać pieniądze, aby pokazać byłej żonie, którą nadal kocha, że jest sporo wart. Dochodzi także do wykonania obiecanej przysługi. Gdy jednak zamożnym człowiekiem, który stracił motywację do życia, okazuje się właśnie Mikołaj, Karol strzela do niego ślepym nabojem, czym w cudowny sposób przywraca mu chęć do życia. „Trzeba przeżyć swoją śmierć, by zechciało ci się żyć", powie Mikołaj, radośnie biegnąc po zamarzniętej Wiśle. Tą maksymą posłuży się również Karol. Symuluje swoją śmierć, by zwabić na pogrzeb Dominique, która przybywa po zapisany jej w testamencie ogromny spadek. Dopiero wtedy Karol, odwiedzając żonę w hotelu, zdobywa ją naprawdę, czuje się już równy, w każdym razie „po swojej śmierci" odzyskuje męskość. Żona trafia do więzienia za rzekome zabójstwo męża, skąd przez okno będzie przesyłać mu znaki miłości.

Janusz Gajos zagrał w tym filmie postać najbardziej tajemniczą – polskiego inteligenta, który już niczego nie chce; ani żyć, ani zarabiać pieniędzy, ani cieszyć się rodziną, jakby instynkt życia uległ atrofii. Recenzenci mieli z tą postacią niemało kłopotu. „A może głównym bohaterem *Białego* – pisał Tadeusz Sobolewski – jest przyjaciel Karola – Mikołaj (Janusz Gajos)? Najmniej o nim wiemy, ale jego spojrzenie jest najbardziej wymowne. To on jest w tej grze Wokulskim. A może – Kieślowskim? Być może to z jego punktu widzenia opowiadana jest cała historia?

Pewne ujęcia (m.in. przedstawiające walizkę) wyprzedzają akcję, jakby zagubiły się w montażu. Te antycypacje stwarzają wrażenie, że cała historia jest na naszych oczach przez kogoś układana, ujęta w cudzysłów. Może autorem tej historii jest właśnie Mikołaj? Ma około pięćdziesiątki. Często bywa w Paryżu. W Warszawie zostawił rodzinę. Chwali się dobrą pamięcią. Tęskni za czasem, w którym zdawał maturę. I – jak Kieślowski w wywiadach – mówi, że nic mu się nie chce, że nie ma motywacji...

Dwaj przegrani w paryskim metrze – Karol (Zbigniew Zamachowski) i Mikołaj. *Biały* Krzysztofa Kieślowskiego

Reżyser, podobnie jak Mikołaj, popełnił ostatnio rodzaj artystycznego samobójstwa, niespodziewanie ogłaszając, że zrywa z kinem. Zastawia, jak mówi, pułapkę na samego siebie. Do czego ma służyć Kieślowskiemu ta transakcja z losem? [...]

Sens *Białego* wydaje się tak samo enigmatyczny, jak sens decyzji Kieślowskiego o przerwaniu twórczości. W grze uczestniczy sobowtór reżysera. Ale nie jestem pewny, w którym momencie ja mam się do tej gry włączyć. Jeśli *Biały* jest filmem o braku równości, to jest w nim również jakaś nierówność między widzem a twórcą, który wie coś, czego nie chce nam powiedzieć" (*Tajemnica Kieślowskiego*, „Gazeta Wyborcza" 1994, nr 47).

„Tylko postać grana przez Janusza Gajosa – przyjaciel Karola, który najpierw wybawia go z paryskiej opresji, a potem powierza mu swoje życie – niesie na sobie piętno jakby z innego filmu. To jest ktoś, kto musi przeżyć własną śmierć, by znów poczuć smak życia" (Piotr Mucharski, *Bez koloru*, „Tygodnik Powszechny" 1994, nr 13).

Bardzo to ciekawe, że Gajos – uznawany przez lata za aktora komediowego – nagle staje przed zadaniem zagrania najbardziej tajemniczej postaci filmu. Postaci wyrażającej jego sens metafizyczny. I to mu się udaje. Nie tylko jest przekonujący jako inteligent, ale nie ma w sobie nic z plebejskości, wykorzystywanej w dziesiątkach ról. Tylko jakaś zaduma, gorzka świadomość życia, rodzaj apatii pokazanej bardzo delikatnie, kulturalnie, bez przerysowań. I półuśmiech smutnego człowieka, który wiele widział i przeżył, niczemu się już nie dziwi, o nic nie walczy, tylko z wyrozumiałą mądrością patrzy na ludzką szamotaninę. Choć wie, że ta szamotanina nie ma sensu, to życie nie jest go pozbawione. Sam biologiczny fakt trwania jest sankcją świata. Może dlatego nie potrafi się zabić, tylko prosi o to plebejusza, licząc zapewne, że spora suma zlikwiduje podobne wątpliwości.

Nie wiem, jak Gajos to robi, ale umie przekazać stany duchowe bohatera, ukazujące „drugie dno" postaci, a na pewno niepokój, jaki wnosi do filmu. To zresztą znany paradoks, że najwięksi komicy są ludźmi smutnymi, a zagorzali realiści częściej sięgają metafizyki niż spirytyści. Połączenie tych paradoksów bywa bardzo rzadkie, ale jak widać się zdarza. Czy Mikołaj miał być porte-parole reżysera, czy też postacią tyleż tajemniczą, ile intrygującą, nie do końca jest jasne. Niemniej, wychodząc z kina, próbujemy odpowiedzieć na pytanie, kim jest bohater Janusza Gajosa, a to znaczy, że zastanawiamy się nad przesłaniem filmu.

Kino Kieślowskiego stawia pytania z gatunku tych, na które nie ma odpowiedzi. Życie stawia nas w sytuacjach, jakich ani normy prawne, ani moralne nie definiują dokładnie. Wybór zachowania, wybór postawy zależy od człowieka, od jego poczucia przyzwoitości, które realizuje się poza systemem norm czy nakazów. Tak było też w przypadku dziesięcioczęściowego *Dekalogu*, powstałego kilka lat wcześniej. W czwartym odcinku Janusz Gajos zagrał również postać tajemniczą, nie do końca określoną. Ojca dorastającej dziewczyny (Adrianna Biedrzyńska) wyraźnie zafascynowanego jej przemianą z dziecka w kobietę. Relacje tej pary są jeszcze bardziej skomplikowane, ponieważ dziewczyna odczuwa także szczególny rodzaj uczuć, choć nie do końca potrafi je określić. Znajduje list zmarłej dawno matki, z którego wynikać może, ale nie musi – list jest nadpalony i część słów nieczytelna – że Michał nie jest jej biologicznym ojcem. Być może zobaczy w nim mężczyznę, ale chyba trudno przyjdzie to pogodzić

Czcij ojca swego i matkę swoją. Z Adrianną Biedrzyńską; *Dekalog IV* Krzysztofa Kieślowskiego

z faktem, że wychował ją jak prawdziwy ojciec. Film kończy się wspólnym czytaniem listu matki. Reżyser widzom pozostawia rozwiązanie kwestii, jak potoczą się losy tych ludzi – ojca i córki? pary?

O wiele ważniejsze są relacje tych dwojga ludzi. Uczucia samotnego mężczyzny i młodej dziewczyny bardzo subtelnie pokazane. Wzajemna fascynacja, próby buntu, próby wyjaśnienia owej nietypowej sytuacji. Zwłaszcza rola Michała ma tu swój ciężar. Gajos gra mężczyznę zafascynowanego dziewczyną, ale jednocześnie odpowiedzialnego za jej prawidłowy rozwój emocjonalny. Z jednej strony wyraźnie cierpi z powodu jej chłopaka, ale z drugiej tłumaczy sobie, że tak musi być, bo on jest tylko jej ojcem. Prowokuje dziewczynę do odkrycia prawdy, ale wie, że jej poznanie wcale wszystkiego nie rozwiąże. Każdy gest filmowego Michała świadczy o jego kulturze osobistej, wrażliwości i wyjątkowej delikatności; każde spojrzenie, przejście do innego pokoju i skrywana reakcja mówią więcej niż słowa.

Michał niczego nie deklaruje, nie narzuca się, jest ciepły, czuły i cierpliwy. Czeka, aż dziewczyna sama dojrzeje do uczuć, co wcale stać się nie musi. Dobrze o tym wie, ale też nie zamierza niczego przyśpieszać, stawiać na ostrzu noża. Uczucia obojga są oddane bardzo subtelnie, w serii spojrzeń, ciepłych gestów świadczących o zaufaniu. Rzadko zdarza się w kinie tak powściągliwie rysowany portret mężczyzny – opiekuńczego, ciepłego i dorosłego w każdym tego słowa znaczeniu.

Za sprawą powieści Edwarda Redlińskiego *Szczuropolacy,* przerobionej swego czasu na sztukę teatralną *Cud na Greenpoincie,* która z kolei stała się podstawą scenariusza filmu *Szczęśliwego Nowego Jorku,* dotykamy innej strony naszej współczesności. Trudnej i bolesnej, złożonej po równi z mitów, jak i z ich zderzenia z rzeczywistością. Amerykańską, gdzie bohaterowie Redlińskiego i Zaorskiego postanowili szukać szczęścia. Podstawą scenariusza było siedem lat (1984–1991) spędzonych przez pisarza w Ameryce, gdzie doświadczył, zdaje się, wszystkiego, co dobre i złe w tym kraju. I to doświadczenie rozczarowania i fascynacji, upadku i sukcesu, prawdy i kłamstwa zawarł w swych utworach. Nie polubił Ameryki, którą oglądał z pozycji emigranta pracą rąk zarabiającego na chleb, czemu dał wyraz w wielu wywiadach. Ale też jako pisarz dał malowniczy opis zamorskiej egzystencji wielu rodaków, którzy mimo wszystko codziennie ustawiają się karnie w kolejki po wizy do amerykańskiego raju.

„Wielkim atutem *Szczęśliwego Nowego Jorku* jest znakomita gra aktorów. Na pierwszy rzut oka mogłoby się wydawać, że obsadzenie w głównych rolach Lindy, Pazury, Figury, Gajosa, Zamachowskiego i młodego Olbrychskiego to pójście na łatwiznę. Ale czy inni aktorzy stworzyliby tak wyraziste i przejrzyste kreacje? Świetny okres zawodowy przeżywa teraz Katarzyna Figura, wielką tragiczną rolę stworzył Janusz Gajos jako Profesor – jedyny w tym gronie inteligent, zdający sobie sprawę z tego, że żyje na dnie", pisała Barbara Hollender (*Zły sen o Ameryce,* „Rzeczpospolita" 1997, nr 229).

W tym samym numerze w rubryce „Kontra" Jerzy Wójcik podkreślał: „najciekawsza kreacja Gajosa i jego sensowne wyznania giną wśród taniego efekciarstwa Azbesta-Pazury i umizgów Terizy-Figury. Film kończy kiczowate krwawe rozwiązanie. Zatem – zabawa to? A może ten towar najłatwiej się sprzedaje?".

Na pewno jest to komedia, dla wielu zawiedzionych mitem szczęśliwego życia po drugiej stronie Atlantyku nawet tragikomedia, niepozbawiona ambicji sportretowania nie tyle emigrantów, ile mentalności nas samych, bo w każdą podróż na pewno zabieramy siebie. Sceneria autentycznego Greenpointu, gdzie w paskudnym mieszkaniu gnieżdżą się rodacy, jest tylko tłem, na którym lepiej widać postawy, sposób myślenia i charaktery. Każdy z sześciu bohaterów, których losy poznajemy, jest kimś innym, bo już tym kimś był, zanim tu przyjechał. Autorzy scenariusza użyli obskurnego mieszkania, by łatwiej było zachować jedność czasu, miejsca i akcji, co jest ich dobrym prawem i wcale nie musi odbiegać od realizmu. Najważniejsze jednak okazuje się wyposażenie bohaterów w ideały, wartości, marzenia i determinację w ich spełnianiu. Obserwujemy więc bogaty wachlarz postaw: od cynicznego Serfera, dążącego nie zawsze uczciwymi sposobami do przekucia *american dream* w rzeczywistość, po Azbesta, sprytnego człowieka pnącego się po drabinie sukcesu ekonomicznego. Nie chce czekać na Amerykę w kraju pięćdziesiąt lat, tylko doświadczać jej tu i teraz. Poznajemy też jego siostrę Terizę, nieprawdopodobnie głupią dziewczynę o tak zwanym gołębim sercu, miotającą się między forsą a przykazaniami, między kurewstwem a marzeniem o normalnej rodzinie. A także prostego chłopa Potejto, pracownika rzeźni, wierzącego katolika kochającego szóstkę swych dzieci, który oszczędza dla nich każdy grosz jak AA w *Emigrantach* Mrożka. I wreszcie Profesora, byłego specjalistę od socjalistycznej ekonomii, który w pogoni za pieniędzmi stoczył się na dno, w alkoholizm. Z tej perspektywy w przebłyskach świadomości widzi swoją sytuację dość jasno, dlatego szczerze nienawidzi Ameryki, bo odebrała mu ona tożsamość, a nie dała forsy. Janusz Gajos powiedział kiedyś o swojej roli:

▤ Najbardziej nurtowało mnie pytanie, czy jest prawdopodobne, żeby naukowiec mógł się zniżyć do takiego poziomu, jak grany przeze mnie bohater. Rozmawiałem na ten temat z psychologami. Okazało się, że to właśnie ludzie z wyższym wykształceniem w ekstremalnych sytuacjach upadają najniżej („Express Wieczorny" 1997, nr 228).

Postać Profesora okazała się więc prawdziwa, podobnie jak jej strój, składający się z brudnej kufajki obwiązanej niebieskim, ręcznie robionym szalikiem, dopełniony sportową czapką z polaru i rękawiczkami bez palców. Podobno aktorzy wchodzili w pełnej charakteryzacji do sklepów, nie budząc zdziwienia w polskiej dzielnicy Nowego Jorku.

Kreacja Gajosa wydała się wielu wręcz genialna, słusznie bowiem aktor zawarł w tej postaci gorzkie spojrzenie człowieka, który bilansuje swe życie i okazuje się ono kompletnie pozbawione wartości. Ekonomia socjalistyczna, którą wykładał, splajtowała jako nauka, tak samo jak pomysł zarobienia w Ameryce na mieszkanie dla siebie i młodej żony. Profesor Gajosa pozostaje totalnie rozczarowany do świata po obu stronach żelaznej kurtyny. Jako inteligent zdaje sobie sprawę, że sukces w życiu zawsze jest współrzędną wyborów, zawsze jest coś za coś. To naprawdę głęboka i przejmująca rola, bohater Gajosa pozwala nam bowiem oglądać świat w kategoriach bezwzględnych, taki, jaki jest, a nie taki, jak się nam wydaje. Profesor nie ma żadnych złudzeń, tylko gorzką i pełną świadomość klęski. Wyraża ją strachem przed trzeźwością, różnymi stanami alkoholowego głodu, ironią, dobrotliwym uśmiechem. Wspaniale i mądrze.

Jednym z bardziej udanych filmów nie tylko Mariusza Trelińskiego, ale w ogóle lat dziewięćdziesiątych naszego kina, okazała się *Łagodna* według opowiadania Fiodora Dostojewskiego. Cały ciężar filmu spoczywa na Januszu Gajosie, ponieważ pomyślany jest jak monolog wewnętrzny bohatera. W ponurym wnętrzu prześwietlonym sinoniebieskim światłem majaczą ułożone na stole zwłoki młodej kobiety. Obok, w szarej poświacie wycinającej z trudem kształt domowych sprzętów, duża bryła topniejącego lodu obniżająca temperaturę w pokoju. Postarzały mężczyzna z dużymi bokobrodami i kilkudniowym zarostem wpatruje się tępo w zwłoki. Za kilka godzin grabarze je zabiorą. Jego ponure milczenie przerywa miarowy odgłos kropel spływających z bryły lodu, brzęczenie uporczywej muchy. W kolejnych retrospekcjach poznamy historię osobliwego małżeństwa starego mężczyzny z młodziutką dziewczyną.

On jest właścicielem lombardu, nieufnym i bardzo chytrym, ale jak na stosunki panujące w Petersburgu końca XIX wieku zamożnym. Ona sierotą terroryzowaną przez upiorne stare ciotki, chciwe i prymitywne. Co pewien czas zjawiała się w jego lombardzie, by zastawić jakiś drobiazg. Któregoś dnia, gdy zacinał zimny deszcz, przyszła przemoknięta i zziębnięta.

Uczucia i pieniądze. Lichwiarz i jego żona, Dominika Ostałowska.
Łagodna według Fiodora Dostojewskiego

On poczuł rodzaj współczucia, może litości. I wykupił ją od ciotek za całe dwieście rubli, z czego część płacił banknotami, a część monetami, które liczył długo i skrupulatnie.

W wyniku tego targu ona stała się jego żoną; postanowił ją traktować z pełnym szacunkiem, wozić – jak nakazuje zwyczaj – raz w miesiącu do teatru, prowadzić dom dostatni, nawet wziął od jej ciotek służącą. Na swoją miarę ją kochał, postanowił przecież dzielić się z nią niełatwo zdobytym bogactwem. Ona daje mu odczuć, że transakcja sprzedaży, na którą się zgodziła, była mezaliansem. Z wyżyn młodzieńczego idealizmu darzy go niekłamaną pogardą.

Dla obojga to małżeństwo stało się katorgą – nie ma w nim zrozumienia ani miłości. Oboje szamocą się jak w klatce, każdy kontakt powoduje kolejne rany. Start ich związku był fałszywy – on ją kupił za lichwę, ona zaakceptowała transakcję. Bardzo trudno w takiej sytuacji obronić własną godność, toteż oboje zamykają się w skorupach. Nie potrafią być szczerzy, nazbyt są skrępowani konwenansami albo nazbyt zamknięci w doświadczeniach i cierpieniach, jakie przeszli.

Zresztą intencje tego małżeństwa czyste nie są – on pojął ją za żonę, by kogoś obarczyć swoją hańbą (został wyrzucony z wojska za tchórzostwo), a ponadto zajmuje się lichwą, procederem haniebnym. Dręczy więc żonę swoimi kompleksami i masochizmem, a jednocześnie żebrze o strzęp uczucia. Ona, zamiast być wdzięczna swemu dobroczyńcy, pogardliwie milczy, na propozycję zwiększenia domowego budżetu odpowiada: „Nie trzeba", co brzmi jak obelga. Każdym gestem pokazuje, jak bardzo jest podły i prymitywny. Czasem kpi w żywe oczy, czasem jest tylko zimna i obojętna, jakby nieobecna. Z perwersyjną radością zdradzi go z jego oskarżycielem, ale i w tamtym związku nie znajdzie szczęścia. „Coś w niej już za życia obumierało", powie lekarz badający sprawę jej samobójczego skoku przez okno. Dla niej śmierć stała się wyzwoleniem, dla niego najcięższym upokorzeniem i końcem nadziei. „O, dopóki ona tu jest – wszystko jeszcze dobrze: podchodzę i coraz spoglądam; a wyniosą ją jutro" – tak się zaczyna film i opowiadanie. Słowami: „Jakże ja tu zostanę sam?" – kończy się film.

Treliński ogranicza przestrzeń, dyscyplinuje kolory utrzymane w szarometalicznej tonacji, nawet kryształowy żyrandol jest zimnoniebieski, zabijając wszelką nadzieję. „Udało się twórcom filmu niemało: pokazać to, czego sfotografować właściwie nie można – wnętrze duszy ludzi, którzy mieszkali razem, a żyli na odległych planetach" (Jerzy Wójcik, *Miłość w czyśćcu*, „Rzeczpospolita" 1996, nr 267).

Oboje mają dużo czasu na milczenie, długie ujęcia pokazują ich twarze, drobne gesty, ruch brwi, wyraz oczu. I oboje są wspaniali. Zarówno Gajos, mówiący chrapliwym, jakby zdartym głosem, jak i milcząca niemal Ona Dominiki Ostałowskiej. „Naczelną partię rozgrywa w *Łagodnej* Janusz Gajos i jest to kreacja domagająca się superlatywów. W jego indywidualności aktorskiej tkwi jakiś sekret, który decyduje o rozpiętości talentu – od ciężkiej *Mszy za miasto Arras* do komediowego *Ożenku*, od wcieleń kabaretowych do *Przesłuchania* i od *Wahadełka* do *Ucieczki z kina «Wolność»*. Z jednej strony vis comica, z drugiej – zdolność kontemplacyjna" (Władysław Cybulski, *Łagodna*, „Dziennik Polski" 1995, nr 285).

Sam talent jest już tajemnicą, a jego wielka rozpiętość jeszcze większą i nie piszę tego całkiem żartobliwie. Ale sekretu przez sekret nie wyjaśnimy. Może jakaś prawda tkwi w stwierdzeniu: trening czyni mistrza. A trening to nic innego jak praca, codzienna i w dużych ilościach. Granie różnych postaci to fantastyczna gimnastyka umysłu i wyobraźni, to również mnóstwo okazji, by widza zaskoczyć. Pokazać człowieka zmagającego się za każdym razem z innymi problemami, w innych warunkach historycznych, społecznych, politycznych. A jednocześnie pokazać go tak, jakby był i naszym współczesnym.

Taką postacią jest Niccolò Machiavelli w telewizyjnym filmie Wojciecha Marczewskiego *Czas zdrady*, nakręconym wedle sztuki Witolda Zalewskiego *Coś za coś*. Poznajemy go w szczególnych okolicznościach. Książę Cezar Borgia, któremu messer Niccolò służył, umarł. Nie został zasztyletowany ani otruty, tylko po prostu zachorował i umarł. Machiavelli, dziś powiedzielibyśmy: główny ideolog władcy, został pozbawiony wpływów. Teraz przebywa na wygnaniu, mieszka od kilku lat na prowincji w gospodarstwie wieśniaków. Z nudów uczy syna gospodarzy czytać i pisać. Nawet próbował ucieczki, ale nie miał dokąd iść – uciekać można, jeśli ma się cel – więc powrócił.

Dni wloką się niemiłosiernie. Wypełniają je wspomnienia, w nocy z sennych majaków pojawia się postać Savonaroli, fanatycznego mnicha, który głosił miłość do Boga tak absolutną i bezgraniczną, że zagrażała władcy; został spalony na stosie. Machiavelli uważa, że nauki jego przeciwnika mijają się z prawdą o ludzkiej naturze, której głównym składnikiem jest zło, a nie miłość do Boga. Ludzie zawsze pragną korzyści i rzeczą władcy jest umożliwienie im ich osiągnięcia. Cel uświęca środki; by jedni skorzystali, inni muszą ponieść ofiarę. Panujący nie może liczyć kosztów, przejmować się liczbą trupów, jeśli chce zachować władzę. Nieludzkie są wymagania Savonaroli, bo przekształciły się w ideologiczną tyranię, lecz równie nieludzka jest logika Machiavellego, dopuszczająca zbrodnie. Jego słynny *Książę* stał się biblią różnej maści dyktatorów i tyranów.

Czas zdrady. Z reżyserem Wojciechem Marczewskim rozmawiamy o Machiavellim

Jesteśmy więc w centrum politycznego i moralnego dyskursu. Jego ciężar musi unieść aktor w roli Machiavellego. Janusz Gajos – w białej koszuli i obszernym czerwonym kubraku – porusza się ciężko, podpiera stare ciało laską, mówi powoli głosem matowym, bardzo zmęczonym. Każde słowo wymaga wielkiego wysiłku, zwłaszcza że upał paraliżuje ciało i umysł. Zdjęcia Krzysztofa Ptaka, pełne światła przenikającego przez okna czy deski ogrodzenia, bardzo sugestywnie ukazują rozżarzone słońcem powietrze. Messer Niccolò spływa potem, włosy ma mokre i zmierzwione, twarz wyciera co chwila chustką. Trawi go gorączka, która plącze myśli, przez zaschnięte gardło słowa wydobywają się z trudem. Kilka razy pojawia się przywołana w malignie postać Savonaroli (Jerzy Radziwiłowicz) z rękami związanymi sznurem i ciałem pokrytym ranami. Machiavelli Gajosa przenosi się w czasie i przestrzeni, dyskutuje ze sobą, z Savonarolą, z dziećmi gospodarzy. Córka, dwudziestoletnia dziewczyna, budzi w nim tłumione pożądanie. Cierpienia duszy dopełnia cierpienie ciała.

Wyzwolenie nastąpi wraz z wizytą zakapturzonego mnicha, wysłannika nowego władcy Florencji. Pisarz może wrócić na książęcy dwór w pełni łask i zaszczytów. Pod warunkiem jednak, że publicznie potępi dawnego władcę i zaakceptuje śmierć bliskich mu ludzi. Rodzina gospodarzy zostanie zamordowana, z wyjątkiem siedmioletniego głuchego chłopczyka. Zrobią to wprawdzie ludzie nowego władcy, ale uzasadnienie zbrodni znaleźli w pismach Machiavellego, to on kazał nie zważać na koszty władzy. Jedynym pocieszeniem pisarza, podyktowanym odruchem sumienia, pozostanie świadomość, że mały niemowa został ocalony. Dzięki aktorstwu Gajosa trudne dyskusje o polityce i moralności nabrały wymiaru tragicznego i bardzo ludzkiego. Nie wszystkim się udaje przekuć dyskurs w dramat, z publicystyki uczynić sprawę żywą. Machiavelli to przykład roli karkołomnej i udanej, która nie przysporzyła wielkiej popularności, bo film emitowano po północy, ale sama w sobie stała się wyzwaniem. Dowodem na to, że nie wszystko trzeba przerobić na teleturniej albo dyskotekę.

Wielu reżyserów, zdając sobie sprawę z popularności aktora i, co najważniejsze, z talentu, zabiega o jego udział w swoim filmie czy Teatrze Telewizji. Wiadomo, że nazwisko Janusza Gajosa na afiszu to gwarancja sukcesu u publiczności. Taką właśnie rolę – gwiazdy – pełni aktor w wielu filmach, choćby zadania nie były całkiem gwiazdorskie. Na przykład Seweryn Baryka, ojciec Cezarego, z *Przedwiośnia* Stefana Żeromskiego w dużym stopniu ratuje ekranizację Filipa Bajona. Pojawia się w kilku scenach – najpierw jako polski przedsiębiorca w Baku, gdzie zajmuje się wydobywaniem ropy naftowej, i stateczny ojciec rodziny. Później, wysłany na front pierwszej wojny – odnajduje przypadkiem syna i planuje powrót do Polski. Kluczowa scena, kiedy ojciec i syn po krótkim pobycie w Moskwie wracają do ojczyzny, rozgrywa się w pociągu. Stary Baryka, ciężko chory, przykryty płaszczami, leży w zapełnionym repatriantami bydlęcym wagonie. Wtedy opowiada synowi swą słynną wizję szklanych domów, ów polski mit o szczęściu. A raczej o konieczności cywilizacyjnego skoku, jaki musi wykonać wyzwolona po latach niewoli ojczyzna, a także o przejrzystości stosunków międzyludzkich, demokratyzacji życia publicznego. W filmie jest to opowieść śmiertelnie chorego człowieka, zrodzona w malignie; ilustrują ją komputerowe obrazy szklanych konstrukcji. Opowiedziana zostaje synowi jako przedśmiertne przesłanie, a nie jak społeczny program przemian, zwłaszcza że aktor bardzo wyraźnie akcentuje fizyczne objawy choroby – kaszel, pot, duszenie się z braku powietrza. Mimo tych zastrzeżeń kameralna w ujęciu rola Gajosa pozostaje w pamięci, dzięki oszczędności środków nie drażni tak, jak kilka ról przerysowanych w tym filmie przez innych gwiazdorów.

W przypadku *Weisera* według prozy Pawła Huelle zrealizowanego przez Wojciecha Marczewskiego czy filmu o Chopinie *Pragnienie miłości* Jadwigi Barańskiej i Jerzego Antczaka trudno mówić o rolach. Były to raczej znaczące epizody. W pierwszym filmie Gajos gra antykwariusza, człowieka zatopionego w przeszłości, otoczonego masą starych przedmiotów i sprzętów. Nie wywołują w nim specjalnych emocji, sprzedaje je jak rowery albo ubrania. Bohater (Marek Kondrat) próbuje w jego antykwariacie ustalić poprzedniego właściciela płyt, które kupiła jego dziewczyna. Niestety, stary, skurczony z chłodu człowiek nie pamięta, ani kto je przyniósł, ani kto je kupił. Aktor zagrał tu człowieka mocno stąpającego po ziemi, zwykłego handlarza antykami dbającego o zysk. Takie ujęcie roli poprzez kontrast podkreślało

Książę Konstanty w *Pragnieniu miłości* Jerzego Antczaka

psychiczną niestabilność bohatera, starającego się odtworzyć zagmatwaną pamięć o własnym dzieciństwie.

Rola księcia Konstantego z *Pragnienia miłości* to znaczący epizod filmu opowiadającego o życiu wielkiego kompozytora. Postać rezydującego w Belwederze carskiego namiestnika przywołana została dla pokazania klimatu i stosunków panujących w Królestwie Polskim pod rządami rosyjskich zaborców. Choć Konstanty jest wrogiem, to jego wizerunek w ujęciu Janusza Gajosa zawiera wiele barw; jest to człowiek inteligentny, wykształcony, ceniący sztukę, a że ma do wykonania określoną misję polityczną, to już inna sprawa. To rola również zagrana oszczędnie i przekonująco.

Jest takie chińskie przysłowie: odrzuć wszystko, a wszystko zdobędziesz. Przypomina mi się, gdy patrzę na niektórych artystów. Na przykład pianistów jazzowych, którzy w czasie gry stają się jakby organicznie zrośnięci z instrumentem. Każda część ciała służy dźwiękom. Zatopieni w ich brzmieniu, rytmie muzyki, zdają się niczego poza tym nie słyszeć, niczego nie dostrzegać. Patrząc na Janusza Gajosa, wielokrotnie miałam wrażenie podobnego zatopienia się w grze. Nie widziałam dystansu między nim a postacią, on nią był w sposób tak organiczny – od sposobu chodzenia, uważnie dobranych gestów, po intonację głosu – jakby to była jego druga skóra. A jednocześnie za każdym razem był inny, tak jak odmienny był człowiek, którego przyszło mu grać. Świadczy to o wielkiej pokorze wobec rzemiosła aktorskiego, a jednocześnie o opanowaniu go aż tak swobodnym, by instrument, czyli własne ciało, wykonał to, co pomyśli głowa.

Aktorzy mają podobne problemy. Gajos chyba nigdy. Jego rzemiosło sprawia, że w każdej roli jest inny i w każdej przekonujący, bo całkowicie oddany na usługi postaci. To znaczy we władanie wyobraźni. Sztuka nigdy nie jest, a przynajmniej nie powinna być, naśladowaniem, kopią rzeczywistości, lecz konstrukcją wymyśloną, skondensowaną, więc tym bardziej prawdziwą.

■ Wszystkie postacie, jakie zagrałem, są bardzo dalekie od tego, jaki jestem naprawdę. Ktoś powiedział, że człowiek, którego sobie wyobrazimy, jest znacznie ciekawszy od istniejącego realnie. Też tak uważam.

Nie bez powodu aktor posługuje się wyobraźnią wielu autorów. Przecież w cudzej skórze przeżywa przygody, doznaje uczuć, jakich sam nie tylko nie przeżył, ale też nie wymyślił. On „tylko" albo „aż" znalazł w granym człowieku to, co nim powoduje, motor napędzający jego działania, i ujął w odpowiednią formę. W ostatnich latach Janusz Gajos mógł się raczej skarżyć na nadmiar niż brak propozycji. Należy do najbardziej chyba pracowitych aktorów. Wystarczy sobie uświadomić, że zagrał ponad trzysta ról! Trzystu różnych ludzi!

NIE MOŻNA STAĆ W MIEJSCU

Wraz z wolnością przyszły zmiany we wszystkich dziedzinach życia, w teatrach również. Pojawiły się nowe pomysły organizacji przybytków sztuki i nowy repertuar. W warszawskim Powszechnym po śmierci Zygmunta Hübnera zmieniali się dyrektorzy, ale zespół pozostał i starał się kontynuować najlepsze tradycje aktorstwa. Nie bez trudności, ponieważ najpoważniejsze bolączki naszego teatru – brak dobrej współczesnej literatury i brak dobrych reżyserów – nie ominęły i tej sceny.

Kolacja Jeana-Claude'a Brisville'a, która trafiła na Małą Scenę Teatru Powszechnego niedługo po paryskiej premierze w 1990 roku, niemal proroczo opowiada o sposobie uprawiania polityki. Tak wielkiego cynizmu polityków, nieważne, że ukazanego w historycznym kostiumie, nie oglądaliśmy dotąd zbyt często, przynajmniej na scenie. Francuski autor pokusił się o opisanie kolacji wydanej na cześć Josepha Fouchégo przez Charlesa de Talleyranda. Odbyła się w pałacu de Talleyranda 6 lipca 1815 roku. Zarówno bohaterowie kolacji, jak i jej miejsce oraz czas wywarły wpływ na losy Europy. Otóż obaj panowie, mimo zapiekłej i wzajemnej nienawiści, w imię dobra ojczyzny postanowili działać razem.

Głównym rozgrywającym jest oczywiście dziedzic sławnego starego rodu Périgord biskup de Talleyrand – pierwsza osoba Francji. Wielki pan i polityk, który wielokrotnie zmieniał fronty. Mitra biskupia nie przeszkodziła mu mieć „kieszeni pełnej kobiet" i być ojcem wielu dzieci (w tym słynnego malarza Delacroix) oraz pełnić funkcji ministra spraw zagranicznych. Ponadto ten hedonista i rozpustnik był ważnym zakulisowym graczem w czasach rewolucji. Wprawdzie potem kilkanaście lat służył Napoleonowi, ale w obliczu klęski cesarza zawarł pakty z jego wrogami i doprowadził do detronizacji władcy. Kiedy Napoleon wrócił z Elby do Paryża, a król schronił się w Belgii, Francja znów była zagrożona. 9 czerwca 1815 roku Talleyrand podpisał akt końcowy kongresu wiedeńskiego, czyli pakt mocarstw sprzymierzonych przeciw cesarzowi Francuzów. Po drugiej abdykacji Napoleona ponownie postanowił wrócić do gry i wprowadzić na tron Ludwika XVIII. Jednak bez pomocy Fouchégo – księcia Otranto, ministra policji w różnych rządach, królobójcy, zagorzałego jakobina, nie jest to możliwe. Grozi społecznymi niepokojami. Zresztą w czasie historycznej kolacji tłum paryżan gromadzi się przed pałacem Talleyranda, co jakiś czas słychać brzęk tłuczonej szyby, nastroje społeczne są więc gorące.

Wykwintna kolacja obu polityków, prywatnie wielkich krzywoprzysięzców, karierowiczów, intrygantów i łajdaków pragnących znów rządzić Francją, przeradza się na naszych oczach w studium nie tyle charakterów, choć i to także, ile w studium władzy. Jej politycznych gier, układów, konszachtów i bardzo przyziemnych interesów. Stanowiska ministra policji dla Fouchégo, ministra spraw zagranicznych zaś dla Talleyranda są tylko obrazowym przykładem potęgi władzy, dającej nieograniczony wręcz dostęp do fortun.

„Jesteśmy świadkami ich gry, wzajemnych podchodów, zwycięstw, poniżeń, kapitalnych ripost i kapitulacji. To wielka przyjemność słuchać, jak w sposób czarujący i elegancki rozrywają się na strzępy. Talleyrand, którego gra Władysław Kowalski, jest nieco kostyczny, wyrafinowany, określa swój stosunek do partnera w półuśmiechach – wyższości, sarkazmu, udanej dobrotliwości. Fouché Janusza Gajosa jest ociężały, prostacki, łakomy, niezręczny w obejściu, sadzi gafy, ale się tym nie przejmuje. W sumie – bardziej wyrazisty" (Ewa Zielińska, *Francuz z Francuzem*, „Kurier Polski" 1990, nr 244).

„Gajos duży, barczysty, ubrany w nowobogackie złocistości, siedzi rozwalony na krześle, je dużo, mówi głośno, szeroko gestykulując z nożem w ręku. Jego Fouché jest świadom swojej siły, potęgi i znaczenia i wie dobrze, na ile może sobie pozwolić. Jest przebiegły i zręczny, wie też, że nie ma innego wyjścia niż przyjęcie propozycji Talleyranda i że cały ten wieczór to tylko takie przekomarzanie się, drażnienie w sytuacji, w której jest się skazanym na współdziałanie. Gajos pokazuje Fouchégo nie jako sprytnego parweniusza, lecz godnego partnera Talleyranda, niezbędnego do przeprowadzenia restauracji. Co prawda inicjatywa należy do Talleyranda, ale Gajos odparowuje każdy cios, przewiduje następny, robi zgrabne uniki. Zdobywa punkty, przytłacza momentami jakże zaskakującego w tym przedstawieniu Kowalskiego" (Magdalena Raszewska, *Szampan w koniakówkach*, „Aktualności" 1991, nr 3).

Dużo pisano o wykwintnej kolacji fundowanej aktorom co wieczór przez jedną z warszawskich restauracji. Jednak nie smakowite, pachnące dania były powodem nagrania spektaklu dla Teatru Telewizji, tylko doskonałe aktorstwo obu wykonawców oraz sens ich perwersyjnej rozmowy o dobru kraju. Takie spektakle należałoby chyba częściej pokazywać, zwłaszcza politykom.

Jednym z pomysłów reformowania teatru, jakie pojawiły się po 1989 roku, było przekonanie, że przedstawienia powstałe w systemie impresaryjnym, polegającym na angażowaniu aktorów do konkretnych ról, będą lepsze i tańsze. Niestety, *Czekając na Godota* Samuela Becketta zrealizowane w tym systemie na deskach Teatru Małego w Warszawie nie potwierdziło tej tezy. Nie pomogło przedstawieniu wielkie doświadczenie Antoniego Libery – tłumacza, komentatora twórczości Becketta, zapraszanego na światowe kongresy beckettologów oraz przez światowe teatry w charakterze reżysera jego sztuk. Nie pomogło też zaangażowanie najlepszych w kraju aktorów komediowych – Jana Kobuszewskiego (Lucky) i Janusza Gajosa (Pozzo) oraz Krzysztofa Kowalewskiego (Estragon) i Wiesława Michnikowskiego (Vladimir). Libera zdawał się wierzyć, że dramaty Becketta są precyzyjnie napisanymi partyturami i wystarczy tylko dokładnie zrealizować

wskazówki autora, by osiągnąć sukces. Przedstawienie – ortodoksyjnie wierne autorowi – okazało się mało zabawne, a momentami wręcz nudne mimo wielkich gwiazd. Każdy z aktorów grał własną melodię, coś niby popis, a całość wydawała się mocno zwietrzała. Zagrano ten spektakl zaledwie dziesięć razy, i to nie tylko dlatego, że cudem było zgrać terminy aktorów pracujących na różnych scenach.

Słynne powiedzenie Anouilha: *Godot* to myśli Pascala odegrane przez cyrk braci Fratellinich, znaczy tyle, że tragedia ma dziś maskę klowna. Ale tym razem cyrk filozoficzny po prostu się nie udał. Melpomena, podkasana muza, robi często takie niespodzianki. Może polska publiczność ogłuchła na filozofię, a może ta filozofia dawno już dotarła do nas kuchennymi drzwiami i rozeszła się po kościach, przepraszam, po trzeciorzędnej literaturze. Albo też wszyscy nastawili się na wydarzenie, sądząc po ekipie realizatorów jak najbardziej zasadnie, i nie wyszło.

Za to udało się inne przedstawienie oparte na sztuce autora podejrzewanego o grafomanię. Bogusław Schaeffer, kompozytor muzyki współczesnej, pisze sztuki bardzo specyficzne. Jeszcze w latach sześćdziesiątych wraz z Adamem Kaczyńskim założył Zespół MW2, zwany teatrem instrumentalnym, gdzie aktorzy przejmowali niejako rolę instrumentów, dodając „osobiste" komentarze. Schaeffer pisał dla konkretnych aktorów związanych z tym zespołem: *Scenariusz dla nieistniejącego, ale możliwego aktora* – dla Jana Peszka, *Audiencje, Kwartety, Próby* dla Peszka, Bogusława Kierca oraz braci Andrzeja i Mikołaja Grabowskich. Później zaczął pisać pełnospektaklowe sztuki. Nie wiem, jak często autor oglądał Janusza Gajosa i czy oglądał go częściej w kinie, w teatrze czy w telewizji, ale prawdą jest, że dla niego napisał sztukę *Tutam*, rodzaj żartu językowego mającego jednak głębsze znaczenie.

„*Tutam* jest o życiu. O życiu na dwu różnych poziomach. Na poziomie zawsze pożądanych aspiracji duchowych i na poziomie wegetatywnej egzystencji" – by zacytować słowa samego Schaeffera. Realizuje on swoją ideę w nader prosty sposób. On i Ona przy kawiarnianych stolikach to para intelektualistów rozprawiająca o Schopenhauerze. Ale On i Ona to równocześnie kelnerzy w owej kawiarence, ludzie dotykający materii życia. Obie pary grają ci sami aktorzy – Joanna Żółkowska i Janusz Gajos. Co chwila zamieniają się rolami – raz obsługują gości, za chwilę są obsługiwani. Pan i Pani, Kelnerka i Kelner – wystarczy zmienić tembr głosu, intonację, maniery, zdjąć marynarkę lub kapelusz i już się jest kimś innym. Inna forma to inne myśli, słowa, uczucia; inny styl postrzegania świata. A styl to człowiek. Sens tych zabaw tworzy opozycja między tym, co wzniosłe, a tym, co trywialne, patetyczne a kolokwialne, intelektualne a prostackie itd. Tu – przy stolikach – i Tam – na zapleczu, w pobliżu zlewozmywaka, toczy się życie. To samo życie tych samych ludzi, ale pojawia się pytanie: czy rola społeczna tworzy człowieka, czy też jego świadomy stosunek do roli i miejsca, jakie w życiu zajmuje? Ta nieustanna zamiana miejsc trochę przypomina gombrowiczowską dialektykę gęby i pupy, niższości i wyższości, formy i bezformia oraz fascynację pisarza dolnymi rejonami egzystencji. To, co dzieje się „pod krzakiem losu naszego", czyli w rejonie podświadomości, sekretnych pragnień, tajonych skłonności.

Ta farsa z filozoficznym podtekstem – napisana przez wybitnego kompozytora i niezrównanego popularyzatora muzyki współczesnej – wymaga nadzwyczajnych aktorów. Profesjonalnych, którzy wszystkie przebieranki fizyczne, psychologiczne i mentalne utrzymają w ryzach formy, nie gubiąc przy tym tempa i rytmu widowiska skomponowanego jak muzyczna fuga. Po Ławeczce Gelmana dla pary Żółkowska–Gajos nic nie mogło być trudne – ani momenty udawanych przeżyć, ani łgarstw najprawdziwszych. Po wielekroć pokazywali nam sztuczki transformacji, natychmiastowej, wiarygodnej, absolutnie prawdziwej i całkowicie udanej. Jak iluzjoniści, którzy wyjmują króliki z kapelusza, karty, jajka lub metry kolorowych chusteczek z rękawa, tak i oni pokazywali nam, czym jest aktorstwo. I co? I nic! Siedzieliśmy z rozdziawionymi gębami, pilnie obserwując, na czym polega owa sztuka transformacji, i ani tego powtórzyć, ani opisać nie potrafimy. Aktorstwo jak było, tak pozostało tajemnicą. Dla nas, widzów, bo ani dla Gajosa, ani dla Żółkowskiej tajemnic ono nie ma. To zawód. Po prostu zawód? Tylko tyle?

Wystarczyło tego na trzy setki przedstawień i blisko dziesięć lat grania. Uroczyste trzechsetne przedstawienie Tutam odbyło się w połowie listopada 2002 roku na Dużej Scenie Teatru Powszechnego. Spektakl został nagrany dla telewizji w roku 1997, więc wydawałoby się, że spokojnie może już zejść ze sceny. A jednak nie, publiczność wciąż chciała ten spektakl oglądać.

Iluzjonista na małym ekranie to nie to samo, co iluzjonista na żywo. Zatem głosimy pochwałę czystego, żywego teatru.

Ponad dwieście razy zagrano także komedię Aleksandra Fredry *Mąż i żona*. Bo choć stara, ponadstusiedemdziesięcioletnia, opowiada o wiecznie żywych uczuciach, a te pozostają niezmienne. O znudzonej sobą parze, po niedolach małżeństwa szukającej pociechy w ramionach przyjaciół domu lub pokojówek. Czwórka Fredrowskich bohaterów, w odróżnieniu od bardzo młodych pierwowzorów, to ludzie dojrzali, obdarzeni świadomością upływającego czasu. Tym gorliwiej zajmują się romansami, jakby chcieli nadrobić stracone okazje.

Artyści grają bohaterów o obniżonym w stosunku do pierwowzoru statusie społecznym. Ot, choćby Wacław Janusza Gajosa demonstruje maniery zgoła mało hrabiowskie. Tu gestem szulera tasuje karty, tam mówi rozparty a pewny siebie. Pan sytuacji, beneficjent losu wie, że wszystko mu się należy, za wszystko może zapłacić, co niechybnie dowodzi, że tytuł hrabiowski sobie kupił. I to wcale niedawno. Gestem nuworysza ofiarowuje pokojówce pierścionek, żonę traktuje protekcjonalnie, jak dobro zdobyte na własność, nie przypuszczając zgoła, że ona także mogłaby pomyśleć o innym. Zadufany samiec, można powiedzieć, ale przecież w wykonaniu Gajosa nie bez wdzięku. Bardzo lubi kobiety, zwłaszcza te, nad którymi dominuje. Wtedy zdobycz bywa pewna i łatwa. A jeśli spotka spryciulę taką jak Justysia, dziewczę z ambicjami, z rozkoszą, za to bez skrupułów, daje się wciągać w miłosne gierki. Lecz to tylko część charakterystyki postaci, wyraźna, choć nieprzesadzona. Stylu pilnują sam autor i wierni mu aktorzy, bo przecież rzecz cała napisana jest cudownym wierszem. Klasycznym, wymagającym zachowania średniówki po czwartej sylabie, utrzymania rytmu, pauz i puent, gdyż niemal każda kwestia brzmi jak maksyma albo aforyzm. Dodatkowym utrudnieniem dla aktorów jest zmienność wiersza: trzynastozgłoskowiec przeplata Fredro jedenasto- i ośmiozgłoskowcem.

Raz w życiu, na dwusetnym przedstawieniu *Męża i żony*, Krystyna Janda mnie „ugotowała". Po kwestii „Elwira sama błąd mi swój wyznała" pojawiła się z ręką na temblaku, podbitym okiem, o lasce. Nie wytrzymałem i uciekłem ze sceny

Teatr Powszechny
im. Zygmunta Hübnera

Aleksander

FREDRO

MĄŻ
i ŻONA

Komedia
we trzech aktach
wierszem

Osoby

Hrabia Wacław
Janusz GAJOS

Elwira, jego żona
Krystyna JANDA

Alfred
Piotr MACHALICA

Justysia
Joanna ŻÓŁKOWSKA

Kamerdyner
Gustaw LUTKIEWICZ

Scena w mieście, w domu Hrabiego Wacława

Fredrowski rytm wiersza, często podkreślany przez Gajosa uderze-
niami szpicruty, nie pozwalał ani na zbytni psychologizm, ani na zbyt
konwencjonalne traktowanie uczuć. One były i wielkie, i prawdziwe, tylko
rozegrane w półtonach, niedomówieniach, zawieszeniach spojrzeń i głosu.
Dostaliśmy więc pełnokrwiste, pełne wad, ale także dwuznacznego wdzięku
figury. Nie figurki wystylizowane na modłę sentymentalnych romansów,
z chusteczką pełną łez i złamanymi sercami. Piątka aktorów, najjaśniej-
szych gwiazd zespołu – obok Janusza Gajosa Krystyna Janda (żona), Joanna
Żółkowska (pokojówka Justysia), Piotr Machalica (Alfred) i Gustaw Lutkie-
wicz (kamerdyner) – przygodami niewiernych małżonków bawiła publiczność przez ponad dwieście wieczorów. Krytyków również.

„Gajos najlepiej ze wszystkich radzi sobie z Fredrowskim wierszem.
Brzmi u niego najbardziej naturalnie. Średniówki i kadencje nie są dlań
nieznośnym wędzidłem, lecz naturalnym sposobem mówienia postaci.
Tak podawany wiersz pokazuje całe bogactwo sponiewieranej ostatnio polszczyzny" (Tomasz Mościcki, *Mali ludzie*, „Pokaz" 1994, nr 1).

„Wykonawcy nie «zachowują się» wierszem, w takim sensie, jaki okreś-
lił Tadeusz Łomnicki, próbując Papkina w warszawskim Teatrze Polskim;
«po tej scenie nie da się chodzić ośmiozgłoskowcem». W Powszechnym
nie tylko nie chodzi się, lecz także nie siada i nie wstaje w rytmie wiersza.
Nikt też nie bawi się w matematykę, w akcentowanie rymów parzystych
i nieparzystych. Z jednym wyjątkiem może – Janusz Gajos w roli Wacława
mocno rytmizuje zachowania, ale ten aktor ma od Pana Boga i natury daną
absolutną organiczność słowa i ruchu (zdarza mu się jednak «haftować»
tekst)" (Barbara Osterloff, *Fredrowski marivaudage*, „Teatr" 1994, nr 1).

Teatr, jak wiadomo, jest sztuką zbiorową. Szatan jednak wymyślił teatr
jednego aktora, od którego gorszy może być tylko teatr jednej aktorki, jak
mawiał pewien mizoginista po czwartym rozwodzie. Przez całe życie monodram omijał Janusza Gajosa, a może on omijał monodram. Do czasu. Pewnego dnia pojawił się w teatrze Krzysztof Zaleski z pomysłem zrealizowania
Mszy za miasto Arras Andrzeja Szczypiorskiego. Nic by w tym pomyśle nie
było szokującego, gdyby nie fakt, że jest to powieść, krótka (sto dziesięć
stron), lecz nie dramat. Stworzenia monodramu z tego materiału literackiego mógł się podjąć jeden aktor w tym zespole – Janusz Gajos.

Msza Szczypiorskiego opowiada o dramatycznych wydarzeniach, jakie miały miejsce w Burgundii w końcu XV wieku. Wiosną 1458 roku miasto Arras nawiedziła zaraza, w ciągu miesiąca piąta część obywateli straciła życie. W październiku roku 1461 z niewyjaśnionych przyczyn nastąpiło słynne „Vauderie d'Arras" – okrutne prześladowania Żydów i czarownic, procesy o urojone herezje, a także wybuch łupiestwa i zbrodni. Po trzech tygodniach przyszło uspokojenie. Jakiś czas potem biskup Utrechtu unieważnił wszystkie procesy o czary i pobłogosławił Arras. Sens powieści nie leży w odtworzeniu historycznych wydarzeń, tylko w pokazaniu uniwersalnego mechanizmu nadużyć, prowokacji służących totalitarnej władzy, by podporządkować sobie naród. Napisana z początkiem lat siedemdziesiątych, odnosiła się w sposób oczywisty do wydarzeń Marca '68, czasu antyżydowskiej nagonki, politycznej manipulacji i głębokiego rozczarowania polskiej inteligencji systemem monopartyjnej władzy. Po wielu latach jednak okazała się znów aktualna, może bardziej jako przestroga przed niezmiennymi pokusami rządzących.

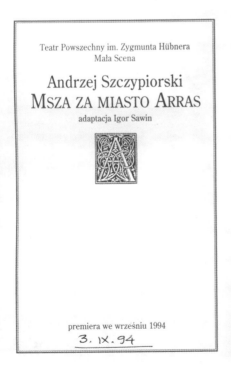

Zacytuję tu kilka fragmentów recenzji – od ściśle opisowych po taką, która pokazuje, czym może być pisanie o teatrze, jeśli przedstawienie ogląda wrażliwy człowiek obdarzony talentem pisania. Paradoks polega na tym, że tak wspaniałej recenzji doczekał się Gajos po monodramie.

„Fenomen aktora. Polega on na tym, że znakomity aktor, podając tekst, dodaje mu cząstkę własnej wielkości. Janusz Gajos przedstawia nam tekst tak, jakbyśmy go sami nie potrafili odczytać. Naturalnie, prosto, bez fałszywej retoryki, ale i bez «ogrywania» sytuacji, o których mówi. Krzysztof Zaleski postawił na pełny uniwersalizm – nie wiadomo, do kogo bohater się wypowiada i po co, nie wiadomo, gdzie jest, nie wiadomo wreszcie, czy jest to spowiedź, czy donos (różne przecież gatunki nie tylko literacko, ale i dramatycznie). A tekst jednak dźwięczy. Budzi zaciekawienie, intryguje, każe czekać i nadstawić uszu, co dalej. Złośliwi powiedzą, że jest to walor bardziej słuchowiska niż dramatu, ale odpowiedzmy złośliwym, że i przez uszy można mieć w teatrze swoją przyjemność. Monotonia, nuda i jednostajność środków stanowią największe zagrożenie w przypadku monodramu. Kunszt Gajosa pozwolił te pułapki ominąć" (Hanna Baltyn, *Msza za Arras, czyli przyjemność przez uszy*, „Życie Warszawy" 1994, nr 219).

„Pole jego gry jest bardzo ograniczone. W centrum sceny znajduje się ciężkie, zdobione krzesło pokryte wzorzystą draperią – jedyny element scenografii Zofii de Ines. Pada na nie niezbyt szeroki snop światła. W jego kręgu koncentrują się wszystkie działania aktora. Poza chusteczką, którą kilkakrotnie Gajos ociera zmęczoną twarz, nie ma tu rekwizytów. Najważniejsze jest słowo i jemu podporządkowana jest zarówno reżyseria, jak i aktorstwo Janusza Gajosa. [...] Aktor nigdy nie traci kontaktu z publicznością, zawsze koncentruje na sobie całą jej uwagę. Kilkakrotnie widzowie stawiani są w roli bezpośrednich słuchaczy Jana, mieszkańców Brugii, gdy Gajos zwraca się wprost do widowni: «Panowie!». Przejmujący jest moment, kiedy cicho wylicza zbrodnie miasta, a każdej towarzyszy bezgłośne uderzenie w oparcie krzesła. Trudno zapomnieć jego zmienioną przez charakteryzację twarz, twarz starego, zdziwionego złem człowieka" (Jacek Wakar, *Rzecz o rozpadzie*, „Teatr" 1994, nr 10).

„Nosi najzwyklejsze imię Jan. Jest starym człowiekiem, nawet bardzo starym. Dziwny to jednak rodzaj starości, jakby wyrzucony poza nawias upływającego czasu. Taka starość nigdy się nie kończy, nigdy nie zaczyna.

Gdyby się uprzeć i przyłożyć do niego miarę naszych zwyczajnych i skończonych rachub, miałby dziś 570, może 580 lat. Ale to bez znaczenia. Nie chodzi o niego. Chodzi o nas. Jan wkracza na scenę, by opowiedzieć historię kilku oszalałych tygodni, wyjętych z życia swego rodzinnego Arras, historię, która niczego nas nie nauczy. On już to wie, my – jeszcze nie. Pewnie dlatego opowiada jakby z głębi rezygnacji. Nic już nie zostało do zrobienia. Pozostały zdania. [...]

«Zaczęło się wszystko, by tak rzec, niewinnie. Rzeczywiście. Jednemu z obywateli Arras padł koń». Tylko tyle. Bywa, że rzeczy przedziwne rodzą się z drobiazgów, których nikt nawet nie zauważa. Później niczego już nie da się odwrócić. Padł koń, po czym rozpętało się piekło. Wokół Arras zacisnęła się pętla totalizmu. O tym właśnie opowiada stary, bardzo stary intelektualista. Z niczego coś się narodziło, coś nie do ogarnięcia.

Jan z precyzją zegarmistrza przedstawia fakty. Ale przemyca zarazem coś jeszcze. Przemyca swoją niegdysiejszą bezradność wobec faktów. Dzisiejszą świadomość niegdysiejszej bezradności. Mówi jednocześnie o krachu rzeczywistości i pokazuje krach intelektu. Totalizm go przerósł, wymknął się spod kontroli. Może myśl jedynie spekulatywna to za mało, by uporać się ze złem? Ale to truizm... Więc co pozostaje?

Może właśnie ten gorzki stan rzeczy, kiedy ktoś mówi do nas jak dziad do obrazu, wiedząc doskonale, że i tak musimy – jakby co – przejść po jego śladach. Od pychy intelektu do jego skromności. Że i tak żadnych nauk z tej opowieści nie wyciągniemy, bo nie możemy. Może właśnie dlatego ten gorzki spektakl pozostaje. Przedstawienie, w którym widać stare, zmęczone oczy mądrego człowieka. Zmęczenie spływa z rozczarowanego sobą mózgu.

Na koniec nic innego nie pozostaje, jak tylko podziękować za to Januszowi Gajosowi. Rzadko się zdarzają role tak wspaniale dyskretne" (Paweł Głowacki, *Trudny oddech mózgu*, „Dziennik Polski" 1996, nr 21).

Kiedyś, gdy teatr miał swoją rangę, a nie było to tak bardzo dawno, jakieś trzydzieści, czterdzieści lat temu, pisali o nim wybitni intelektualiści, pisarze. Niestety, wielkość aktorstwa Gajosa przypadła na czasy, gdy teatr przestał ekscytować elity. W każdym razie w tym stopniu, by pisarze ze słów tworzyli portrety aktorów, jak Adolf Rudnicki, Jan Kott czy Konstanty Puzyna. Przedstawienia omawiane są przez gazety codzienne w coraz krótszych, coraz bardziej zdawkowych recenzjach. Tygodników poświęcających miejsce kulturze jak na lekarstwo. Szkoda. Tekst Pawła Głowackiego przywraca zapomnianej już profesji krytyka honor, dlatego przytoczyłam aż tak obszerne jego fragmenty.

Ożenek Mikołaja Gogola w porównaniu z *Martwymi duszami* wydaje się nie tylko łatwiejszy – odpada problem adaptacji, która zawsze zubaża – ale wręcz zwyczajny. Żadnej w nim fantasmagorii, rzeczywistości mroczniejącej w widmowych kształtach. Jest to na wskroś realistyczna komedia charakterów o akcji konstruowanej psychologią, a nie komplikacjami wątków. Na dodatek jej niewątpliwe nowatorstwo – brak intrygi miłosnej – stało się dziś oczywistością. Bez szczęśliwego zakończenia perypetii zakochanych, a tu ich w ogóle nie ma, w czasach Gogola nie sposób było sobie wyobrazić komedii. Gusty publiczności kształtowały melodramaty i wodewile. Świadomy zwrot autora ku tradycji stworzonej przez Moliera czy Szekspira przyczynił się do teatralnej klapy *Ożenku* zarówno w Petersburgu, jak i w Moskwie. Ta najmniej gogolowska sztuka rzadko bywa wystawiana – jakby w obawie, że wraz ze zmianą obyczaju temat małżeństwa traktowanego jako transakcja handlowa w asyście swatów przestał być aktualny. Co i prawda.

Teatr Powszechny udowodnił jednak, że z tego materiału literackiego można zrealizować świetne przedstawienie, wywodzące się jak najbardziej z ducha Gogola. Reżyser, Andrzej Domalik, zrezygnował z opisowego realizmu na rzecz ujęć syntetycznych. Tę jakość myślenia widać już z chwilą podniesienia kurtyny, gdy ukazuje się wielki, wypełniający niemal całą przestrzeń sceny płaszcz, który dolnymi połami prawie dotyka podłogi. Poza tym scena jest pusta. Trudno nie pomyśleć w tym momencie o słynnym zdaniu najprawdopodobniej Iwana Turgieniewa – „Myśmy wszyscy wyszli spod *Płaszcza* Gogola" – które jak echo przewija się przez całą literaturę rosyjską.

Choć obraz płaszcza nie odnosi się bezpośrednio do *Ożenku*, scenografia uruchamia uniwersalizujące skojarzenia. Dalej też jest dobrze, pojawią się tylko jednakowe kanapy zaznaczające miejsca akcji – jedna w domu Podkolesina, druga w domu „narzeczonej" Agafii Tichonowny. Autorka scenografii, Jagna Janicka, całą charakterystykę prowincji rosyjskiej lat czterdziestych XIX wieku zawiera w kostiumach. Wie, że ich cechą podstawową musi być nadmiar – za dużo koronek, falbanek, kokardek, kolorów i loczków. Całość utrzymana zostaje w brązowo-złoto-czerwonej kolorystyce. Forma strojów, lekko tylko przerysowana, dokładnie określa proweniencję ich właścicieli. Reszta należy do aktorów – w s p a n i a ł y c h. Złych ról po prostu nie ma, każda warta jest opisu jak w najlepszych czasach tego zespołu. Zasługą Andrzeja Domalika pozostaje, że zaufał aktorom na tyle, że jego reżyserię można określić jako niewidoczną. W tym przypadku najlepszą.

Parą rozgrywającą są Koczkariew i Podkolesin, czyli Janusz Gajos i Władysław Kowalski. Pierwszy – żywy i śliczny, z utrefionym lokiem na środku głowy i dwoma po bokach, w tużurku z fularem – wygląda tak, jakby się pojawił wprost z karykatur Bernadzkiego i Angina. Cały realizuje się w ruchu, minuty nie usiedzi w spokoju, krząta się wokół swego towarzysza

Gogol z pobłażaniem przygląda się wybrykom ludzkiej natury. Z Władysławem Kowalskim w *Ożenku*

jak nakręcony, animuje każdy jego ruch, roztacza perspektywy świetlanej przyszłości w małżeństwie, uroki ojcostwa. Plącze intrygę podstępnie, twardo, ale skutecznie. Ironicznie także – wbrew logice i rozsądkowi wyraźnie bawi się sytuacją ożenku sąsiada.

Bynajmniej niebezinteresownie; ślub w małej prowincjonalnej dziurze, przyjęcie weselne, które z niebywałą ochotą organizuje, to przecież dla wszystkich wydarzenie. A także okazja zarobku – bo i wódkę trzeba kupić, i zakąskę dla wielu gości. To jakiś cel działania, a jeśli jest cel, to i błoto na ulicach przeskakuje się, jakby go nie zauważając. Inaczej grzęźnie się w nim jak w dookolnej pospolitości. Gajos więc dwoi się i troi, biega, podskakuje, znika niespodziewanie, by za chwilę pojawić się z innym pomysłem, krzyczy i się przymila, perswaduje i straszy; próbuje dopiąć dzieła i siłą, i sposobem.

Jest o co walczyć, tym bardziej jeśli się trafia na opór. Ogromny. Podkolesin Władysława Kowalskiego to tak zwana kupa nieszczęścia, nieudacznik do n-tej potęgi. Zakompleksiony abnegat. Nie zdarzy się, by włożył ubranie normalnie, zawsze zostanie zagięty kołnierzyk, zwisający bez sensu szalik, niedopięta koszula. Każdy ruch grozi katastrofą, każde działanie pozostawi efekt niezborności. Taka uroda. Sam właściciel jest nią zdumiony, wiecznie wytrzeszczając przerażone oczy. Nieodrodny prototyp Obłomowa, zalegający całymi dniami na kanapie ze wzrokiem utkwionym w sufit. Coś by chciał, i owszem, ale w tym celu trzeba by nogi zdjąć z kanapy, gdzieś pójść, coś powiedzieć, a to już za dużo, za trudno i w ogóle bez sensu.

Aktorzy wygrywają kontrast osobowości swych bohaterów w każdym możliwym szczególe. A czyż może być coś śmieszniejszego niż wspólne działania kogoś, kto jest samym żywiołem życia, z kimś, kto jest totalną ofermą? Ale to pestka w porównaniu z tym, co taki Podkolesin będzie musiał przeżyć, gdy pojawią się kobiety. Ze swatką Fiokłą Iwanowną – pół biedy. Gorzej z samą narzeczoną, do której należy udać się z wizytą. To dopiero zadanie. Zanim jednak do tego dojdzie, ujrzymy całą galerię pretendentów do ręki, których cwana Fiokła umówiła na jedną godzinę, by skuteczniej dobić transakcji. Małżeństwo jest interesem, co do tego nikt z zebranych nie ma wątpliwości. Pretendenci więc bez żenady dyskutują o narzeczonej jak kupcy na targu. Koczkariew Gajosa robi wszystko, by Agafia przypadła Podkolesinowi.

Oczywiście pisano, jakże by inaczej, o „koncercie gry", „koncertowym duecie aktorskim", „wspaniałych kreacjach", „wielkich rolach", a także „grali całym sobą od stóp po czubek głowy". „Rola Gajosa jest fajerwerkiem aktorskiej brawury i poczucia humoru" (Jacek Bukowski, *Gogol bez ulepszeń*, „Przegląd Tygodniowy" 1995, nr 8). Przez kilka lat zespół *Ożenku* objechał kawał świata, bawiąc widzów od Londynu przez Gruzję wcale niegłupim przesłaniem: kobieta też człowiek, a nie towar.

Parokrotnie wspominałam już, jak ważny jest dla aktora repertuar klasyczny. Makbet Szekspira to marzenie aktorów – wielka rola w wielkim repertuarze. Po raz pierwszy w karierze Janusz Gajos otrzymał taką rolę: spełniał wszystkie warunki, by ją zagrać. Nie stała się jednak jego sukcesem. Nie mogła się stać w przedstawieniu od początku źle pomyślanym. Już operowa scenografia Andrzeja Kreutza-Majewskiego – monumentalne, czarno-marmurowe ściany – przytłaczała niewielką scenę i wszystkich aktorów, działając klaustrofobicznie. Kojarzyła się raczej z nowobogackimi łazienkami niż z renesansowym pałacem. Główny jednak pomysł reżysera Mariusza Trelińskiego polegał na tym, by pokazać, że motywem zbrodni jest bezdzietność królewskiej pary. Poczucie niespełnionego macierzyństwa, czyli brak potomka, który mógłby dziedziczyć tron, pchnęło lady Makbet (Krystyna Janda) do zabicia Dunkana, a później do następnych

Anglicy mówią zabobonnie o tej sztuce „The Play". Wiedzą, co robią, nie wymieniając tytułu.
Makbet Williama Szekspira

William Shakespeare

MAKBET

TEATR POWSZECHNY W WARSZAWIE

Lenica

morderstw, w które wciągnęła męża. Niestety, nie dało się tego pomysłu uwiarygodnić ani Jandzie, ani Gajosowi, choć trzeba powiedzieć, że aktor robił wszystko, by tekst docierał do widzów. Jednak przy tak karkołomnej interpretacji nawet wyrazista postać Gajosa nie mogła uratować całości. Co do tego zgodni byli wszyscy recenzenci.

„Makbet Gajosa to postać ciemna i niejednoznaczna. Ciężko stąpa po scenie, ciężko i powoli, charczącym, chrapliwym głosem wypowiada swoje monologi i kwestie. W tym, jak gra Szekspirowskiego bohatera, skupia się cała gorąca siła, jaką niesie postać. Rola Janusza Gajosa to – niestety – jedyna dobra strona warszawskiego przedstawienia. Kreacja aktora tonie bowiem w morzu niedorzeczności i chybionych pomysłów" (Jacek Wakar, Makbet *jednej roli* – „Życie Warszawy" 1996, nr 124).

„Nie dziwi więc, że Makbet grany przez Janusza Gajosa raczej jest sprawnym rzezimieszkiem powodowanym chęcią zysku niż skomplikowaną osobowością o niepohamowanych ambicjach", pisał Piotr Gruszczyński w tekście *Szekspiry* („Tygodnik Powszechny" 1996, nr 29). Szkoda jak każdej straconej szansy. W nadmiarze niedorzecznych pomysłów zginie nawet arcydzieło.

Przykładem roli całkowicie odmiennej jest Carter w *Simpatico* Sama Sheparda. Janusz Gajos zaczyna spektakl jako pewny siebie biznesmen w nienagannym markowym garniturze; lata pierwszą klasą, jeździ luksusowym samochodem. Słowem, człowiek u szczytu powodzenia. Świadczy o tym dyskretny uśmiech, pewność ruchów, mimowolnie okazywane poczucie wyższości nad niegdysiejszym przyjacielem, którego znajduje pijanego w nędznej norze.

Odwiedzając Vinniego (Władysław Kowalski), któremu notabene odbił żonę, Carter wchodzi w krąg ciemnej przeszłości, przekrętów i oszustw, dzięki którym osiągnął luksus oraz pozycję w biznesie. I coraz trudniej mu się od tej cuchnącej przeszłości uwolnić. Pamięć o niej zdziera z niego nie tylko ów markowy garnitur, odsłania także źródło sukcesu. A był nim szantaż kolegi, by zagarnąć jego wygraną na wyścigach konnych. Po wielu latach załamany Vinnie chce oddać zdjęcia, które ich wspólnemu znajomemu Simmsowi zniszczyły karierę i rodzinę, lecz Simms (Franciszek Pieczka) już niczego nie chce, poza tym, by z satysfakcją obejrzeć upadek swych oprawców, zwłaszcza Cartera.

Janusz Gajos krok po kroku prowadzi swego bohatera po równi pochyłej do całkowitej degrengolady. Najpierw prawie niezauważalnie pozbywa się krawata i sztywnego kołnierzyka, coraz więcej pije, z coraz większym wysiłkiem panuje nad ruchami i manierami. Potem już nie ukrywa przed dawnym przyjacielem swojego alkoholizmu, odsłania się coraz boleśniej i coraz bardziej staje się bezbronny wobec dawnych grzechów, wyłażących na jawie i we śnie. Kończy spektakl jako człowiek na dnie upadku, bez koszuli, zaplątany we własne spodnie, który nie kontroluje ani ruchów, ani fizjologii, trapiony lękami, które po alkoholu olbrzymieją.

Doskonała rola łącząca w sobie prawie wszystkie barwy zła ukazuje psychiczne koszty sukcesu ufundowanego na łajdactwie. Zagrana z niezawodną logiką, matematycznie prawie wymierzona, by żaden ruch, gest czy słowo nie zabrzmiały fałszywie, sentymentalnie, budząc współczucie widzów. Nic z tego, aktor bez litości obnaża podłą duszę bohatera, czego konsekwencją i wyrazem jest jego coraz bardziej bezwolne ciało. Ale brak kontroli pijusa nad ruchami, słowami jest na zimno zrobiony przez aktora. Niemal jak pantomima albo precyzyjna choreografia. Fantastyczne! Przy takim aktorstwie nawet średnia, tak zwana użytkowa literatura podnosi się o kilka pięter w górę.

Instynkt podpowiada aktorowi, że powinien mierzyć jak najwyżej. Umieszczoną tam poprzeczkę gwarantuje literatura. Uniwersalna, podejmująca najbardziej skomplikowane problemy ludzkiej egzystencji i równie złożone postacie. Jedną z najbardziej mrocznych, powikłanych postaci w dziejach światowej literatury jest z pewnością Świdrygajłow ze *Zbrodni i kary* Fiodora Dostojewskiego. Nic tak nie podnosi adrenaliny jak wielkie wyzwania, nic też dziwnego, że Janusz Gajos zmierzył się z powstałym w umyśle pisarza potworem. To spotkanie opisałam już obszernie w rozdziale *Gram różnych ludzi*. Była to ostatnia rola, jaką aktor przygotował w Teatrze Powszechnym. Niejako na pożegnanie, postanowił bowiem być sam sobie panem, sterem i okrętem. Przez dwa lata nie należał do żadnego zespołu, ale zawodu nie porzucił. Wręcz przeciwnie. Przeszedł na tak zwany wolny rynek, by wybierać propozycje najlepsze. Taka decyzja łączy się z ryzykiem, ale też otwiera nowe możliwości. Spotkanie reżyserów, którzy proponują odmienną estetykę, pracę w innych niż dotąd zespołach.

14 września 2002 roku odbyła się premiera *Rewizora* w Teatrze Dramatycznym, gdzie aktor zagrał Horodniczego, jedną z największych ról światowego repertuaru. Naczelnika miasta, sprawującego także nadzór nad policją, co w realiach dziewiętnastowiecznej Rosji znaczyło wszechwładnego pana. Ale pana tylko owego miasteczka, który choć rządził podległymi mu urzędnikami niższych szczebli, podlegał kontroli zwierzchników ze stolicy. I, rzecz jasna, marzył o tym, by awansować, czyli wydobyć się z owej prowincji do Petersburga.

Gogol postanowił jednak wykpić nie tylko przywary urzędniczej świty, ale uderzyć w samą istotę samodzierżawia. Prostym pomysłem wizyty fałszywego Rewizora ośmieszył w osobach Horodniczego, jego rodziny i podwładnych nie tylko głupich, niekompetentnych i przekupnych urzędników, lecz system rosyjskiej władzy. *Rewizor* Andrzeja Domalika zabrzmiał

Znowu Gogol – sen o szczęściu urzędnika. *Rewizor* w Teatrze Dramatycznym

niestety aktualnie, mimo że mamy demokrację, a nie samodzierżawie. Dusza urzędników pozostaje chyba niereformowalna, skoro głupota Horodniczego nadal bawi i kojarzy się z najświeższymi wiadomościami. Niekompetencja, korupcja, gięcie karku przed przedstawicielem władzy wyższej i totalne lekceważenie potrzeb ludności, której teoretycznie się służy – skąd my to znamy? Nic nowego, a jednak Janusz Gajos znalazł sposób, by jego Horodniczy stał się głównym bohaterem tego przedstawienia.

Trójkątny kapelusz Napoleona, jaki wkłada już w pierwszej odsłonie, sugeruje pułap ambicji. Gdy więc w miasteczku zjawia się Chlestakow, urzędnik z Petersburga (Maciej Stuhr), Horodniczy od razu znajduje się we właściwym miejscu. Pierwszy go wita w zajeździe, pokornie płaci zaległe rachunki gościa, wciska pieniądze, zaprasza do własnego domu. Żadne upokorzenie mu nie straszne, żaden afront ze strony bezczelnego młodzieńca nie boli. Gdy idzie o ocenę działalności, pieniędzy nie żałuje, gościny nie skąpi, zniesie wszystko z uśmiechem i pokorą. Ale wszystkie poniżenia odbije sobie z nawiązką, upokarzając podległych mu urzędników.

W tych wszystkich drobnych działaniach, krzątaninie wokół znamienitego gościa Gajos buduje ekspozycję roli. Kreśli drobiazgowy portret głupca z przylepionym uśmiechem na twarzy. A z drugiej strony podłego okrutnika, który bez wahania zatłukłby konkurentów po apanaże. Prawdziwa wielkość roli objawia się w drugim akcie, gdy Horodniczy zastaje córeczkę całującą się z panem Chlestakowem. Zamiast spoliczkować nicponia, jak wymagał tego ówczesny kodeks honorowy, gnie się w ukłonach. Liczy na mariaż? Owszem, ale nie szczęście dziecka mu w głowie, tylko awans do stolicy. Niedoszłemu narzeczonemu wciska kolejne pieniądze... by szybciej wrócił.

I tu Gajos zaczyna popisową partię. Siada na krześle w głębi sceny, żona i córka oraz kilku urzędników po bokach. Omiata ich wszystkich niewidzącym wzrokiem, by roztoczyć wizję swej świetlanej przyszłości. Począwszy od stanowiska, jakie mąż córki załatwi, przez nowe luksusowe mieszkanie, po kontakty towarzyskie, wizyty, rauty, bale. W najbardziej rozkosznej wizji widzi siebie w mundurze petersburskiego Rewizora, gdy jedzie pociągiem po Rosji, a wszyscy Horodniczowie przed nim stają, prężą się, kłaniają, pieniądze wciskają. To kocha najbardziej – władzę i siebie na szczycie, w luksusie, hołdach, ukłonach podwładnych. Ta wizja go upaja, syci, mami, unosi co najmniej metr nad ziemią, jakby rzeczywistość utraciła prawa grawitacji. Szczęście nie ma granic. Rozkosz rozlewa mu się po twarzy. Wszyscy to widzą, podziwiają i zazdroszczą.

Tym większe, prawem kontrastu, będzie upokorzenie. Publiczne, gdy Iwan Kuźmicz Szpiekin, naczelnik poczty, przeczyta przy wszystkich zebranych list o przybyciu prawdziwego Rewizora. Horodniczy Gajosa bronić się będzie śmiechem najpierw nerwowym, potem coraz bardziej okrutnym, sarkastycznym, bo zwróconym do wewnątrz, jakby próbował ukryć ten śmiech w klapie munduru. Jakby chciał na powrót schować to, co tak naiwnie odsłonił – podszewkę duszy. Słynna kwestia: „Z czego się śmiejecie? Z siebie się śmiejecie!" – brzmi gorzko i smutno.

Przed wejściem na widownię słyszałam dialog bileterki z pewną starszą panią: „Nie ma już miejsc na parterze dla widzów z wejściówkami, proszę pójść na balkon". „Ja przyszłam na Gajosa, przy drzwiach postoję, nawet dwie godziny, a na balkon nie pójdę!". Myślę, że ta pani nie zawiodła się, tak jak wielu widzów, którzy przyszli „na Gajosa". To chyba najlepsze recenzje, jakie może usłyszeć aktor o swojej pracy. Takiemu i wolny rynek niestraszny, przyciągnie widzów do każdego teatru.

PRZY PLACU TEATRALNYM

Dziesięć lat w najlepszym obecnie zespole w kraju i dziesięć ról. Nie jest to spektakularny wynik, ale w teatrze repertuarowym, jakim na szczęście pozostał Teatr Narodowy, nie może być inaczej. Głównych ról jest zawsze mniej niż wybitnych aktorów, w wielopokoleniowym zespole zaś jak w ogromnej rodzinie są nestorzy, średnie pokolenie i młokosy. Każdy ma swoje miejsce wedle kwalifikacji i zasług, zgodnie z niepisanymi prawami tego rzemiosła. Janusz Gajos nie powinien mieć powodów do narzekań, gra dużo, w tym kilka ról zostało dla niego przeznaczonych, a sam nawet z drugoplanowych potrafił zrobić perełki.

Zaczynał tę współpracę w Teatrze Małym, będącym wówczas sceną Narodowego, jako Willy Loman w *Śmierci komiwojażera* Arthura Millera, klasycznej już sztuce o człowieku wyżętym przez kapitalizm. Podejmuje on dramatyczną decyzję; uznaje, że jego polisa jest więcej warta niż życie.

Kilkanaście lat temu, gdy rodzimy kapitalizm rozkwitł, całe grupy ludzi zepchnięte zostały w biedę, innym banki zacisnęły pętlę kredytową, jeszcze inni zostali skazani na wykluczenie, więc dramat amerykańskiego pisarza nabrał aktualności. Kazimierz Kutz tę aktualność wydobywał nie tylko panoramicznym zdjęciem metropolii, betonowej dżungli, gdzie trudno przetrwać. Wszyscy aktorzy podkreślali, jak bardzo brak pracy degraduje; bo nie tylko ojciec ją traci, ale i synowie nie potrafią jej zdobyć, czyli założyć i utrzymać rodzin.

Sterany życiem Loman. *Śmierć komiwojażera* w Teatrze Małym

Loman to zmęczony życiem ojciec dorosłych synów. Jego praca nie przynosi już firmie spodziewanych zysków. Stary, zużyty człowiek dostaje wymówienie. Po stracie pracy jego pozycja domowego autorytetu, jedynego żywiciela rodziny też się chwieje, wyolbrzymione ambicją sukcesy tym bardziej okazują się miałkie i oszukańcze. Willy ponosi klęskę także na własne życzenie, jak wielu zakompleksiałych facetów jest mitomanem i małostkowym zawistnikiem. Lubi imponować innym, choćby za cenę kłamstw i wmawiania wielkich osiągnięć, by przykryć małe podłości i krętactwa. Postać napisaną z czułością wobec losu przegranego człowieka aktor wypełnia fantastycznie. Nie sentymentalnym współczuciem, tylko precyzyjnie rozpisanymi sekwencjami buntu i upokorzeń, jakich doznaje od synów, żony, kochanki czy syna właściciela przedsiębiorstwa, dla którego pracował kilka dziesiątków lat.

Rola stała się kolejnym sukcesem Janusza Gajosa. Przytoczę opinie recenzentów, rzadko poświęcających aż tyle miejsca pracy aktora: „Zmarły niedawno Andrzej Hausbrandt mówił o Januszu Gajosie «to prawdziwy ruski aktor». Był w tym podziw. Tylko Rosjanie i Amerykanie (wywodzący się przecież ze szkoły rosyjskiego realizmu) potrafią tworzyć postacie tak kompletne, charakteryzowane każdym ruchem, sposobem chodzenia, drobnym gestem, niemal niedostrzegalną zmianą barwy głosu. Taki właśnie jest na scenie Teatru Małego Janusz Gajos grający w tym przedstawieniu Willy'ego Lomana. Pojawia się na scenie jako śmiertelnie zmęczony człowiek, chodzi ciężkim krokiem. W chwili, gdy w jego życiu pojawia się nadzieja, ten ludzki wrak nagle odzyskuje dawny wigor i młodzieńczość, prostuje się, chrapliwy do tej chwili głos znów brzmi młodo i dźwięcznie. Majstersztykiem jest scena rozmowy z pracodawcą (świetny Emilian Kamiński), ta pewność siebie człowieka nieświadomego jeszcze czekającej go katastrofy, spoufalanie się z szefem, kapelusz lądujący na jego biurku, przyjazne klepnięcie po ramieniu, gesty, które ostatecznie go pogrążą. I stopniowe narastanie strachu, psychiczny rozpad człowieka, który jeszcze przed chwilą wierzył w swoją szczęśliwą gwiazdę. [...] Żałosny nieudacznik Willy Loman dzięki Gajosowi ocala swą godność. Jego marzenia, wygórowane aspiracje nie wzbudzają w nas politowania. Ten szary człowiek godzien jest szacunku. Niby szekspirowski Lear – pozbawiony wszystkiego, jest wciąż wielki", konstatował Tomasz Mościcki (*Heroizm w upodleniu*, „Życie" 2004, nr 81).

„Janusz Gajos zagrał w roli Lomana amerykańskiego króla Leara, który odkrywa nagle, że całe jego królestwo to niespłacony dom i polisa ubezpieczeniowa. W tej roli determinacja spotyka się z obłędem. Aktor wymyślił genialny gest, który charakteryzuje bohatera: ruch ręki z zaciśniętą pięścią, jakim trenerzy zagrzewają zawodników do boju. Ten absurdalny gest Loman wykonuje nawet wtedy, gdy idzie się zabić" (Roman Pawłowski, *Amerykański Lear*, „Gazeta Wyborcza" 2004, nr 91).

„Po mistrzowsku ukazuje ten dramat Janusz Gajos – jego komiwojażer przechodzi przez piekło wątpliwości, złudzeń, urojeń, czepiając się ze wszelkich sił choćby śladów nadziei na lepsze jutro. Loman daremnie usiłuje potwierdzić sens swego przegranego życia, z coraz większym trudem grając przed samym sobą człowieka sukcesu, który swoim przykładem ma porywać do czynu swoich synów. Ale między te coraz słabsze oznaki dawnej energii wkrada się cień klęski i uporczywe poszukiwanie jej przyczyny – rozmowy z wujem Benem, urojonym zwycięzcą, który «wie, jak to się robi», mają podtrzymać w Lomanie wiarę, że jest jakaś przyszłość – ale na koniec okazuje się, że tą przyszłością może być tylko śmierć, tylko ją może zaoferować swoim synom nieudacznikom, kochającej żonie i nędznemu światu o twarzy Harolda (Emilian Kamiński). [...] Kiedy powalony przez los Willy Loman bezradnie rozsypuje nasiona po jałowej glebie swego zdegenerowanego ogródka, w którym nic się już nie rodzi, staje się na moment wykpionym Kandydem, który objechawszy cały świat, nie ma już nic, choć pozostała mu do zapłacenia ostatnia rata" (Tomasz Miłkowski, *Elegia dla komiwojażera*, „Trybuna" 2004, nr 93).

„Willy Loman Gajosa to więcej niż kunszt. To już nawet nie wirtuozeria. To magia. Tu Gajosa aktora czy Gajosa postaci zwyczajnie nie ma. Jest fenomen uosobionej autentyczności, któremu się po prostu od początku do końca wierzy. Kto na każdym kroku gestem, sylwetką, błyskiem w oku oznajmia – często wbrew wypowiadanym słowom – własną życiową klęskę. A jednak... Mimo wszystko, wbrew wyrokom przeznaczenia, Willy potrafi jeszcze wyprostować kark, by godnie i po męsku zawalczyć o tę śmieszną odrobinę szacunku, którego otoczenie tak dziwnie mu skąpi", pisał zachwycony Janusz R. Kowalczyk (*Magia przeznaczenia*, „Rzeczpospolita" 2004, nr 92).

Dawno już żadna rola nie wzbudziła tak zgodnego entuzjazmu, więc jako autorka tej książki tym bardziej się cieszę.

Aktor musi mieć wygimnastykowane ciało i umysł, wieczorami gra skrachowanego akwizytora Willy'ego Lomana, rano próbuje rolę prowincjonalnego proboszcza. W *Nartach Ojca Świętego* Jerzego Pilcha trudność polegała przede wszystkim na tym, by ze specyficznej polszczyzny autora, pełnej nawrotów, przestawień, opisującej wszystkie postacie podobnym językiem, stworzyć na scenie żywych ludzi. Nie wszystkim się to udało, bo też i sztukę trudno uznać za arcydzieło; pisano – nie bez racji – że to skecz, tylko niemiłosiernie rozciągnięty. Koncept jest taki: do malutkiej mieściny ma zjechać papież; nie z wizytą, ale by tu zamieszkać na emeryturze. Wiadomość przynosi proboszcz i budzi ona najróżniejsze reakcje mieszkańców. Ujawniają się konflikty, animozje, nawet ksiądz ma swoje za kołnierzem. Janusz Gajos jako proboszcz Kubala, z czarnym kapeluszem w ręku, stworzył pyszną figurę pasjonata samochodów. O silnikach, zapłonach, felgach, ABS-ach, elektronicznych urządzeniach montowanych w stukonnych maszynach wie wszystko. Nie tylko wie, ale jeździ, i nie tylko szybko jeździ, ale te cuda techniki rozbija, bo zdarza mu się prowadzić na podwójnym gazie. Wódeczki do doniczek nie wylewa, co widać za każdym razem, gdy się pojawi.

Mieszkańcy Granatowych Gór, zamiast się cieszyć z wyróżnienia przez Ojca Świętego, rozważają skutki jego przyjazdu: obyczajowe i gospodarcze. Religijny wymiar owej obecności gdzieś z owych rozważań wyparował. Gajos jako ksiądz Kubala zrazu się tej wymianie zdań swoich owieczek przysłuchuje, potem szczerze dziwi, wreszcie interweniuje: misja papieża nie polega na szerzeniu religijnego terroru, papież nie będzie każdego kontrolował.

„Najsłabszym elementem przedstawienia jest dość wątła, niezupełnie jasna i drugorzędna w istocie intryga. Jej punktem węzłowym okazuje się pasja proboszcza do luksusowych samochodów z niezwykłą maestrią i pełnym zaangażowaniem przedstawiona przez Gajosa. Dzięki jego, księdza proboszcza, zamiłowaniu do barwnej opowieści poznamy relację o przybyciu do burmistrza zagadkowych wysłanników oglądających pokój, w którym Ojciec Święty jako młody chłopiec spędził kilka dni, i szukających jego dawnych nart. Tę opowieść odegra Gajos na policyjnym stole, posługując się jak marionetkami własnym czarnym kapeluszem i czapką policjanta (którego gra Krzysztof Stelmaszyk), usiłującego go przesłuchać na okoliczność wypadku samochodowego. Akcja toczy się jakby na wspak – w końcu nie chodzi o przyjazd papieża do Granatowych Gór ani nawet o pamiątki po nim. [...] Dramaturgia spektaklu konfrontuje bohaterów z prawdziwym pytaniem o sens papieskiego kultu, pokazuje, że dzieje się coś w nich i między nimi, i daje im szansę na wyciągnięcie różnych wniosków", pisała Maria Prussak (*Czekając na...*, „Didaskalia" 2004, nr 64). Podobne odczucia po obejrzeniu spektaklu miała Agnieszka Celeda: „W centrum opowieści – także dzięki wspaniałej dyspozycji Janusza Gajosa – znajduje się ksiądz Kubala, prowincjonalny duszpasterz rozdarty między świadomością wad swoich owieczek a własnymi niemałymi słabościami – choćby pasją do szybkich samochodów, które masowo rozbija, i do wódki" (*Papież strzela gola*, „Polityka" 2004, nr 47). Przytoczone cytaty potwierdzają prostą prawdę, że nawet średniej klasy tekst może stać się punktem wyjścia dobrej roli. Jeśli pamięta się *Narty Ojca Świętego*, to przede wszystkim ze względu na brawurową grę Janusza Gajosa. Czy z tego powodu przeniesiono rzecz dwa lata później do Teatru Telewizji, nie wiem, ale została utrwalona na taśmie i można ją będzie jeszcze nie raz obejrzeć.

Władza Nicka Deara została specjalnie sprowadzona z Londynu (gdzie dwa lata wcześniej miała premierę na deskach Royal National Theatre) na jubileusz czterdziestolecia pracy artystycznej Janusza Gajosa. Rola Fouqueta, ministra finansów Ludwika XIV, nie stała się jednak wydarzeniem, autor bowiem niczym specjalnie nie zaskakuje ani nie porywa, opowiadając o intrygach na dworze Króla Słońce. Na pewno nie stworzył wielkich ról, ujawniających okrutne namiętności czy chore żądze sławnych ludzi. Fouquet kocha kobiety, a jeszcze bardziej kocha pieniądze, ale żadna z tych pasji nie wykracza ponad normę swego czasu.

„W Fouquecie nie ma goryczy, jaką miała rola Gajosa w *Simpatico* sprzed paru lat, gdzie grał podobny temat: upadek wpływowego człowieka. Tam jednak upadek łączył się z psychicznym i fizycznym rozpadem postaci, tutaj jest okazją do wygłaszania okrągłych zdań o nieuchronnym losie władców, których przeznaczeniem jest więzienie", pisał rozczarowany Roman Pawłowski (*Kopanie po kostkach władzy*, „Gazeta Wyborcza" 2005, nr 96). Recenzent ten nigdy nie lubił sztuk, w których autor przenosi akcję sztuki w czas dawno miniony, by powiedzieć, że ludzie zawsze byli i będą przekupni, będą zwracać uwagę na własny, a nie społeczny interes.

I jak zawsze będą posługiwać się kłamstwem, intrygą, podstępem. Angielski autor opowiada nie o zdobywaniu władzy tylko o jej utracie, o upadku ludzi pysznych i zadufanych w sposób może nazbyt oczywisty. Czerpie z napisanego, z dokumentów, a nie własnych doświadczeń, jak chociażby Molier. W jego sztukach czas nie zatarł bólu ani wściekłości na obłudę i głupotę rządzących arystokratów.

Przedstawienie przygotowane przez Jana Englerta na Scenie przy Wierzbowej pozostało kameralne i Gajosa słuchało się dobrze, bez poczucia koturnowości obciążającej inne role. Grał zgodnie z zasadą: lepiej nie dograć niż przegrać. Przytoczę tu interesujący opis metody pracy aktora: „Janusza Gajosa trapią teraz drobiazgi: rekwizyty, rozłożenie kroków, odpowiednie nasilenie głosu. «Przepraszam, ale muszę sobie to wszystko dokładnie wymierzyć», mówi, wracając na fotel, by jeszcze raz wyłożyć Colbertowi tajniki swych kombinacji finansowych. «Przy tak niewielu próbach nie ma co tego odkładać na później. Chcę się uporać z rekwizytami, czynności muszą mi wejść w nawyk, nie mogę, wygłaszając kwestii, zastanawiać się, gdzie odstawić kieliszek», wyjaśnia. Dłuższą chwilę spędza, opanowując trik z butelką drogiego szampana – jeśli uda się poturlać ją po ziemi tak, by zatoczyła koło i wylądowała pod jego butem, upajanie się bogactwem zabrzmi bardziej przekonująco. Gajos pojawia się na chwilę przed swoją kwestią. Resztę prób spędza w garderobie. Rzadko zostaje na widowni, wtedy w milczeniu obserwuje wydarzenia na scenie. Nie rozprasza się, nie gawędzi z innymi aktorami. Ćwiczy w dużym skupieniu, rzadko zgłasza wątpliwości co do intencji swojego bohatera. «Mam jej

Fouquet i reżyser Jan Englert.
Władza według Nicka Deara

bezczelnie patrzeć w oczy?», pyta reżysera chwilę po tym, jak ośmielił się
zastraszyć regentkę" (Paulina Wilk, *Jak rodzi się władza*, „Rzeczpospolita"
2005, nr 91).

Jerzy Jarocki miał opinię reżysera żyletki; rzeczywiście od współpracowników, od siebie również, wiele wymagał, co mojego bohatera nie speszyło,
porozumiewali się bez konfliktów jak fachman z fachmanem. W *Miłości
na Krymie* Sławomira Mrożka Janusz Gajos wraz z Anną Seniuk stworzyli
małżeńską parę Czelcowów. Cudownie groteskową, fantastycznie zanu-
rzoną w różnych czasach i stylach obyczajowych. Ponieważ sztuka jest
metaforą dziejów rosyjskiej inteligencji od czasów Czechowa do dziś, gdy
Rosją rządzą mafiosi, w konstrukcję bohaterów wpisana jest daleko posunięta umowność. Matriona i Alosza Czelcowowie już w pierwszym akcie,
dziejącym się długo przed rewolucją, stanowią parę strasznych mieszczan,
którzy dorobili się na handlu. W drugim ona pracuje w muzeum Lenina, on
jest chłopcem na posyłki, w trzecim zaś, już po pierestrojce, jadą statkiem
do Ameryki, by tam wykładać filozofię New Age. Ona jest silna i władcza,
on lojalnie podporządkowany. Wraz z upływem czasu, co ciekawe, stają się
coraz młodsi. Janusz Gajos zaczyna spektakl jako prosty chłop dorobkiewicz
w słusznym wieku, by w ostatnim akcie stać się staro-młodym nauczycie-
lem nowej filozofii życia. Skórzane czarne spodnie i takaż kurtka, spod
której widać koszulkę z podobizną popa, kolczyk w uchu i włosy związane
w kucyk z tyłu – już samym wyglądem charakteryzuje postać. Alosza to
starszy pan niepogodzony z upływem czasu, nie tylko sam się odmładza
strojem i dietą, ale zdrowy i bezstresowy styl życia propaguje i z owych nauk
zamierza żyć w Ameryce. Współczesną filozofią natchnęła go oczywiście
żona, z chłopki przemieniona w damulę w kapeluszu okrywającą ramiona
peleryną z norek. Oboje zabawni i groteskowi jako karykatury różnej maści
uzdrowicieli i szarlatanów „kradną spektakl". Ich niewielkie rólki pozostały
tak wyraziste, że zapadły w pamięć bardziej niż inne.

Podobnie jak w przedstawieniu Jerzego Jarockiego, tak i w przedstawieniu
Jana Englerta zebrał się fantastyczny zespół gwiazd Narodowego. Do Anny
Seniuk, Grażyny Szapołowskiej, Karoliny Gruszki, Jana Frycza, Andrzeja
Stelmaszyka dołączył po dwunastu latach przerwy sędziwy już Andrzej

Matriona (Anna Seniuk) i Alosza Czelcowowie w drodze do Ameryki.
Miłość na Krymie Sławomira Mrożka

Łapicki, by zagrać hrabiego Szabelskiego. *Iwanow* – podobnie jak *Płato-now* – pochodzi z wczesnego okresu twórczości Antoniego Czechowa i jest zapowiedzią wielkich dzieł. Ale jaką zapowiedzią! Już tu widać oko bystrego obserwatora, mądrego lekarza patrzącego na swoich współczesnych bez taryfy ulgowej, ale i bez potępienia czy sarkazmu. Figury gromadzące się w salonie Pawła Kiryłła Lebiediewa, znudzonego męża niekochanej żony, są pełnokrwiste, śmieszne i pretensjonalne, napuszone i bezbronne wobec życia. Miotają się w sieci własnych ambicji i wyobrażeń, rozmamłani wewnętrznie. Niezdolni ani do pracy, ani do miłości, bo owe wyobrażenia do siebie nie przystają, uczucia się krzyżują, tak że każdy dostaje to, na czym mu najmniej zależy.

„Wśród ról, poza Iwanowem, zasługuje na podziw Lebiediew Janusza Gajosa – pisała Aleksandra Rembowska. – To postać budowana w sposób przemyślany, odsłaniana przez aktora stopniowo – z tym większą satysfakcją krok po kroku odkrywana przez widza. Gajos gra prezesa zarządu ziemstwa, męża skąpej i apodyktycznej żony, uzależnionego od alkoholu przyjaciela Iwanowa, a przy tym człowieka śmiertelnie znużonego ludzką nikczemnością i życiem bez właściwości. Poruszająca jest końcowa scena jego szczerej rozmowy z córką (Karolina Gruszka), tuż przed jej ślubem z Iwanowem – pełna ojcowskiego niepokoju o los dziecka, ale też zrozumienia, wspaniałomyślności i prawdziwego uczucia. Lebiediew, dzięki interpretacji Janusza Gajosa, to bodaj najbardziej prostolinijna, budząca zaufanie

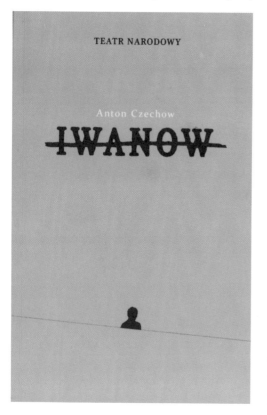

i nadzieję postać w przedstawieniu. To także wyjątkowa, bogata i mądra rola pod względem konsekwentnego oraz świadomego wykorzystania aktorskich możliwości" (*Teatralny palimpsest*, „Teatr" 2008, nr 6).

Zgadzam się z tą opinią całkowicie, choć pamiętam też niesamowicie śmieszne opowiadanie Gajosa – Lebiediewa o smakowaniu i jedzeniu kawioru. Ale, skoro sama wtedy o *Iwanowie* nie pisałam, przytoczę opis jego roli Jolanty Kowalskiej: „Janusz Gajos dał soczysty portrecik skończonego pantofla, który generalnie, poza zaskórniakiem ukrytym na czarną godzinę przed skąpą żoną, dał w życiu za wygraną. Gajos przydał Lebiediewowi cierpkiego humoru i flegmy. Z pomocą wychylonego ukradkiem kieliszka zdoła przetrwać domowe babskie burze. Dał mu także niespieszne ruchy, z lekka przygarbioną sylwetkę i melancholijne spojrzenie, rzucane spod kłapiących ciężko powiek. Nade wszystko jednak dostrzegł w tej smętnej figurze pokłady komizmu. Komizm ten ujawnia się w nieoczekiwanych, kapryśnych, lecz po mistrzowsku odmierzonych puentach. Trzeba tu zresztą powiedzieć, że postaci w *Iwanowie* nie świecą samotnym blaskiem, lecz użyczają sobie światła nawzajem. I tak, nieruchawego Lebiediewa pięknie kontruje nadaktywny, energiczny i kipiący nadmiarem niepraktycznych pomysłów Borkin Krzysztofa Stelmaszyka. A gdy do tych dwóch dołączy zdeklasowany hrabia Szabelski Andrzeja Łapickiego, rodzą się małe arcydzieła, jak ów tercet, otwierający drugą część spektaklu, któremu już dziś można prorokować żelazne miejsce w historii anegdoty teatralnej. Na pozór nic się nie dzieje. Trzej panowie siedzą przy stoliku i rzeczowo omawiają kwestię zakąsek do wódki. Ale temat, który pojawił się zapewne z nudy, nabiera kolorów. Z rozmarzenia kontemplującego smaki przechodzi w licytację, a ta – w otwarty pojedynek. Trzeba było widzieć tych trzech, jak słuchają się nawzajem, jak popijają milczkiem, ważąc równocześnie w myśli własny koncept, który ostatecznie przygwoździ przeciwnika. Stawkę najwyżej podbił Lebiediew, z wprawą lubieżnika monologując o kawiorze, ale ostateczny nokaut przeprowadza hrabia Szabelski, który zaskakuje wszystkich bezpretensjonalną prostotą kiszonego ogórka. Andrzej Łapicki powrócił na scenę z wielką klasą, wskrzeszając ze znawstwem stary teatralny ród pieczeniarzy. [...]

Jak dowodzą performatycy, nie ma już nic takiego jak «rzecz sama w sobie». Postrzegane przez nas przedmioty są określane i kodowane przez wiele różnych dyskursów, ich cechą jest fragmentaryczność i płynność, w żadnym zaś razie stabilna tożsamość. A jeśli tak, jeśli takie są prawa percepcji ukształtowanej przez nowe media i techniki komunikacji, to czy oznacza to kres historii opowiedzianych «po bożemu»? Czy to rzeczywiście wyrok śmierci dla przepysznych typów z salonu Lebiediewów? Nie sądzę. Ani nie są oni tak staroświeccy, jak by się wydawało, ani ich adwersarze tak rewolucyjni. Niejeden wyznawca postdramatycznych kanonów mógłby się uczyć ironicznego dystansu do roli od gwiazd z Narodowego. I na odwrót, nawet w *Iwanowie* widać, jak rebelianci użyźniają akademickie ścieżki. To, co kreuje się dziś na bieguny konfliktu, być może skonfliktowane wcale nie jest, lecz stwarza pole nieustającego przyciągania i inspiracji. Kto powiedział, że teatr ma tylko jedno źródło prądu? Nowe musi się określać wobec starego, aby więc eksperymentatorzy mogli odbywać swoje harce, powinien istnieć w dobrym zdrowiu salon Lebiediewów" (*Dobrego zdrowia Lebiediewom*, „Teatr" 2009, nr 1).

Poruszony został tu ważny problem – odbioru. Teatr współczesny rozmaici teoretycy przekształcają w pole bitwy, gdzie sami ze sobą walczą na teorie, zapominając, że teatr jest inteligentną rozrywką dla normalnych ludzi, którzy nie muszą kończyć wydziału kulturoznawstwa czy performatyki, by zrozumieć i przeżyć przedstawienie. A tak się porobiło: im mądrzej, tym głupiej.

W sztuce *Daily Soup* napisanej przez siostry Muskałówny, skryte pod pseudonimem Amanita Muskaria, Gajos jest Ojcem rodziny. Babcię gra w tym przedstawieniu Danuta Szaflarska. Spotkali się parę lat przedtem w pracy nad filmem *Żółty szalik*, więc teraz też o porozumienie nie było trudno, zwłaszcza że pani Danuta mówi o koledze: „Uwielbiam go i wysoko cenię". Codziennie do stołu zasiadają Ojciec, Babcia, Matka i Córka, trudno jednak powiedzieć, by życie tej przeciętnej rodziny było szczęśliwe. Między wiecznym utyskiwaniem Matki, głupawym serialem *Szczęście i sukces*, który codziennie ogląda ze starą matką, próbami wyrwania się Córki z domu, przyśpiewkami Babci swoje miejsce próbuje znaleźć Ojciec. Janusz Gajos pokazuje, jak został zdominowany przez swoje kobiety, ich bezustanną paplaninę, ciasnotę mieszkania, brak prywatności, przeciw czemu się buntuje, krzyczy, trzaska drzwiami. Ale też nie potrafi tego domu opuścić, bo kocha zdecydowanie i zaborczo córkę, żonę na swój sposób także, wraz z jej matką, i sarkając, kłócąc się, dotrwa przy codziennej zupie do końca dni swoich. Rola prowadzona ściegiem komediowym, co nadaje spektaklowi lekkości.

Zupełnie inny wymiar intelektualny zawierała natomiast tytułowa rola w sztuce Friedricha Dürrenmatta *Romulus Wielki*. W Teatrze Polonia Krystyny Jandy reżyserii podjął się Krzysztof Zanussi, scenografii Ewa Starowieyska. Niestety przedstawienie okazało się zupełną klapą. Znany filmowiec nie poradził sobie z trudną materią dramatyczną, czyli specyficznym

Ostatni cesarz odchodzi z godnością. *Romulus Wielki* według Friedricha Dürrenmatta

rodzajem umowności. Za wszelką cenę chciał zrobić przedstawienie aktualne politycznie, wymierzone w obyczaje IV Rzeczypospolitej braci Kaczyńskich. Janusz Gajos jako ostatni cesarz Rzymu, cynik hodujący kury o imionach swych poprzedników na tronie, bronił się najlepiej z całego ansamblu, ale wiele wskórać nie zdołał. Przewrotny dowcip jego monologów brzmiał blado. Możliwe, że czas Dürrenmatta minął; jako autor największe triumfy święcił w latach sześćdziesiątych na scenie warszawskiego Teatru Dramatycznego.

Za to rola Daviesa w *Dozorcy* Harolda Pintera, pomyślana jako nieformalny benefis aktora, należy do ważnych w jego dorobku. Już sama materia literacka ustawia wysoko poprzeczkę wykonawcom, choć nie wszyscy sprostali zadaniu. Zagracona bez umiaru mała Scena przy Wierzbowej nie stała się modelem zamknięcia człowieka w klatce losu czy metaforą ludzkiej dżungli, gdzie każdy walczy o przeżycie. Ginęły ludzkie relacje, zwłaszcza że u Pintera są one zagadkowe i niedopowiedziane. Na pytanie: „Dlaczego bohaterom udaje się wywrzeć wpływ na siebie?", Gajos odpowiadał tak:

▬ Jeżeli założymy, że Davies nie istnieje, to jego siłą jest chęć istnienia za wszelką cenę. Davies zaczyna istnieć na naszych oczach. Stwarza siebie, tak jak my wszyscy stwarzamy się w życiu. Używa do tego wszelkich dostępnych mu środków. Mistyfikacja tworzy jego przeszłość i teraźniejszość. To są jego narodziny. Przyszłość zależy od umiejętności usytuowania się w tym skomplikowanym procesie, jakim jest nasza egzystencja (rozmowa z Izabelą Szymańską, *Gajos u Pintera*, „Gazeta Wyborcza" 2010, nr 43).

Davies Gajosa pojawia się w obszarpanym ubraniu i dziurawych butach jako bezdomny, ciężko doświadczony człowiek. Jego podstawową reakcją pozostaje nieufność i czujność, siada zawsze na odwróconym bokiem krześle, by uważnie obserwować wydarzenia. Pod wybuchami agresji ukrywa słabości. Życzliwość Astona (Oskar Hamerski), później Micka (Karol Pocheć) przyjmuje bez wylewnej wdzięczności, przeciwnie, odmawia pilnowania domu – nigdy nie był dozorcą! I droczy się z braćmi, jakby miał sto lepszych propozycji pracy. Wybrzydza na nowe buty; kompleksy czy megalomania? Davies boi się świata i jednocześnie próbuje nad nim zapanować; gdy tylko oswoi się z nowym miejscem, stara się podporządkować sobie tych, którzy udzielili mu schronienia. Jest wrażliwy i sprytny, budzi, współczucie, ale także lęk, gdy ujawnia wyraźną niechęć do „czarnych za rogiem". Budzi też litość, gdy się szamoce z własnym życiem i nie potrafi, choć jest inteligentny, ogarnąć swojej egzystencji. „Siła kreacji Janusza Gajosa – pisał Tomasz Miłkowski – polega na ukazaniu stopniowego przeistoczenia się włóczęgi w chwilowego zarządcę, przemiany kogoś, komu życie nie szczędziło upokorzeń, w zwycięzcę, który myśli, że właśnie uwił sobie bezpieczne gniazdko. Kiedy zrozumie, że to tylko złudzenie, pozostaje mu skamleć o litość, bez nadziei na wygraną. [...] To jest przedstawienie, które starczyłoby za uzasadnienie Nagrody Nobla przyznanej Pinterowi: wycyzelowana kreacja Janusza Gajosa, perfekcyjne aktorstwo jego utalentowanych młodszych partnerów i precyzyjna reżyseria, podkreślająca bez natręctwa dziwność świata (chwilowa awaria światła, kolorowo świecące

Davies zaczyna istnieć na naszych oczach. *Dozorca* według Harolda Pintera

kabelki między aktami, realistyczny szczegół sąsiadujący ze scenicznym skrótem), uwydatniają matematykę tekstu Pintera" (*Gajos na straży*, „Przegląd" 2010, nr 9).

Nie wszyscy byli równie entuzjastyczni, wątpliwości budziły naiwne chwyty reżysera podkreślające psychologiczną prawdę postaci, a nie uniwersalne sensy dramatu zagrożeń. „Janusz Gajos dźwiga swojego bohatera troskliwie i z poświęceniem. Bez zbędnych sztuczek. Pozwalając mu na chwile fizycznej degrengolady, na słabość, irytację, strach. Gdy cofa się odruchowo przed nieoczekiwanym, przyjaznym gestem, wprowadza w opowieść trochę przeszłości poniewieranego przez całe życie Jenkinsa. Gdy wybrzydza nad parą ofiarowanych mu butów, ożywia akcję delikatnym komizmem" (Joanna Derkaczew, *Dozorca na straży rupieci*, „Gazeta Wyborcza" 2010, nr 48). „Rolę Daviesa buduje środkami, które nie przewrócą do góry nogami wyobrażeń o jego sztuce. [...] Bardzo porządna to aktorska robota, zresztą trudno od artysty miary Janusza Gajosa oczekiwać czegokolwiek innego. Mimo to jednak nie stanie Davies w rzędzie największych osiągnięć aktora. To nie jest partia na miarę Podsiekalnikowa z *Samobójcy* Kutza ani Cartera z *Simpatico* Grzegorzka. Ma chyba Janusz Gajos kłopot. Lojalny wobec Teatru Narodowego w ostatnich latach stworzył w nim tylko jedną niekłamaną kreację Lomana w *Śmierci komiwojażera* Kutza. Poza tym błyszczał jako tło w *Miłości na Krymie* Jarockiego lub *Iwanowie* albo używał swej maestrii w sprawie rzeczy nie do obronienia (tak było w *Daily Soup*). Myślę, że czeka dzisiaj Gajos na swego reżysera – takiego, jakim kiedyś był Kazimierz Kutz. Kogoś, kto otworzyłby go na prawdziwe wyzwania. I czeka na role, w spektaklach na swą miarę", twierdził nie bez racji Jacek Wakar (*Wszystko w normie*, „Dziennik Gazeta Prawna" 2010, nr 40).

Sytuację niewiele polepszyła premiera *Lorenzaccia* Alfreda de Musseta, najsłabszego z trzech przygotowanych przez Jacques'a Lassalle'a przedstawień w Teatrze Narodowym. Rola kardynała Cibo w interpretacji Gajosa to jedna z najbardziej zapadających w pamięć. Pisałam kilka lat temu: „Najbardziej przerażający wydał mi się Kardynał Cibo, szwagier Margrabiny, w wykonaniu Janusza Gajosa, który głosem łagodnym (i dobrze słyszalnym) wykłada swoją makiaweliczną filozofię władzy zdobywanej podstępem, siłą, przebiegłością. To on kreuje wizerunek hierarchów Kościoła tamtej epoki, ludzi cynicznych, zepsutych do cna, owych dzieciatych papieży i kardynałów, którzy stosowali nepotyzm na niespotykaną skalę, nie gardzili przekupstwem, zlecali i opłacali morderstwa swoich przeciwników politycznych lub biznesowych. Widać to w przedstawieniu tym jaśniej, że szlachetny Filip Strozzi, walczący o honor swej córki i domu, w wykonaniu Wiesława Komasy przypomina raczej starego wiarusa niż przedstawiciela możnego rodu" (*Lorenzaccio – jak wystawić klasykę*, „Twórczość" 2011, nr 6).

Kardynał Cibo spowiada Margrabinę – Beatę Ścibakównę – w *Lorenzacciu* Alfreda de Musseta

W ostatnich kilku sezonach przez wiele polskich scen zawodowych, prywatnych, offowych wędrują dramaty izraelskiego pisarza Hanocha Levina. Zmarły kilkanaście lat temu pisarz – uważany w ojczyźnie za współczesnego Becketta – ciekawie łączy podobną Czechowowi czułość wobec ludzkiego losu z Brechtowskim dystansem i ironią oraz poczuciem humoru wywodzącym się z bogatej tradycji żydowskiego ludowego teatru. Levin mówi o sprawach powszednich, ale czyni to oryginalnym językiem dramatu, który łączy skatologię z poezją, brutalność z czułością, a poezję z gorzką prawdą życia. Jan Englert trzyosobową *Udrękę życia* obsadził gwiazdami i wystawił na dużej scenie Narodowego. Słusznie, przedstawienie ma widownię jeszcze na kilka sezonów i zapewnione występy za granicą.

Wielkie łoże wypełnia scenę, jak byciem we dwoje wypełnili swe życie bohaterowie. Poza czterdziestoletnią wspólnotą nic innego nie było i już nie będzie, niezależnie od tego, jak bardzo wobec tego oczywistego faktu oboje chcieliby się buntować. To wystarczająco długo, by pozbyć się złudzeń i pogodzić ze sobą, ale Jona Popoch w środku nocy podejmuje decyzję o radykalnej zmianie życia i wyrzuca żonę z łóżka jak zbędny tłumok. Wiedziony nadzieją, że może być kimś innym, a sny o potędze (seksualnej także) podpowiadają miłosne podboje. Nadzieja okazuje się daremna, o czym dobrze wie jego żona Lewiwa, zwyczajna kobieta spełniona w roli matki i żony. Małżeńska awantura, gdy strony wygarniają sobie wszystko, co leży na wątrobie, cichnie, gdy wchodzi zwabiony światłem przyjaciel Gunkel (Włodzimierz Press). Instynktem zbitego psa wyczuł, że kłótnia jest dla niego szansą na chwilę rozmowy, na zagłuszenie samotności gorszej niż piekło we dwoje.

Anna Seniuk w nocnej koszuli, z potarganym włosem, i Janusz Gajos w rozciągniętym swetrze nałożonym na piżamę przez dwie godziny grają tragedię i komedię małżeńskiego życia. Po czterdziestu latach Jona i Lewiwa już nie mogą się rozstać, zmienić też mogą niewiele. On jest bardziej szalony, oderwany od ziemi, czyli komediowy, ona praktyczna i przewidywalna, tylko czasem marzy o szaleństwie, a raczej przyjemności po pracowitym życiu poświęconym rodzinie. Na jego wzniosły monolog o nowym życiu ona odpowiada szyderstwem; jej marzenia o nowym kapeluszu on atakuje monologiem o jej tępocie i braku wykształcenia; gdy ona zdobywa się na wielkoduszność, on odpowiada złośliwością itd., itd. Trochę jak w *Tańcu śmierci* Strindberga, tylko mniej patetycznie, z poczuciem humoru, niekiedy wisielczym. Aktorom udaje się dramatem pospolitych ludzi wypełnić dużą scenę, ponieważ wiedzą, kogo i po co grają. Ich postacie są żałosne i wzniosłe, podłe i poruszające, próżne i głupie; podobnie jak one każdy z widzów mniej lub bardziej składnie szuka sensu własnej egzystencji; nikt nie chce przeminąć jak paproch, drobina kurzu. Niby nic, czego siedzący na widowni by nie wiedzieli i nie przeżyli, ale to „nic" zostało opowiedziane przez aktorów tak, że widz patrzy na własne życie z dystansem. Zastanawia się, co jest naprawdę ważne, a co jest tylko mirażem lub wybujałą ambicją,

Małżeńskie dialogi Lewiwy (Anna Seniuk) i Jony Popochów. *Udręka życia* Hanocha Levina

która upokarza i zatruwa życie partnera. Gdy Jona umiera, widoczna na horyzoncie za łożem nocna panorama wielkiego miasta uświadamia ulotność ludzkiej egzystencji. Teatralna metafora ludzkiej drobiny zagubionej w kosmosie.

Lubimy narzekać, więc można mówić, że Janusz Gajos jako aktor mógłby być pełniej wykorzystany. Na pewno wielbiciele chcieliby częściej oglądać go w wielkich rolach. Z drugiej jednak strony pracuje w teatrze przy placu Teatralnym, który na tle innych warszawskich scen radzi sobie dobrze, jeśli nie najlepiej. Może na inny repertuarowy teatr nas po prostu nie stać. Przy czym nie chodzi o pieniądze, te akurat są, a o potencjał naszych reżyserów i dramaturgów. Każdy dyrektor wie, że dobry reżyser, który potrafi klasyczny tekst urzeczywistnić jako żywy teatr, jest dobrem najbardziej deficytowym. Każdy dziś chce robić teatr autorski, choć nieliczni tylko mają ku temu kwalifikacje, zawodowych reżyserów zaś zdolnych pracować w teatrze repertuarowym, gdzie pokazuje się w najlepszym wykonaniu utwory wielu autorów różnych epok i krajów, jak na lekarstwo. Podobnie sprawa przedstawia się z dramaturgami – dobre współczesne teksty to też raczej wyjątek niż reguła, mimo licznych konkursów, zachęt ministerialnych i wszelkich innych. Nie ma co narzekać? Nie, zawsze może być lepiej, ale pracę aktora warto widzieć w szerszym kontekście, wszak nigdy nie jest sam sobie sterem, żeglarzem, okrętem.

SZCZĄTKI MISJI

NA MAŁYM EKRANIE

Teatr Telewizji po 1989 roku przeszedł znamienną ewolucję: skurczył się. Wraz z rozwojem wolnych mediów sukcesywnie ograniczano liczbę premier, przesuwano godzinę emisji na późniejszą, co w telewizji państwowej realizującej misję społeczną może tylko dziwić. Paradoks? O ile w najlepszym okresie, czyli na przełomie lat osiemdziesiątych i dziewięćdziesiątych ubiegłego wieku, za dyrekcji Jerzego Koeniga, produkowano około stu spektakli rocznie, tyle już kilka lat później liczba ta spadła do dwudziestu kilku, by w końcu osiągnąć kilkanaście w roku. Drastycznie ograniczono środki finansowe na Teatr Telewizji. Jego repertuar także uległ zmianie. W owym najlepszym okresie mówiono o Narodowym Teatrze Telewizji, ponieważ do realizacji najlepszych utworów dramaturgii polskiej i obcej wielu epok, poetyk i stylów można było zatrudniać najlepszych aktorów i reżyserów. Żaden zespół teatralny w kraju nie dysponował tak potężnymi środkami i możliwościami. I tak liczną publicznością – dla telewizji milion widzów to nie jest wielka liczba, dla teatru ogromna; to liczba widzów, jaką gromadzą poszczególne teatry przez dekady.

Trzy lata po wrocławskiej prapremierze Agnieszka Glińska przygotowała telewizyjną wersję *Czwartej siostry* Janusza Głowackiego. Sztuki pokazującej, jak wielkiej przemianie uległy na przestrzeni stu lat nie tylko granice i ustroje państw, ale podstawowe pojęcia moralne. Za czasów Antoniego Czechowa honor, przyzwoitość, morale miały swoje określone znaczenie, kobiety upadłe otaczano ostracyzmem, nierzetelność zdecydowanie potępiano. Dziś nikt się niczego nie wstydzi, dziewice udają prostytutki, a światem rządzi mafia, media i politycy. Głowacki w śmieszno-strasznej grotesce pokazuje, jak dawne marzenie sióstr Prozorow, by wyjechać z prowincji do wielkoświatowej Moskwy, stało się dziś nieaktualne. Już nie ma prowincji, a nade wszystko nie ma dokąd uciec, bo świat stał się wspólną małą wioską, gdzie korporacje dyktują, w co trzeba się ubierać, gdzie bywać, co jeść, jak się leczyć, gdzie wypoczywać. Nigdzie nie jest lepiej albo wszędzie jest tak samo źle. I w Moskwie, i w Nowym Jorku miłość jest rzadka, pieniądze nie kapią z nieba, media tak samo gonią za sensacją, bo krew i śmierć dobrze się sprzedają. Jak żyć? Nie wiadomo.

Właśnie nad tym słynnym pytaniem Czechowa zastanawiają się Babuszka i Generał, ojciec trzech sióstr i opiekun przygarniętego chłopca, który wystąpi w dokumentalnym filmie o nieletnich prostytutkach i zdobędzie Oscara w Ameryce. Nie wiem, co zrobił Janusz Gajos, ale wygląda tak, jakby miał szklane oko. Jego Generał to człowiek zwycięskiej Armii Radzieckiej, niejedno na froncie przeszedł, mundur cały medalami obwieszony, wódki wypił morze, a w nowych czasach nawet go nie stać, by tragarze ciało zmarłej żony znieśli do kostnicy. Nikt już nie chce wojować, stary Generał nie ma nawet czym zapłacić za lekcje tańca najmłodszej córki, więc dopadła go depresja. Skoro depresja, to wrócił do wódki i papierosów, choć już się odzwyczaił.

Gajos doskonale rozumie, że jego bohater to figura i śmieszna, i groźna. Z kamienną twarzą zdradza mentalność swego bohatera, czyniąc go groteskowym, bo też groteskowa jest sytuacja Generała bez żołnierzy, ba, nawet czołgi do innych krajów sprzedają z zyskiem mafiosi, a on – bohater wojny ojczyźnianej – z Babuszką (Stanisława Celińska) tylko wódeczkę ćwiczy, tak by między jedną a drugą szklanką kula nie zdążyła przelecieć. Cóż robić, pierestrojka wyrzuciła takich jak on poza nawias historii. Podobnej klasy dramaty nie zdarzają się na co dzień, dobrze więc, że Teatr Telewizji zdecydował się na tę produkcję. Powstało jedno z lepszych przedstawień.

W 2006 roku, pod dyrekcją Wandy Zwinogrodzkiej, Teatr Telewizji podjął ścisłą współpracę z Instytutem Pamięci Narodowej. Powołano Scenę Faktu, raz w miesiącu miały być emitowane przedstawienia pod tym szyldem.

Generał ze szklanym okiem. *Czwarta siostra* Janusza Głowackiego

Scenariusze widowisk powstawały na podstawie zgromadzonych w IPN-ie materiałów, konsultowali je zatrudnieni tam historycy. Widzowie mogli zapoznać się z dramatycznymi wydarzeniami zwłaszcza lat tużpowojennych, ze skomplikowanymi losami ludzi polskiego podziemia i Armii Krajowej, którzy przeciwstawiali się narzuconej władzy komunistycznej. Proces przywrócenia społecznej pamięci postaci zapomnianych, dotąd „źle obecnych" – jak rotmistrz Pilecki, Inka, Emilia Malessa – na pewno słuszny z politycznego punktu widzenia, rzadko owocował wybitnym dziełem artystycznym; poza *Rozmowami z katem* Kazimierza Moczarskiego w reżyserii Macieja Englerta z Piotrem Fronczewskim i Andrzejem Zielińskim. Po trzydziestu latach od przedstawienia Andrzeja Wajdy w Teatrze Powszechnym szeroka publiczność mogła poznać losy polskiego bohatera osadzonego w czasach stalinizmu w jednej celi z hitlerowskim dowódcą szturmu na warszawskie getto, Jürgenem Stroopem.

Widowiskiem notującym największą oglądalność, błędnie przypisywanym Scenie Faktu, stała się *Norymberga* Wojciecha Tomczyka. Jej bohaterami były postacie fikcyjne, może dlatego autor miał więcej swobody w kreowaniu ich charakterów. Nie stoją za nimi konkretne dokumenty, co nie znaczy, że podobnych postaci, zdarzeń i okoliczności nie było. Autor inteligentnie wykorzystał wiedzę o ludziach dawnego systemu; mieszkają w dobrych dzielnicach, pobierają wysokie emerytury i nadal mają wpływ na bieg wielu rzeczy.

   On, Stefan Kołodziej, pułkownik kontrwywiadu wojskowego, na emeryturze. Ona, Hania Wizner, młoda dziennikarka, zbiera materiały do historycznego reportażu. W trakcie ich trzech spotkań nie tyle prawda zostaje odkryta, ile fakt, że jej wersji jest tyle, ile ludzkich losów, lub tyle, ile ich właściciele zechcą ujawnić. Po wojnie zostały one tak sprzęgnięte z polityką i narzuconymi metodami działania służb specjalnych, że biało-czarne rozstrzygnięcia już nie są w stanie opisać powikłanych spraw, motywacji czynów, które zacierają się, zostają wyparte z pamięci. Dla Hanki On jest synonimem zła, ponieważ czynną służbą w wojsku firmował powojenny ustrój. On opowiada, że jak tysiące Polaków nie tyle ów ustrój akceptował, ile w latach pięćdziesiątych – po aresztowaniu i tygodniach tortur – zgodził się na pracę w ludowym wojsku. Dalej życie potoczyło się zgodnie z logiką służby, jako oficer Wojskowych Służb Informacyjnych wykonywał rozkazy dowódców. Pod przykrywką oficjalnych obowiązków inwigilował ludzi, dla własnych interesów naginał prawo, deprawował i robił większe i mniejsze świństwa i, jak mówi, wykończył jej ojca. Dlatego domaga się nie moralnego potępienia, tylko procesu. Nie przed Bogiem, a przed sądem – jak hitlerowscy zbrodniarze przed trybunałem w Norymberdze. I chce iść do więzienia. Próbuje zmusić Hankę, córkę, jak się dowiemy z ust żony, ich „najlepszego przyjaciela", by wniosła do prokuratury zawiadomienie o przestępstwie; wręcza jej nawet całe pudło dowodów.

Jest mu to winna, niemal całe życie otaczał ją dyskretną opieką – ułatwił zdobycie prawa jazdy, kredytu na mieszkanie, rozwód z niewiernym mężem. Teraz też nie jest pozbawiony

Emerytowany pułkownik WSI.
Norymberga Wojciecha Tomczyka

wpływów: potrafi jej załatwić amerykańskie stypendium, które „ustawi" ją na całe życie. Dziewczyna uświadamia sobie, że ludzie dawnej władzy są nadal wszechmocni i ich układy sięgają głęboko; że osoby złamane niegdyś współpracą w zamian za kariery, wpływy, pieniądze bywają posłuszne dawnym mocodawcom. W nowej Polsce wszystko zostało po staremu? Hanka uświadamia sobie, jak powikłane były losy wielu ludzi, nawet tych, których nazywała kanaliami, co nie usprawiedliwia tyleż mętnych, ile silnych zależności między władzą a tymi, co chcieli jej służyć.

Wizyta Hanki w domu pułkownika – pod pretekstem zakupu mieszkania – dopełnia obraz. Ktoś, może Hanka, złożył doniesienie do prokuratury, ale do procesu nie dochodzi, pułkownik Kołodziej bowiem ginie na polowaniu „przypadkiem" z ręki swego przyjaciela. Od jego owdowiałej żony dowiemy się, że ich syn urwał się w latach siedemdziesiątych z wycieczki do Włoch i mieszka teraz w Australii. Po śmierci męża wyjeżdża do wnuków, by „ich małe serduszka nie zapomniały polskości". Halina Łabonarska wciela się w tę postać, jakby jej bohaterka w swej świętej naiwności nie zdawała sobie sprawy z roli, jaką odgrywał jej mąż. Traktuje jego pracę najzupełniej poważnie jako służbę Polsce, a hasła propagandy jak prawdy objawione. Nadal wierzy, że „bandyci z Solidarności chcieli zdemolować państwo". I to jest dopiero przerażające: fikcja propagandy jak rzeczywistość. Jej mąż był przynajmniej inteligentny, znał nastroje społeczne, wiedział, kto ma rację, więc swą pracę traktował cynicznie. Widział jej absurd; choć mu się nie przeciwstawiał, to pod koniec życia zrobił jego bilans – dlatego domagał się procesu i kary. Hanka Wizner nie kupi od wdowy mieszkania, bo właśnie wyjeżdża na amerykańskie stypendium. Ale... ponieważ tylko mówi, nie wiemy, czy wyjedzie. Także śmierć pułkownika nie wydaje się pewna, równie dobrze mógł wyjechać do syna do Australi, by tam dożyć swych dni. Relacje między bohaterami na początku wydawały się proste: Ona – niezależna dziennikarka, On – oficer kontrwywiadu wojskowego obciążony przeszłością. Zakończenie spektaklu do opisu charakterów i losów bohaterów wnosi istotne korekty.

W spektaklu, gdzie nic nie jest tak, jak się państwu wydaje, a czarno--białe schematy nie działają, od aktorów zależy wszystko. Ich gra pozostaje dyskretna, ograniczona w zasadzie do intonacji i mimiki, ponieważ akcję tworzą rozmowy. A raczej monolog Pułkownika, bo to on przede wszystkim opowiada młodej dziennikarce o sobie, systemie służb oplatających każdą dziedzinę życia. Ona albo stawia pytania, albo zbywa jego wynurzenia krótkimi ripostami. Gdy wydają się naiwne, on rzuca ironiczne słówko albo komentarz z wyrazem niesmaku na twarzy. Czasem jest to rozczulenie nad jej prostolinijnością. Po wstępnej wymianie ripost Janusz Gajos i Dominika Ostałowska grają narastającą wzajemną fascynację bohaterów. On ma szansę na spowiedź życia, ona na poznanie ważnego fragmentu historii swego ojca i mało znanej historii kraju, w jakim żyje. Gajos jest spokojny i kulturalny; tylko gdy odbiera telefon i puka w drzwi pokoju żony zamkniętych potężną zasuwą, wieje chłodem. Coś tu nie gra, tym bardziej że gdy dzwoni syn, jego głos zdradza wyraźną serdeczność. Gdy żona powie w zakończeniu o dwóch lodówkach, przypomnimy sobie kluczyki w szafce z kawą, gdy sięgał po nią

Pułkownik, możemy się domyślić, że od dawna prowadzili osobne życie. Może on stracił złudzenia wcześniej, a ona nie chciała pozbyć się przywilejów, jakie stwarzała posada męża. Nie wiadomo. Ten chwyt pozwala widzowi na dookreślenie postaci: skoro małżeńskie relacje były tak chłodne, Pułkownik stał się wręcz wylewny przed młodą dziewczyną. Ogląda się ten spektakl z zainteresowaniem, stare pytanie bowiem: jak normalni ludzie czule odnoszący się do dzieci potrafili i nadal potrafią czynić tyle zła?, pozostaje bez odpowiedzi.

„*Norymberga* Krzystka – w opinii Tomasza Mościckiego – zwraca uwagę estetycznym wysmakowaniem, starannie skomponowanymi kadrami, kapitalnym, czasem niemal rembrandtowskim światłem. [...] Świetne przedstawienie dające nadzieję, że niemiłosiernie skopany ostatnimi laty Teatr Telewizji wróci do lepszej formy, że znów zobaczymy na naszych ekranach dobrą literaturę i wielkie role" (*Genialny teatr telewizji*, „Dziennik" 2006, nr 198). Spektakl został nagrodzony Grand Prix na Krajowym Festiwalu Teatrów Polskiego Radia i Telewizji „Dwa Teatry" organizowanym w Sopocie, podobnie jak trójka wykonawców uhonorowanych głównymi nagrodami.

Rolą podobnie osadzoną w słowie była postać doktora Jacka Klee ze sztuki Marka St. Germain, uznanego amerykańskiego dramaturga i scenarzysty. *W roli Boga* miało swoją premierę w 2006 roku, w Lamb's Theater w Nowym Jorku (z udziałem New York Organ Donor Network jako sponsora); zyskało bardzo pozytywne opinie tamtejszej prasy. Niewątpliwie przyczyniła się do tego problematyka sztuki – aktualna również w Polsce – a także jej konstrukcja porównywana przez krytykę amerykańską do filmu *Dwunastu gniewnych ludzi* oraz dobrze napisane role.

Akcja dzieje się w sali konferencyjnej szpitala pod wezwaniem Świętego Patryka, gdzie obraduje komisja do spraw przeszczepów, złożona z lekarzy, przedstawiciela opieki społecznej i księdza prawnika. Członkowie komisji mają zdecydować, kto z czekających na transplantację pacjentów – starsza pani, pełna poświęcenia dla innych, ale obciążona próbą samobójczą, antypatyczny grafoman z wirusem HIV czy bogaty playboy, którego ojciec obiecał szpitalowi ogromną dotację – otrzyma nowe serce. Każdy z członków komisji ma swoje zdanie i zdecydowanie silną osobowość; argumenty i stanowiska zmieniają się jak w kalejdoskopie. Pacjent, dla którego owo serce było przeznaczone, umiera – karetka nie zdołała się przebić przez rozbawiony, wiwatujący w Dniu Świętego Patryka na ulicach tłum. Gdy serce dociera wreszcie na miejsce, musi zostać przeszczepione w ciągu kilkudziesięciu minut innemu biorcy. Temperatura sporów i kłótni rośnie, akcja przyśpiesza jak w thrillerze.

Pacjenci widzą szansę na życie, więc w całym szpitalu atmosfera tężeje. W dramatycznych rozmowach przy szklanym stole ścierają się racje, moralne dylematy, wedle jakich kryteriów można decydować o życiu lub śmierci innych. Przepustkę do życia dostaną ci, którzy prowadzili się nienagannie? Czy ci, którzy mają rodzinę? A może tylko ludzie wolni od nałogów i samobójczych obsesji? Kto to ma rozstrzygnąć? Bóg? W jego roli znaleźli się lekarze, członkowie komisji. Wśród nich doktor Klee Gajosa, zapalczywy i apodyktyczny, pozbawiony wątpliwości. Jak mówi jedna z bohaterek, nikt z lekarzy nie przeszedłby kwalifikacji, jaką sami stosują, wybierając osoby do przeszczepu. Mają za sobą rozwody, nawet śmierć dziecka, ulegają ambicjom, niektórzy są zdolni do podstępów i manipulacji. Dramatyczne i aktualne. Jak zawsze, gdy postęp medycyny wymusza odpowiedź na zasadnicze pytania etyczne współczesnego świata.

„Janusz Gajos pokazał człowieka, który, jak się okazuje, decyduje nie tylko o pacjentach, ale także o własnym życiu i śmierci. I to jest dopiero thriller, zrealizowany według ewangelicznej zasady «Nie sądźcie, abyście nie byli sądzeni» – pisał Jacek Cieślak („Rzeczpospolita" on line 17.09.2010). Chciałoby się dodać, że wszyscy aktorzy zagrali celnie i przejmująco, bo sprawa dotyczy wszystkich. Dlatego jury sopockiego Festiwalu Teatru Polskiego Radia i Teatru Telewizji Polskiej „Dwa Teatry" nie miało wątpliwości, by temu przedstawieniu Teatru Telewizji przyznać Grand Prix za 2010 rok.

Boulevard Voltaire napisany i wyreżyserowany przez Andrzeja Barta znów przyniósł Januszowi Gajosowi nagrodę aktorską sopockiego festiwalu „Dwa Teatry" w 2011 roku. Za rolę Pana R., polskiego poety mieszkającego od czasu wprowadzenia stanu wojennego w Paryżu. Nie wiedzie mu się dobrze, na życie zarabia jako hydraulik. Któregoś dnia zostaje wezwany do domu w zamożnej dzielnicy, by zreperować cieknący kran. Właścicielką pięknego

Bogata Pani Z. (Ewa Wiśniewska) i biedny Pan R. w Paryżu.
Boulevard Voltaire Andrzeja Barta

mieszkania jest świeżo owdowiała Pani Z. o śladach dawnej urody. Przy banalnej czynności wymiany uszczelki on doskonale rozpoznaje sonatę Griega, wymienia lektury, zna wiszące na ścianach obrazy i ich autorów. Okazuje się nie tyle hydraulikiem, ile wrażliwym człowiekiem, któremu się nie powiodło. Jej natomiast wiedzie się doskonale, przynajmniej materialnie, mąż zrobił karierę ekonomisty, obracali się w kręgach elity, więc została zabezpieczona finansowo tak świetnie, że nie musi z niczego rezygnować, nadal kupuje obrazy, zatrudnia gosposię. Ale... jest sama. Jedyna córka założyła rodzinę i awansowała do stopnia generała w armii izraelskiej, więc do Paryża przyjeżdża rzadko. Przyjaciółka jest nudą sakramencką o mieszczańskim wdzięku.

Spotkanie z Panem R. sprawiło, że Pani Z. znów chce żyć, ma z kim chodzić do kina i na koncerty. Rozmawia z wrażliwym i kulturalnym człowiekiem; rodzi się uczucie, ostatnia miłość. Nie bez komplikacji, córka i przyjaciółka bowiem są przeciw. Żywią podejrzenie, że ubogiemu emigrantowi nie idzie o uczucie, lecz o schedę zamożnej wdowy. Niesłusznie. Tym, co oboje poróżni, nie staną się pieniądze, lecz stereotypy. Ona jest polską Żydówką, przeżyła z matką obóz koncentracyjny, jej męża uratowali chłopi z wioski pod Białymstokiem, dlatego zatrudnił pochodzącą stamtąd służącą Adelę. On jest Polakiem, który o Żydach wie niewiele. I oto w kuchni mieszkania przy pięknym bulwarze – patronuje mu Voltaire, liberał i wolnomyśliciel, czołowy przedstawiciel epoki rozumu – dochodzi do irracjonalnej kłótni zakochanych i potrzebujących się nawzajem ludzi. Pod błahym pretekstem zaczną obrzucać się stereotypami, między nich wkracza historia, cierpienie Żydów, getto i szmalcownicy, polska ciemnota i odpowiedzialność zbiorowa. Na zakończenie pada prowokacyjne zdanie Pani Z.: „Wszyscy Polacy są siebie warci", i równie prowokacyjna odpowiedź Pana R.: „A wszyscy Żydzi piją na śniadanie krew niewiniątek".

Rola Janusza Gajosa nie była zbyt trudna. Jej zasadniczy walor stanowiły słowa, bo też utwór powstał jako słuchowisko radiowe. Bohater nie ulega tu zewnętrznej przemianie, w oczach Pani Z. i jej otoczenia musi skorygować swój wizerunek ubogiego emigranta świadczącego drobne usługi hydrauliczne, trzeźwego od kilkunastu lat alkoholika. Spotykając inteligentną i zamożną wdowę, ma szansę na życie inne niż dotąd, ale oboje muszą odrzucić banalne wyobrażenia o wzajemnej tożsamości. Ostatnia scena ukazuje ich na wspólnym spacerze, więc daje nadzieję, że się im udało.

Tak się składa, że wolna Polska przyniosła wolny rynek. Wraz z wolnym rynkiem w państwowej telewizji pojawiły się reklamy prawie tak liczne, jak w stacjach komercyjnych. Niestety w przeszłość odchodzi formuła Teatru Telewizji jako Narodowego Teatru Telewizji, gdzie widzowie z najmniejszych miejscowości mieliby szansę obejrzeć wybitne utwory wielu epok i wielu kultur w możliwie najlepszym wykonaniu. Kultura stała się

miejscem do wypełnienia czasu antenowego między reklamami*. W przeciwieństwie do nich nie przynosi pieniędzy, bo rzadko ma dużą oglądalność. Zaczynamy się do tego przyzwyczajać, program telewizji wypełniają
seriale obyczajowe i polityczne o poziomie obrażającym inteligencję widza.
Dla poważniejszej refleksji o życiu już nie ma miejsca albo znajduje się
po północy. Chyba szkoda, bo wciąż jeszcze mamy doskonałych aktorów,
trochę współczesnych tekstów wartych wystawienia i całe obszary dramatów klasycznych wciąż niewykorzystanych. Wszyscy tak zwani kulturalni
ludzie na taki stan rzeczy się obruszają, protestują nawet, ale niewiele
z tego wynika. Jeśli nie chcemy być peryferią Europy i świata, to warto
wykorzystać potencjał artystyczny, jaki posiadamy, zamiast kupować for-
maty rozrywkowe z zagranicy. Czterdziestomilionowy kraj chyba stać na
to, by państwowa telewizja wyprodukowała czterdzieści do pięćdziesięciu
spektakli rocznie. Na to sił artystycznych i środków finansowych powinno
wystarczyć.

---

* Od każdej reguły bywają wyjątki. Ile razy w sklepie widzę paczkę kawy Pedros, uśmiecham się
(chyba nie tylko ja), na wspomnienie słynnego dialogu: „Pedros?". „Nie, Gajos". Trzydzieści sekund
wystarczyło, by opowiedzieć prostą historyjkę z ironiczną puentą: oto plan filmowy, ujęcie, najazd
kamery na aktora widzianego z tyłu. Stop. Koniec ujęcia, przerwa na kawę. Janusz Gajos odwraca
się do nas przodem, zaczesuje rękami włosy jak po dobrze wykonanej robocie, asystentka podaje mu
filiżankę kawy i wtedy pada ta śmieszna zbitka nazwy i nazwiska: Pedros?/Gajos. Zabawa, dystans
do siebie i kulturalna powściągliwość – jak na mistrza przystało. Nikt chyba nie ma aktorowi za złe,
że w takiej reklamie wystąpił.

CZY MOŻNA ŻYĆ BEZ POLITYKI?

Można, tylko lepiej wiedzieć więcej niż mniej, zwłaszcza gdy chce się być świadomym obywatelem. *Układ zamknięty*, film Ryszarda Bugajskiego zatrząsł, jak przewidywano, krajem. Przy czym nie chodzi tylko o frekwencję, imponującą, skoro w ciągu dwóch miesięcy po premierze (5.04.2013) obejrzało go blisko pół miliona widzów, ani o kolejne przytaczane przez prasę dowody na bezkarność władzy, na złe prawo i jego dowolne interpretacje. Ośmieleni wymową filmu poznańscy przedsiębiorcy złożyli wizytę Juliuszowi Braunowi, przewodniczącemu Krajowej Rady Radiofonii i Telewizji, domagając się zmiany medialnego wizerunku swojej profesji. Protestują przeciw przedstawianiu ich w negatywnym świetle, jako osób z definicji podejrzanych i nieuczciwych. Mało tego, Stowarzyszenie Verum – Prawo dla Przedsiębiorców pod przewodnictwem Roberta Krzemińskiego ma zamiar przekształcić się w partię polityczną. Jej celem byłaby obrona przedsiębiorców przed złym prawem i przepisami stosowanymi wedle uznania przez niekompetentnych lub skorumpowanych urzędników.

Bohaterowie *Układu zamkniętego*, trzej młodzi właściciele firmy elektronicznej Nawar z Trójmiasta, niedługo po jej otwarciu, w wyniku zmowy prokuratorów i urzędników urzędu skarbowego, zostają pod fałszywym pretekstem aresztowani. W więzieniu, podobnie jak ich rodziny na wolności, przeżywają koszmar: nieprzeciętnie zdolny programista próbuje się powiesić, żona drugiego wspólnika po poronieniu długo oczekiwanego dziecka pogrążona jest w depresji, kilkunastoletnia córka trzeciego,

Potężny prokurator Kostrzewa. *Układ zamknięty* Ryszarda Bugajskiego

w wyniku brutalnego ataku policji na mieszkanie, przestaje mówić. Firma upada, rodziny nie mogą się pozbierać, uczciwi ludzie tracą wiarę, że żyją w praworządnym kraju. Pomoc przychodzi od kontrahenta z zagranicy, który ocalił maszyny firmy przed zajęciem przez polską policję, działającą na zlecenie prokuratora, i proponuje zrujnowanym właścicielom firmy założenie biznesu w swoim kraju. Wie, że ma do czynienia z utalentowanymi ludźmi, którym trzeba stwarzać warunki rozwoju, a nie ich niszczyć.

Fabuła filmu została oparta na prawdziwym zdarzeniu. Choć niektóre fakty ze śledztwa przeciw dwóm krakowskim przedsiębiorcom – Lechowi Jeziornemu i Pawłowi Reyowi – zostały zmienione, to wątki główne są spójne. Oskarżeni wraz z jedenastoma innymi osobami o malwersacje finansowe w Zakładach Mięsnych Krakmeat oraz Spółce Akcyjnej Polmozbyt, uznani zostali za zorganizowaną grupę przestępczą i aresztowani w 2003 roku. Prasa podawała wielkie sumy, które w miarę postępów śledztwa malały, aż jedną ze spraw umorzono. Poszkodowani dostali za niesłuszne oskarżenie po 10 tysięcy odszkodowania. Druga sprawa, dotycząca Polmozbytu, nadal jest w sądzie. Przedsiębiorcy spędzili w areszcie dziewięć miesięcy, w tym czasie akcje ich przedsiębiorstwa zostały sprzedane za bezcen, w dodatku bezprawnie. Sprawa spowodowała interpelację poselską, jednak nawet wtedy Prokuratura Krajowa nie zauważyła naruszenia prawa i poparła tym samym metody stosowane w podległych sobie jednostkach, które doprowadziły do ruiny zdrowia i utraty majątku przez oskarżonych. Czekają oni na wyrok już osiem lat. „Jeśli Jeziorny, Rey i pozostali – pisze Piotr Pytlakowski, który śledzi tę sprawę od początku – zostaną uniewinnieni, ktoś inny powinien być oskarżony. Nie może być tak, że urzędnicy państwowi nie ponoszą żadnych konsekwencji za swoje decyzje" („Polityka" 2013, nr 14). Każdy przytomny człowiek przyzna dziennikarzowi rację, tylko wątpliwe, by cokolwiek z tego wynikło. Wprawdzie od dziewięciu lat istnieje prawo do odszkodowania za bezprawny wyrok, to skorzystanie z niego graniczy z cudem. Trzeba udowodnić, że urzędnicy działali w złej wierze, a wyrok wyrządził osadzonemu bezprawnie w więzieniu szkodę materialną. Jak? Niewykonalne.

Układ zamknięty Bugajskiego nie jest arcydziełem, ale jest to film bardzo potrzebny, przypadek krakowskich przedsiębiorców nie jest bowiem odosobniony. Począwszy od Romana Kluski, który dziś hoduje owce, zamiast jak kiedyś produkować komputery, przez około trzystu właścicieli małych firm doprowadzonych do upadłości, po nową odsłonę układu, tym razem w branży warzywnej, czyli upadek wielkich gospodarstw rolnych na Pomorzu. Schemat działania prokuratorów, urzędników, bankowców pozostaje podobny. Doświadczamy psucia państwa w majestacie prawa, dlatego ogląda się ten film z uczuciem bezsilnej złości.

I kilkoma wątpliwościami. Bohater grany przez Janusza Gajosa, prokurator Andrzej Kostrzewa, pozostaje spiritus movens filmowych wydarzeń. To on mami swego podwładnego szybkim awansem w zamian za znalezienie dowodów przeciw właścicielom firmy. Namawia swego kolegę, szefa urzędu skarbowego, by także znalazł na nich kwity, obaj wiedzą, że bezkarnie przejmą nową i wiele wartą firmę. Po łup schyli się nawet zaprzyjaźniony minister, więc czują się bezkarni. Kostrzewa nie gardzi prowokacją ani kłamstwem, wydaje się sobie wszechmocny. W latach siedemdziesiątych złapał Zdzisława Marchwickiego, „Wampira z Zagłębia", choć niewykluczone, że skazano na śmierć niewinnego człowieka. Jako macho uwielbia polowania, czyli „eliminowanie słabszych osobników". W wiejskim domu zbiera myśliwskie trofea, bo świadczą o jego refleksie. Uwielbia dziczyznę, karmi nią rodzinę i znajomych. Sympatyczne, wręcz czułe relacje z wnuczką służą ociepleniu wizerunku bezwzględnego człowieka. Na pierwszy rzut oka prokurator Gajosa to kulturalny, miły pan, dobrze ubrany i zamożny, sądząc po luksusowym samochodzie, willi w mieście i okazałym letnim domu położonym wśród lasów pełnych zwierzyny. Im sympatyczniejszy wydaje się jako człowiek układny i dobrze wychowany, tym większą odrazę budzą jego słowa i czyny. Rola nie wymagała specjalnej transformacji, więc osiągnięciem aktora pozostaje przerażenie, jakie wywołuje filmowy prokurator, bezwzględny przestępca w białych rękawiczkach.

Z jednym zastrzeżeniem. Z woli scenarzystów i reżysera źródła kariery Andrzeja Kostrzewy tkwią w przeszłości. W marcu 1968 roku przysłużył się partii w antysemickich rozgrywkach, potępił wykład profesora Maja, skądinąd ojca jednego ze współwłaścicieli niszczonej firmy, który musiał zrezygnować z uniwersyteckiej kariery. Wyeksponowany wątek polityczny – młodego Kostrzewę gra inny aktor – osłabia wymowę filmu. Dla ludzkiej pazerności i podłości nie trzeba, myślę, szukać podobnych „usprawiedliwień". Partyjni karierowicze nie stawali się automatycznie przestępcami jak ten filmowy prokurator. Ludzkiej chciwości nie da się zaś wytłumaczyć samym systemem politycznym, istnieje niezależnie od szerokości geograficznej. Złe i rzadko egzekwowane prawo tylko daje jej szansę; w mętnej wodzie łatwiej łowić. Dawno już nie ma komuny, którą chętnie obwinialiśmy za wszystkie plagi i nieszczęścia, a zawistni i pazerni ludzie nie wyginęli, niektórzy w nowej Polsce kwitną.

Ponieważ film sfinansowała przede wszystkim Kasa Stefczyka, finansowy bastion PIS-u, Business Center Club i stu przedsiębiorców prywatnych, mogło to wpłynąć na ideologizację tematu. Niepotrzebnie, jest w filmie dość materiału na dramat bez umieszczania go w kontekście bieżących rozgrywek partyjnych.

Przeciwnie postąpili twórcy *Ekipy*, czternastoodcinkowego serialu z gatunku political fiction sześć lat wcześniej. Autorzy scenariusza – Dominik Wieczorkowski Rettinger i Wawrzyniec Smoczyński – starali się unikać aluzji i odniesień do bieżących wydarzeń politycznych. Podobnie jak Agnieszka Holland, jej córka Kasia Adamik i siostra Magdalena Łazarkiewicz, które reżyserowały poszczególne odcinki. Wszyscy chcieli opowiedzieć wyidealizowaną historię o polskim rządzie, w którego skład wchodzą politycy kompetentni, dobrze wykształceni, otwarci na problemy zwykłych ludzi i działający z poczuciem służby społecznej. Chcieli pokazać, że sejm nie musi być terenem partyjno-personalnych przepychanek, kłótni i zakulisowych układów. Serialowi towarzyszył wyraźny cel edukacyjny – skoro zwykli obywatele mają dość polityki takiej, jaka jest, coraz większa grupa nie chodzi na wybory, wielu emigruje – to intencją twórców było pokazanie, że może być inaczej. Teoretycznie rzecz jasna.

Ceną idealizmu twórców stała się infantylizacja postaci, zwłaszcza tych otaczających premiera: wszyscy są uczciwi, oddani pracy, lojalni i merytorycznie przygotowani. Janusz Gajos jako premier Henryk Nowasz, oskarżony przez opozycję o współpracę z SB, nie ma trudnej roli. Ekscentrycznych zachowań nie można się tu spodziewać. Premier jest człowiekiem zrównoważonym i opanowanym, ponieważ... inny szef rządu być nie może. Żona go wspiera, nastoletnia córka buntuje się, ale niegroźnie. Gdy Nowasz dowiaduje się o przecieku – ktoś „sprzedał" jego teczkę dziennikarzowi –

zachowuje się odpowiedzialnie. W nocy zwołuje naradę najbliższych współpracowników, by nie wywoływać paniki. Na swoje miejsce chce powołać człowieka kompetentnego: młodego profesora ekonomii, idealistę i społecznika, który ma uratować wprowadzane od dwóch lat reformy gwarantujące cywilizacyjne przyśpieszenie kraju. Ponieważ tę kandydaturę musi zatwierdzić sejm, zaczynają się targi koalicyjne, układ sił na scenie politycznej ulega przemeblowaniu. Premier podaje się do dymisji nie bez goryczy, ale też bez planowania odwetu; to wyraz intencji realizatorów – pokazać szlachetniejszą stronę polityki. Miło, kulturalnie i w oderwaniu od rodzimych realiów.

Były premier Nowasz chce jednak dotrzeć do swej teczki, nie pamięta, by cokolwiek go mogło obciążać. W ostatnich odcinkach serialu, gdy prezydent kraju umiera w Kabulu, ponieważ jego helikopter został zestrzelony, wyjaśnia się też sprawa przeszłości byłego premiera. Teczką, w której była tylko kilkukrotna odmowa współpracy, posłużył się marszałek sejmu, szef partii koalicyjnej, czarny charakter dążący do władzy za cenę kłamstw, przekrętów, nielegalnych operacji ze sprzedażą broni. Prawda o przeszłości

Premier Henryk Nowasz. Serial *Ekipa* według Dominika W. Rettingera i Wawrzyńca Smoczyńskiego

byłego premiera wychodzi na jaw przypadkiem. Profesor chemii z San Francisco, dawny kolega Nowasza, pojawia się w jego domu. To wydarzenie odblokowuje pamięć: protesty studentów w marcu 1968 roku, bity i szantażowany przez funkcjonariusza student, przyszły premier, zakreśla zdjęcie kolegi, który spędza rok w więzieniu, a potem dostaje paszport w jedną stronę. Robi karierę w Ameryce jako chemik, zgodnie ze skończonym tam kierunkiem studiów. W kraju obaj studiowali historię.

Zagranie premiera nie wymagało od Janusza Gajosa transformacji fizycznej ani psychicznej. Niemniej wykonana precyzyjnie sprowokowała Kasię Adamik do powiedzenia: „Gajos to aktor genialny".

Podobny komplement może mnie tylko cieszyć, ale za zdecydowanie ciekawszą uważam rolę Franka Goretzky'ego w *Wygranym* Wiesława Saniewskiego. Scenariusz czekał na realizację od 1991 roku, zainteresowani nim Amerykanie proponowali do roli matematyka i wielbiciela koni Harveya Keitela, Francuzi – Omara Sharifa. W Polsce mógł ją zagrać tylko Janusz Gajos. Film opowiada o losach dwóch Polaków z amerykańskimi paszportami, których drogi krzyżują się we Wrocławiu. Oliver Linovsky (Paweł Szajda), młody wirtuoz fortepianu, od lat mieszka w Ameryce. Koncertem we wrocławskiej Hali Stulecia ma zacząć europejskie tournée. Przymuszany, a raczej tresowany do kariery pianistycznej przez matkę, później przez żonę, która go teraz porzuciła, przeżywa załamanie nerwowe. Opuszcza salę. Za zerwanie koncertu musi zapłacić organizatorom ćwierć miliona euro, których nie ma. Liczyła się dla niego zawsze muzyka, nie pieniądze.

Wieczorem w hotelu spotyka starszego człowieka, który mu stawia drinka. Gdy następnego dnia zostaje wyrzucony z hotelu, tamten podaje mu pomocną dłoń. I wprowadza w swój świat – gier na wyścigach. Z pasją opowiada młodemu pianiście o koniach, dżokejach i zakładach bukmacherskich, od lat bowiem śledzi te sprawy. W tym małym środowisku nazywany jest „profesorkiem". Z wykształcenia jest matematykiem, więc rachunek prawdopodobieństwa ani metoda statystyczna mu nie straszne, używa ich, by zwiększyć swe szanse. Często wygrywa.

Urodził się w Chicago, ale jako młody człowiek trafił do wojska, stacjonował w amerykańskiej strefie okupacyjnej w Berlinie. Amerykańska dziewczyna urodziła jego syna. Jednak nigdy go nie widział. W Berlinie poznał Polkę, za którą przyjechał do Wrocławia. Do Chicago nie mógł wrócić, jako „szpieg" znalazł się w stalinowskim więzieniu. Za przewożenie bibuły w stanie wojennym też trafił za kratki. W pierwszej chwili wydaje się, że poza pasją do koni i zakładów nic go nie interesuje.

Nieprawda. Młodego, zagubionego w mało komfortowej sytuacji pianistę traktuje jak nigdy niewidzianego syna. Grą na wyścigach próbuje zarobić na spłatę jego długu za zerwany koncert. Z sukcesem, ale za sporą cenę. W Badenie wygrywa milion, lecz w trakcie decydującej gonitwy dostaje wylewu. Młody Oliver oddaje z wygranej swój dług, odnajduje syna Franka w Chicago i przekazuje mu resztę pieniędzy, ponad pół miliona dolarów. Przewartościowuje też swoje życie, dostrzega inne wartości niż sukces i pieniądze, zrywa kontrakty pianistyczne załatwione mu przez profesora Karloffa (mefistofeliczny Wojciech Pszoniak). Niezłego łajdaka, od którego dowiaduje się, dlaczego nie wygrał Konkursu Chopinowskiego, choć był najlepszy.

Janusz Gajos – chyba po raz pierwszy z siwą, krótką brodą, w masywnych okularach – sprawia wrażenie człowieka wolnego. Po jego spokojnym podejściu do przeciwności widać, że życie go nie pieściło, ale też nie zabiło w nim niemal chłopięcej radości, kiedy na ekranie telewizora ogląda gonitwy, wygrywa, smakuje dobry alkohol. Nie jest sentymentalny, pod szorstkim obejściem skrywa czułość i bezinteresowność. Rzadko podejrzewa się o takie cechy graczy na wyścigach konnych, u zwykłych obywateli też nie są one normą. Aktor ładnie przełamuje stereotyp wyrachowanego gracza. Tworzy postać człowieka całkowicie pochłoniętego zakładami, którego bawi stosowanie matematycznych reguł i analitycznego rozumu w praktyce. Dlatego wygrywa częściej niż inni. Zarzuty Olivera o traktowanie zwierząt jak automatów do zarabiania pieniędzy skutecznie odpiera. Wiezie go do stadniny, gdzie ufundował dożywotnią emeryturę bezpłodnej klaczy. „Z Bellą sporo wygrywaliśmy", powie, całując jej starą głowę. Ksiądz opowiada młodemu pianiście, że ten dziwny matematyk i hazardzista dawał sporo pieniędzy na opiekę nad biednymi chłopcami.

Można powiedzieć: aktor dostał dobry scenariusz; to prawda. Ale... bez jego nieustannej aktywności na planie, bez drobnych gestów, ciągłego zaaferowania i mimochodem rzucanych refleksji, które dla Olivera stają się szkołą życia i prawidłowych wartości, nie byłoby tego mądrego filmu.

Wreszcie jest bohater z charakterem, który wygrywa dzięki myśleniu, a nie w czułości bohaterskiego serca przegrywa, jak nas uczyły książki i filmy krzepiące duch romantyczno-cierpiętniczy w narodzie.

W porównaniu z postacią premiera Nowasza Goretzky Janusza Gajosa żyje, zmienia się, ujawnia coraz więcej cech ciepłego człowieka, który potrafi współodczuwać i bezinteresownie pomagać. Pokazuje doświadczonego mężczyznę, któremu nieobca jest ułańska fantazja, poczucie humoru, a także zdolność trafnej oceny ludzi. Jako człowiek prostolinijny nie lubi manipulatorów w rodzaju dawnego jurora pianisty, łobuza ukrytego za zaszczytami i pieniędzmi. Bardzo dobra rola, na niej stoi cały film. Podobnego zdania był Janusz Wróblewski; narzekał jedynie, że młody aktor amerykański polskiego pochodzenia, Paweł Szajda, nie wykorzystał szansy: „Narcystyczne samozadowolenie na jego wiecznie pogodnej twarzy nie pozwala przejąć się dramatem postaci. Show ukradł mu Janusz Gajos, który brawurowo wcielił się w hazardzistę z patriotyczną przeszłością, w króla wyścigów konnych, marzącego o zdobyciu fortuny i odnalezieniu nigdy niewidzianego syna w Stanach" (*Lepiej być pięknym i bogatym*, „Polityka" 2011, nr 12).

Młodzi i „starzy" reżyserzy, angażując Gajosa, wiedzą, że wniesie do pracy nad scenariuszem, a potem na planie sporo dobrego. Zarówno Ryszard Bugajski, Wiesław Saniewski, jak i Janusz Morgenstern podkreślają w wywiadach, że wiele dni spędzili z aktorem, analizując scenariusz, psychologię postaci, prawdopodobieństwo zdarzeń. Przed przystąpieniem do zdjęć wspólnie siedzieli nad scenariuszem wiele dni. Nie każdy aktor tak pracuje.

Wspomniałam tu Janusza Morgensterna ze względu na kolejne jego spotkanie z Januszem Gajosem (po rewelacyjnym *Żółtym szaliku*). Scenariusz *Mniejszego zła* napisany został na motywach powieści Janusza Andermana *Cały czas*, z tym że reżyser w przeciwieństwie do pisarza dał bohaterowi szansę odkupienia. Akcja filmu przypada na lata 1980–1981, tak zwany karnawał Solidarności, gdy postawy polityczne wielu ludzi ulegały przewartościowaniu. Bohaterem jest młody chłopak, Kamil Nowak (Lesław Żurek), o sporych ambicjach i złym charakterze. Postanowił zostać pisarzem; w tamtych czasach było to zajęcie prestiżowe, otoczone szacunkiem i zainteresowaniem. Zamieszcza wiersze w czasopismach, bywa w środowisku, to bowiem, co zewnętrzne, imponuje mu bardziej niż prawdziwe ludzkie doświadczenie zapisane stosownymi do rzeczy słowami. Wykorzystuje bez skrupułów młode kobiety, przypadkiem podpisuje protest i przystaje do opozycji, ale też kradnie sąsiadowi ze szpitalnego łóżka powieść i pod swoim nazwiskiem drukuje ją za granicą. Dwuznaczna figura.

Podobnie jak jego ojciec. Janusz Gajos jest tu działaczem partyjnym, który pod wpływem wydarzeń nie tyle zmienia się, ile błyskawicznie do nich dostosowuje. Umie wąchać czas. Jest ważnym dyrektorem w przedsiębiorstwie, ale zakłada komórkę Solidarności, dumny, że zapisało się do niej sto procent załogi. Wiesza na ścianie gabinetu portret Jana Pawła II. Jest w pierwszym szeregu przemian, zresztą zawsze tak postępował. Walczył jako młody chłopak w AK, ale później zapisał się do Partii, bo to był wybór mniejszego zła. Syna ochrzcił w innym mieście, a równocześnie był doskonałym lektorem PZPR, objeżdżał powiatowe świetlice z ideologicznymi pogadankami; to też był wybór mniejszego zła. Barbara Hollender napisała,

Z Januszem Morgensternem na planie *Mniejszego zła*

że „Morgenstern odarł z romantycznej legendy ruch opozycyjny" (*Kino roz-licza się z historii*, „Rzeczpospolita" 2009, nr 218). Ale też, dodajmy, reżyser pokazał tamten czas bez ideologicznego zacietrzewienia, bez jednoznacznych ocen, które dziś tak łatwo się formułuje. Pamięta doskonale tę plątaninę postaw i zachowań, samooszustw i autokreacji, układów z własnym sumieniem, jakie niemal każdy zawierał za lub przeciw komunie, za lub przeciw opozycji. Dziś wszyscy wiedzą, co było właściwe, wtedy, w czasie pierwszej Solidarności, najlepiej było być w opozycji, ale dostać od rządu talon na samochód, mieszkanie i dobrze płatną pracę. Nierzeczywistość, w jakiej wszyscy żyliśmy, nie jest tu ani oskarżeniem, ani usprawiedliwieniem.

„Kapitalny jest ojciec Kamila kreowany przez Janusza Gajosa. Przy całym przerysowaniu postać niezwykle prawdziwa, kwintesencja swojskiego sprytu, popularnej kalkulacji. Partyjny tatuś, były akowiec, po cichu katolik, papieża na ścianie wiesza i zakłada Solidarność. «Co nam zrobią! Czapkami ich przykryjemy, jest nas dziesięć milionów!» – woła w euforii. «Ich? – pyta syn, odruchowo wchodząc w rolę opozycji sumienia. – To chyba siebie tata musiałby czapką nakryć!». Śmiejemy się, ale śmiech grzęźnie nam w gardle. [...] To właśnie Gajos wygłasza w filmie kluczowe kazanie o «mniejszym złu», które zawsze taktycznie wybierał. «Tylko ten świat jest tak urządzony – dorzuca w nagłym przypływie szczerości – że tego dobra jakoś nie widać, a tego zła do jasnej cholery»" – pisał przytomnie Tadeusz Sobolewski (*Kraj niewinnych grzeszników*, „Gazeta Wyborcza" 2009, nr 248).

Pisano jeszcze: Gajos „zagrał mistrzowsko", „bez fałszu", „prawdziwie", bo chyba każdy dojrzały człowiek wie, że nic w minionym słusznie ustroju nie było czarno-białe, ani ów system nie był skończenie zły, ani ludzie skończenie dobrzy. Mało kto pamięta tamte czasy w wielu odcieniach szarości, kombatantów, jak i wybielaczy przybywa, więc rola Mieczysława Nowaka, przeciętnego obywatela, która tej nieefektownej prawdy nie fałszuje, była przyjmowana z aplauzem.

Diametralnie różną postać stworzył Janusz Gajos w filmie Jana Jakuba Kolskiego *Jasminum*. Brat Zdrówko to zakonnik zajmujący się żywieniem kilku braci w podupadłym klasztorze kontemplacyjnym. Rzadko się odzywa. Jeśli już wypowiada jakieś słowa, to kieruje je do małej myszki, co się zaplątała

w jego bucie, do ptaków brudzących ogródek czy do świętego Rocha,
obecnego tamże pod postacią gipsowej figury. To człowiek spełniający się
w działaniu – rano musi roznieść wszystkim jedzenie, zebrać naczynia
z dnia poprzedniego, zdobyć produkty, ugotować strawę dla wszystkich,
posprzątać kuchnię. Słowem to ktoś, kto cały dzień krząta się wokół małych,
przyziemnych spraw, podczas gdy inni mnisi oddają się modlitwie, umar-
twiają swe ciała i dusze, jeden nawet lewituje.

Na zaproszenie przeora Kleofasa przybywa do klasztoru konserwa-
torka, by odnowić stary, cenny obraz Matki Boskiej. Towarzyszy jej sze-
ścioletnia córeczka. Rezolutna dziewczynka z długimi warkoczykami dla
brata Zdrówko staje się zjawiskiem z innej planety. Całe życie spędził wśród
mężczyzn, właściwie w milczeniu, z kobietami stykał się rzadko, z dziećmi
wcale, więc pojawienie się wścibskiej i inteligentnej Geni burzy jego dotych-
czasowy świat. Janusz Gajos pokazuje, jak powoli a konsekwentnie dziewczynka zdobywa jego serce, jak on się pod wpływem dziecka odmienia,
choć niemal wszystkie sceny gra bez słów. Ona pyta i sama odpowiada, brat
Zdrówko odczytuje jej życzenia coraz sprawniej, stara się pokroić i posma-
rować masłem chleb tak, jak ona lubi. Stara się jak czuły ojciec, a raczej
jak dziadek, w miarę swych bardzo skromnych możliwości zapewnić jej
maksimum wygód i przyjemności.

Kiedy matka dziewczynki kupuje mu nowe buty, bo w starych odchodzą
podeszwy, od razu widać, że nie pasują – za eleganckie, za nowoczesne,
zbyt miastowe dla tego człowieka poruszającego się od dawna utartymi
ścieżkami życia. Któregoś ranka brat Zdrówko budzi się i dostrzega na
swych dłoniach stygmaty. Nie bardzo można się temu dziwić. Zawsze prze-
bywał w innej rzeczywistości, zatopiony w swych myślach i rozmowach
ze świętym Rochem odrzucał ziemskie dobra. Został świętym, choć Pana
Boga o to – w przeciwieństwie do innych braci – nie prosił. Po prostu żył
dla innych. Tylko tyle i aż tyle. Żyć dla innych – ta prosta formuła staje
się przesłaniem tej ładnie wymyślonej i zagranej roli człowieka łączącego
trud ziemskiego bytowania z przesłaniem wiary, przeczuciem metafizyki.
Człowieka, który potrafił wyzwolić się z miałkiej codzienności, ponieważ
skupił się na służeniu innym i odrzucił dobra materialne. Pisano o „wirtuo-
zowskiej kreacji" Gajosa. Słusznie, jak najbardziej, ale szerszych opisów
poskąpiono.

Jasminum Kolskiego, podobnie jak inne filmy jego autorstwa, pozwala widzowi zanurzyć się w rzeczywistości na pół baśniowej, na pół wyimaginowanej. Trochę to współczesna bajka, trochę moralitet, nade wszystko zaś rodzaj zadumy nad wartościami w życiu, nad tajemnicą sztuki, religii, do których każdy dochodzi własną drogą.

Kilka filmów, a role ważne, zapamiętane. Aktorstwo jest czasem niewdzięcznym zawodem, tu się czeka na zaproszenie do tańca. Zapraszają reżyserzy i aktor ma za zadanie, jak mówią, „obsłużyć ich wyobraźnię". Czasem zdarza się coś więcej niż wykonywanie zadań na planie. Janusz Gajos starannie wybiera role, nie gra wszystkiego, co mu proponują. Ale jeśli już się decyduje na współpracę, to idzie na całość, angażuje się w konkretny projekt także jako współtwórca, często trafniej rozumiejący postać niż reżyser, który musi wymyślić i określić wszystkich bohaterów. Krąży anegdota o pracy aktora nad rolą Cześnika w filmie Andrzeja Wajdy. Reżyser chciał pewien fragment tekstu *Zemsty* wyciąć, aktor ocalić, ponieważ widział w tym fragmencie szansę na wzbogacenie portretu bohatera. Wajda poprosił więc, żeby Gajos pokazał, o co chodzi. Zobaczył: „Aha, ja nie wiedziałem, że pan to tak zaproponuje. Świetnie, w takim razie tak zrobimy...".

Przeważnie podobne dyskusje nie odbywają się na planie, w obecności licznej ekipy. Wiele czasu aktor poświęca na tak zwane próby stolikowe, by czuć się współautorem, zminimalizować liczbę słów – tych zwykle w dialogach jest za dużo; jako fachman wie, że więcej można zagrać, niż się scenarzystom wydaje. Pewnie dlatego pamiętamy nie tylko główne role Janusza Gajosa, ale te drugoplanowe również. Nie ma przecież małych ról, są tylko mali aktorzy.

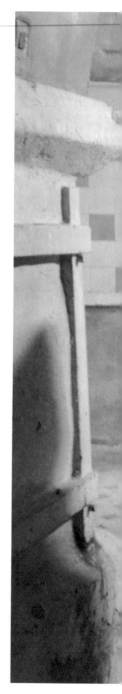

Żyć dla innych. Brat Zdrówko, *Jasminum* Jana Jakuba Kolskiego

TAJEMNICA SUKCESU?

Żyjemy szybko, coraz szybciej. Zanurzeni w szumie coraz bardziej przerażających informacji, często mamy poczucie zagubienia. Tym większą ciekawość budzą ludzie, którzy stali się rozpoznawalni w anonimowym tłumie; przeważnie uśmiechnięci, jakby żadne lęki nie miały nad nimi władzy. Podejrzewamy, że są bardziej szczęśliwi, zamożni, że ich życie jest ciekawsze albo bardziej kolorowe. Największe zainteresowanie budzą oczywiście uznani artyści. Wyjątkowość zawsze przyciąga uwagę, w przypadku aktorów szczególną, dzięki nim odbywamy bowiem podróże w czasie i przestrzeni, cumujemy w portach nieznanych lądów, by podglądać ludzką naturę. Zarówno w tym, co piękne, jak i w tym, co najgorsze. Aktor na scenie, skryty za postacią, ujawnia prawdę o nas – strach, lęk, agresję, śmieszność – jaką w życiu staramy się ukryć. Pragniemy być przecież lepsi, mądrzejsi, w każdym razie za takich chcemy w oczach innych uchodzić. Bez aktorów bylibyśmy ubożsi o liczne doświadczenia – te przeżyte dzięki nim w wyobraźni bywają przecież równie intensywne, jak te rzeczywiste.

Wciąż więc pytamy o tajemnicę sukcesu w nadziei, że i nam uda się pójść podobną drogą, choćby kawałek. I uczynić własne życie lepszym, mądrzejszym albo tylko bardziej zrozumiałym. O talent pytamy rzadziej – wiadomo, że dostaje się go od natury. I nigdy nie bywa przydzielany każdemu po równo. W sztuce zresztą nie ma ani sprawiedliwości, ani demokracji; albo się coś potrafi, albo nie. Nie pomogą układy, znajomości, dostatek ani nawet uroda. Talent to dar Pana Boga nader kapryśny, by można było

W programie *Artyści – dzieciom*, Warszawa, 11 grudnia 1999

go rozmnożyć. Może kiedyś genetycy odkryją gen talentu. Na razie skazani jesteśmy na domysły albo na wiarę w cuda.

Odrzucając metafizykę, mimo wszystko próbujemy się przybliżyć do tego fenomenu. I zamiast o talent pytamy, bardziej racjonalnie, o sekret powodzenia. Analizujemy przeszłość sławnego człowieka, jego koneksje rodzinno-przyjacielskie, podpatrujemy sposoby zawodowe, dzięki którym stał się sławny.

Nie inaczej sprawa się miała z Januszem Gajosem. Wraz z rosnącym uznaniem jego pracy przybywało pytań drążących te sprawy. Aktor od pierwszych publicznych wypowiedzi nie starał się zadziwić świata, tylko twardo stąpając po ziemi, konsekwentnie bronił rzemiosła.

■ Wartość aktorstwa polega według mnie na tym, żeby uprawiający je człowiek umiał je sobie wyobrazić, a nie naśladować. [...] Nie chciałbym grać siebie. Ciekawiej jest grać wyobrażenia o ludziach, którymi można stawać się na scenie lub ekranie. Głównie zależy mi na tym, żeby uwiarygodnić postać. Często drażnią mnie dialogi, których nie można wypowiedzieć, dlatego zwykle umawiam się z reżyserem, że nie będziemy się trzymali za wszelką cenę sformułowań ze scenariusza. Interesuje mnie konstrukcja każdej sceny – żadna nie powinna mieć charakteru wyłącznie informacyjnego, musi się coś dziać (*Nie gram siebie*, rozmowa z Bogdanem Gadomskim, „Film" 1981, nr 46).

Pytany kilka lat później przez Annę Sobańską o własną definicję aktorstwa odpowiadał:

■ Nie mam gotowej definicji. Staram się, by w mojej pracy nic nie działo się przypadkowo, w sposób niekontrolowany i odruchowy. Ważna jest świadomość siebie na scenie, świadomość treści i formy. Staram się grać wyobrażenie o postaci, a nie siebie postawionego w określonej sytuacji przez autora (*O przypadku i doświadczeniu*, „Teatr" 1987, nr 8).

■ Ale na pewno nie jestem człowiekiem, który w swojej zawodowej działalności widzi jakąś misję, przesłanie czy coś w tym rodzaju, co mogłoby zaważyć na mojej osobistej ocenie tego, co przeżywam. [...] Wielkie słowa przykrywają małe czyny. Zawsze się tego boję. Oczywiście dobrze jest robić sztukę, ale podstawą jej musi być rzemiosło, nie natchnienie. Bo częściej aktor rzemieślnik przemieni się w artystę, zwłaszcza w teatrze, gdzie nigdy właściwe nie jest sam, tylko w zespole, niż natchniony amator (*Zawodowiec*, rozmowa z Teresą Krzemień, „Kino" 1990, nr 11/12).

▄ Co do mistrza, to sprawa też nie jest taka prosta. W Szkole na początku wszyscy byli mistrzami. Później dopiero przyjrzałem się im z bliska. Jednych polubiłem, innych mniej. Szukałem kogoś, kto by – jak pisał Andrzej Szczypiorski w *Mszy za miasto Arras* – „rozświetlił ścieżki mojego życia". Wielu pedagogów imponowało mi wiedzą. Niektórzy byli niezłymi aktorami, ale mistrza nie miałem. A młody człowiek potrzebuje mentora, który by go wziął za rękę i pomógł omijać „maliny". Niestety rzadko się zdarza ktoś taki. Mnie się nie trafił. Więc zostawały mi te maliny. Wchodziłem w nie i sam musiałem z nich wyłazić (*Wszyscy podejmujemy ryzyko*, rozmowa z Beatą Matkowską-Święs, „Gazeta Telewizyjna", dodatek do „Gazety Wyborczej", 3–19.04.2001).

▄ Jacy my jesteśmy, mniej więcej wiemy: im dłużej żyjemy, tym więcej, chociaż nie do końca. Ale budowanie zupełnie innego człowieka najbardziej mnie interesuje i najbardziej frapuje w tym zawodzie. Każdy aktor dokonuje kreacji poprzez próby, składanie z kawałków. A potem się tę nową postać, przez siebie stworzoną, koryguje, steruje, czuwa nad nią. I jakoś tam mamy ograniczone możliwości. Ja wyglądam, jak wyglądam, staram się jednak nie grać siebie. No a że w każdej roli przypominam Gajosa – nie ma na to rady. [...] Nie zapominajmy, że mamy wpływ na wybór materiału. Budulec nas ogranicza, lecz nie musimy grać wszystkiego. Staram się wybierać rzeczy, które odpowiadają mojemu wyobrażeniu np. o poczuciu humoru, estetyce, i wtedy w to wchodzę (*Przypominam w każdej roli Gajosa*, rozmowa z Tadeuszem Skutnikiem, „Gazeta Krakowska", „Echo Krakowa" 2001, nr 17).

▄ Mogę tylko zwrócić uwagę, że najbardziej niebezpieczne w naszym zawodzie jest zachłyśnięcie się samym sobą. Wydaje się bowiem, że aktorstwo jest czymś wyjątkowym, bo stawia człowieka na piedestale. Umieszcza go w blasku reflektorów, na nim skupia się uwaga widzów i słuchaczy. Człowiek sobie myśli: wyglądam przyzwoicie, głupi nie jestem, dziewczyny za mną szaleją. I wtedy krok do samouwielbienia, przekonania, że jest się kimś naprawdę wyjątkowym. I to właściwie jest początkiem końca (*Samotność bierzemy pod pachę*, rozmowa z Janem Bończą-Szabłowskim, „Rzeczpospolita" 2001, nr 10).

Kilka lat temu w rozmowie do książki o Kazimierzu Kutzu powiedział mi Pan, że nie chce być posłem, ministrem, działaczem, ponieważ wszyscy nie mogą zbawiać świata. Ktoś musi robić to, co umie. Bardzo słusznie, ale przyzna Pan, że nie jest to najpopularniejsza postawa w tym środowisku.

▄▄ Starałem się uprawiać ten zawód w sposób czysty. Niedosyt szacunku i uznania ciągnie ludzi w stronę różnych działań: reżyserii, polityki, dyrektorowania, pełnienia funkcji społecznych itd. Jeśli pod spodem tych decyzji leży instynkt społeczny – w porządku. Jeśli zaś tylko trywialna potrzeba dowartościowania się, dodania sobie prestiżu, uważam, że to są niepotrzebne skoki w bok. Szczególnie polityka wiąże człowiekowi ręce, automatycznie zaczyna się do czegoś należeć, z czymś się identyfikować. Nie może już być obiektywny. Każdy ma prawo mieć swoje sympatie i antypatie ludzkie, polityczne, ale to jest absolutnie prywatna sprawa.

Do Partii się Pan jednak zapisał.

▄▄ To było, proszę Pani, w latach sześćdziesiątych ubiegłego wieku Po kilku podejściach dostałem się do Szkoły w Łodzi, gdzie dość szybko uznano mnie za jednego z najlepszych studentów. Potwierdził to angaż do *Panienki z okienka* Marii Kaniewskiej na trzecim roku, a na czwartym do serialu o czołgistach. Kiedy teraz próbuję spojrzeć wstecz na chłopca z małego miasteczka, nieświadomego wielu ukrywanych przed nim rzeczy, wcale się nie dziwę, że zaufał człowiekowi, który zrobił na nim duże wrażenie, imponował mu swoją wiedzą, wobec którego mógł się poczuć bezpiecznie, zawierzyć młodzieńcze niepokoje i oczekiwać szczerych rad. Był to jeden z profesorów owej wymarzonej Szkoły. Zaliczał mnie do „studentów godnych naśladowania". Powiedział kiedyś: „Słuchaj, ja jestem w Partii... Mnie też się wiele rzeczy nie podoba. Należysz do najzdolniejszych w szkole, więc kto ma to zmienić, jeśli nie wy – młodzi i zdolni...". Uznałem, że facet ma rację. A potem było tak, jak było. Nadzieje, próby uczestniczenia w tym, w co się weszło, i rozczarowanie.

Wielu uważa, że dla mężczyzny w pewnym wieku aktorstwo to nie jest poważne zajęcie.

■ Zależy, jak się to słowo rozumie. A granie na skrzypcach jest męskie? Staram się uprawiać aktorstwo w sposób uczciwy, nie wiązać go z innymi działaniami, nie szukać dodatkowych podpórek.

Aktorstwo polega nie na tym, by prezentować siebie, reklamować własną osobę. Całym sobą zawiadamiać świat: „Oto jestem. Patrzcie na mnie". Taką postawę należy traktować jako zaczyn poważnej choroby. Uprawianie sztuki to nie jest zadziwianie świata sobą, tylko własne, prywatne, możliwie najgłębsze zadziwienie światem. Artysta powinien zachować tę dziecięcą zdolność dziwienia się wszystkiemu.

Nie lubi Pan artystów z bożej łaski.

■ Niezupełnie. Uważam, że nikt, kto próbuje uprawiać jakikolwiek zawód artystyczny, nie może obejść się bez „bożej łaski", ale pośród tych bożych darów koniecznie musi się znaleźć także zdolność logicznego myślenia, czyli posługiwania się tym, czego tak często odmawiają aktorom ludzie wyposażeni wyłącznie w zdolność logicznego myślenia. Rzecz nie jest prosta. Zgadzam się, że często ktoś, kto ma ekspansywną osobowość, wyjątkową urodę, talenty naśladowcze czy potrafi skupić na sobie uwagę otoczenia trafia do zawodu. To nie zawsze wystarcza i bywa nieporozumieniem.

Tu już mówi Pan o kabotyństwie, często spotykanym.

■ Kabotyństwo przypisuje się aktorom na takiej samej zasadzie, jak picie szewcom w poniedziałki. Przypisuje się je nam, jakby nie dotyczyło innych ludzi, którzy nie potrafią sobie poradzić ze skutkami sztucznego wywyższenia i zaczynają wierzyć, że świat bez nich byłby o wiele gorszy, niż jest. Popularność, uznanie tłumów to dobra gleba. Bardzo ważna jest świadomość, że ludzie nie przychodzą, żeby mnie osobiście podziwiać, tylko ciekawi są „rzeczy", w jakiej biorę udział. Jestem tylko jej częścią. Aktor ma służyć swoim ciałem, psychiką do zbudowania nieistniejącej rzeczywistości. Warto więc zdawać sobie z tego sprawę, a potem koniecznie zostawiać rolę w garderobie.

Od 2003 roku, już dziesięć lat, uczy Pan studentów.

■■■ Długo nie chciałem się temu poddać. Zacząłem na wydziale aktorskim w Łodzi, gdzie sam studiowałem. Zebrałem dość dużo doświadczeń zawodowych i przekazanie ich młodym ludziom uznałem za sensowne. Przede wszystkim starałem się uczyć świadomości tego, co robią na scenie. Bycie na scenie nie jest i nie może być prywatne. Trzeba na siebie spojrzeć jak na kogoś obcego, z oddalenia. Iwan Wyrypajew podobno powiedział kiedyś na próbie: „Puszczaj postać przed sobą". Spodobało mi się, bo jest to trafne określenie także moich przemyśleń. To określenie znaczy: popatrz na siebie jak na kukłę, marionetkę. Oddziel się od siebie i spróbuj obserwować to, co robi twoje ciało, psychika i emocje. Staraj sie nad tym panować. Decyduj, jaka ma być ta twoja marionetka. To od twojej wiedzy, wrażliwości, zdolności obserwowania świata, sprawności twojego ciała zależy, jaka ona będzie.

Dochodzimy do marzeń Gordona Craiga o nadmarionecie.

■■■ Tak, świadomość, że sami jesteśmy marionetką, którą uruchamiamy i, co bardzo ważne, kontrolujemy, jest w rozważaniach o zawodzie aktorskim niezwykle pomocna i wyjaśnia, na czym on polega. Aktor powinien być mądrzejszy niż postać.

A potem przechodzi się do etapu wcielenia w postać.

■■■ Nie jestem zwolennikiem tego określenia. Może ono znaczyć, że dochodzi do jakiegoś niekontrolowanego zjednoczenia trzech elementów, z jakich składa się działanie aktora. Kiedy przychodzi publiczność, aktor znika.

W Australii

Zostaje tylko postać. Jednak aktor znika pozornie, ponieważ niewidoczny nadal czuwa nad kukłą, pilnie ją obserwuje, kieruje jej ciałem i emocjami.

Mówi Pan o środkach wyrazu.

▬ O ich świadomym dobieraniu, tworzeniu formy, która powstaje z nas, ale istnieje poza nami.

Po pięciu latach nauczania senat Państwowej Wyższej Szkoły Filmowej, Tele-wizyjnej i Teatralnej w Łodzi przyznał Panu tytuł profesora w zakresie sztuk teatralnych. Było to w 2008 roku.

▬ Musiałem jakoś sformułować swoje wyobrażenia o działaniu aktora. Mówi się, że Craigowskie marzenia o nadmarionecie są utopią. Pewnie są, bo wszyscy, którzy świadomie starają się wykonywać zawód aktora, wiedzą, jakie to trudne. Czasem wydaje się niewykonalne, ale – śmiem twierdzić – że warto próbować wcielać je w życie.

Kiedyś podczas pewnego spotkania próbowałem wyjaśnić słuchaczom, że to, co mówię o sobie, nie jest prawdą o mnie, tylko opisem mojego o sobie wyobrażenia. Zostałem jednak przyparty do muru pytaniem: „Kiedy jest pan prawdziwy?". Musiałem odpowiedzieć zupełnie szczerze, że najpewniej prawdziwy jestem wtedy, kiedy powoduje mną fizjologia.

Odpowiadając na to pytanie, nie miałem pojęcia, że kiedyś natknę się na rozważania księdza Józefa Tichnera *Myślenie w żywiole piękna*. Cytuje on tam Nietzschego, który powiada:

„Co działo się niegdyś ze stoikami, to dzieje się po dziś dzień jeszcze, skoro jakaś filozofia wierzyć w siebie samą poczyna. Stwarza ona zawsze świat na swój obraz i inaczej nie może; filozofia jest po prostu tyrańskim tym popędem, najbardziej uduchowioną wolą mocy, dążeniem do «stworzenia świata», do *causa prima*".

„Co to bliżej znaczy? – pyta ksiądz Tischner. – Znaczy przede wszystkim to, że nie ma prawdy jako bytu kryjącego się poza przejawami. Iluzją jest byt jako byt. Byt jako trwająca prawda bytu. Wszystko, co jest, jest jakąś iluzją, mniej lub bardziej trwałym złudzeniem – udawaniem substancjalnego istnienia. W języku filozofii piękna należy powiedzieć inaczej: wszystko, co jest, jest tworzywem. Tworzywem są barwy, kształty, ciężary rzeczy i tworzywem są dramaty ludzkie. Jeśli coś jest tworzywem, to znaczy, że jeszcze nie jest naprawdę. Coś z tego dopiero będzie, jeśli wejdzie w zasięg zainteresowań artysty i stanie się dziełem sztuki. Ale dzieła sztuki są rozmaite. O jakie dzieło sztuki chodzi artyście przede wszystkim? Przede wszystkim – o tragiczne dzieło sztuki. W świecie, w którym wszystko jest tworzywem, szczytowym osiągnięciem sztuki jest stworzenie dzieła tragicznego. Dzieło to ma opowiadać o tragedii i budzić podziw dla tragicznych bohaterów. Na czym polega tragedia? Tragedia polega na tym, że nie ma prawdy bytu i że dobro musi ponieść klęskę w starciu ze złem, bo dobra też nie ma – nie ma jako czegoś absolutnego i wiecznego. Jest tylko piękno. Wszystko służy budowaniu piękna. Bohater tragedii jest nadczłowiekiem. Być pięknym pomimo tragedii znaczy: być nadczłowiekiem. Nadczłowiek istnieje poza dobrem i złem. Ale nie poza pięknem. Sam staje się twórcą swego piękna, jest własnym arcydziełem. Prawda i fałsz, dobro i zło, rozpacz i rozkosz stały się w nim tworzywem".

Teraz prowadzi Pan zajęcia ze scen dialogowych w warszawskiej Akademii Teatralnej.

▬ Poprosiłem o urlop bezpłatny z powodu nadmiaru zajęć zawodowych. Nie potrafię robić czegoś na pół czy ćwierć gwizdka. Zajęć praktycznych nie da się prowadzić, wygłaszając teoretyczne spicze. Trzeba – jak mówili starzy mistrzowie – zdjąć marynarkę i stać się uczestnikiem tych działań.

Od wielu lat zajmuje się Pan fotografią. Ma Pan na koncie kilka wystaw.

▬ Owszem, fotografuję i nie ukrywam, że sprawia mi to sporo satysfakcji. Pewnie jest to nieustająca chęć dziwienia się światu.

Podejrzewam, że uprawiając zawód jak najbardziej humanistyczny, ma Pan ciągoty do myślenia ścisłego, może nie matematycznego, ale przyrodniczego.

Próba *Lorenzaccia* w moim obiektywie, 2011

▨ Wbrew pozorom w tym fachu nikt nie może nikogo zwolnić z logicznego myślenia.

Oprócz poszukiwania najlepszych rozwiązań, a to dzieje się przed wejściem widzów, wszystko, co Pan wymyśli, musi Pan jeszcze wykonać. W czym tu największa frajda?

▨ Największa frajda? Kiedy nasze wysiłki sprawią, że scena i widownia stają się dobrymi znajomymi. Nie zawsze się to udaje, ale są takie momenty.

Zastanawiam się, czy Pana dość rygorystycznie pojęty stosunek do zawodu nie wynika ze śląskiego domu. Wiele się dziedziczy po rodzicach, nawet nieświadomie.

Norweski fiord, 2006

Ojciec, Tadeusz Gajos

▬ Nie pochodzę ze „śląskiego domu". Z urodzenia jestem „zagłębiakiem". Nie wiem, czy w tej chwili ma to jakieś znaczenie. Matka pochodziła z Dąbrowy Górniczej. Była osobą dosyć zasadniczą, religijną, ale zarazem tolerancyjną. Nie znosiła krętactwa i kłamstw. Zawsze nam powtarzała, że jeśli się już coś robi, trzeba to robić dobrze. Prowadziła tradycyjny dom, oparty o proste, sprawdzalne wartości. Wiadomo było, kiedy są posiłki, kiedy się pracuje, kiedy odpoczywa, bawi. Więcej – wiadomo było bez zbędnych słów, co jest dobre, a co nie, co się należy, a co się nie należy. Zresztą o tym się specjalnie nie rozmawiało, bo to było oczywiste. Matka wpoiła mi przekonanie, że jeśli już coś robię, to powinienem wiedzieć po co. I że to musi mieć jakiś sens.

A ojciec, który się raczej nie interesował sztuką?

▬ Ojciec był postacią dość kolorową. Pochodził z małej wsi pod Kielcami. Przed wojną musiała być tam straszna bieda, więc trudno się dziwić, że stamtąd uciekł. Na poskładanym z części rowerze wyruszył w świat. Musiała w nim tkwić niemała doza szaleństwa. Dojechał tym swoim pojazdem do Lwowa, Stanisławowa, jakiś czas zatrzymał się w Krakowie. W ten sposób zdobył fach. Był doświadczonym ogrodnikiem.

Wreszcie około 1936, 1937 roku wyruszył z Krakowa do Dąbrowy Górniczej i tam spotkał moją matkę. Kiedy podrosłem, musiałem ojcu pomagać. Praca trwała prawie cały rok, o wakacjach czy wyjazdach mogłem tylko pomarzyć. Muszę szczerze powiedzieć, że nie lubiłem tego reżimu i zazdrościłem swoim kolegom, którzy mieli więcej swobody.

*Słyszałam (nie wiem, czy to plotka, czy praw-
da), że ma Pan jakieś węgierskie korzenie.*

▬ To Bożena Dykiel mówi: „O, przyszedł
Janosz Gojosz". Ale poważnie, niewykluczone, że jakąś domieszkę węgierskiej krwi
mam po ojcu. Kiedyś opowiadał, że prapra-
dziadkowie przywędrowali na Kielecczyznę
z Węgier. Nigdy tego nie sprawdziłem.

*Może szkoda, ale to i tak niczego nie zmieni.
Wychował się Pan na Śląsku.*

▬ Urodziłem się, jak już powiedziałem,
w Dąbrowie Górniczej parę tygodni po
wybuchu wojny. Z wczesnego dzieciństwa
pamiętam niewiele – syreny ogłaszające
alarm – trochę jak przez sen. Po wojnie
bałem się wycia syren fabrycznych, musiały
mi się źle kojarzyć. Przez siedem lat, do
chwili urodzin brata, byłem jedynakiem.

Mama, Irena Gajos

Po następnych siedmiu latach urodziła
się siostra. Matka ciepła, dobra i zasadnicza, ojciec szaławiła, z głową we
mgle. Dużo czytał, zwłaszcza książek historycznych, i namiętnie słuchał
radia. Telewizor był luksusem i w domu go nie było. Nawet później, gdy
byłem popularny, sąsiedzi mówili: „Panie Tadeuszu, pana syn taki sławny!",
o ojciec odpowiadał: „E tam, gdyby w radiu zagrał, toby było coś, ale w telewizji...". Żył we własnym świecie.

Jeśli jestem, a pewnie tak, konglomeratem tego związku, to na pewno
ze strony matki odziedziczyłem przywiązanie do rzeczy zrozumiałych, trwa-
łych wartości, rodziny. Po ojcu zaś, który był człowiekiem zdecydowanie
niesubordynowanym, marzycielem, drzemie we mnie potrzeba przekroczenia swojej egzystencji, jakiegoś oderwania się od codzienności. Lubię więc
chodzić twardo po ziemi, ale też lubię niezwykłe przygody. Najciekawsze
zresztą przeżyłem w cudzej skórze. Z punktu widzenia tkwiącej we mnie

Z żoną Elżbietą

Moja córka Agata i wnuk Aleksander

potrzeby szaleństwa – aktorstwo wydaje się zawodem najbezpieczniejszym. Tu się przekracza granice różnych światów niejako bezkarnie, no prawie bezkarnie, ale dla innych bezpiecznie.

Powiada Pan: mam wspaniałą córkę, wspaniałą żonę, wnuka, wraz z synem żony tworzymy rodzinę i jest nam ze sobą dobrze.

▰ Tak jest już od dwudziestu paru lat. Oby tak dalej.

KALENDARIUM

Janusz Gajos urodził się 23 września 1939 roku w Dąbrowie Górniczej jako najstarszy z trojga dzieci Ireny i Tadeusza Gajosów. Ma brata Andrzeja i siostrę Grażynę.

Chodził do Szkoły Podstawowej nr 3 w Zabrzu.

W 1950 roku wraz z rodzicami przeniósł się do Będzina, gdzie ukończył Liceum Ogólnokształcące Towarzystwa Przyjaciół Dzieci. Maturę zdał w 1957 roku.

W latach 1957–1959 pracował w Teatrze Dzieci Zagłębia w Będzinie prowadzonym przez Jana Dormana.

Przez trzy kolejne lata zdawał do szkół teatralnych w Łodzi i w Krakowie.

Odbył służbę wojskową w jednostce pod Wrocławiem w latach 1960–1961. W 1961 roku, jako żołnierz, otrzymał II nagrodę na Ogólnopolskim Konkursie Recytatorskim.

W 1961 roku dostał się do Państwowej Wyższej Szkoły Filmowej, Telewizyjnej i Teatralnej w Łodzi na wydział aktorski, który ukończył w 1965; dyplom otrzymał w 1971 roku.

1964 ARLEKIN / *Gra interesów* Jacinta Benavente
~~PRZEKŁAD Zygmunt Maciejewski~~ REŻYSERIA Maria Kaniewska SCENOGRAFIA Eugeniusz Bożyk
OPRACOWANIE MUZYCZNE Edward Żuk
Teatr im. Stefana Jaracza w Łodzi PREMIERA 7.11.1964

PIETREK / *Panienka z okienka*
SCENARIUSZ Jan Marcin Szancer, Maria Kaniewska i Jerzy Broszkiewicz na podstawie
wątków powieści Deotymy REŻYSERIA Maria Kaniewska ZDJĘCIA Adolf Forbert
MUZYKA Witold Krzemiński SCENOGRAFIA Jerzy Skrzepiński
ZRF „Start", WFF Łódź PREMIERA 18.12.1964

1965 PAWELSKI / *Kondukt* Bogdana Drozdowskiego
REŻYSERIA Jerzy Walden SCENOGRAFIA Jerzy Gorazdowski
Teatr im. Stefana Jaracza w Łodzi PREMIERA 27.02.1965

ZYGA / *Obok prawdy*
SCENARIUSZ Stanisław Grochowiak i Janusz Weychert REŻYSERIA Janusz Weychert
ZDJĘCIA Mikołaj Sprudin MUZYKA Wojciech Kilar SCENOGRAFIA Anatol Radzinowicz
ZRF „Start", WFF Łódź PREMIERA 19.03.1965

W maju 1965 roku aktor podpisał angaż do Teatru im. Stefana Jaracza w Łodzi.
w którym spędził pięć sezonów.

KOLUMB / *Kolumbowie. Rocznik 20* według Romana Bratnego
ADAPTACJA Adam Hanuszkiewicz REŻYSERIA Barbara Raklicz
SCENOGRAFIA Mieczysław Wiśniewski
Teatr im. Stefana Jaracza w Łodzi PREMIERA 10.11.1965

LISTONOSZ / *Kapitan Sowa na tropie* (SERIAL TELEWIZYJNY)
SCENARIUSZ Alojzy Kaczanowski REŻYSERIA Stanisław Bareja ZDJĘCIA Franciszek Kądziołka
MUZYKA Jerzy Matuszkiewicz SCENOGRAFIA Anatol Radzinowicz
ZRF „Rytm", WFF Łódź EMISJA 1965

JANEK KOS / *Czterej pancerni i pies* (SERIAL TELEWIZYJNY)
SCENARIUSZ Janusz Przymanowski, Maria Przymanowska i Stanisław Wohl (według powieści
Janusza Przymanowskiego) REŻYSERIA Konrad Nałęcki ZDJĘCIA Romuald Kropat, Mikołaj Sprudin
MUZYKA Adam Walaciński SCENOGRAFIA Wiesław Śniadecki, Zdzisław Kielanowski
ZRF „Syrena", WFF Wrocław dla TV
PREMIERY KINOWE seria I–II: 1.01.1968, seria III–IV: 14.01.1968

BOHDAN DROZDOWSKI

O N D U K T

Sztuka współczesna w 2 aktach

O s o b y :

MACIEJ, górnik — werbus	FRANCISZEK TRZECIAK
KAZEK, górnik — werbus	WŁODZIMIERZ NOWAK
SADYBAN, kierowca	FELIKS SZAJNERT
WOŹNIAK, radca zakładowy, inżynier . . .	BOGDAN KOPCIOWSKI
PAWELSKI, delegat partii	JANUSZ GAJOS
MAGDA, dziewczyna zabrana z drogi . .	ELŻBIETA STAROSTECKA / JOANNA PALLASEK-JĘDRYKA
SOŁTYS, stary chłop	MACIEJ GRZYBOWSKI

Reżyseria:
JERZY WALDEN

ent reżysera:
YK JOŹWIAK

Scenografia:
JERZY GORAZDOWSK.

II Warsztat Dyplomowy Studentów IV roku Wydziału Aktorskiego
Państwowej Wyższej Szkoły Teatralnej i Filmowej im. L. Schillera w Łodzi

Premiera dnia 27 lutego 1965 r.
na Scenie Szkolnej P.W.S.T.iF. im. L. Schillera w Łodzi, ul. Gdańska 32

TKACZ / *Kaukaskie koło kredowe* Bertolta Brechta

PRZEKŁAD Włodzimierz Lewik REŻYSERIA I SCENOGRAFIA Jerzy Grzegorzewski
MUZYKA Paul Dessau
Teatr im. Stefana Jaracza w Łodzi PREMIERA 2.03.1966

PUCYBUT / *Taka noc nie powtórzy się więcej* Kacpra Stefanowicza

INSCENIZACJA I CHOREOGRAFIA Barbara Fijewska REŻYSERIA Irma Czaykowska
SCENOGRAFIA Jan Marcin Szancer KIEROWNICTWO MUZYCZNE Piotr Hertel
Teatr im. Stefana Jaracza w Łodzi PREMIERA 3.04.1966

TRAMWAJARZ / *Bariera*

SCENARIUSZ I REŻYSERIA Jerzy Skolimowski ZDJĘCIA Jan Laskowski
MUZYKA Krzysztof Komeda-Trzciński SCENOGRAFIA Roman Wołyniec
ZRF „Kamera", WFD Warszawa PREMIERA 18.11.1966

ZAKONNIK / *Szyfry*

SCENARIUSZ Andrzej Kijowski na podstawie własnej powieści
REŻYSERIA Wojciech Has ZDJĘCIA Mieczysław Jahoda MUZYKA Krzysztof Penderecki
SCENOGRAFIA Jerzy Skarżyński, Tadeusz Kosarewicz
ZRF „Kamera", WFF Wrocław PREMIERA 25.12.1966

1967 ŻOŁNIERZ / *Powrót na ziemię*

SCENARIUSZ Krzysztof Gruszczyński REŻYSERIA Stanisław Jędryka ZDJĘCIA Stanisław Loth
MUZYKA Wojciech Kilar SCENOGRAFIA Bolesław Kamykowski
ZRF „Rytm", WFF Łódź PREMIERA 3.02.1967

OBSADA AKTORSKA / *Mocne uderzenie*

SCENARIUSZ Ludwik Starski REŻYSERIA Jerzy Passendorfer ZDJĘCIA Kazimierz Konrad
MUZYKA Andrzej Zieliński, Jerzy Milian SCENOGRAFIA Anatol Radzinowicz
ZRF „Kadr", WFD Warszawa i WFF Łódź PREMIERA 26.03.1967

MARIK / *Mój biedny Marik* Aleksieja Arbuzowa

PRZEKŁAD Roman Szydłowski, Halina Zakrzewska REŻYSERIA Barbara Raklicz
SCENOGRAFIA Henri Poulain OPRACOWANIE MUZYCZNE Piotr Hertel
Teatr im. Stefana Jaracza w Łodzi PREMIERA 19.05.1967

PAN WOŁODYJOWSKI / *Ogniem i mieczem* według Henryka Sienkiewicza

ADAPTACJA Wanda Maciejewska REŻYSERIA Feliks Żukowski SCENOGRAFIA Bolesław Kamykowski
MUZYKA Piotr Hertel
Teatr im. Stefana Jaracza w Łodzi PREMIERA 17.06.1967

DRUGA SCENA PAŃSTWOWEGO TEATRU im. ST. JARACZA W ŁODZI

7 15

KASPER STEFANOWICZ

TAKA NOC
NIE POWTÓRZY SIĘ WIĘCEJ

PROGRAM

SEZON 1966/67

MILICJANT KLEŃ / *Bicz Boży*

SCENARIUSZ I REŻYSERIA Maria Kaniewska ZDJĘCIA Adolf Forbert MUZYKA Wojciech Kilar

SCENOGRAFIA Jerzy Groszang

ZRF „Start", WFF Łódź i WFO Łódź PREMIERA 7.07.1967

PARTYZANT STANKO / *Zwariowana noc*

SCENARIUSZ Zdzisław Skowroński (na motywach powieści Natalii Rolleczek)

REŻYSERIA Zbigniew Kuźmiński ZDJĘCIA Wiesław Rutowicz MUZYKA Adam Walaciński

SCENOGRAFIA Jerzy Skrzepiński

ZRF „Iluzjon", WFF Łódź PREMIERA 28.07.1967

OBSADA AKTORSKA / *Ziemia obiecana* według Władysława Reymonta

ADAPTACJA Henryk Jakóbczyk REŻYSERIA Tadeusz Worontkiewicz SCENOGRAFIA Jerzy Masłowski

MUZYKA Stanisław Gerstenkorn

EMISJA 29.09.1967

MICHAŁ / *Stajnia na Salwatorze*

SCENARIUSZ Jan Józef Szczepański REŻYSERIA Paweł Komorowski ZDJĘCIA Wiesław Zdort

MUZYKA Wojciech Kilar SCENOGRAFIA Anatol Radzinowicz

ZRF „Kadr", WFF Łódź PREMIERA 6.10.1967

MICMAN I, MARYNARZ / *Przełom* Borysa Ławreniewa

PRZEKŁAD Stanisław Powołocki, Michał Orlicz REŻYSERIA Feliks Żukowski

OPRACOWANIE MUZYCZNE Piotr Hertel SCENOGRAFIA Bolesław Kamykowski

Teatr im. Stefana Jaracza w Łodzi PREMIERA 14.10.1967

AKTOR / *Cyrograf dojrzałości* (FILM TELEWIZYJNY)

SCENARIUSZ Jerzy Krzysztoń REŻYSERIA Jan Łomnicki ZDJĘCIA Wiesław Rutowicz

MUZYKA Andrzej Kurylewicz SCENOGRAFIA Ryszard Potocki

ZRF „Iluzjon", WFF Łódź PREMIERA 1967

✖ Srebrna Maska 1967

✖ Nagroda Ministra Obrony Narodowej I stopnia dla realizatorów i wykonawców filmu
Czterej pancerni i pies

1968

✖ Zwycięstwo w plebiscycie „Dziennika Łódzkiego" na najlepszego aktora teatralnego
sezonu 1967/1968

1969 **JASIEK, NOS** / *Wesele* Stanisława Wyspiańskiego
REŻYSERIA I SCENOGRAFIA Jerzy Grzegorzewski MUZYKA Stanisław Radwan
Teatr im. Stefana Jaracza w Łodzi PREMIERA 1.02.1969

OBSADA AKTORSKA / *Księżycowe ptaki* Marcela Aymégo
REŻYSERIA Mirosław Szonert SCENOGRAFIA Czesław Siekiera
Teatr TV EMISJA 2.03.1969

POPINOT / *Zamach* Irwina Shawa
PRZEKŁAD Kazimierz Piotrowski REŻYSERIA Roman Sykała SCENOGRAFIA Jerzy Groszang
Teatr TV EMISJA 28.03.1969

CHOPIN / *Kochankowie z Nohant*
SCENARIUSZ Kazimierz Zygmunt na podstawie listów i pamiętników Fryderyka Chopina
i George Sand REŻYSERIA Abdellah Drissi SCENOGRAFIA Henri Poulain
Teatr TV EMISJA 18.05.1969

JAŚ KUNEFAŁ / *Młodość Jasia Kunefała* Stanisława Piętaka
SCENARIUSZ Tadeusz Papier REŻYSERIA Janusz Kłosiński SCENOGRAFIA Czesław Siekiera
Teatr TV EMISJA 30.05.1969

LEKARZ / *Mgła* Zofii Lorenz
REŻYSERIA Maria Kaniewska SCENOGRAFIA Marcin Stajewski
Teatr TV EMISJA 14.06.1969

OBSADA AKTORSKA / *Zasadzka* Edwarda Szustera
REŻYSERIA Tadeusz Worontkiewicz SCENOGRAFIA Czesław Siekiera
Teatr TV EMISJA 24.10.1969

1970

W maju 1970 roku Janusz Gajos angażuje się do zespołu Teatru Komedia w Warszawie.

OREST / *Piękna Helena* Jakuba Offenbacha
ADAPTACJA Janusz Minkiewicz REŻYSERIA Stefania Domańska
OPRACOWANIE MUZYCZNE Wiesław Machan SCENOGRAFIA Lech Zahorski
Teatr Komedia w Warszawie PREMIERA 26.09.1970

JULEK „MAŁY" / *Mały*
SCENARIUSZ Zofia Posmysz REŻYSERIA Julian Dziedzina ZDJĘCIA Wiesław Rutowicz
MUZYKA Jerzy Matuszkiewicz SCENOGRAFIA Jarosław Świtoniak
PRF Zespoły filmowe „Wektor", WFD Warszawa PREMIERA 4.12.1970

Janusz Gajos jako Chopin

unek li-
e nie ma
ociaż z
y liczyć
n świad-
mia po-
biogra-
a Maria-
fii bliż-
yce niż
gatun-
st bele-
ów przy
faktom

naszego
się od
ełnić te-
ek tele-
e już z
arte na
mentach
Nohant",
n zna-
yli ni-
ryderyk
romans
tylko o-
l. Spek-
arty na
ficznych
do bar-
słowego
a język
jednego
é Mau-
i życie
oraktyce
ieszane.
ent na
szający
enia się
cji.

dziejów
tor sce-
gmund,
zedsta-
ści cha-
George
ści ota-
ymcza-
nie da
epoki.
związa-
przyja-
ą zwią-
zdzielił.

nam
doku-
nie wy-
magają
; przy-
zają się
ele po-
a sypią
. Przy-
e jakiś
właśnie
przypi-
cie wi-
e jesz-

Kochankowie z Nohant

cze jednej konwencji — z konwencji popularyzatorskiej, która zakłada, że widzowi trzeba wytłumaczyć to, czego nie wie. W przeciwnym bowiem wypadku istnieje niebezpieczeństwo, iż w pojęciu telewidzów George Sand pozostanie już na zawsze wyłącznie kochanką Chopina, kobietą-wampirem z japońskich filmów grozy, a Chopin genialnym Polakiem, który wpadł w sidła.

Pozostaje jeszcze sprawa wyboru tematów. Po romansie Balzaka z Eweliną Hańską przyszła kolej na Chopina i George Sand. A wybór poloników zawsze sugeruje pewne nastawienia, a także kompleks niższości. A więc może teraz coś z romansów czysto polskich?

JANINA SZYMAŃSKA

Fot. JANUSZ MARIA TYLMAN

Teatr Telewizji Łódź (18.V.1969). „Kochankowie z Nohant". Scenariusz — Kazimierz Zygmund. Reżyseria — Drissi Abdellah. Scenografia — Henri Poulain. Reżyseria telewizyjna — Mieczysław Małysz. Wykonawcy: Ewa Mirowska i Janusz Gajos.

W roli George Sand — Ewa Mirowska

1971 **STUDENT ANTONIUSZ** / *Wakacje z duchami* (SERIAL TELEWIZYJNY)
scenariusz Adam Bahdaj na podstawie własnej powieści reżyseria Stanisław Jędryka
zdjęcia Stanisław Loth muzyka Piotr Marczewski scenografia Bolesław Kamykowski
ZF „Kraj", WFF Łódź emisja 18.03.1971

JANEK KRET / *Twój na wieki* Ottona Zelenki
przekład Maria Erhardt-Gronowska reżyseria Przemysław Zieliński
scenografia Wojciech Zieleziński
Teatr Komedia w Warszawie premiera 22.05.1971

 Od maja 1971 roku przez kolejne trzy sezony Janusz Gajos był aktorem
Teatru Polskiego w Warszawie.

JUAN RIBEIRA / *Porwanie* Jana Zakrzewskiego
reżyseria Józef Słotwiński scenografia Hanna Volmer
Teatr TV emisja 12.07.1971

PORUCZNIK MO WOJCIECH GÓRALCZYK / *Kocie ślady* (FILM TELEWIZYJNY) na podstawie
powieści *Strzały w schronisku* Macieja Patkowskiego
scenariusz Maciej Patkowski, Paweł Komorowski reżyseria Paweł Komorowski
zdjęcia Tadeusz Wieżan muzyka Lucjan Kaszycki scenografia Jarosław Świtoniak
ZF „Plan", TV Polska, WFF Łódź emisja 1971

1972 **ILIA DRAKIN** / *Idź z nami w tamte dni* Leonida Leonowa
przekład Maria Zagórska scenariusz i reżyseria Stefan Szlachtycz muzyka Witold Rudziński
scenografia Maria Chwedczuk
Teatr TV emisja 6.11.1972

OLIWER / *Jak wam się podoba* Williama Szekspira
przekład Czesław Miłosz reżyseria Krystyna Meissner muzyka Kazimierz Serocki
scenografia Teresa Targońska
Teatr Polski w Warszawie premiera 9.11.1972

ANDRZEJ / *Matka* Karola Čapka
przekład Czesław Sojecki reżyseria František Filip scenografia Stanisław Stajewski
Teatr TV emisja 11.12.1972

JULIUSZ / *Dary magów* (FILM TELEWIZYJNY) na podstawie powieści O. Henry'ego
scenariusz i reżyseria Walentyna Maruszewska zdjęcia Kazimierz Konrad
muzyka Piotr Marczewski
ZF „Kraj", WFF Łódź emisja 23.12.1972

1973 **WALERY /** *Świętoszek* Moliera
PRZEKŁAD Jerzy Adamski REŻYSERIA ~~Helmut Kajzar~~ SCENOGRAFIA Daniel Mróz
Teatr Polski w Warszawie PREMIERA 23.02.1973

KAROL / *Pierwszy dzień wolności* Leona Kruczkowskiego
REŻYSERIA Jan Bratkowski SCENOGRAFIA Marcin Stajewski
Teatr TV EMISJA 12.03.1973

1974 **DYMITR /** *Twarz pokerzysty* Józefa Hena
REŻYSERIA Stanisław Wohl SCENOGRAFIA Marcin Stajewski
Teatr TV EMISJA 10.01.1974

TOMASZ / *Małżeństwo Antoniny* według Tomasza Manna
PRZEKŁAD Ewa Librowiczowa ADAPTACJA Janusz Wasylkowski REŻYSERIA Józef Słotwiński
SCENOGRAFIA Hanna Volmer
Teatr TV EMISJA 1.04.1974

ANTEK / *Czterdziestolatek* (SERIAL TELEWIZYJNY)
SCENARIUSZ Jerzy Gruza, Krzysztof Teodor Toeplitz REŻYSERIA Jerzy Gruza
ZDJĘCIA Mieczysław Jahoda, Jacek Stachlewski MUZYKA Jerzy Matuszkiewicz
SCENOGRAFIA Halina Dobrowolska
ZF „X", WFD Warszawa EMISJA 16.05.1974

MILICJANT / *Zaczarowane podwórko*
SCENARIUSZ Hanna Januszewska i Maria Kaniewska na podstawie powieści *Mania Lazurek* Hanny
Januszewskiej REŻYSERIA Maria Kaniewska ZDJĘCIA Kazimierz Konrad MUZYKA Jerzy Milian
SCENOGRAFIA Bolesław Kamykowski
PRF Zespoły filmowe „Panorama", WFF Łódź PREMIERA 24.05.1974

 Aktor przenosi się do zespołu Teatru Kwadrat w Warszawie, w którym pozostanie do 1980 roku.

JIM / *Lipcowe tarapaty* Erskine'a Caldwella
PRZEKŁAD Daniel Bargiełowski ADAPTACJA Stefan Durski REŻYSERIA Daniel Bargiełowski
SCENOGRAFIA Marek Lewandowski
Teatr TV EMISJA 26.08.1974

WALLY MYERS / *Prawdziwy mężczyzna* Jamesa Thurbera i Elliota Nugenta
PRZEKŁAD Mira Michałowska REŻYSERIA Edward Dziewoński SCENOGRAFIA Małgorzata Spychalska
Teatr Kwadrat w Warszawie PREMIERA 6.12.1974

teatr kwadrat

Kierownik Artystyczny
Edward Dziewoński

Teatr „Kwadrat"
Czackiego 15/17

JANCZAR / *Karino* (SERIAL TELEWIZYJNY)
SCENARIUSZ ~~Jan Batory, Jan Dobraczyński i Marek T. Nowakowski~~ REŻYSERIA Jan Batory
ZDJĘCIA Jan Laskowski MUZYKA Wanda Warska SCENOGRAFIA Zdzisław Kielanowski
PRF Zespoły filmowe „Pryzmat", WFF Łódź EMISJA SERIALU 1974 PREMIERA FILMU 02.1977

✖ Złoty Krzyż Zasługi przyznany przez Ministerstwo Kultury i Sztuki za całokształt twórczości

1975 **GÓRNIK** / *Fräulein Doktor* Jerzego Tepy
REŻYSERIA Edward Dziewoński SCENOGRAFIA Małgorzata Spychalska
Teatr TV EMISJA 10.02.1975

MAREK / *Bajadera* Jarosława Abramowa-Newerly'ego
REŻYSERIA Maciej Englert SCENOGRAFIA Marek Lewandowski
Teatr TV EMISJA 21.02.1975

BIMBER / *Rozmowy przy wycinaniu lasu* Stanisława Tyma
REŻYSERIA Edward Dziewoński SCENOGRAFIA Marcin Stajewski
Teatr Kwadrat w Warszawie PREMIERA 15.03.1975

PIOTR / *Biała owca w rodzinie* Lawrence'a du Garde Peach, Iana Haya
PRZEKŁAD Wanda Urstein, Tadeusz Żeromski REŻYSERIA Edward Dziewoński
SCENOGRAFIA Małgorzata Spychalska
Teatr TV EMISJA 11.05.1975

RALF / *Podłużna walizka* Francisa Vebera
PRZEKŁAD Henryk Rostworowski REŻYSERIA Witold Skaruch SCENOGRAFIA Wojciech Sieciński
Teatr Kwadrat w Warszawie PREMIERA 7.06.1975

OBSADA AKTORSKA / *Kabaretro, czyli salon zależnych*
SCENARIUSZ Zdzisław Gozdawa, Wacław Stępień REŻYSERIA Lech Wojciechowski
SCENOGRAFIA Szymon Kobyliński
Teatr Syrena w Warszawie PREMIERA 14.12.1975

ALFA / *Alfa Beta* Edwarda Anthony'ego Whiteheada
PRZEKŁAD Krystyna Tarnowska REŻYSERIA Jacek Szczęk SCENOGRAFIA Waldemar Dynerman
Teatr Stara Prochownia w Warszawie PREMIERA 20.12.1975

HANDLARZ / *Beniamiszek* (FILM TELEWIZYJNY)
SCENARIUSZ Włodzimierz Olszewski na podstawie opowiadania *Koniec Czertopchanowa*
Iwana Turgieniewa REŻYSERIA Włodzimierz Olszewski ZDJĘCIA Stanisław Loth
MUZYKA Piotr Marczewski SCENOGRAFIA Jerzy Szeski
PRF Zespoły filmowe „Pryzmat", WFF Łódź EMISJA 1975

✱ Nagroda – medal okolicznościowy Za zasługi dla miasta Koszalina – na V Koszalińskich
Spotkaniach Filmowych „Młodzi i Film"

1976 KUBA / *Opera za trzy grosze* Bertolta Brechta

PRZEKŁAD Bruno Winawer, Barbara Witek-Swinarska REŻYSERIA Edward Dziewoński
MUZYKA Kurt Weill SCENOGRAFIA Małgorzata Spychalska
Teatr TV EMISJA 23.02.1976

WITOLD / *Strzał o świcie* Antoniego Marczyńskiego

ADAPTACJA i REŻYSERIA Jerzy Sztwiertnia SCENOGRAFIA Marcin Stajewski
Teatr TV EMISJA 13.05.1976

HOLOFERNES / *Ewa, Judyta, kurtyzana* Jana Sztaudyngera

REŻYSERIA Edward Dziewoński MUZYKA Augustyn Bloch SCENOGRAFIA Małgorzata Spychalska
Teatr Kwadrat w Warszawie PREMIERA 15.05.1976

OBSADA AKTORSKA / *Brzechwa dzieciom* według Jana Brzechwy

ADAPTACJA i REŻYSERIA Maciej Wojtyszko SCENOGRAFIA Zofia i Andrzej Braniccy, Maria Irzyk
Teatr TV EMISJA 3.06.1976

WALLY MYERS / *Prawdziwy mężczyzna* Jamesa Thurbera i Elliota Nugenta

PRZEKŁAD Mira Michałowska REŻYSERIA Edward Dziewoński SCENOGRAFIA Małgorzata Spychalska
Teatr TV EMISJA 14.08.1976

OSCAR / *Oscar* Claude'a Magniera

PRZEKŁAD Anna Frąckiewicz, Szczepan Gąssowski REŻYSERIA Edward Dziewoński
SCENOGRAFIA Marian Stańczak
Teatr Kwadrat w Warszawie PREMIERA 24.09.1976

OFICER INFORMACYJNY / *Mgła*

SCENARIUSZ Jerzy Grzymkowski na podstawie własnej powieści *Erkaemiści*
REŻYSERIA Sylwester Szyszko ZDJĘCIA Witold Adamek MUZYKA I symfonia c-moll op. 68
Johannesa Brahmsa SCENOGRAFIA Andrzej Borecki
PRF Zespoły filmowe „Iluzjon", WFF Łódź PREMIERA 24.09.1976

WOŹNY TURECKI / *Gallux Show* (CYKLICZNY PROGRAM ROZRYWKOWY W TVP)

REŻYSERIA Olga Lipińska SCENOGRAFIA Tatiana Kwiatkowska

1977 **VALENTINE** / *Nigdy nic nie wiadomo* George'a Bernarda Shawa
PRZEKŁAD Florian Sobieniewski REŻYSERIA Edward Dziewoński
SCENOGRAFIA Małgorzata Spychalska
Teatr TV EMISJA 2.01.1977

JANCZAR / *Karino*
SCENARIUSZ Jan Batory, Jan Dobraczyński i Marek T. Nowakowski REŻYSERIA Jan Batory
ZDJĘCIA Jan Laskowski MUZYKA Wanda Warska SCENOGRAFIA Zdzisław Kielanowski
PRF Zespoły filmowe „Pryzmat", TVP, WFF Łódź PREMIERA KINOWA 02.1977

WIKTOR / *Wstrętny egoista* Françoise Dorin
PRZEKŁAD Anna Frąckiewicz, Zofia Bieniewska REŻYSERIA Jan Kobuszewski
SCENOGRAFIA Marian Stańczak
Teatr Kwadrat w Warszawie PREMIERA 03.04.1977

INSPEKTOR / *Bezkresne łąki*
SCENARIUSZ I REŻYSERIA Wojciech Solarz ZDJĘCIA Jerzy Łukaszewicz
MUZYKA Andrzej Trzaskowski SCENOGRAFIA Andrzej Borecki
PRF Zespoły filmowe „Iluzjon", WFF Łódź PREMIERA 3.06.1977

PORUCZNIK / *Damy i huzary* Aleksandra Fredry
REŻYSERIA Edward Dziewoński SCENOGRAFIA Marian Stańczak
Teatr Kwadrat w Warszawie PREMIERA 15.07.1977

JÓZEF MIKUŁA / *Milioner*
SCENARIUSZ Andrzej Pastuszek i Jacek Janczarski REŻYSERIA Sylwester Szyszko
ZDJĘCIA Maciej Kijowski MUZYKA Piotr Hertel SCENOGRAFIA Czesław Siekiera
PRF Zespoły filmowe „Iluzjon", WFF Łódź PREMIERA 5.09.1977

TOFFOLO / *Awantura w Chioggi* Carla Goldoniego
PRZEKŁAD Jerzy Jędrzejewicz REŻYSERIA Jadwiga Chojnacka SCENOGRAFIA Jerzy Gorazdowski
Teatr TV EMISJA 16.09.1977

OSKAR / *Oscar* Claude'a Magniera
PRZEKŁAD Anna Frąckiewicz, Szczepan Gąssowski REŻYSERIA Edward Dziewoński
SCENOGRAFIA Marian Stańczak
Teatr TV EMISJA 2.10.1977

FRANEK MILEWSKI, BRAT WITOLDA / *Niedziela pewnego małżeństwa w mieście*
przemysłowym średniej wielkości (FILM TELEWIZYJNY)
SCENARIUSZ Ireneusz Iredyński REŻYSERIA Jerzy Sztwertnia ZDJĘCIA Aleksander Lipowski
MUZYKA Adam Sławiński
CWPiFTV Poltel Warszawa EMISJA 1977

✖ Gdańsk – IV Festiwal Polskich Filmów Fabularnych – nagroda aktorska za rolę w filmie *Milioner*

1978 SZCZASTLIWCEW / *Las* Aleksandra Ostrowskiego
PRZEKŁAD Jerzy Jędrzejewicz REŻYSERIA Edward Dziewoński
SCENOGRAFIA Joanna Jaworska, Jerzy Rudzki
Teatr TV EMISJA 13.03.1978

OBSADA AKTORSKA / *Wieczór kabaretowy „Co słychać"*
SCENARIUSZ I REŻYSERIA Zbigniew Bogdański SCENOGRAFIA Ali Bunsch
Teatr Kwadrat w Warszawie PREMIERA 7.04.1978

GEORGE / *Za rok o tej samej porze* Bernarda Slade'a
PRZEKŁAD Antoni Marianowicz REŻYSERIA Edward Dziewoński SCENOGRAFIA Joanna Jaworska,
Jerzy Rudzki
Teatr Kwadrat w Warszawie PREMIERA 20.07.1978

KIEROWNIK SKLEPU SPOŻYWCZEGO / *Co mi zrobisz, jak mnie złapiesz*
SCENARIUSZ Stanisław Bareja, Stanisław Tym REŻYSERIA Stanisław Bareja ZDJĘCIA Jan Laskowski
MUZYKA Jerzy Derfel SCENOGRAFIA Allan Starski
PRF Zespoły filmowe „Pryzmat" PREMIERA 8.12.1978

GORIN / *Ich głowy* Marcela Aymégo
PRZEKŁAD Maria Wisłowska, Adam Tarn REŻYSERIA Edward Dziewoński
SCENOGRAFIA Joanna Jaworska, Jerzy Rudzki
Teatr TV EMISJA 13.08.1978

ARCZIŁ / *Most* Aleksandra Czchaidze
PRZEKŁAD Grażyna Strumiłło-Miłosz REŻYSERIA Olga Lipińska SCENOGRAFIA Tatiana Kwiatkowska
Teatr TV EMISJA 2.10.1978

CUDZOZIEMIEC / *Nasza klatka* Jacka Janczarskiego
REŻYSERIA Andrzej Zaorski SCENOGRAFIA Jerzy Rudzki
Teatr Kwadrat w Warszawie PREMIERA 9.12.1978

DRUGI PROWADZĄCY / *Tragedia optymistyczna* Wsiewołoda Wiszniewskiego
PRZEKŁAD Lidia Nadzin REŻYSERIA Lidia Zamkow MUZYKA Lucjan Kaszycki
SCENOGRAFIA Andrzej Sadowski
Teatr TV EMISJA 13.11.1978

PAMIĘTNIK PANI HANKI

Antoni Marianowicz
wg. T. Dołęgi Mostowicza
Muzyka: Jerzy Wasow

1979 **MŁODSZY** / *Przysługa* Feliksa Falka
REŻYSERIA Janusz Dymek SCENOGRAFIA Barbara Wardecka-Kędzierska
Teatr TV EMISJA 6.03.1979

WIKTOR LENOIR / *Archipelag Lenoir* Armanda Salacrou
PRZEKŁAD Maria Serkowska REŻYSERIA Edward Dziewoński
SCENOGRAFIA Joanna Jaworska, Jerzy Rudzki
Teatr TV EMISJA 15.04.1979

CLAVAROCHE / *Świecznik* Alfreda de Musset
PRZEKŁAD Tadeusz Boy-Żeleński REŻYSERIA Olga Lipińska SCENOGRAFIA Jerzy Gorazdowski
Teatr TV EMISJA 16.04.1979

Barbara i Janusz Gajosowie 29 maja zostają rodzicami córki Agaty.

JULIAN DAWID FANSHAW / *On i nie on* Rogera McDougalla i Teda Allana
PRZEKŁAD Henryk Rostworowski REŻYSERIA Jan Kobuszewski SCENOGRAFIA Marian Stańczak
Teatr Kwadrat w Warszawie PREMIERA 3.06.1979

DZIENNIKARZ / *Kartoteka* Tadeusza Różewicza
REŻYSERIA Krzysztof Kieślowski MUZYKA Zygmunt Konieczny SCENOGRAFIA Andrzej Przybył
Teatr TV EMISJA 15.10.1979

JANEK / *Pełnia*
SCENARIUSZ I REŻYSERIA Andrzej Kondriatuk ZDJĘCIA Witold Leszczyński
MUZYKA Włodzimierz Nahorny SCENOGRAFIA Jan Banucha
PRF Zespoły filmowe „Perspektywa", WFF Wrocław i WFD Warszawa
PREMIERA 23.11.1979

PUŁKOWNIK KORCZYŃSKI / *Pamiętnik pani Hanki* według powieści
Tadeusza Dołęgi-Mostowicza
REŻYSERIA Edward Dziewoński MUZYKA Jerzy Wasowski SCENOGRAFIA Marian Kołodziej
Teatr Kwadrat w Warszawie PREMIERA 6.12.1979

1980 **OMNIMOR** / *Igraszki z diabłem* Jana Drdy
PRZEKŁAD Zdzisław Hierowski REŻYSERIA Tadeusz Lis SCENOGRAFIA Jacek Hohensee
Teatr TV EMISJA 14.01.1980

MACIEK, REDAKTOR NACZELNY / *Kung-fu*
SCENARIUSZ I REŻYSERIA Janusz Kijowski ZDJĘCIA Krzysztof Wyszyński MUZYKA Jacek Bednarek
SCENOGRAFIA Tadeusz Kosarewicz, Barbara Komosińska
PRF Zespoły filmowe „X", WFF Wrocław PREMIERA 17.03.1980

JANUSZ / *Kwadrat* Marii Czubaszek
REŻYSERIA Andrzej Zaorski MUZYKA Wojciech Karolak SCENOGRAFIA Jerzy Rudzki
Teatr Kwadrat w Warszawie PREMIERA 3.04.1980

DYGNITARZ Z WARSZAWY / *Dyrygent*
SCENARIUSZ Andrzej Kijowski REŻYSERIA Andrzej Wajda ZDJĘCIA Sławomir Idziak
MUZYKA V symfonia Ludwiga van Beethovena SCENOGRAFIA Allan Starski
PRF Zespoły filmowe „X", WFD Warszawa PREMIERA 11.04.1980

ANDRZEJ / *Ładna historia* Gastona Armanda de Caillaveta, Roberta de Flers
i Etienne'a Rey
PRZEKŁAD Zofia Karczewska-Markiewicz REŻYSERIA Edward Dziewoński
SCENOGRAFIA Joanna Jaworska, Jerzy Rudzki
Teatr TV EMISJA 13.06.1980

 Od września 1980 roku Janusz Gajos przenosi się do warszawskiego Teatru Dramatycznego

PROBIERCZYK, BŁAZEN / *Jak wam się podoba* Williama Szekspira
PRZEKŁAD Czesław Miłosz REŻYSERIA Zespół MUZYKA Piotr Hertel SCENOGRAFIA Barbara Zawada
Teatr Dramatyczny w Warszawie PREMIERA 31.10.1980

BOLESŁAW, OJCIEC LILKI / *Kontrakt*
SCENARIUSZ I REŻYSERIA Krzysztof Zanussi ZDJĘCIA Sławomir Idziak MUZYKA Wojciech Kilar
SCENOGRAFIA Tadeusz Wybult, Maciej Putowski i Teresa Gruber
PRF Zespoły filmowe „Tor", WFD Warszawa PREMIERA 17.11.1980

1981 MAGISTER / *Wojna w Polszcze pospolita*
SCENARIUSZ Henryk Kluba i Julian Lewański REŻYSERIA Henryk Kluba
MUZYKA Zygmunt Konieczny SCENOGRAFIA Wiesław Olko
Teatr TV EMISJA 26.01.1981

BARSKI / *Dwie blizny* Aleksandra Fredry
REŻYSERIA Andrzej Łapicki SCENOGRAFIA Małgorzata Wróblewska-Blikle
Teatr TV EMISJA 1.05.1981

OBSADA AKTORSKA / *Z dalekiego kraju* (*Da un paese lontano Giovanni Paolo II*)
SCENARIUSZ Jan Józef Szczepański, Andrzej Kijowski i Krzysztof Zanussi
REŻYSERIA Krzysztof Zanussi ZDJĘCIA Sławomir Idziak MUZYKA Wojciech Kilar
Polska, Wielka Brytania, Włochy PREMIERA 1981

ZASTĘPCA SZEFA RADIOKOMITETU / *Człowiek z żelaza*

SCENARIUSZ Aleksander Ścibor-Rylski REŻYSERIA Andrzej Wajda ZDJĘCIA Edward Kłosiński
MUZYKA Andrzej Korzyński SCENOGRAFIA Allan Starski
PRF Zespoły filmowe „X", WFD Warszawa PREMIERA 27.07.1981

ORGON / *Biedaczek vel Tartuffe* według Moliera

PRZEKŁAD Tadeusz Boy-Żeleński REŻYSERIA Marek Walczewski MUZYKA Wolfgang Amadeusz Mozart
Teatr Dramatyczny w Warszawie PREMIERA 6.12.1981

1982 PIOTR BEZUCHOW / *Wojna i pokój* według Lwa Tołstoja

ADAPTACJA Michał Komar SCENARIUSZ I REŻYSERIA Andrzej Chrzanowski
MUZYKA Seweryn Krajewski SCENOGRAFIA Marcin Stajewski
Teatr na Woli w Warszawie PREMIERA 4.12.1982

PUŁKOWNIK TUCHOŁKO / *Dwie głowy ptaka* Władysława Terleckiego

REŻYSERIA Andrzej Łapicki MUZYKA Bohdan Mazurek SCENOGRAFIA Andrzej Sadowski
Teatr Dramatyczny w Warszawie PREMIERA 30.12.1982

SĄSIAD / *Gwiezdny pył* (FILM TELEWIZYJNY)

SCENARIUSZ, REŻYSERIA, ZDJĘCIA, MUZYKA SCENOGRAFIA Andrzej Kondratiuk
PRF Zespoły filmowe „Perspektywa", WFD Warszawa EMISJA 1982

JAN WINNICKI, TOWARZYSZ PARTYJNY / *Alternatywy 4* (SERIAL TELEWIZYJNY)

SCENARIUSZ Stanisław Bareja, Janusz Płoński i Maciej Rybicki REŻYSERIA Stanisław Bareja
ZDJĘCIA Wojciech Jastrzębowski MUZYKA Jerzy Matuszkiewicz SCENOGRAFIA Jacek Osadowski
CWPiFTV Poltel Warszawa EMISJA 1982

1983 KUSCHMEREK / *Limuzyna Daimler-Benz*

SCENARIUSZ I REŻYSERIA Filip Bajon ZDJĘCIA Jerzy Zieliński MUZYKA Zdzisław Szostak
SCENOGRAFIA Andrzej Kowalczyk
PRF Zespoły filmowe „Tor", Manfred Durniok Produktion (RFN), WFF Łódź,
WFD Warszawa PREMIERA 24.01.1983

ROBOTNIK Z WODOCIĄGÓW / *Wojna światów – następne stulecie*

SCENARIUSZ I REŻYSERIA Piotr Szulkin ZDJĘCIA Zygmunt Samosiuk MUZYKA Józef Skrzek,
Wojciech Gogolewski, Johannes Brahms, Jerzy Maksymiuk SCENOGRAFIA Andrzej Haliński
PRF Zespoły filmowe „Perspektywa", WFD Warszawa PREMIERA 02.1983

ALEKSANDER GNEKKER, NARZECZONY LIZY / *Nieciekawa historia*

SCENARIUSZ na podstawie opowiadania Antoniego Czechowa I REŻYSERIA Wojciech Has
ZDJĘCIA Grzegorz Kędzierski MUZYKA Jerzy Maksymiuk SCENOGRAFIA Andrzej Haliński
PRF Zespoły filmowe „Rondo", WFF Łódź PREMIERA 12.09.1983

FIGARO / *Wesele Figara* Pierre'a de Beaumarchais

PRZEKŁAD Bohdan Korzeniewski REŻYSERIA Witold Skaruch MUZYKA Tomasz Kiesewetter SCENOGRAFIA Teresa Ponińska
Teatr Dramatyczny w Warszawie PREMIERA 24.09.1983

1984 OBSADA AKTORSKA / *Alternatywa*

REŻYSERIA Olga Lipińska SCENOGRAFIA Tatiana Kwiatkowska
Kabaret TV EMISJA 1.01.1984

ADOLF / *Wierzyciele* Augusta Strindberga

PRZEKŁAD Zygmunt Łanowski REŻYSERIA Krzysztof Orzechowski SCENOGRAFIA Jerzy Gorazdowski
Teatr TV EMISJA 21.05.1984

MICHAŁ SZMAŃDA / *Wahadełko*

SCENARIUSZ I REŻYSERIA Filip Bajon ZDJĘCIA Wit Dąbal MUZYKA Zdzisław Szostak
SCENOGRAFIA Andrzej Przedworski
ZF „Tor", WFF Łódź PREMIERA 1984

KIEROWCA / *Wedle wyroków twoich*

SCENARIUSZ Jerzy Hoffman i Jan Purzycki na podstawie utworów Paula Henggego,
Arta Bernda, Bogdana Wojdowskiego REŻYSERIA Jerzy Hoffman ZDJĘCIA Jerzy Gościk
MUZYKA Andrzej Korzyński SCENOGRAFIA Maciej Putowski
SF „Zodiak", CCC-Filmkunst Gmbh Berlin, WFF Łódź PREMIERA 3.09.1984

Gdańsk – IX Festiwal Polskich Filmów Fabularnych – nagroda „Srebrne Lwy Gdańskie"
za najlepszą rolę męską w filmie *Wahadełko*

1985 JERRY FROST / *Wielki Jerry* według powieści Francisa Scotta Fitzgeralda

PRZEKŁAD Małgorzata Semil REŻYSERIA Piotr Cieślak MUZYKA Maciej Małecki
SCENOGRAFIA Grzegorz Małecki
Teatr na Woli PREMIERA 1.01.1985

SZABROWNIK / *Rok spokojnego słońca*

SCENARIUSZ I REŻYSERIA Krzysztof Zanussi ZDJĘCIA Sławomir Idziak MUZYKA Wojciech Kilar
SCENOGRAFIA Janusz Sosnowski
PRF Zespoły filmowe „Tor", Regine Ziegler Filmproduktion (RFN), Teleculture INC (USA)
PREMIERA 25.02.1985

Od września 1984 roku Janusz Gajos przenosi się do Teatru Powszechnego w Warszawie.

LESZEK / *Zapisz to, Miron* według prozy Mirona Białoszewskiego
SCENARIUSZ I REŻYSERIA Ryszard Major MUZYKA Andrzej Głowiński SCENOGRAFIA Jan Banucha
Teatr Powszechny w Warszawie PREMIERA 2.03.1985

JÓZEF TROFIDA / *Przemytnicy*
SCENARIUSZ Włodzimierz Olszewski i Jan Purzycki na podstawie powieści Sergiusza Piaseckiego
REŻYSERIA Włodzimierz Olszewski ZDJĘCIA Stefan Pindelski MUZYKA Piotr Marczewski
SCENOGRAFIA Czesław Siekiera
PRF Zespoły filmowe „Zodiak" PREMIERA 30.09.1985

REDAKTOR NACZELNY / *Idol*
SCENARIUSZ I REŻYSERIA Feliks Falk ZDJĘCIA Wiesław Zdort MUZYKA Jan Kanty Pawluśkiewicz
SCENOGRAFIA Jerzy Sajko
PRF Zespoły filmowe „Perspektywa" PREMIERA 7.10.1985

DIABEŁ, EKART / *Baal* Bertolta Brechta
PRZEKŁAD Robert Stiller REŻYSERIA Piotr Cieślak MUZYKA Janusz Tylman
SCENOGRAFIA Grzegorz Małecki
Teatr Powszechny w Warszawie PREMIERA 9.11.1985

TREPIFAJKSEL, PÓŹNIEJ MACIEJ / *Zapomniany diabeł* Jana Drdy
PRZEKŁAD Czesław Sojecki REŻYSERIA Tadeusz Lis MUZYKA Krzysztof Suchodolski
SCENOGRAFIA Jerzy Boduch
Teatr TV EMISJA 30.12.1985

1986 **ROGOŻYN /** *Myszkin* według Fiodora Dostojewskiego
PRZEKŁAD Jerzy Jędrzejewicz ADAPTACJA I REŻYSERIA Krzysztof Wojciechowski
SCENOGRAFIA Ewa Łaniecka
Teatr TV EMISJA 20.01.1986

MATE BUKARA – KLAUDIUSZ / *Przedstawienie Hamleta we wsi Głucha Dolna*
Ivo Brešana
PRZEKŁAD Stanisław Kaszyński REŻYSERIA Olga Lipińska MUZYKA Krzysztof Knittel
SCENOGRAFIA Jerzy Gorazdowski
Teatr TV EMISJA 9.03.1986

ON / *Ławeczka* Aleksandra Gelmana
PRZEKŁAD Jerzy Koenig REŻYSERIA Maciej Wojtyszko SCENOGRAFIA Allan i Wiesława Starscy
Teatr Powszechny w Warszawie PREMIERA 22.08.1986

MILTON / *Mgiełka* Józefa Hena
ADAPTACJA i REŻYSERIA Juliusz Janicki SCENOGRAFIA Marek Karwacki
Teatr TV EMISJA 8.09.1986

JANEK / *Big Bang* (FILM TELEWIZYJNY)
SCENARIUSZ I REŻYSERIA Andrzej Kondriatuk ZDJĘCIA Włodzimierz Precht
MUZYKA Eugeniusz Rudnik SCENOGRAFIA Jacek Osadowski
CWFiFTV Poltel (Warszawa) EMISJA 1986

✖ Nagroda Prezesa PRiTV za osiągnięcia aktorskie w Teatrze TV

✖ Złoty Ekran za rolę w filmie *Big Bang* oraz za wybitne kreacje aktorskie w Teatrze TV
Zapomniany diabeł, Mgiełka, Przedstawienie Hamleta we wsi Głucha Dolna

1987   ÖDÖN VON HORVÁTH / *Opowieści Hollywoodu* Christophera Hamptona
PRZEKŁAD Małgorzata Semil REŻYSERIA Kazimierz Kutz SCENOGRAFIA Jerzy Boduch
Teatr TV EMISJA 22.02.1987

ROBERT / *Nawrócony w Jaffie* według Marka Hłaski
ADAPTACJA I REŻYSERIA Jan Buchwald MUZYKA Jerzy Satanowski
SCENOGRAFIA Allan i Wiesława Starscy
Teatr Powszechny w Warszawie PREMIERA 28.02.1987

STRAŻNIK / *Antygona* Jeana Anouilha
PRZEKŁAD Jadwiga Dackiewicz REŻYSERIA Andrzej Łapicki SCENOGRAFIA Marek Lewandowski
Teatr TV EMISJA 4.05.1987

MONODRAM / *Jestem pewien* według Agaty Miklaszewskiej na podstawie *Choroby sierocej*
ADAPTACJA I REŻYSERIA Krzysztof Krauze SCENOGRAFIA Marek Karwacki
Teatr TV EMISJA 2.12.1987

✖ Nagroda przewodniczącego Komitetu ds. PRiTV za kreacje aktorskie w spektaklach Teatru TV
ze szczególnym uwzględnieniem *Opowieści Hollywoodu i Przedstawienia Hamleta we wsi
Głucha Dolna*

✖ Nagroda „Trybuny Ludu" I stopnia za wybitne osiągnięcia aktorskie, a zwłaszcza za role
w sztukach *Ławeczka, Opowieści Hollywoodu i Przedstawienie Hamleta we wsi Głucha Dolna*

1988   LESZEK / *Zapisz to, Miron* według Mirona Białoszewskiego
SCENARIUSZ I REŻYSERIA Ryszard Major SCENOGRAFIA Jan Banucha
Teatr TV EMISJA 10.02.1988

NERON / *Teatr czasów Nerona i Seneki* Edwarda Radzińskiego

PRZEKŁAD Grażyna Strumiłło-Miłosz REŻYSERIA I SCENOGRAFIA Konstanty Ciciszwili

Teatr TV EMISJA 27.06.1988

ON / *Ławeczka* Aleksandra Gelmana

PRZEKŁAD Jerzy Koenig REŻYSERIA Maciej Wojtyszko SCENOGRAFIA Allan i Wiesława Starscy

Teatr TV EMISJA 3.10.1988

RAK / *Żabusia* Gabrieli Zapolskiej

REŻYSERIA Olga Lipińska SCENOGRAFIA Jerzy Gorazdowski

Teatr TV EMISJA 26.12.1988

SĘDZIA JAN LAGUNA / *Piłkarski poker*

SCENARIUSZ Jan Purzycki REŻYSERIA Janusz Zaorski ZDJĘCIA Witold Adamek MUZYKA Piotr Figiel

SCENOGRAFIA Jerzy Sajko

PRF Zespoły filmowe „Dom" PREMIERA 1988

MICHAŁ / *Dekalog IV* (SERIAL TELEWIZYJNY)

SCENARIUSZ Krzysztof Kieślowski i Krzysztof Piesiewicz REŻYSERIA Krzysztof Kieślowski

ZDJĘCIA Krzysztof Pakulski MUZYKA Zbigniew Preisner SCENOGRAFIA Halina Dobrowolska

TV Polska, SF „Tor", Sender Freies Berlin Zachodni, WFD Warszawa EMISJA 1988

✖ Nagroda tygodnika „Przyjaźń" za kreację aktorską w sztuce *Ławeczka* Gelmana 1988

✖ Wiktor 1987 – nagroda telewidzów dla najpopularniejszej postaci TVP

1989 SIEMION S. PODSIEKALNIKOW / *Samobójca* Nikołaja Erdmana

PRZEKŁAD Maryla Masłowska REŻYSERIA Kazimierz Kutz MUZYKA Jan Kanty Pawluśkiewicz

SCENOGRAFIA Bolesław Kamykowski

Teatr TV EMISJA 24.04.1989

SZABUNIEWICZ / *Jacobowsky i pułkownik* Franza Werfela

PRZEKŁAD Antoni Marianowicz REŻYSERIA Edward Dziewoński SCENOGRAFIA Marcin Stajewski

Teatr TV EMISJA 7.05.1989

ASTROW / *Wujaszek Wania* Antoniego Czechowa

PRZEKŁAD Jarosław Iwaszkiewicz REŻYSERIA Rudolf Zioło MUZYKA Janusz Stokłosa

SCENOGRAFIA Andrzej Witkowski

Teatr Powszechny w Warszawie PREMIERA 30.05.1989

JAKUB JASIŃSKI / *Stan wewnętrzny*
SCENARIUSZ Krzysztof Tchórzewski i Jacek Janczarski na podstawie noweli *Samotna*
Jacka Janczarskiego REŻYSERIA Krzysztof Tchórzewski ZDJĘCIA Jan Mogilnicki
MUZYKA Lech Brański i Zbigniew Hołdys SCENOGRAFIA Barbara Nowak
ZF „X" (1983), SF „Tor" (1989), WFD Warszawa PREMIERA 25.08.1989

MAJOR KĄPIELOWY / *Przesłuchanie*
SCENARIUSZ I REŻYSERIA Ryszard Bugajski ZDJĘCIA Jacek Petrycki
KONSULTACJA MUZYCZNA Agnieszka Hundziak SCENOGRAFIA Janusz Sosnowski
PRF Zespoły filmowe „X", WFD Warszawa PREMIERA 13.12.1989

✦ Złota Kaczka przyznawana przez tygodnik „Film" za rolę w filmie *Przesłuchanie*

✦ Nagroda Ministra Kultury i Sztuki II stopnia – za całokształt twórczości

1990 NIEZNAJOMY / *Mistrz i Małgorzata* (SERIAL TELEWIZYJNY) na podstawie powieści
Michaiła Bułhakowa
SCENARIUSZ I REŻYSERIA Maciej Wojtyszko ZDJĘCIA Dariusz Kuc MUZYKA Zbigniew Karnecki
SCENOGRAFIA Małgorzata Spychalska
CWPiFTV Poltel (Warszawa) EMISJA 20.03–10.04.1990

PETRUCHIO / *Poskromienie złośnicy* Williama Szekspira
PRZEKŁAD Maciej Słomczyński REŻYSERIA Michał Kwieciński SCENOGRAFIA Barbara Hanicka
Teatr TV EMISJA 7.05.1990

ALBERT / *Wspaniałe życie* Jeana Anouilha
PRZEKŁAD Barbara Grzegorzewska REŻYSERIA Andrzej Guc MUZYKA Jerzy Satanowski
SCENOGRAFIA Andrzej Sadowski
Teatr Powszechny w Warszawie PREMIERA 22.09.1990

CENZOR RABKIEWICZ / *Ucieczka z kina „Wolność"*
SCENARIUSZ I REŻYSERIA Wojciech Marczewski ZDJĘCIA Jerzy Zieliński, Wit Dąbal, Krzysztof Ptak
MUZYKA Zygmunt Konieczny SCENOGRAFIA Andrzej Kowalczyk
SF „Tor", WFF Łódź PREMIERA 15.10.1990

FOUCHÉ, KSIĄŻĘ OTRANTO / *Kolacja* Jeana-Claude'a Brisville'a
PRZEKŁAD Barbara Grzegorzewska REŻYSERIA Wojciech Adamczyk SCENOGRAFIA Adam Kilian
Teatr Powszechny w Warszawie PREMIERA 15.12.1990

JAN SEBASTIAN BACH / *Kolacja na cztery ręce* Paula Barza
PRZEKŁAD Jacek Stanisław Buras REŻYSERIA Kazimierz Kutz SCENOGRAFIA Bolesław Kamykowski
OPRACOWANIE MUZYCZNE Joanna Wnuk-Nazarowa
Teatr TV EMISJA 31.12.1990

� Gdańsk – FPFF – główna nagroda Złote Lwy Gdańskie za role męskie w filmach
Przesłuchanie i *Ucieczka z kina „Wolność"*

✖ Złota Kaczka przyznawana przez tygodnik „Film" w kategorii najlepszy polski aktor

1991 ON – GŁOS M. / *Tutam* Bogusława Schaeffera
REŻYSERIA Marek Sikora MUZYKA Bogusław Schaeffer SCENOGRAFIA Grzegorz Małecki
Teatr Powszechny w Warszawie PREMIERA 24.01.1991

EDMUND KEAN / *Kean* Aleksandra Dumas i Jeana Paula Sartre'a
PRZEKŁAD Jerzy Macierakowski ADAPTACJA Jean Paul Sartre REŻYSERIA Wojciech Adamczyk
SCENOGRAFIA Janusz Sosnowski
Teatr TV EMISJA 14.10.1991

POZZO / *Czekając na Godota* Samuela Becketta
PRZEKŁAD I REŻYSERIA Antoni Libera SCENOGRAFIA Aleksandra Semenowicz
Teatr Narodowy w Warszawie PREMIERA 25.10.1991

✖ Nagroda Przewodniczącego Komitetu Kinematografii za kreację aktorską
w filmie *Ucieczka z kina „Wolność"*

✖ „Złota Kaczka" przyznawana przez tygodnik „Film" w kategorii najlepszy polski aktor

1992 FOUCHÉ / *Kolacja* Jeana-Claude'a Brisville'a
PRZEKŁAD Barbara Grzegorzewska REŻYSERIA Wojciech Adamczyk SCENOGRAFIA Adam Kilian
Teatr TV EMISJA 6.04.1992

ROBERT / *Nawrócony w Jaffie* według Marka Hłaski
ADAPTACJA I REŻYSERIA Jan Buchwald MUZYKA Jerzy Satanowski SCENOGRAFIA Grzegorz Małecki
Teatr Polski w Poznaniu PREMIERA 9.10.1992

ADWOKAT ANDRZEJ OBŁUKA / *Panny i wdowy* (SERIAL TELEWIZYJNY)
SCENARIUSZ Maria Nurowska REŻYSERIA Janusz Zaorski ZDJĘCIA Witold Adamek
MUZYKA Andrzej Kurylewicz SCENOGRAFIA Jerzy Sajko, Anna Bohdziewicz
SF „Dom", WFD Warszawa EMISJA 11.11.1992

✖ Gdańsk – XVII Festiwal Polskich Filmów Fabularnych – nagroda za drugoplanową rolę męską
w filmach *Kiedy rozum śpi* i *Szwadron*

✖ Nagroda Prezydenta Gdyni na tymże festiwalu za rolę Dobrowolskiego w filmie *Szwadron*

1993 **RYSZARD, MAX** / *Kochanek* Harolda Pintera
PRZEKŁAD Bolesław Taborski REŻYSERIA Robert Gliński SCENOGRAFIA Agnieszka Zawadowska
Teatr TV EMISJA 18.01.1993

GOŚĆ / *Biuro pisania podań* Władysława Terleckiego
REŻYSERIA Mirosław Bork ZDJĘCIA Tomasz Wert MUZYKA Krzysztof Duda
SCENOGRAFIA Barbara Nowak
Teatr TV EMISJA 28.04.1993

CINQUEDA / *Kiedy rozum śpi*
SCENARIUSZ Andrzej Rychcik Wojciech Zimiński REŻYSERIA Marcin Ziębiński
ZDJĘCIA Dariusz Kuc MUZYKA Jean-Claude Petit
SCENOGRAFIA Ewa Braun, Marek Burgermajster, Grzegorz Piątkowski
MS Film Production, Atria Films – Paryż PREMIERA 18.10.1993

ROTMISTRZ JAN DOBROWOLSKI / *Szwadron*
SCENARIUSZ I REŻYSERIA Juliusz Machulski ZDJĘCIA Witold Adamek MUZYKA Krzesimir Dębski
SCENOGRAFIA Dorota Ignaczak, Walentin Gidulianow
SF „Zebra" PREMIERA 28.10.1993

HRABIA WACŁAW / *Mąż i żona* Aleksandra Fredry
REŻYSERIA Krzysztof Zaleski SCENOGRAFIA Andrzej Przybył
Teatr Powszechny w Warszawie PREMIERA 29.10.1993

RADNY NIEZGODA / *Straszny sen Dzidziusia Górkiewicza* (FILM TELEWIZYJNY)
SCENARIUSZ Jerzy Stefan Stawiński REŻYSERIA Kazimierz Kutz ZDJĘCIA Wiesław Zdort
MUZYKA Jan Kanty Pawluśkiewicz SCENOGRAFIA Jacek Osadowski
TV Polska EMISJA 4.01.1994

ANTEK / *Czterdziestolatek 20 lat później* (SERIAL TELEWIZYJNY)
SCENARIUSZ Jerzy Gruza, Krzysztof Teodor Toeplitz REŻYSERIA Jerzy Gruza ZDJĘCIA Jerzy Gościk
MUZYKA Jerzy Matuszkiewicz SCENOGRAFIA Mariusz Wituski, Jeremi Brodnicki
TV Polska, Kajtek Kowalski „Dzielnica Łacińska" Sp. z o.o. EMISJA 1993

✖ Kalisz – XXXIII Kaliskie Spotkania Teatralne – Główna Nagroda Aktorska za rolę Roberta
w *Nawróconym w Jaffie* w Teatrze Polskim w Poznaniu

✖ Super Wiktor – nagroda telewidzów

1994 GRABARZ / *Fuga* Ewy Pokas

SCENARIUSZ I REŻYSERIA Adam Hanuszkiewicz MUZYKA Andrzej Żylis
SCENOGRAFIA Jerzy Gorazdowski
Teatr TV EMISJA 17.01.1994

ON – GŁOS M. / *Tutam* Bogusława Schaeffera

REŻYSERIA Marek Sikora MUZYKA Bogusław Schaeffer SCENOGRAFIA Grzegorz Małecki
Teatr TV EMISJA 5.02.1994

GROSS / *Psy*

SCENARIUSZ I REŻYSERIA Władysław Pasikowski ZDJĘCIA Paweł Edelman MUZYKA Michał Lorenc
SCENOGRAFIA Andrzej Przedworski
SF „Zebra", IFDF Helios, Film Polski, IMP PREMIERA 8.04.1994

MIKOŁAJ / *Trzy kolory. Biały*

SCENARIUSZ Krzysztof Kieślowski i Krzysztof Piesiewicz REŻYSERIA Krzysztof Kieślowski
ZDJĘCIA Edward Kłosiński MUZYKA Zbigniew Preisner SCENOGRAFIA Halina Dobrowolska,
Claude Lenoir
MKZ Productions S.A., France 3 Cinema (Paris), CAB Production Lozanna, SF Tor
PREMIERA 24.04.1994

INŻYNIER / *Śmierć jak kromka chleba*

SCENARIUSZ I REŻYSERIA Kazimierz Kutz ZDJĘCIA Wiesław Zdort MUZYKA Wojciech Kilar
SCENOGRAFIA Bolesław Kamykowski
Społeczny Komitet Realizacji Filmu Fabularnego o Tragedii w Kopalni „Wujek", SF Tor, TV Polska
PREMIERA 7.05.1994

JAN / *Msza za miasto Arras* Andrzeja Szczypiorskiego

ADAPTACJA Igor Sawin REŻYSERIA Krzysztof Zaleski SCENOGRAFIA Zofia de Ines
Teatr Powszechny w Warszawie PREMIERA 3.09.1994

BOCCACCIO / *O przemyślności kobiety niewiernej sześć opowieści* Giovanniego Boccaccia

PRZEKŁAD Edward Boyé ADAPTACJA Robert Brutter i Maciej Dutkiewicz
REŻYSERIA Maciej Dutkiewicz ZDJĘCIA Krzysztof Ptak SCENOGRAFIA Andrzej Przedworski
Teatr TV EMISJA 26.09.1994

KOCHANEK ELŻBIETY / *Zespół adwokacki* (SERIAL TELEWIZYJNY)

SCENARIUSZ Wojciech Niżyński REŻYSERIA Andrzej Kotkowski ZDJĘCIA Maciej Kijowski
SCENOGRAFIA Jacek Osadowski
TV Polska EMISJA 1994

✖ Wiktor 1994 – nagroda telewidzów dla najpopularniejszej postaci TVP

✖ Laureat plebiscytu „Rzeczpospolitej" na najlepszego polskiego aktora 1994

✖ Srebrny As 1994

✖ Burgos (Międzynarodowy Festiwal Filmów Fantastycznych) nagroda za rolę męską
w filmie *Ucieczka z kina „Wolność"*

1995 KOCZKARIEW / *Ożenek* Mikołaja Gogola
PRZEKŁAD Julian Tuwim REŻYSERIA Andrzej Domalik SCENOGRAFIA Jagna Janicka
Teatr Powszechny w Warszawie PREMIERA 29.01.1995

FERNANDO KRAPP / *Fernando Krapp napisał do mnie ten list* Tankreda Dorsta
PRZEKŁAD Jacek Stanisław Buras REŻYSERIA Piotr Chołodziński MUZYKA Bolesław Rawski
SCENOGRAFIA Paweł Dobrzycki
Teatr Powszechny w Warszawie PREMIERA 2.09.1995

NOS / *Wesele* Stanisława Wyspiańskiego
REŻYSERIA Krzysztof Nazar SCENOGRAFIA Krzysztof Tyszkiewicz
Teatr Powszechny w Warszawie PREMIERA 1.10.1995

LEON / *Mateczka* Władysława Terleckiego
REŻYSERIA Stanisław Różewicz ZDJĘCIA Piotr Wojtowicz SCENOGRAFIA Andrzej i Ewa Przybyłowie
Teatr TV EMISJA 6.11.1995

✖ Rzeszów – XXXIV Rzeszowskie Spotkania Teatralne – I miejsce w plebiscycie publiczności
na najlepszego aktora Spotkań

✖ Kalisz – XXXV KST – nagroda aktorska za rolę Koczkariewa w *Ożenku*

✖ Nagroda Bydgoskiego Towarzystwa Teatralnego Złoty Wawrzyn Grzymały

1996 OBCY / *Rip van Winkle* Maksa Frischa
PRZEKŁAD Klemens Białek REŻYSERIA Janusz Kijowski ZDJĘCIA Grzegorz Kuczeriszka
SCENOGRAFIA Tadeusz Kosarewicz
Teatr TV EMISJA 18.03.1996

MAKBET / *Makbet* Williama Szekspira

PRZEKŁAD Jerzy S. Sito REŻYSERIA Mariusz Treliński MUZYKA Włodzimierz Kiniorski
SCENOGRAFIA Andrzej Kreutz Majewski
Teatr Powszechny w Warszawie PREMIERA 24.05.1996

MĄŻ, WŁAŚCICIEL LOMBARDU / *Łagodna*

SCENARIUSZ Wojciech Zimiński i Mariusz Treliński REŻYSERIA Mariusz Treliński
ZDJĘCIA Krzysztof Ptak MUZYKA Brian Loch SCENOGRAFIA Andrzej Przedworski
TV Polska, Agencja Produkcji Filmowej, Skorpion Art Film PREMIERA 9.II.1996

✖ Słupca k. Konina (Przegląd Filmowy „Prowincjonalia") – nagroda główna Złoty Jańcio
za rolę w filmie *Łagodna*

PROFESOR W WAGONIE / *Poznań 56*

SCENARIUSZ Filip Bajon i Andrzej Górny REŻYSERIA Filip Bajon ZDJĘCIA Łukasz Kośmicki
MUZYKA Michał Lorenc SCENOGRAFIA Anna Wunderlich, Przemysław Kowalski
SF Dom, TV Polska, Fundacja Poznań 56 PREMIERA 22.II.1996

PUŁKOWNIK NIKOŁAJ KRAWCOW / *Akwarium*

SCENARIUSZ Jan Purzycki i Antoni Krauze na podstawie powieści *Akwarium* Wiktora Suworowa
REŻYSERIA Antoni Krauze ZDJĘCIA Tomasz Tarasin OPRACOWANIE MUZYCZNE Marta Broczkowska
SCENOGRAFIA Rafał Waltenberger
SF Dom, TV Polska, Manfred Durnick Produktion (Berlin), Ukrtelefilm (Kijów) PREMIERA
13.12.1996

FIDUR / *Ekstradycja II* (SERIAL TELEWIZYJNY)

SCENARIUSZ Wojciech Wójcik, Witold Horwath, Robert Bratter REŻYSERIA Wojciech Wójcik
ZDJĘCIA Piotr Wojtowicz MUZYKA Jerzy Stempowski
SCENOGRAFIA Barbara Ostapowicz
TV Polska EMISJA SERIALU 1996

✖ XXI Opolskie Konfrontacje Teatralne w Opolu – nagroda za rolę Nosa w *Weselu*

✖ Podczas I Festiwalu Gwiazd w Międzyzdrojach Janusz Gajos odcisnął dłoń
na Promenadzie Gwiazd.

1997 **ALFRED** / *Odbita sława* Ronalda Harwooda

PRZEKŁAD Michał Ronikier REŻYSERIA Janusz Zaorski ZDJĘCIA Andrzej Wolf
MUZYKA Tomasz Bajerski SCENOGRAFIA Barbara Kędzierska
Teatr TV EMISJA 10.03.1997

PREFEKT HEBERT / *Mistrz* Krzysztofa Rutkowskiego
REŻYSERIA Agnieszka Lipiec-Wróblewska ZDJĘCIA Witold Adamek MUZYKA Krzesimir Dębski
SCENOGRAFIA Anna Wunderlich
Teatr TV EMISJA 28.04.1997

MICHONET / *Adrianne Lecouvreur* Eugeniusza Scribe'a i Ernesta Legouve'a
PRZEKŁAD Andrzej Sztum ADAPTACJA I REŻYSERIA Mariusz Treliński ZDJĘCIA Krzysztof Ptak
SCENOGRAFIA Andrzej Przedworski
Teatr TV EMISJA 19.05.1997

PROFESOR / *Szczęśliwego Nowego Jorku*
SCENARIUSZ Edward Redliński i Janusz Zaorski na podstawie *Cudu na Greenpoincie* Edwarda
Redlińskiego REŻYSERIA Janusz Zaorski ZDJĘCIA Paweł Edelman MUZYKA Marek Kościkiewicz
SCENOGRAFIA Janusz Sosnowski, Dianne Kalemkeris
VILM Production PREMIERA 26.09.1997

NICCOLÒ MACHIAVELLI / *Czas zdrady*
SCENARIUSZ Wojciech Marczewski, Witold Zalewski, Maciej Strzembosz na podstawie dramatu
Coś za coś Witolda Zalewskiego REŻYSERIA Wojciech Marczewski ZDJĘCIA Krzysztof Ptak
SCENOGRAFIA Janusz Sosnowski
TV Polska, TAPFiT EMISJA 1997

1998 KRECZETNIKOW / *Ksiądz Marek* Juliusza Słowackiego
REŻYSERIA Krzysztof Nazar ZDJĘCIA Tomasz Wert MUZYKA Zygmunt Konieczny
SCENOGRAFIA Allan Starski
Teatr TV EMISJA 26.01.1998

RAY GOODENOUGH / *Harry i ja* Nigela Williamsa
PRZEKŁAD Michał Ronikier REŻYSERIA Andrzej Strzelecki SCENOGRAFIA Marcin Stajewski
Teatr Powszechny w Warszawie PREMIERA 19.04.1998

TUWARA, SZEF MAFII ROSYJSKIEJ / *Ekstradycja III* (SERIAL TELEWIZYJNY)
SCENARIUSZ Cezary Harasimowicz i Wojciech Wójcik REŻYSERIA Wojciech Wójcik
ZDJĘCIA Piotr Wojtowicz MUZYKA Janusz Stokłosa SCENOGRAFIA Barbara Ostapowicz
TV Polska, TAPFiT EMISJA 1998

✘ 16.10.1998 na ulicy Piotrkowskiej w Łodzi odsłonięto gwiazdę Janusza Gajosa
w nowo powstałej Alei Gwiazd.

✘ W ankiecie „Polityki" na najważniejszych aktorów polskich XX wieku zajął trzecie miejsce.

1999 **BIMBER /** *Rozmowy przy wycinaniu lasu* Stanisława Tyma
REŻYSERIA Stanisław Tym ZDJĘCIA Andrzej Szulkowski MUZYKA Jerzy Derfel
SCENOGRAFIA Zbigniew Prończyk
Teatr TV EMISJA 4.01.1999

OTTO MARVUGLIA / *Wielka magia* Eduarda De Filippo
PRZEKŁAD Anna Wasilewska REŻYSERIA Maciej Englert SCENOGRAFIA Marcin Stajewski
Teatr TV EMISJA 1.02.1999

PUŁKOWNIK NIKOŁAJ KRAWCOW / *Akwarium, czyli samotność szpiega* (SERIAL
TELEWIZYJNY)
SCENARIUSZ Jan Purzycki i Antoni Krauze na podstawie powieści *Akwarium* Wiktora Suworowa
REŻYSERIA Antoni Krauze ZDJĘCIA Tomasz Tarasin OPRACOWANIE MUZYCZNE Marta Broczkowska
SCENOGRAFIA Rafał Waltenberger
SF Dom, TV Polska, Manfred Durnick Produktion (Berlin), Ukrtelefilm (Kijów), WFDiF
Warszawa EMISJA 18.02.1999

BRAND / *Brand* Henryka Ibsena
PRZEKŁAD Halina Thylwe REŻYSERIA Krzysztof Lang ZDJĘCIA Krzysztof Pakulski
MUZYKA Lech Brański SCENOGRAFIA Andrzej Przedworski
Teatr TV EMISJA 29.03.1999

GROMOTRUBOW / *Płaszcz* Mikołaja Gogola
PRZEKŁAD Julian Tuwim REŻYSERIA Andrzej Domalik ZDJĘCIA Marcin Figurski
MUZYKA Stanisław Radwan SCENOGRAFIA Jagna Janicka
Teatr TV EMISJA 26.04.1999

CARTER / *Simpatico* Sama Sheparda
PRZEKŁAD Małgorzata Semil REŻYSERIA Mariusz Grzegorzek SCENOGRAFIA Jagna Janicka
Teatr Powszechny w Warszawie PREMIERA 14.05.1999

AMETYSTOW / *Chińska kokaina, czyli sen o Paryżu* Michaiła Bułhakowa
PRZEKŁAD Henryk Bienikiewicz SCENARIUSZ I REŻYSERIA Krzysztof Zaleski ZDJĘCIA Tomasz Wert
OPRACOWANIE MUZYCZNE Andrzej Cecota SCENOGRAFIA Marek Chowaniec, Grzegorz Skawiński
Teatr TV EMISJA 21.06.1999

KOWALIK / *Egzekutor*
SCENARIUSZ Mariusz Gawryś REŻYSERIA Filip Zylber ZDJĘCIA Jarosław Szoda
MUZYKA Tomasz Stańko SCENOGRAFIA Anna Brodnicka
Akson Studio, Canal+ Polska, Komitet Kinematografii, APF, WFDiF,
ITI Cinema (firma dystrybucyjna) PREMIERA 20.10.1999

MATEUSZ BIGDA / *Bigda idzie!* Juliusza Kadena-Bandrowskiego

ADAPTACJA I REŻYSERIA Andrzej Wajda ZDJĘCIA Andrzej Jaroszewicz

SCENOGRAFIA Agnieszka Bartold, Wiesława Chojkowska

Teatr TV PREMIERA 29.11.1999

Gdańsk – XXIV Festiwal Polskich Filmów Fabularnych – nagroda za najlepszą rolę drugoplanową w filmie *Fuks*

2000 **NICK** / *Piękny widok* Sławomira Mrożka

ADAPTACJA I REŻYSERIA Janusz Kijowski ZDJĘCIA Zdzisław Najda MUZYKA Hadrian Filip Tabęcki

SCENOGRAFIA Andrzej Haliński, Anna Bohdziewicz

Teatr TV EMISJA 7.02.2000

KOMISARZ SOBCZAK / *Ostatnia misja*

SCENARIUSZ Wojciech Horwath i Wojciech Wójcik REŻYSERIA Wojciech Wójcik

ZDJĘCIA Piotr Wojtowicz MUZYKA Grzegorz Skawiński SCENOGRAFIA Barbara Ostapowicz

WFDiF PREMIERA 24.03.2000

RITTER / *Miłość na Madagaskarze* Petera Turriniego

PRZEKŁAD Marek Szalsza REŻYSERIA Waldemar Krzystek ZDJĘCIA Tomasz Dobrowolski

MUZYKA Zbigniew Karnecki SCENOGRAFIA Barbara Komosińska, Barbara Drozdowska

Teatr TV EMISJA 16.04.2000

WYSKOCZ / *To ja, złodziej*

SCENARIUSZ Jacek Bromski i Piotr Wereśniak na podstawie noweli Piotra Wereśniaka *Zanim przyjdzie wiosna* REŻYSERIA Jacek Bromski ZDJĘCIA Witold Adamek MUZYKA Henri Seroka, Dżem

SCENOGRAFIA Dorota Ignaczak, Joanna Doroszkiewicz

Telewizja Polska, Studio Filmowe (d. Zespół Filmowy) Oko , Canal+ Polska, Vision Film Production PREMIERA 16.06.2000

OFICER ŚLEDCZY / *Fuks*

SCENARIUSZ Robert Brutter i Maciej Dutkiewicz REŻYSERIA Maciej Dutkiewicz

ZDJĘCIA Andrzej J. Jaroszewicz MUZYKA Marek Kościkiewicz SCENOGRAFIA Andrzej Przedworski

TV Polska, TAPFiT, APF, Vision Film Production, Canal+ Polska, Skorpion Art Film

PREMIERA 20.08.2000

SWIDRYGAJŁOW / *Swidrygajłow* na motywach *Zbrodni i kary* Fiodora Dostojewskiego

PRZEKŁAD Czesław Jastrzębiec-Kozłowski ADAPTACJA I REŻYSERIA Andrzej Domagalik

MUZYKA Stanisław Radwan SCENOGRAFIA Marcin Jarnuszkiewicz

Teatr Powszechny w Warszawie PREMIERA 2.09.2000

CARTER / *Simpatico* Sama Sheparda
PRZEKŁAD Małgorzata Semil REŻYSERIA Mariusz Grzegorzek SCENOGRAFIA Jagna Janicka
Teatr TV EMISJA 12.11.2000

MĘŻCZYZNA / *Żółty szalik*
SCENARIUSZ Jerzy Pilch REŻYSERIA Janusz Morgenstern ZDJĘCIA Witold Adamek
MUZYKA Michał Lorenc SCENOGRAFIA Andrzej Przedworski
TV Polska – Agencja Filmowa PREMIERA 20.12. 2000

OBSADA AKTORSKA / *Przeprowadzki* (SERIAL TELEWIZYJNY)
SCENARIUSZ Cezary Harasimowicz REŻYSERIA Leszek Wosiewicz ZDJĘCIA Krzysztof Ptak
MUZYKA Michał Lorenc SCENOGRAFIA Andrzej Haliński
TV Polska – Agencja Filmowa PREMIERA 24.08.2000

✖ Nagroda Feliks Warszawski za najlepszą rolę męską w spektaklu *Świdrygajłow*
w Teatrze Powszechnym

✖ Gdańsk–Gdynia (FPFF) – nagroda Prezesa Canal+ oraz nagroda za wybitną kreację aktorską
w 2000 roku w filmie *Żółty szalik*

✖ Nagroda Festiwalu w Toronto dla największej indywidualności festiwalu

✖ Orzeł, Polska Nagroda Filmowa (nominacja) w kategorii najlepsza drugoplanowa rola męska
w filmie *Fuks*

2001 SOBIENIEWSKI / *Klub kawalerów* Michała Bałuckiego
REŻYSERIA Krystyna Janda SCENOGRAFIA Maciej Putowski KOSTIUMY Dorota Roqueplo
Teatr TV EMISJA 8.01.2001

STALIN / *Herbatka u Stalina* Ronalda Harwooda
PRZEKŁAD Michał Ronikier REŻYSERIA Janusz Morgenstern ZDJĘCIA Witold Adamek
SCENOGRAFIA Agnieszka Bartold
Teatr TV EMISJA 15.01.2001

TOLO / *Skiz* Gabrieli Zapolskiej
REŻYSERIA Gustaw Holoubek ZDJĘCIA Witold Adamek MUZYKA Stanisław Radwan
SCENOGRAFIA Ewa i Andrzej Przybyłowie
Teatr TV EMISJA 15.01.2001

ANTYKWARIUSZ / *Weiser*
SCENARIUSZ I REŻYSERIA Wojciech Marczewski na podstawie powieści *Weiser Dawidek* Pawła
Huellego ZDJĘCIA Krzysztof Ptak MUZYKA Zbigniew Preisner SCENOGRAFIA Andrzej Kowalczyk
Telewizja Polska, HBO Polska, Softbank S.A., Plus GSM, Studio A PREMIERA 19.01.2001

KAPITAN / *Play Strindberg* Friedricha Dürrenmatta
PRZEKŁAD Zbigniew Krawczykowski REŻYSERIA Andrzej Łapicki SCENOGRAFIA Marcin Stajewski
MUZYKA Krzesimir Dębski
Teatr na Woli PREMIERA 30.01.2001

SEWERYN BARYKA / *Przedwiośnie*
SCENARIUSZ I REŻYSERIA Filip Bajon na podstawie powieści *Przedwiośnie* Stefana Żeromskiego
ZDJĘCIA Bartosz Prokopowicz MUZYKA Michał Lorenc SCENOGRAFIA Anna Wunderlich
Message Film PREMIERA 15.03.2001

✖ Wiktor 2000 w kategorii aktor roku

✖ Telemaska – nagroda dla najlepszego aktora sezonu w Teatrze Telewizji przyznawana
w plebiscycie czytelników „Teletygodnia" i widzów Teatru Telewizji. Najlepszą aktorką okazała się
Krystyna Janda, więc razem odbierali nagrody w październiku 2001 roku.

2002 ANDRZEJ HOFFMAN / *Tam i z powrotem*
SCENARIUSZ Anna Świerkocka, Maciej Świerkocki REŻYSERIA Wojciech Wójcik ZDJĘCIA Piotr
Wojtowicz MUZYKA Krzesimir Dębski SCENOGRAFIA Jacek Osadowski
Best Film PREMIERA 21.01.2002

WIELKI KSIĄŻĘ KONSTANTY PAWŁOWICZ / *Chopin. Pragnienie miłości*
SCENARIUSZ Jadwiga Barańska i Jerzy Antczak REŻYSERIA Jerzy Antczak ZDJĘCIA Edward Kłosiński
OPRACOWANIE MUZYCZNE Jerzy Maksymiuk WYKONANIE MUZYKI Janusz Olejniczak
SCENOGRAFIA Andrzej Przedworski
Antczak Production PREMIERA 18.02.2002

HORODNICZY / *Rewizor* Mikołaja Gogola
PRZEKŁAD Julian Tuwim REŻYSERIA Andrzej Domalik SCENOGRAFIA Barbara Hanicka
Teatr Dramatyczny w Warszawie PREMIERA 14.09.2002

CZEŚNIK RAPTUSIEWICZ / *Zemsta* Aleksandra Fredry
SCENARIUSZ Andrzej Wajda, Wojciech Karpiński, Jan Prochyra REŻYSERIA Andrzej Wajda
ZDJĘCIA Paweł Edelman MUZYKA Wojciech Kilar SCENOGRAFIA Allan Starski
KOSTIUMY Krystyna Zachwatowicz
Akson Studio PREMIERA 30.09.2002

28 października 2002 roku w Galerii Krystyny Napiórkowskiej została otwarta wystawa fotografii Janusza Gajosa pod patronatem medialnym „Rzeczpospolitej".

✖ Nagroda statuetka Gwiazda Telewizji Polskiej wręczona 26 października z okazji pięćdziesięciolecia TVP za kreacje aktorskie w filmie i teatrze telewizji.

✖ Wiktor 2001 w kategorii aktor roku

✖ W IX edycji plebiscytu Złota Piątka Telerzeczypospolitej organizowanego przez gazetę „Rzeczpospolita" za rok 2001 na najlepszego polskiego aktora Janusz Gajos zdobył pierwsze miejsce, czyli największą liczbę głosów

✖ Odznaczenie Krzyż Komandorski Orderu Odrodzenia Polski za wybitne zasługi dla kultury polskiej, za osiągnięcia w pracy artystycznej przyznany 11 listopada

2003 GENERAŁ / *Czwarta siostra* Janusza Głowackiego

REŻYSERIA Agnieszka Glińska SCENOGRAFIA Agnieszka Zawadowska
KOSTIUMY Magdalena Maciejewska MUZYKA Olena Leonenko
Teatr TV EMISJA 6.04.2003

✖ Doroczna Nagroda Ministra Kultury w dziedzinie teatru

✖ Nagroda Kryształowy Granat na Festiwalu Filmów Komediowych w Lubomierzu

🏛 Od października Janusz Gajos podejmuje pracę jako wykładowca na Wydziale Aktorskim Państwowej Wyższej Szkoły Filmowej, Telewizyjnej i Teatralnej im. Leona Schillera w Łodzi.

2004 KLAUDIUSZ / *Hamlet* Williama Szekspira

PRZEKŁAD Józef Paszkowski REŻYSERIA Łukasz Barczyk SCENOGRAFIA Jagna Janicka
KOSTIUMY Magdalena Maciejewska ZDJĘCIA Paweł Edelman MUZYKA Jacek Ostaszewski
Teatr TV EMISJA 29.03.2004

WILLY LOMAN / *Śmierć komiwojażera* Arthura Millera

PRZEKŁAD Joanna Gorczyńska REŻYSERIA Kazimierz Kutz SCENOGRAFIA Andrzej Dudziński
KOSTIUMY Dorota Kołodyńska MUZYKA Jan Kanty Pawluśkiewicz
Teatr Narodowy, scena Teatru Małego PREMIERA 16.04.2004

OBSADA AKTORSKA / *Do potomnego* Tadeusza Gajcego (wieczór poezji w 60. rocznicę powstania warszawskiego)

REŻYSERIA Jarosław Gajewski
PREMIERA 3.10.2004

KSIĄDZ KUBALA / *Narty Ojca Świętego* Jerzego Pilcha
REŻYSERIA Piotr Cieplak SCENOGRAFIA Andrzej Witkowski
MUZYKA Paweł Czepułtowski, Jacek Fedorowicz, Michał Litwiniec
Teatr Narodowy w Warszawie PREMIERA 6.11.2004

2005 FOUQUET / *Władza* Deara Nicka
PRZEKŁAD Elżbieta Woźniak REŻYSERIA Jan Englert SCENOGRAFIA Dorota Kołodyńska
CHOREOGRAFIA Leszek Bzdyl REŻYSERIA ŚWIATEŁ Mirosław Poznański
Teatr Narodowy w Warszawie PREMIERA 23.04.2005

ZBIGNIEW CHYB (BENEK) / *Pitbull* według scenariusza Patryka Vegi (SERIAL TELEWIZYJNY)
REŻYSERIA Patryk Vega ZDJĘCIA Mirosław Brożek SCENOGRAFIA Elwira Pluta MUZYKA Luka
Dziki Film, ATM Sp. z o.o. PREMIERA 9.04.2005

LUPIN, KLOSZARD WARSZAWSKI / *Zakochany anioł* według scenariusza
Artura Więcka „Barona" i Witolda Beresia
REŻYSERIA Artur Więcek „Baron" ZDJĘCIA Piotr Trela SCENOGRAFIA Ryszard Melliwa
KOSTIUMY Justyna Łagowska MUZYKA Grzegorz Turnau
Bereś & Baron Media Production PREMIERA 13.05.2005

PREZES BANKU / *I wie pan co?* nowela z filmu *Solidarność, Solidarność...* według
scenariusza Jacka Bromskiego
REŻYSERIA Jacek Bromski ZDJĘCIA Marcin Koszałka SCENOGRAFIA Anna Wunderlich
KOSTIUMY Dorota Roqueplo MUZYKA Henri Seroka
Akson Studio, Apple Film Production PREMIERA 31.08.2005

✖ Tytuł najlepszego aktora za rolę księdza Kubali w *Nartach Ojca Świętego* w Teatrze Narodowym
w Warszawie na XI Ogólnopolskim Festiwalu Sztuk Przyjemnych i Nieprzyjemnych w Łodzi

✖ Nagroda Złote Berło Fundacji Kultury Polskiej

2006 BRAT ZDRÓWKO / *Jasminum* według scenariusza Jana Jakuba Kolskiego
REŻYSERIA Jan Jakub Kolski ZDJĘCIA Krzysztof Ptak SCENOGRAFIA Joanna Doroszkiewicz
KOSTIUMY Ewa Helman-Szczerbic MUZYKA Zygmunt Konieczny
MS Film PREMIERA 5.05.2006

PUŁKOWNIK / *Norymberga* Wojciecha Tomczyka
REŻYSERIA Waldemar Krzystek SCENOGRAFIA Ewa i Andrzej Przybyłowie
MUZYKA Zbigniew Karnecki ZDJĘCIA Jacek Knopp
Teatr TV EMISJA 11.12.2006

2007 ALEKSANDER IWANOWICZ CZELCOW / *Miłość na Krymie* Sławomira Mrożka
REŻYSERIA Jerzy Jarocki SCENOGRAFIA Jerzy Juk-Kowarski MUZYKA Stanisław Radwan
Teatr Narodowy w Warszawie PREMIERA 17.01.2007

KSIĄDZ KUBALA / *Narty Ojca Świętego* Jerzego Pilcha
REŻYSERIA Piotr Cieplak SCENOGRAFIA Andrzej Witkowski ZDJĘCIA Jacek Petrycki
MUZYKA Kormorany
Teatr TV EMISJA 12.02.2007

OJCIEC / *Daily Soup* Amanity Muskarii
REŻYSERIA Małgorzata Bogajewska SCENOGRAFIA Maciej Chojnacki
MUZYKA Paweł Czepułtowski, Michał Litwiniec
Teatr Narodowy w Warszawie PREMIERA 26.05.2007

HENRYK NOWASZ (B. PREMIER) / *Ekipa*
SCENARIUSZ Dominik Wieczorkowski-Rettinger i Wawrzyniec Smoczyński
REŻYSERIA Agnieszka Holland, Kasia Adamik, Borys Lankosz, Magdalena Łazarkiewicz
ZDJĘCIA Wojciech Todorow SCENOGRAFIA Katarzyna Sobańska
KOSTIUMY Agnieszka Werner-Szyrle MUZYKA Antoni Łazarkiewicz
ATM Grupa S.A. PREMIERA 13.09.2007

2008 PAWEŁ KIRYŁŁYCZ LEBIEDIEW / *Iwanow* Antoniego Czechowa
REŻYSERIA Jan Englert SCENOGRAFIA Andrzej Witkowski MUZYKA Stanisław Radwan
REŻYSERIA ŚWIATEŁ Mirosław Poznański
Teatr Narodowy w Warszawie PREMIERA 5.04.2008

 24 czerwca 2008 roku Senat Państwowej Wyższej Szkoły Filmowej Telewizyjnej i Teatralnej w Łodzi im. Leona Schillera przyznał Januszowi Gajosowi tytuł naukowy profesora sztuk teatralnych.

 Wiktor 2007 w kategorii najpopularniejszy aktor telewizyjny

2009 ROMULUS AUGUSTUS / *Romulus Wielki* Friedricha Dürrenmatta
PRZEKŁAD Irena Krzywicka, Jan Garewicz REŻYSERIA Krzysztof Zanussi
SCENOGRAFIA Ewa Starowieyska
Teatr Polonia w Warszawie PREMIERA 16.01.2009

MIECZYSŁAW NOWAK / *Mniejsze zło*
SCENARIUSZ Janusz Andermana i Janusz Morgenstern REŻYSERIA Janusz Morgenstern
ZDJĘCIA Andrzej Ramlau SCENOGRAFIA Andrzej Haliński KOSTIUMY Magdalena Biedrzycka
MUZYKA Michał Lorenc
Studio Filmowe Perspektywa, Vision Film PREMIERA 23.10.2009

✖ Nagroda Specjalny Złoty Anioł za wkład w sztukę aktorską i niezależność twórczą
na Festiwalu Filmowym TOFIFEST w Toruniu

2010 DAVIES / *Dozorca* Harolda Pintera
PRZEKŁAD Kazimierz Piotrowski, Bronisław Zieliński REŻYSERIA Piotr Cieślak ·
SCENOGRAFIA Anna Tomczyńska REŻYSERIA ŚWIATEŁ Adam Palenta DŹWIĘK Maria Olszewska
Teatr Narodowy w Warszawie PREMIERA 20.02.2010

DR JACK KLEE / *W roli Boga* Marka St. Germaina
PRZEKŁAD Małgorzata Semil REŻYSERIA Tomasz Wiszniewski SCENOGRAFIA Magdalena Kujszczyk
KOSTIUMY Agnieszka Pasternak MUZYKA Janusz Grzywacz
Teatr TV EMISJA 20.09.2010

✖ Nagroda za wybitne kreacje w Teatrze Polskiego Radia i Teatrze Telewizji
na X Festiwalu Teatru Polskiego Radia i Teatru Telewizji „Dwa Teatry" w Sopocie

2011 GŁOS STALINA / *Morfina* Jeleny Bułhakow
REŻYSERIA I PRZEKŁAD Waldemar Raźniak SCENOGRAFIA Paulina Czernek
Teatr Muzyczny Roma w Warszawie PREMIERA 11.03.2011

KARDYNAŁ CIBO / *Lorenzaccio* Alfreda de Musseta
PRZEKŁAD Joanna Guze REŻYSERIA Jaques Lassalle SCENOGRAFIA Dorota Kołodyńska
MUZYKA Jacek Ostaszewski REŻYSERIA ŚWIATEŁ Mirosław Poznański
Teatr Narodowy w Warszawie PREMIERA 12.03.2011

PAN R. / *Boulevard Voltaire* Andrzeja Barta
REŻYSERIA Andrzej Bart SCENOGRAFIA Magdalena Dipont KOSTIUMY Magdalena Biedrzycka
MUZYKA Jakub Kapsa, Contemporary Noise Sextet
Teatr TV EMISJA 9.05.2011

FRANK GORETZKY / *Wygrany*
SCENARIUSZ I REŻYSERIA Wiesław Saniewski ZDJĘCIA Piotr Kukla, Piotr Sobociński jr
SCENOGRAFIA Grażyna Molska MUZYKA Carlos Libedinsky
Saco Films PREMIERA 18.03.2011

GUSTAW STAROŃ / *Bez tajemnic* (SERIAL TELEWIZYJNY)
SCENARIUSZ Przemysław Nowakowski REŻYSERIA Jacek Borcuch, Anna Kozejak
ZDJĘCIA Michał Englert SCENOGRAFIA Elwira Pluta KOSTIUMY Sławomir Blaszewski,
Katarzyna Lewińska
Odcinki 3, 8, 13, 18, 28, 33 EMISJA od 16.10.2011

JONA POPOCH / *Udręka życia* Hanocha Levina
PRZEKŁAD Agnieszka Olech REŻYSERIA Jan Englert SCENOGRAFIA Barbara Hanicka
MUZYKA Stanisław Radwan
Teatr Narodowy w Warszawie PREMIERA 16.12.2011

✖ Krzyż Komandorski z Gwiazdą Orderu Odrodzenia Polski za wybitne zasługi dla kultury
narodowej, za osiągnięcia w twórczości artystycznej oraz działalności dydaktycznej

2012 OJCIEC / *Daily Soup* Armanity Muskarii
REŻYSERIA Małgorzata Bogajewska SCENOGRAFIA Andrzej Chojnacki
MUZYKA Paweł Czepułkowski, Michał Litwiniec
Teatr TV EMISJA 14.05.2012

✖ Nagroda Wielki Ukłon za dogłębne zawładnięcie zbiorową wyobraźnią
na Międzynarodowym Festiwalu Kina Autorskiego „Quest Europe" w Zielonej Górze

2013 PROKURATOR ANDRZEJ KOSTRZEWA / *Układ zamknięty*
SCENARIUSZ Mirosław Piepka, Michał S. Pruski REŻYSERIA Ryszard Bugajski
ZDJĘCIA Piotr Sobociński jr SCENOGRAFIA Aniko Kiss
Filmicon Dom Filmowy PREMIERA 5.04.2013

LICHWIARZ ŁAPKA / *Nikt mnie nie zna* Aleksandra Fredry
W widowisku *Trzy razy Fredro* na 60-lecie Telewizji Polskiej; pokazano jeszcze spektakl *Świeczka
zgasła* w reżyserii Jerzego Stuhra oraz *Zrzędność i przekora* w reżyserii Mikołaja Grabowskiego
REŻYSERIA Jan Englert SCENOGRAFIA Andrzej Witkowski KOSTIUMY Dorota Roqueplo
Teatr TV EMISJA 22 kwietnia 2013

ŹRÓDŁA ILUSTRACJI

16 Fot. Wojtek Stein / Reporter

175 Fot. Roman Sumik / Filmoteka Narodowa

65, 108, 178 Fot. Jerzy Troszczyński / Filmoteka Narodowa

291 Fot. Jacek Turczyk / PAP

46–47, 49 Fot. Wojciech Urbanowicz / Filmoteka Narodowa

359 Fot. Krzysztof Wellman / Studio Filmowe ZEBRA

289 Fot. Krzysztof Wellman / TVP / PAP

27 Fot. Marek Zawadka / Reporter

110, 111 Z archiwum Erwina Axera

36 Z archiwum Iwony Dowsilas

11, 29, 30, 33, 37, 39, 40, 41, Z archiwum Janusza Gajosa
44, 51, 72–73, 75, 90, 105,
121, 124–125, 132, 146, 150,
159, 185, 186–187, 196, 202,
217, 232, 235, 243, 252, 271,
273, 276, 301, 341, 343, 355,
364, 371, 373, 376, 377, 378,
379, 388

66 (fotografia) Z archiwum Krzysztofa Grudzińskiego

59, 66 (ekslibris i legitymacja Z archiwum Wojciecha Jamy
Klubu Pancernych)

56 Z archiwum Wojciecha Jamy (www.muzeumczterechpancernych.pl)

43 Z archiwum Janusza Majewskiego

122–123 Z archiwum Magdaleny Zawadzkiej

99, 102, 114–115, 153, 155, Z archiwum Filmoteki Narodowej
162, 171, 173, 208, 249

119, 129, 133, 134, 137, 142, Z archiwum Instytutu Teatralnego
215, 219, 297, 302, 303, 305,
312, 328, 383, 385, 391, 396

58, 81, 82–83, 84–85, 86–87, Z archiwum Wydawnictwa Marginesy
88, 92, 94, 100–101, 181

255 © EastNews

286 © PAP

52–53, 62–63, 76, 77, 93, © Polfilm / EastNews
165, 177, 282

PODZIĘKOWANIA

Wydawnictwo Marginesy serdecznie dziękuje

Pani Elżbiecie Baniewicz za okazane zaufanie

Państwu Elżbiecie i Januszowi Gajosom za możliwość wykorzystania zdjęć, życzliwość i wszelką pomoc przy przygotowaniu książki

Pani Dorocie Buchwald, kierowniczce Instytutu Teatralnego w Warszawie, za możliwość wykorzystania materiałów ilustracyjnych z zasobów Instytutu Teatralnego i za stworzenie dogodnych warunków dla działań przy przygotowaniu materiału ilustracyjnego książki

Pani Marii Dworakowskiej, kierowniczce biblioteki Instytutu Teatralnego w Warszawie, za nieocenioną pomoc i życzliwość

Panu Profesorowi Jerzemu Axerowi za zgodę na publikację dokumentów z archiwum Erwina Axera

Panu Januszowi Majewskiemu za zgodę na publikację zdjęć z archiwum domowego oraz fotografii autorstwa Zofii Nasierowskiej

Pani Iwonie Dowsilas za zgodę na publikację fotografii Jana Dormana

Pani Magdalenie Zawadzkiej za zgodę na publikację zdjęć z archiwum rodzinnego

Panu Wojciechowi Jamie za zgodę na publikację wszelkich materiałów związanych z filmem *Czterej pancerni i pies* zamieszczonych na portalu internetowym www.muzeumczterechpancernych.pl i za życzliwość dla naszych działań

Pani Agnieszce Rabińskiej za pomoc i cenne uwagi

SPIS TREŚCI

Redaktor prowadzący: Dorota Koman
Redakcja: Dorota Koman
Korekta: Irma Iwaszko, Joanna Zioło

Projekt okładki, opracowanie graficzne i typograficzne: Anna Pol
Łamanie, montaż: **manufaktura**

Zdjęcie na okładce © Polfilm / EastNews

Wydanie pierwsze w tej edycji
(poszerzone i poprawione wydanie książki
Elżbiety Baniewicz *Janusz Gajos. Nie grać siebie*)

Warszawa 2013

ISBN 978-83-63656-88-1

Wydawnictwo Marginesy
ul. Forteczna 1a, 01-540 Warszawa
tel./faks: 48 22 839 91 27, 48 696 451 127
redakcja@marginesy.com.pl

Książkę wydrukowano na papierze Lux Cream 80 g vol 1.8
dostarczonym przez PaperlinX sp. z o.o.

PaperlinX

Druk i oprawa:
Toruńskie Zakłady Graficzne ZAPOLEX Sp. z o.o.